ENCYCLOPÉDIE DES HERBES ET DES ÉPICES

Toutes les Saveurs du Monde

ELISABETH LAMBERT ORTIZ

Sélection du Reader's Digest
PARIS • BRUXELLES • ZURICH

Un livre Dorling Kindersley
L'ENCYCLOPÉDIE DES HERBES ET DES ÉPICES
est l'adaptation française de *The Encyclopedia of herbs, spices & flavourings,*
créé et réalisé par Carroll & Brown Ltd pour Dorling Kindersley Ltd (Londres)

ÉDITION ORIGINALE
Direction de l'ouvrage : Laura Washburn
Direction artistique : Lisa Tai • **Photographe :** David Murray
Production : Lorraine Baird

ADAPTATION FRANÇAISE
sous la direction de l'équipe éditoriale de Sélection du Reader's Digest
Direction éditoriale : Gérard Chenuet
Responsable de l'ouvrage : Paule Meunier
Lecture-correction : Béatrice Omer
Couverture : Françoise Boismal, Dominique Charliat
Fabrication : Jacques Le Maitre

Réalisation de l'adaptation française :
AMDS (Atelier Martine et Daniel Sassier)
Traductrices : Claude Bonnafont, Dominique Chambron,
Elaine Klein, Marie-Pierre Perdrizet
Consultant : Bernard Pasquier, directeur du conservatoire national
des plantes médicinales et aromatiques (Milly-la-Forêt)

Montage PAO : Pascale Pescheloche
Montage maquette : Évelyne Brochard

PREMIÈRE ÉDITION

ISBN : 2-7098-0458-1

PRÉFACE

Depuis que l'art de la gastronomie existe, les herbes égaient et relèvent les mets. Elles sont ainsi très nombreuses à servir aussi bien en médecine qu'en cuisine. En outre, elles sont souvent associées à des épices, bien que leurs différences soient faciles à cerner. Les épices sont la partie aromatique de plantes qui poussent dans les régions tropicales : bourgeons, fruits, baies, racines ou écorces se présentent généralement sous forme séchée. Les herbes sont les feuilles de plantes de toute région, fraîches ou séchées. Celles-ci sont des plantes d'extérieur, mais elles peuvent se développer dans une serre ou dans une pièce bien ensoleillée. Certaines plantes sont à la fois herbe et épice, la coriandre, par exemple, qui donne à la fois ses feuilles fraîches et ses graines aromatiques; ou le céleri, avec ses branches et ses graines parfumées. Le mélange des deux apporte un maximum de saveur et associe idéalement le parfum et le goût.

La culture des herbes et leur utilisation ont toujours été des entreprises pacifiques. En revanche, les épices sont à l'origine de bien des bouleversements. Elles ont entraîné la fortune, mais aussi la ruine de nations, et ont déclenché des événements historiques capitaux. Les pays d'Europe, en particulier le Portugal, l'Espagne, les Pays-Bas, la Grande-Bretagne et la France, se sont laissé entraîner dans des guerres coloniales, conséquence directe des grands voyages d'exploration à la recherche des précieuses épices qui ont aussi abouti à la découverte des Amériques. Le Nouveau Monde a alors livré ses secrets, dont ceux de nouvelles plantes, et notamment les piments, qui ont largement influencé les cuisines du monde entier en se répandant avec une étonnante rapidité.

Aujourd'hui, nous disposons d'un grand choix de graines — qui ne cesse d'ailleurs de s'enrichir — à semer dans les jardins, les rocailles ou les bacs, les jardinières ou les pots. En outre, les petits détaillants comme les grandes surfaces proposent de nombreuses herbes fraîches et une grande variété d'herbes, surgelées ou séchées, ainsi que des mélanges. Toutes ces saveurs qui viennent du bout du monde nous sont désormais familières et transforment nos repas familiaux comme ils étonnent nos amis en donnant naissance à de nouveaux plats surprenants. Avec elles, notre horizon culinaire s'élargit et notre imagination prend le pouvoir.

Tout un univers parfumé s'ouvre à vous; entrez-y et partez à sa découverte... pour votre plus grand plaisir.

Elisabeth Lambert Ortiz

Sommaire

Herbes aromatiques 18

Épices du monde 56

CUISINES DE TOUS LES PAYS 110

LÉGUMES ET FRUITS PARFUMÉS 156

EXTRAITS, ESSENCES ET SUCRERIES 186

FLEURS ET FEUILLES DÉLICIEUSES 206

HUILES, VINAIGRES ET PRODUITS LAITIERS 222

SAUCES, CONDIMENTS ET CONSERVES DE FRUITS 240

BOISSONS SAVOUREUSES 260

UN UNIVERS DE SAVEURS

HERBES AROMATIQUES

Les hommes ont sans doute commencé à récolter des herbes — ces plantes odorantes qui parfument les mets — il y a des milliers d'années. Pourquoi même ne pas penser que leur culture a coïncidé avec le début de la civilisation ? Certains documents nous apprennent en effet qu'elle fut très tôt pratiquée en Égypte, en Chine, en Inde, en Arabie, en Perse et en Grèce. De nos jours, les herbes jouent un rôle plus important que jamais... et sont heureusement plus accessibles. Elles poussent très facilement et ne réclament ni sol particulier ni entretien spécial. Chacun peut ainsi en avoir un petit carré dans son jardin ou même sur son balcon. Cultivées à plus grande échelle, elles sont destinées aux petits détaillants et aux grandes surfaces et les grands cuisiniers eux-mêmes en produisent pour leurs restaurants. Il vaut bien sûr mieux les acheter fraîches; cependant, séchées, elles conservent bien leur arôme. Elles rehaussent le goût des plats tout en préservant notre santé.

Bourrache

ÉPICES DU MONDE

Aujourd'hui, les supermarchés et la plupart des commerçants de quartier ont un rayon bien approvisionné en épices venues des quatre coins du monde. Elles demeurent bon marché alors qu'à certaines époques elles se payaient à prix d'or. La reine de Saba offrit, dit-on, au roi Salomon des épices, des pierres précieuses et de l'or, ce qui prouve bien que les aromates, si fugaces, étaient aussi prisés que les métaux et les gemmes immortels. En outre, si les épices apportent en cuisine leurs parfums, elles jouent aussi un rôle dans le domaine religieux et plus encore en médecine et en économie. L'Empire hollandais naquit de leur commerce, et c'est à elles que la petite cité-État de Venise doit

Pots à épices

d'être devenue une grande puissance. Nombre d'entre elles sont originaires d'Asie : la cannelle, le clou de girofle, la noix muscade, le poivre et le gingembre, entre autres. Les deux Amériques ont donné au reste du monde le piment de la Jamaïque, la vanille et les piments; les pays méditerranéens, la coriandre, la moutarde, le fenouil, les graines de pavot et le fenugrec; les régions plus froides de l'Europe, le carvi, l'aneth et le genièvre.

Il fut un temps où les épices étaient si précieuses qu'on les mettait sous clé dans des boîtes spéciales. Aujourd'hui, nous les apprécions toujours pour leurs senteurs exotiques, mais nous les avons toutes à portée de main.

CUISINES DE TOUS LES PAYS

Les grands plats de tous les pays du monde se caractérisent par des mariages particuliers d'herbes, d'épices et d'aromates. Ces mélanges se sont affinés au fil du temps, sous l'influence très nette des cuisines régionales.

L'odeur du curry nous transporte aussitôt en Inde, pays où l'on privilégie les épices les plus aromatiques et où l'on en utilise parfois une dizaine pour parfumer un seul plat. Les currys thaïlandais, bien que très épicés, sont plus fins, car ils s'enrichissent de nombreuses herbes fraîches; mais la subtilité de la gastronomie du pays tient surtout au lemon-grass, au citron vert et à la coriandre fraîche. La cuisine chinoise, bien que très diversifiée, garde néanmoins une unité qui évoque pour nous un pays tout entier, que ce soit grâce aux effluves d'une poudre de cinq-épices mélangée à une sauce soja, ou à une friture rapide accompagnée d'une sauce aux haricots de soja noirs, au gingembre et à l'ail. L'Indonésie se caractérise par ses plats aigres-doux relevés de lemon-grass, de tamarin, de citron vert, de piments et de sauce épicée de crevettes séchées. La sauce soja règne sur l'art culinaire japonais — le plus simple et le plus raffiné du monde —, qui s'appuie sur la fraîcheur des ingrédients de saison.

L'Afrique du Nord utilise beaucoup d'épices originaires d'Asie, mais elles y libèrent des saveurs différentes. L'Europe du Nord en use modérément, elle les réserve surtout aux marinades et aux sauces, à la différence des pays méditerranéens, qui s'en servent généreusement, notamment du thym, de la sauge, du laurier, de l'origan et du romarin. L'Amérique du Nord, dont l'histoire culinaire est intimement liée à celle de l'Europe, emploie les herbes et les épices de façon comparable; l'Ouest, cependant, subit l'influence du Pacifique et du Mexique, qui se reconnaît aisément au merveilleux fumet des tortillas de maïs dorées et des piments grillés. Les plats fortement épicés sont aussi très appréciés en Amérique centrale, en Amérique du Sud et aux Antilles. Là, comme dans le reste du monde, les mélanges spécifiques d'herbes, d'épices et d'aromates transforment les ingrédients tout simples en grands classiques.

Chat masala

Légumes et fruits parfumés

Prodigues de joies pour le palais et d'éléments nutritifs, les légumes et les fruits jouent un grand rôle dans nos repas quotidiens. Les champignons, d'espèces et de goûts très différents, sont appréciés dans les deux hémisphères. La famille des oignons (Liliacées, genre *allium*), du plus simple, tout rond, à la délicate ciboulette ou à la gousse d'ail corsée, nous est indispensable. Les racines épicées — raifort, wasabi — apportent du piquant à des mets aussi différents qu'un rôti de bœuf ou du poisson cru. Les olives sont gorgées de saveurs salées et du soleil de la Méditerranée, et nous ne saurions imaginer notre paysage culinaire sans la tomate. Du Mexique nous est venu le chocolat, boisson royale des Aztèques, dont nous faisons de délicieux desserts et friandises. Quelques gouttes de jus d'agrumes — citrons verts, citrons, oranges... — suffisent à relever un plat, qu'il soit sucré ou non. Les fruits à coque sont tous d'une grande subtilité, mais leur diversité en fait des ingrédients recherchés et essentiels pour les sauces, les amuse-gueule, les plats principaux et les desserts.

Citrons verts

Extraits, essences et sucreries

Les extraits et les essences naturels apportent en cuisine de merveilleuses saveurs. Convenablement mis en bouteille, ils se conservent très longtemps. D'Asie nous avons hérité la sauce soja, et du monde entier une infinie variété de condiments. Nous devons aussi aux inlassables abeilles le miel, et à l'érable le subtil parfum de son sirop. Les fruits de l'été se métamorphosent en purées, en essences et en sirops pour ensoleiller les jours gris de l'hiver.

Fleurs et feuilles délicieuses

De nombreuses fleurs et feuilles de nos jardins savent fondre sous la dent. Et, même quand elles ne sont pas comestibles, elles constituent de jolis décors. Les célèbres fruits de mer de Nouvelle-Angleterre et les *curantos* du Chili ne seraient pas aussi délicats en l'absence des algues qui les accompagnent, et sans lesquelles la gastronomie japonaise serait amputée de moitié. Les fleurs offrent généralement davantage leur beauté que leur saveur; mais celles des courgettes entrent dans la préparation d'une soupe délicieuse et se farcissent pour devenir un très grand plat. Les violettes et les pétales de rose cristallisés sont aussi agréables pour le palais que pour les yeux.

Salade aux fleurs

Huiles, vinaigres et produits laitiers

Les matières grasses — huile, beurre et crème — sont riches en éléments nutritifs. Le lait, la crème fraîche et le yaourt rendent onctueuses toutes les préparations, des potages aux desserts. L'acidité du vinaigre est indispensable à l'assaisonnement des aliments et à leur conservation. Il est à la base de la vinaigrette, souvent relevée de moutarde, qui accompagne les salades, et il renforce le mordant des plats aigres-doux.

Sauces, condiments et conserves de fruits

Tous les bons produits de l'été peuvent devenir des assaisonnements, des condiments et des conserves. Les progrès de l'agriculture et des transports rapides nous permettent, tout au long de l'année, de disposer de fruits et de légumes. Vous préparerez ainsi des sauces qui égaieront les tables d'hiver; avec d'autres, toutes prêtes, vous napperez un plat juste avant de le servir ou vous l'agrémenterez en cours de cuisson. Sucrées ou salées, ces préparations figureront en bonne place sur les étagères de votre cuisine.

Conserves au vinaigre

Boissons savoureuses

Le café et le thé, originaires respectivement d'Éthiopie et de Chine, sont très anciens. Ils se sont répandus dans le monde entier. Les tisanes et les infusions sont depuis très longtemps connues pour leurs vertus apaisantes et leurs propriétés médicinales. Saines et parfumées, elles remplacent avantageusement des boissons plus excitantes. Les jus de fruits et de légumes, les vins, les alcools et même le yaourt se transforment en cocktails revigorants chauds ou froids, que vous aromatiserez à volonté avec des herbes et des épices.

Thé glacé

La maison des saveurs

Quel plus grand plaisir que celui d'aller dans son jardin ou sur son balcon cueillir les herbes qui serviront à la préparation du prochain repas ? Le parfum en est incomparable et elles vous permettent de laisser libre cours à votre imagination ou de donner une nouvelle jeunesse à une vieille recette. Quand l'été se perd irrémédiablement dans l'automne, la fraîcheur revenue est idéale pour mettre en conserve ou en bouteille les derniers fruits de la saison. Et, tout au long de l'année, vous retrouverez les délicieuses saveurs des beaux jours.

CULTURE DES HERBES

La plupart des herbes aromatiques poussent très bien dans peu de terre, que ce soit en appartement ou sur l'appui de la fenêtre, dans des pots, ou à l'extérieur, dans des caisses, des bacs à fleurs ou des paniers suspendus. Elles présentent alors l'avantage de pouvoir être cueillies au moment où vous en avez besoin.

Disposez les bacs et les grands pots près de la porte de la cuisine, sur la terrasse ou sur le balcon, et les plus petits sur le rebord d'une fenêtre. Si vous avez la chance qu'il soit bien exposé, vous ne vous refuserez pas le plaisir des herbes fraîches en cuisine.

Un grand bac permet de faire pousser de nombreuses herbes dans un espace relativement restreint. Veillez cependant à ce qu'elles s'accordent bien. Le romarin, le thym, la marjolaine, la sauge réclament beaucoup de soleil, tandis que la menthe, le cerfeuil et la ciboulette préfèrent une lumière tamisée et une atmosphère plus humide. Les herbes plus fragiles, comme le basilic, se développent bien en intérieur, où elles sont faciles à entretenir facilement. Les herbes envahissantes, telles que l'estragon et la menthe, seront plantées dans des pots particuliers pour ne pas étouffer les autres.

Un jardin d'herbes bien conçu mettra en valeur un paysage, tout comme ses aromates rehausseront un pot-au-feu ou une salade. Les espèces sont si variées, avec leur vert, leur pourpre, leur or ou leur argent, que le choix est parfois difficile pour le jardinier ou le cuisinier. L'étonnante sauge tricolore, avec ses jeunes pousses roses, le thym-citron, vert doré, et le romarin, aux feuilles étroites bleu-vert par exemple, offrent des possiblités presque illimitées pour jouer avec les formes, les couleurs et les parfums. Certaines herbes arborent de très belles fleurs et des feuilles parfumées : la bourrache, l'hysope, le romarin, le thym, la ciboulette, la menthe et la sauge, pour ne citer qu'elles. Vous en décorerez les salades ou les plateaux de fromages. Mais ne coupez pas les fleurs trop fréquemment, car les feuilles perdraient alors de leur saveur.

Herbes en pots

PLANTATION

Si vous ne vous intéressez qu'à une seule plante, achetez de préférence de jeunes plants chez un spécialiste ou dans une pépinière et mettez-les en terre dans des pots adaptés à leur croissance. Si vous en cultivez plusieurs, sachez que certaines d'entre elles, comme l'estragon, le persil, la ciboulette ou le basilic, se développent très bien à partir de graines; semez-les alors en pots individuels dans du terreau de qualité. Placez-les dans un endroit chaud et couvrez-les avec des sacs en plastique jusqu'à la germination, puis mettez-les sur le rebord d'une fenêtre jusqu'à la pleine maturité.

N'oubliez jamais que plus le pot est grand et profond, plus la plante sera fournie.

HERBES D'INTÉRIEUR

Les pots en terre cuite ou en plastique, qui conviennent parfaitement aux herbes d'appartement, ne manquent pas. Beaucoup d'entre elles étant originaires de la région méditerranéenne, les pots en terre cuite, qui rappellent leur origine, sont poreux et permettent le passage de l'humidité et la respiration des racines. Dans tous les cas, choisissez des récipients comportant des trous de drainage que vous couvrirez avec quelques tessons ou une couche de graviers, pour éviter que l'eau ne stagne. Mettez toujours au fond une épaisseur de 1,5 cm de sable horticole aux deux tiers de la hauteur du pot; il drainera l'eau et empêchera la terre de trop se tasser et d'étouffer les racines.

Arrosoir

Les herbes aiment l'humidité, surtout en intérieur. Pour l'entretenir, posez les pots dans une soucoupe sur un lit de graviers couvert d'eau à mi-hauteur. Le basilic fait exception à la règle : il apprécie les atmosphères relativement sèches.

Comme nous, les herbes se trouvent bien dans un environnement confortable, à température constante — entre 16 et 21 °C —, et sans courant d'air. Arrosez-les régulièrement mais pas trop.
Si vous avez un doute, tâtez la terre; si elle est sèche,

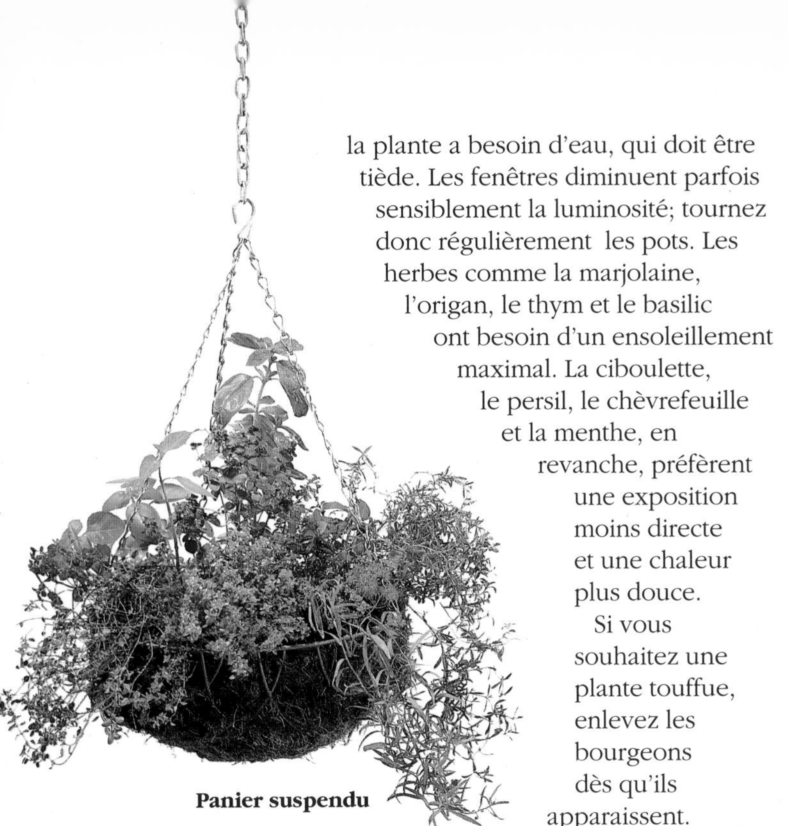
Panier suspendu

la plante a besoin d'eau, qui doit être tiède. Les fenêtres diminuent parfois sensiblement la luminosité; tournez donc régulièrement les pots. Les herbes comme la marjolaine, l'origan, le thym et le basilic ont besoin d'un ensoleillement maximal. La ciboulette, le persil, le chèvrefeuille et la menthe, en revanche, préfèrent une exposition moins directe et une chaleur plus douce.

Si vous souhaitez une plante touffue, enlevez les bourgeons dès qu'ils apparaissent. Si vous utilisez régulièrement l'herbe dans vos recettes, cette taille naturelle sera parfaite.

Herbes d'extérieur

Des demi-tonneaux, de vieilles bassines et toutes les formes imaginables de pots en terre cuite conviennent parfaitement pour faire pousser des herbes. Votre choix dépendra de vos goûts et de la place dont vous disposez; le bois et l'argile sont cependant les meilleurs matériaux.

Plusieurs herbes assemblées dans un grand bac se portent souvent mieux qu'isolées dans de petits pots. Sans compter que sur les balcons et sur les terrasses, elles permettent alors de créer un vrai jardin à la fois décoratif et utile. Entourez une herbe centrale haute, comme le romarin ou le laurier, de plantes annuelles, telles que le basilic sucré, le fenouil et la sarriette d'été. Remplissez les espaces vides avec du thym-citron, de la marjolaine ou de la sauge pourpre.

Certaines associations sont déconseillées. Le fenouil, par exemple, ne se marie pas avec le carvi ni avec la coriandre; le persil s'accommode mal de la proximité de la menthe.

Voici une idée originale si vous manquez d'espace : plantez différentes herbes dans un grand pot à trous et faites sortir chaque variété par une ouverture; vous veillerez simplement à les arroser davantage que si elles se trouvaient dans un bac ordinaire.

Plus un pot sera grand, plus les herbes seront fournies. Posez-les sur deux planches, afin de libérer les trous de drainage et d'empêcher l'eau de stagner. Les herbes très prolifiques, comme l'estragon et la menthe, sont plus à l'aise seules. Les petits pots peuvent être joliment regroupés, et, plus ils sont nombreux, plus s'accroît l'humidité de l'air nécessaire à leur développement.

Des paniers suspendus accueillent agréablement des plantes denses à croissance lente. Mais il est déconseillé de les laisser dehors, car elles ne sont alors pas protégées par les autres plantes et les bâtiments environnants.

Soin et entretien

Toutes les plantes qui ne poussent pas en pleine terre demandent des soins attentifs. Vérifiez tous les jours l'état de la terre et son degré d'humidité; moins il y en a, plus elle se desséche. Quand vous arrosez, répartissez l'eau uniformément. Enlevez régulièrement quelques pousses afin d'encourager une croissance rapide, surtout s'il s'agit de sauge, qui a tendance à pousser de façon anarchique.

Soyez attentifs aux pucerons, aux limaces et aux chenilles, car ils sont capables de détruire les plantes très rapidement. Pulvérisez un insecticide dès qu'ils apparaissent. Lavez ensuite soigneusement les herbes avant de les utiliser.

À l'automne, mettez les bacs et les pots dans des endroits plus protégés et paillez les racines avec des engrais organiques. Les jours de gel, disposez une poignée de paille sur le haut des herbes vivaces, comme le laurier ou le romarin, et couvrez-les de sacs en plastique pour les isoler.

Pot à trous planté d'herbes

CUEILLETTE

Lorsque les herbes se sont bien développées sur le rebord de la fenêtre ou dans le jardin, arrive le moment de la cueillette, qui doit s'entourer de quelques précautions.

Chaque partie de la plante se cueille à diverses époques et selon des techniques différentes. Une corbeille de jardinier ou un récipient à fond plat vous éviteront de les écraser.

Les plantes à racine et à bulbe, comme l'ail, se récoltent en une seule fois et sont donc perdues à la fin de la saison; en revanche, les herbes annuelles à feuilles, comme le basilic, se maintiennent jusqu'à la fin de l'automne, à condition que vous les préleviez judicieusement et que vous tailliez leurs feuilles.

Il est très important que vous teniez compte de l'espèce que vous avez devant vous, de son âge et de sa taille. Ainsi, les herbes vivaces — sauge, thym, romarin — s'affaiblissent quand elles sont exagérément raccourcies avant l'arrivée de l'hiver, surtout si elles sont petites, jeunes, ou récemment replantées.

Lors d'une cueillette, dans le jardin ou à l'intérieur, dans des pots, n'enlevez jamais plus de 10% de la pousse, sinon elle s'en ressentira. Si vous êtes prudent, les herbes vivaces produiront de nouvelles feuilles plus robustes et plus précoces.

FEUILLES

Vous les couperez tout au long de l'année, en particulier celles du romarin, du thym, du persil, de la ciboulette et du cerfeuil. Le parfum atteint son maximum juste avant la floraison. Il vaut mieux effectuer la cueillette le matin, mais seulement quand la rosée s'est évaporée. Éliminez les feuilles mal formées ou endommagées par les insectes. Manipulez-les le moins possible, car toute meurtrissure laisse échapper leurs huiles volatiles, leur ôtant par là même de leur parfum.

FLEURS ET BULBES

Les fleurs que produisent certaines herbes — ciboulette, souci, bourrache et camomille — seront délicatement cueillies au moment de leur pleine floraison. Pour la lavande, il vaut mieux le faire quand elles sont à peine ouvertes. Évitez celles qui sont vieilles, abîmées ou fanées. Disposez-les de préférence dans une corbeille de jardinier. La récolte des bulbes, notamment de l'ail, intervient à la fin de l'été, quand les feuilles commencent à se faner.

GRAINES

Dès que les têtes et les gousses contenant les graines sont formées, surveillez-les, car leur récolte doit se faire à un moment précis. Les graines ne doivent comporter aucune partie verte, et les cosses être très sèches. S'il y a un risque d'éclatement, comme avec le fenouil, coupez avec précaution la tige entière et renversez-la dans un sac en papier ou dans un bol pour reccueillir les graines. Faites sécher pendant quelques jours les graines ou les têtes qui les renferment dans une pièce chaude et bien aérée. Au fur et à mesure qu'elles perdront leur humidité, elles tomberont toutes dans le sac ou le bol. Pensez à étiqueter les sacs, car rien ne ressemble plus à une graine qu'une autre graine ! Conservez-les ensuite à l'abri de la lumière dans des pots en verre fermés hermétiquement. Si vous souhaitez les replanter, gardez-les dans un endroit froid et sec.

Corbeille de jardinier

Séchage

Depuis des siècles, les cuisiniers s'efforcent de conserver suffisamment d'herbes pour en avoir tout au long de l'année. Autrefois, ils devaient les sécher ou les faire infuser dans des huiles et des vinaigres. Aujourd'hui, ces méthodes traditionnelles sont un peu dépassées et, grâce aux progrès considérables en matière de transport, vous trouverez facilement des herbes fraîches. Pourtant, le séchage est le meilleur moyen de développer au maximun la saveur des herbes et des épices.

Le laurier s'y prête particulièrement bien. Ôtez des feuilles toute trace de salissure, puis nettoyez-les délicatement avec un pinceau à poils doux. Ne les passez sous l'eau que si elles sont vraiment très terreuses.

Le procédé le plus simple consiste à le glisser en petits bouquets dans les mailles d'un treillis installé dans une pièce chaude, mais cependant à moins de 30 °C, car au-delà, les huiles essentielles s'évaporeraient. Ne les laissez pas sécher au point qu'elles se transforment en poudre au moindre contact. Même si elles décorent très joliment une cuisine, sachez que la condensation dégagée par la cuisson des plats les détrempera. Pour éviter qu'elles ne deviennent poussiéreuses, recouvrez-les d'un sac en papier, mais à fond ouvert pour que l'air y pénètre.

Treillis de séchage

Après une semaine de séchage (un temps qui varie d'ailleurs en fonction de leur épaisseur), les feuilles sont craquantes et sèches et prêtes pour la conservation. Détachez-les de leur tige et placez-les dans un récipient, sans les écraser. Le lendemain, assurez-vous qu'il n'y a aucune trace d'humidité, qui signifierait que le séchage n'a pas été suffisant; dans ce cas, il faudrait le reprendre. Si vous n'en avez qu'une petite quantité, recouvrez une plaque à pâtisserie ou une simple planche d'un fin treillis métallique, et suspendez-y les herbes.

Il est déconseillé de faire sécher des herbes au four, même à basse température, car elles perdent alors de leur parfum. Les fours à micro-ondes, en revanche, leur conviennent très bien. Posez-les en une seule couche sur une serviette en papier et réglez le four sur la puissance maximale. Le temps de chauffe dépendra de la quantité d'herbes et de la puissance du four. En moyenne, au bout d'une minute environ, retournez-les et poursuivez le séchage.

Paquets d'herbes prêtes pour le séchage

CONSERVATION

Pots à épices

Les herbes séchées se conservent dans des récipients en verre ou en terre à la fois opaques et hermétiques. Si le verre est transparent, vous les rangerez dans les placards de la cuisine. L'exposition à la lumière, à l'air et à l'humidité accélère en effet la détérioration des herbes. La congélation leur convient assez bien, surtout s'il s'agit d'aneth, de fenouil, de basilic ou de persil. Nettoyez-les et enfermez-les en petites quantités — de la valeur de deux ou trois cuillerées à soupe — dans des sachets congélation. Congelez-les individuellement, ou faites-les entrer dans la composition d'un traditionnel bouquet garni (voir p. 55) ou d'une sauce tomate assaisonnée d'origan, de thym et de persil. Étiquetez clairement les sachets et disposez-les dans un bac spécial, ce qui vous évitera de devoir tout vider pour les retrouver.

Vous pouvez aussi utiliser les compartiments des bacs à glaçons. Coupez finement les herbes, remplissez les cubes à moitié et recouvrez-les d'eau. Mettez au congélateur; prélevez les cubes quand ils ont pris, et rangez-les dans des sachets congélation ou dans des récipients durs facilement accessibles.

Pour retrouver pendant l'hiver la saveur des herbes de l'été, conservez-les dans des huiles, des vinaigres ou des beurres.

Les vinaigres aromatisés aux herbes se préparent avec des herbes légèrement écrasées, qui sont mises dans des bocaux remplis ensuite de vinaigre chaud. Les vinaigres de vin de bonne qualité et les vinaigres de xérès sont les meilleurs au goût; en revanche, les vinaigres clairs sont plus attrayants, car ils laissent voir les herbes en transparence.

N'utilisez pas de récipients en métal; ainsi, l'aluminium réagit à l'acidité et donne un goût désagréable au vinaigre. Laissez infuser 3 semaines environ, en remuant chaque jour le bocal, puis goûtez. Si l'arôme vous semble trop faible, remplacez les herbes infusées par des herbes fraîches, puis laissez-lez à leur tour libérer leur parfum pendant une semaine.

Herbes prêtes pour la congélation

Filtrez le vinaigre pour qu'il soit bien pur. Éventuellement, transvasez-le dans une bouteille plus raffinée et ajoutez-y un brin de l'herbe qui l'a parfumé, pour le décorer et aussi pour l'identifier plus facilement. N'utilisez que des capsules et des bouchons doublés d'un revêtement spécial. Vous préparerez ainsi de délicieux mélanges de vin rouge et d'ail et de romarin, ou encore de vinaige de vin blanc et d'estragon et de sarriette d'été.

Vous suivrez la même technique avec les herbes. Les huiles les plus neutres, comme les huiles de tournesol ou de carthame, conviennent bien car elles ne tuent pas la saveur de l'herbe. Cependant, l'huile d'olive, s'harmonise à merveille avec les parfums de nombreuses herbes et épices. Si vous utilisez aussi de l'ail, retirez les gousses au bout de 2 jours, car leur odeur couvre rapidement celle des autres ingédients. Les herbes qui abondent en été, comme le basilic, livrent tout l'hiver leur richesse si vous les transformez en pâte. Mettez toutes les feuilles dans un robot ménager ou un presse-agrumes avec quelques cuillerées à soupe de jus de citron, quelques gousses d'ail, et recouvrez d'huile d'olive. Faites tourner l'appareil jusqu'à ce que vous obteniez une pâte homogène. Mettez-la dans un bocal hermétique ou dans le bac à glaçons, et faites congeler.

Pêches à l'alcool

Huile au basilic

CADEAUX À DÉGUSTER

Généreux, le jardin d'herbes peut aussi offrir des «cadeaux à déguster». Viennent s'ajouter à la cueillette que vous y ferez les herbes, épices et d'autres ingrédients que vous trouverez dans le commerce. Vous en ferez des surprises aussi agréables à offrir qu'à recevoir.

Il vous faut d'abord trouver un récipient. Pots et bocaux de verre débarrassés de leur étiquette conviennent bien. Faites-les tremper dans de l'eau chaude savonneuse et grattez le papier et la colle à l'aide d'un couteau d'office ou enlevez-les avec du dissolvant. Chaque pot doit avoir un couvercle doublé d'un revêtement spécial, car le vinaigre attaque le métal. Les bocaux à ouverture large sont mieux adaptés aux fruits conservés dans l'alcool (voir p. 253), les plus petits, aux mélanges d'herbes et de sucre épicé (voir p. 195) ou aux moutardes aromatisées (voir p. 65). Les «petits pots» pour bébés sont parfaits pour les condiments et les assaisonnements (voir p. 254). Les bouteilles de vin, de vinaigre ou de jus de fruits peuvent servir pour présenter un sirop de fruits (voir p. 204), une sauce aux prunes (voir p. 250) ou des boissons gazeuses au gingembre (voir p. 279).

Les pots en céramique ou les flacons en terre des jeunes potiers amateurs personnaliseront des mélanges d'assaisonnements salés (voir p. 104) ou des mélanges d'herbes et épices (voir index) qui ne réclament pas beaucoup de place mais un récipient hermétique et opaque. Les boîtes à biscuits accueillent les bonshommes de pain d'épice (voir p. 109) ou les caramels durs au beure enveloppés dans de la cellophane colorée (voir p. 205). Celle-ci vous permettra de revêtir un panier que vous couvrirez avec une feuille de papier adhésif brillant.

Les étiquettes sont précieuses à la fois pour décorer et pour identifier vos cadeaux, et aussi pour indiquer la date limite de dégustation.

La présentation compte beaucoup; écrivez à l'aide d'une plume trempée dans une encre noire ou une encre de couleur et tracez élégamment vos lettres; vous pouvez aussi acheter des caractères à transférer. Si vous dactylographiez un texte et que vous le reprenez ensuite à l'encre noire, vous obtiendrez un effet original.

Fagots d'herbes et d'épices

Une fois les présents mis en bouteilles et étiquetés, il vous faut encore les mettre en valeur. Des rubans et des «chapeaux» les habilleront joliment. Mariez ou au contraire opposez les textures et les couleurs. Les fleurs et les herbes séchées s'attachent en bouquets ou se piquent au milieu des rubans; les pots s'enveloppent de papier crépon de couleur après avoir été fermés par un fil métallique plastifié. Évoquez éventuellement le pays d'origine de votre surprise.
Un pot en terre cuite vernissée vert ou ocre convient parfaitement aux herbes de Provence (voir p. 51), tandis que des rouges chauds et des ors mettent merveilleusement en valeur un condiment indien.

Pots décorés

HERBES AROMATIQUES

CIBOULETTE

AUTRE NOM
Civette

PRÉSENTATIONS
Tiges : fraîches, hachées, lyophilisées, congelées
Fleurs : fraîches, en saison

DES ALLIANCES SUBTILES
Persil, estragon, cerfeuil

CONSERVATION
Tiges : au réfrigérateur, dans un récipient hermétique; au congélateur, dans le bac à glaçons, finement ciselées et couvertes d'eau.

SÉCHAGE
Dans les mailles d'un filet.

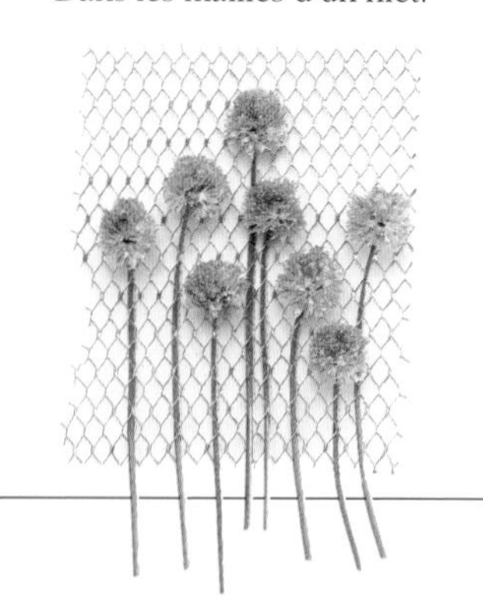

Riche en vitamines A et C, la ciboulette appartient à la famille de l'oignon (Liliacées). Elle en a d'ailleurs le goût, plus subtil cependant. Finement ciselée, elle apporte aux plats sa fraîche couleur vert vif et son arôme délicat. Tout comme le persil, l'estragon et le cerfeuil, autres fines herbes classiques (voir p. 24), elle se marie très bien avec les œufs, notamment en omelette, et avec les sauces à base d'œuf. Ses fleurs sont comestibles; elles rendent les salades plus appétissantes et plus parfumées. Autant pour le palais que pour le regard, une pincée de ciboulette hachée apporte une touche finale idéale aux crudités, aux soupes ou aux sauces.

Les fleurs, pourpre rosé, ont une saveur de ciboulette très délicate

Les tiges fraîches, d'un vert vif, sont longues, creuses et charnues, et poussent en touffes

La ciboulette chinoise (Allium tuberosum) *a des tiges plus larges et plus plates*

DES MARIAGES RÉUSSIS
Tiges : œufs, salades, fromages frais, sauces, soupes.
Fleurs : salades.

LA RECETTE DU CHEF
FROMAGE FRAIS PARFUMÉ

Pour 2 ou 3 personnes

125 g de fromage frais
1 gousse d'ail hachée
2 cuil. à soupe de ciboulette ciselée
Sel
Poivre noir du moulin

Dans un grand bol, battez le fromage frais avec l'ail et la ciboulette. Ajoutez le sel et le poivre. Versez dans un plat de service et lissez la surface avec le dos d'une cuiller. Laissez au réfrigérateur au moins 30 minutes avant de servir.

TRUCS ET CONSEILS
Ajoutez la ciboulette au dernier moment, car la cuisson en affadit le goût. Découpez les *tiges* avec des ciseaux. Servez les *fleurs* dans une salade ou en décoration.

ANETH

Pour les Romains de l'Antiquité, l'aneth était un symbole de vitalité; selon les Grecs, il soignait le hoquet. Au Moyen Âge, où il entrait dans la composition de nombreuses potions, il était surtout connu pour préserver de la sorcellerie. Il est aujourd'hui apprécié par les gastronomes tant pour ses graines que pour ses feuilles, à la saveur différente. Sous l'une ou l'autre de ses formes, l'aneth se retrouve très souvent dans les cuisines de Scandinavie, d'Allemagne et d'Europe centrale et de l'Est. Outre leur usage culinaire, ses graines sont réputées pour leurs propriétés calmantes et digestives.

AUTRES NOMS
Faux anis, fenouil bâtard

PRÉSENTATIONS
Feuilles : fraîches, séchées
Graines : entières, moulues

CONSERVATION
Feuilles fraîches : au réfrigérateur, dans un sachet en plastique; au congélateur, dans le bac à glaçons, ciselées et couvertes d'eau.
Feuilles séchées et graines : dans un récipient hermétique, au frais et à l'abri de la lumière.

SÉCHAGE
Suspendez dans un endroit chaud, sec et bien aéré.

Les graines *sont petites, aplaties et ovales*

Les feuilles séchées *sont vert foncé*

Aneth frais ciselé

TRUCS ET CONSEILS
Utilisez de préférence les *feuilles fraîches,* car elles ont davantage de saveur. Ajoutez-les au dernier moment, car la cuisson en affadit le goût. Les *feuilles séchées* perdent de leur arôme; mettez-en davantage.

Les feuilles fraîches, bien vertes et aromatiques, ressemblent à des plumes

DES MARIAGES RÉUSSIS
Feuilles : fromages frais — lissés ou caillés —, omelettes, fruits de mer, sauce moutarde, soupes froides, feuilles de vigne farcies, hareng, saumon, salade de pommes de terre, cornichons, veau, haricots verts.
Graines : pain, chou braisé, ragoût de viande, riz, tubercules cuits.

LA RECETTE DU CHEF
CORNICHONS À L'ANETH

Pour 10 cornichons

10 gros cornichons (verts de Massy) bien nettoyés
1 sommité fleurie d'aneth
75 g de gros sel
1 cuil. à café de graines d'aneth
15 cl de vinaigre de vin blanc
1 cuil. à café de grains de poivre noir
1 cuil. à soupe d'épices à marinade (voir p. 75)

Mettez les cornichons et l'aneth frais dans un bocal hermétique de 2 litres, stérilisé. Dans une casserole, mélangez 1,2 litre d'eau, le sel, les graines d'aneth, le vinaigre, le poivre en grains et les épices. Portez à ébullition, faites bouillir 3 minutes et laissez refroidir. Versez alors le liquide sur les cornichons. S'il y en a trop, jetez-le; mais toutes les épices doivent se trouver dans le bocal. Fermez celui-ci et gardez-le 3 semaines au frais et à l'abri de la lumière. Mettez-le au réfrigérateur après l'avoir ouvert.

Autres noms
Angélique des jardins, angélique des bois

Présentations
Tiges : confites
Feuilles : fraîches, confites, séchées
Graines : fraîches, séchées

Conservation
Tiges confites : dans de l'aluminium ménager, au frais et au sec, mais pas au réfrigérateur.
Feuilles séchées : dans un bocal hermétique en verre, à l'abri de la lumière et de l'humidité, détachées des tiges.
Graines : dans un endroit chaud après séchage.

Séchage
Cueillez les *feuilles* avant la floraison de la plante, et suspendez-les dans un endroit chaud, sec et bien aéré.

Trucs et conseils
Si les *tiges confites* sont un peu sèches et cassantes, trempez-les quelques secondes dans de l'eau chaude et séchez-les.

Angélique

Les tiges confites d'angélique, qui entrent dans la composition de certains gâteaux et desserts, sont bien connues, mais toutes les parties de cette plante aromatique sont comestibles. Quelques feuilles fraîches dans une tarte à la rhubarbe ou aux groseilles en atténuent l'acidité, ce qui réduit d'autant la quantité de sucre. Les jeunes pousses, une fois blanchies, complètent agréablement une salade. Un petit morceau d'angélique fraîche ou confite suffit à parfumer délicatement gelées et confitures. Il donnera aussi une saveur agréable aux sirops de fruits (voir p. 204) ou rehaussera le goût d'une salade de fruits d'hiver. Une infusion de feuilles séchées a des effets calmants et facilite la digestion. Les graines séchées ainsi que les tiges aromatisent certains alcools, notamment le gin, la vodka et le vermouth. Dans certains pays, les tiges et les racines cuites sont consommées comme légumes.

Les feuilles, vert vif, sont grandes et dentelées, et ont une odeur douce et un peu âcre

Les tiges sont creuses, épaisses et striées; si vous voulez les confire, choisissez-les jeunes

Tiges fraîches

Des mariages réussis

Feuilles fraîches : crudités, crèmes-desserts, tartes aux fruits acides, court-bouillon pour fruits de mer.

La recette du chef
Angélique confite

Pour 350 g

350 g de jeunes feuilles et de tiges d'angélique fraîche
250 g de sucre
Sucre fin, pour le poudrage

Séparez les feuilles des tiges, puis coupez-les toutes en morceaux de 12 cm de long environ. Placez-les dans un récipient résistant à la chaleur. Dans une casserole, mélangez le sucre à 30 cl d'eau et portez à ébullition. Versez sur l'angélique le sirop bouillant — qui doit la recouvrir généreusement. Placez au frais pour au moins 24 heures. Transvasez l'angélique et le sirop dans une casserole et portez de nouveau à ébullition. Poursuivez la cuisson à feu doux jusqu'à ce que les morceaux soient vert vif. Égouttez et laissez refroidir complètement, puis enrobez de sucre.

Angélique fraîche confite
Après cuisson et refroidissement, roulez les morceaux d'angélique dans du sucre en poudre. Disposez-les sur une grille à pâtisserie et laissez quelque temps à l'air libre. Si vous ne les utilisez pas immédiatement, conservez-les dans une boîte hermétique.

AUTRE NOM
Cerfeuil commun

PRÉSENTATIONS
Feuilles : fraîches, séchées

DES ALLIANCES SUBTILES
Safran, estragon, persil

CONSERVATION
Feuilles fraîches : au réfrigérateur, dans un sachet en plastique, mais utilisez-les de préférence immédiatement.
Feuilles séchées : dans un récipient hermétique, mais elles perdent de leur goût.

SÉCHAGE
Disposez les *feuilles* sur une grille à pâtisserie et laissez-les sécher dans un endroit frais, sombre et bien aéré. Vous pourrez ensuite les ciseler.

TRUCS ET CONSEILS
Pour leur conserver leur arôme délicat, n'ajoutez les *feuilles* qu'en fin de cuisson.

Les feuilles fraîches ciselées, *parsemées sur les plats au moment de servir, les parfument agréablement*

Les feuilles séchées *perdent de leur arôme; mettez-en davantage*

CERFEUIL

Le cerfeuil, originaire de Russie méridionale où il poussait à l'état sauvage, fut introduit en Europe par les Romains. Cette plante annuelle, une des premières à apparaître au printemps, se cultive facilement, de préférence sous un climat frais et humide. Le cerfeuil, qui fait partie des fines herbes (voir p. 24), joue un rôle très important dans la gastronomie française. Très délicat, il supporte mal les cuissons prolongées et les températures élevées. Il s'utilise comme le persil, mais il dégagera le maximum de son arôme si vous le parsemez sur une salade juste avant de la servir.

Les fines pluches, vert vif, ressemblent aux frondes des fougères

DES MARIAGES RÉUSSIS

Poisson et fruits de mer pochés, soupes à base de crème, omelettes et œufs brouillés, poulet, sauces au beurre, fromage frais, légumes glacés comme les carottes, poisson fumé et salade verte.

LA RECETTE DU CHEF
CRÈME DE VOLAILLE AU CERFEUIL

Pour 6 personnes

1 grosse pomme de terre pelée
2 cuil. à soupe de beurre doux
60 g de pluches de cerfeuil frais ciselées
1,5 litre de bouillon de volaille
5 cl de crème fraîche épaisse
Sel
Poivre noir du moulin
Pluches de cerfeuil, pour la décoration

Cuisez la pomme de terre dans une casserole d'eau bouillante. Égouttez et réservez. Chauffez le beurre dans une casserole, ajoutez le cerfeuil, couvrez et faites cuire 5 minutes à feu très doux. Versez en remuant le bouillon de volaille et laissez mijoter 10 minutes. Transvasez ce liquide dans un robot ménager, ajoutez la pomme de terre cuite et mixez. Remettez dans la casserole et ajoutez la crème en remuant. Assaisonnez. Décorez de pluches de cerfeuil. Servez chaud ou froid.

Les savoureuses feuilles fraîches entières *accompagnent les plats chauds et froids*

AUTRES NOMS
Estragon français, estragon vrai, herbe dragon

PRÉSENTATIONS
Feuilles : fraîches, séchées

CONSERVATION
Feuilles fraîches : au réfrigérateur, dans un sachet en plastique; au congélateur, dans le bac à glaçons, ciselées et couvertes d'eau; dans un bocal hermétique stérilisé, couvertes de vin blanc ou d'huile.
Feuilles séchées : dans un récipient hermétique, au frais et à l'abri de la lumière.

SÉCHAGE
Laissez sécher les *feuilles* dans un endroit chaud et bien aéré.

Vinaigre à l'estragon
Le vinaigre de vin blanc à l'estragon est un condiment très savoureux pour assaisonner des salades ou déglacer une poêle. Mettez une branche d'estragon assez grande dans une bouteille ou un bocal stérilisés, portez le vinaigre à ébullition et versez-le sur l'estragon. Fermez et conservez à l'abri de la lumière.

ESTRAGON

L'estragon, à l'arôme subtil et raffiné, tient une place essentielle dans la gastronomie française. Originaire de Sibérie, il apparaît souvent, dès le XVe siècle, dans les cuisines européennes. Son nom latin, signifiant «petit dragon», lui vient du Moyen Âge, où l'on croyait qu'il avait la vertu de soigner les morsures d'animaux venimeux. Si le vinaigre de vin parfumé à l'estragon est un classique, le surplus des feuilles se conserve très bien dans le vinaigre. Celles-ci, fraîches ou marinées, peuvent être mélangées à du fromage frais ou réduites en purée qui, enrichie de crème, garnira des canapés. Cette herbe à la saveur très fine se présente sous deux formes relativement proches : l'estragon français, le «vrai», et l'estragon de Russie. Difficile à cultiver car il est stérile et ne se multiplie que par éclats, le premier, d'un arôme délicatement anisé, est le plus apprécié. Le second, légèrement amer, d'une saveur plus âcre, se reproduit par graines, donc plus aisément.

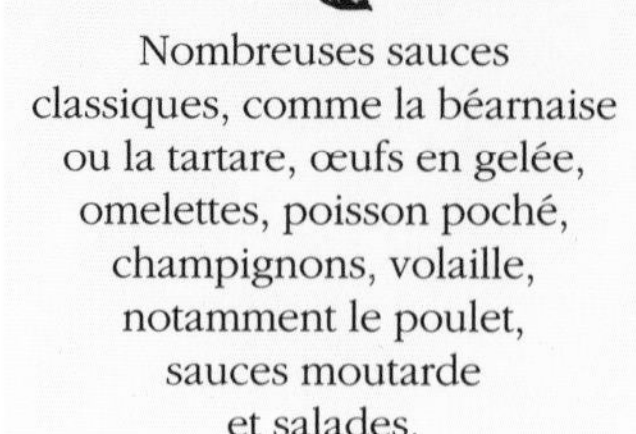

DES MARIAGES RÉUSSIS
Nombreuses sauces classiques, comme la béarnaise ou la tartare, œufs en gelée, omelettes, poisson poché, champignons, volaille, notamment le poulet, sauces moutarde et salades.

TRUCS ET CONSEILS
L'estragon, qui a un arôme très fin, imprègne cependant rapidement les mets; utilisez-le donc en petite quantité.
Le beurre à l'estragon est très simple à réaliser : malaxez 30 g de beurre doux avec 1 cuil. à café d'estragon finement ciselé et 1 cuil. à café de jus de citron. Il se conserve bien au congélateur.

FINES HERBES

Ce mélange traditionnel se compose de quatre herbes au parfum subtil : persil, cerfeuil, ciboulette et estragon. Fraîches et finement ciselées, elles apportent tous leurs arômes aux simples salades vertes, et leurs saveurs délicates se marient bien avec les œufs, notamment en omelette, et avec le poulet et le poisson pochés. La cuisson en affadit le goût; n'ajoutez cet assaisonnement qu'au dernier moment ou parsemez-le frais sur les plats.

Fines herbes séchées
Mélangez en quantités égales le persil, la ciboulette, l'estragon et le cerfeuil.

Fines herbes fraîches
À l'aide d'un couteau aiguisé, ciselez chacune des quatre herbes en quantités égales et mélangez bien.

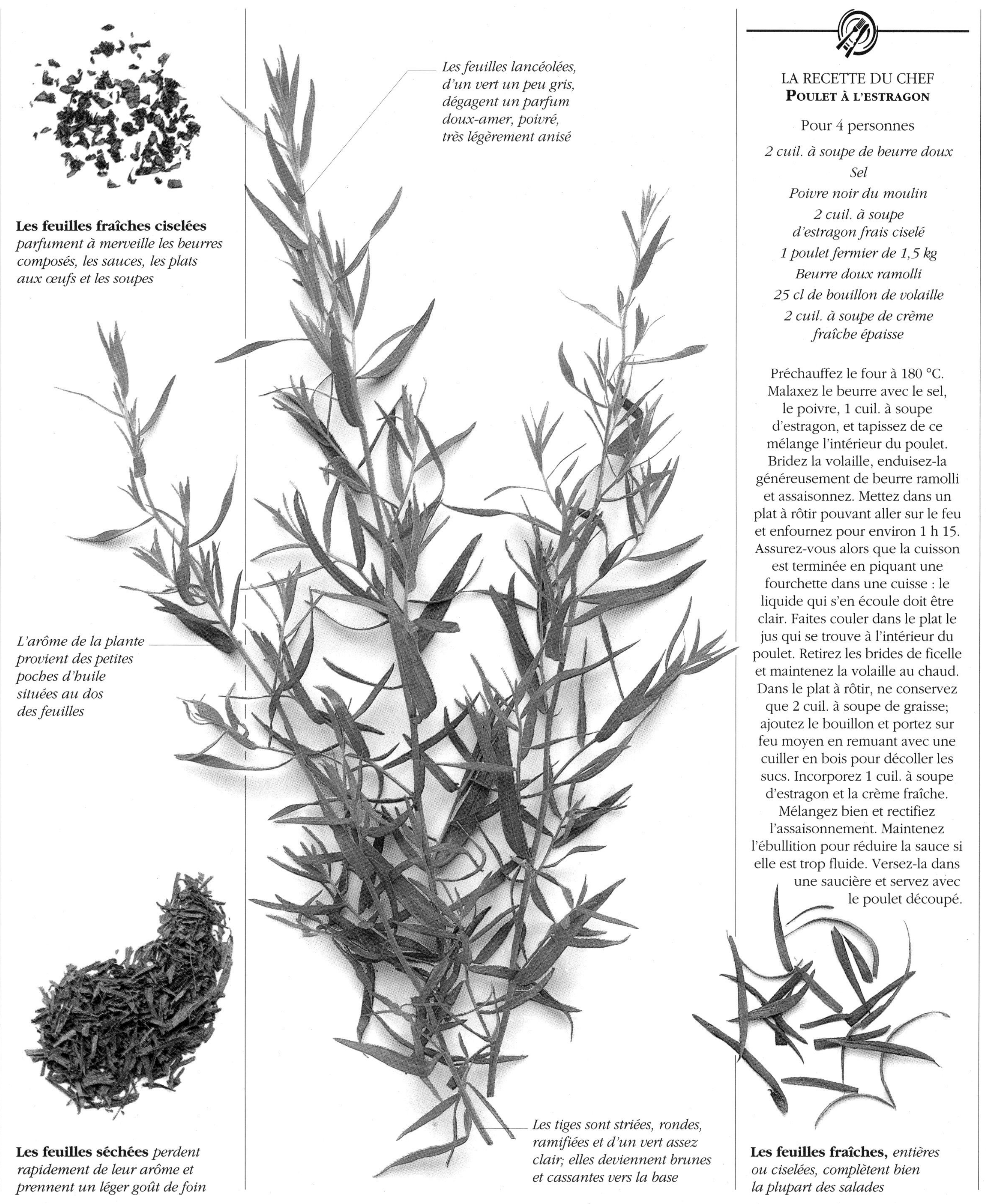

Les feuilles fraîches ciselées *parfument à merveille les beurres composés, les sauces, les plats aux œufs et les soupes*

Les feuilles séchées *perdent rapidement de leur arôme et prennent un léger goût de foin*

Les feuilles fraîches, *entières ou ciselées, complètent bien la plupart des salades*

LA RECETTE DU CHEF

POULET À L'ESTRAGON

Pour 4 personnes

2 cuil. à soupe de beurre doux
Sel
Poivre noir du moulin
2 cuil. à soupe d'estragon frais ciselé
1 poulet fermier de 1,5 kg
Beurre doux ramolli
25 cl de bouillon de volaille
2 cuil. à soupe de crème fraîche épaisse

Préchauffez le four à 180 °C. Malaxez le beurre avec le sel, le poivre, 1 cuil. à soupe d'estragon, et tapissez de ce mélange l'intérieur du poulet. Bridez la volaille, enduisez-la généreusement de beurre ramolli et assaisonnez. Mettez dans un plat à rôtir pouvant aller sur le feu et enfournez pour environ 1 h 15. Assurez-vous alors que la cuisson est terminée en piquant une fourchette dans une cuisse : le liquide qui s'en écoule doit être clair. Faites couler dans le plat le jus qui se trouve à l'intérieur du poulet. Retirez les brides de ficelle et maintenez la volaille au chaud. Dans le plat à rôtir, ne conservez que 2 cuil. à soupe de graisse; ajoutez le bouillon et portez sur feu moyen en remuant avec une cuiller en bois pour décoller les sucs. Incorporez 1 cuil. à soupe d'estragon et la crème fraîche. Mélangez bien et rectifiez l'assaisonnement. Maintenez l'ébullition pour réduire la sauce si elle est trop fluide. Versez-la dans une saucière et servez avec le poulet découpé.

BOURRACHE

PRÉSENTATIONS
Feuilles : fraîches, séchées
Fleurs : fraîches, confites
Tiges : fraîches

CONSERVATION
Feuilles fraîches : elles se fanent trop vite pour être conservées. *Feuilles séchées :* dans un récipient hermétique.

SÉCHAGE
Détachez les feuilles des tiges immédiatement après la cueillette. Faites-les sécher sur une grille métallique dans un endroit sec et bien aéré.

TRUCS ET CONSEILS
Les *feuilles* ont une texture désagréable : ciselez-les finement. Si vous utilisez les *fleurs* pour garnir une salade, ne les ajoutez qu'à la dernière minute, car l'assaisonnement les décolore et les flétrit. Si vous souhaitez les *cristalliser,* frottez-les avec une solution de gomme arabique et d'eau de rose, trempez-les dans le sucre et faites-les sécher sur une grille métallique (voir p. 211).

Les fleurs étoilées de la bourrache *sont d'un bleu-violet vif et ont des étamines sombres bien visibles*

Originaire du Moyen-Orient, la bourrache est arrivée jusqu'en Angleterre avec les Romains. Cette belle et grande plante a des feuilles veloutées gris-vert et de jolies fleurs en forme d'étoile, d'un bleu-violet vif; elle est réputée pour élever l'esprit, chasser la mélancolie et donner du courage. Ses fleurs étant gorgées de nectar, elle est très appréciée par les abeilles. D'une utilisation limitée en cuisine, ses feuilles donnent pourtant aux boissons et aux salades une fraîche saveur de concombre. Les Chinois les farcissent comme des feuilles de vigne, et les Allemands gardent les plus grandes pour parfumer ragoûts et courts-bouillons. La bourrache entre également dans la composition du traditionnel Pimm's No. 1, une boisson à base de gin, créée il y a environ un siècle par le propriétaire du restaurant londonien du même nom.

Les fleurs peuvent agrémenter des salades

Les feuilles gris-vert sont larges, ovales et très velues

DES MARIAGES RÉUSSIS

Feuilles fraîches : sur des légumes cuits à l'eau; ciselées dans des salades; dans des sandwichs ou des croustades; dans les beurres composés, le yaourt, le fromage frais.
Tiges : punches, boissons alcoolisées, tel le Pimm's No 1.
Fleurs : salades vertes, fruits frais et soupes de légumes.

LA RECETTE DU CHEF
SOUPE À LA BOURRACHE

Pour 4 personnes

2 cuil. à soupe de beurre doux
1 oignon moyen finement émincé
75 cl de bouillon de volaille
125 g de jeunes feuilles de bourrache ciselées
500 g de pommes de terre pelées et coupées en rondelles
Sel
Poivre noir du moulin
20 cl de crème fleurette
Feuilles de bourrache ciselées, pour la décoration

Chauffez le beurre dans une grande casserole et faites-y fondre l'oignon. Quand il est devenu translucide, ajoutez en remuant le bouillon, la bourrache et les pommes de terre. Couvrez et laissez mijoter jusqu'à ce que celles-ci soient très tendres. Passez à travers un chinois. Remettez le liquide dans la casserole et, à l'aide d'un robot ménager, réduisez les légumes en purée; transvasez celle-ci dans la casserole. Goûtez, assaisonnez, ajoutez la crème. Réchauffez; éventuellement, parsemez de bourrache ciselée et décorez de crème, puis servez. Cette soupe se déguste également froide.

TANAISIE

AUTRE NOM
Tanaisie commune

PRÉSENTATIONS
Feuilles : fraîches

CONSERVATION
Au réfrigérateur, dans un sachet en plastique; au congélateur, dans le bac à glaçons, finement ciselées et couvertes d'eau.

SÉCHAGE
Suspendez les *feuilles* dans un endroit chaud et bien aéré.

TRUCS ET CONSEILS
Dans un ragoût, vous pouvez ciseler finement des *feuilles fraîches,* mais peu.

La tanaisie est une herbe vivace originaire d'Europe. Avec ses grappes de fleurs jaunes en forme de boutons et ses feuilles rappelant celles de la fougère, elle forme dans les jardins des massifs très décoratifs. Les Grecs et les Romains en avaient fait un symbole d'immortalité, alors que les Anglais, à l'époque des Tudors, la plaçaient dans les lits et les armoires afin d'en chasser la vermine. Aux XVIe et XVIIe siècles, l'infusion de tanaisie passait pour fortifier l'organisme. Autrefois, elle était utilisée pour ses propriétés vermifuges, mais elle ne l'est plus que pour ses vertus digestives. La tanaisie est également une des herbes amères consommées lors de la Pâque juive. Bien qu'elle ait longtemps été un ingrédient traditionnel de nombreux gâteaux et desserts, son amertume a peu à peu limité ses usages culinaires. Ses jeunes feuilles relèvent parfois le goût des salades, des omelettes ou des farces.

Les fleurs donnent une teinture jaune

Les feuilles fraîches, vert sombre et dentelées, sont aromatiques et un peu amères, et ressemblent aux frondes des fougères

Les feuilles entières, *frottées sur une viande à griller, la parfument sans la rendre amère*

DES MARIAGES RÉUSSIS

Feuilles : salades, omelettes, crèmes-desserts, gâteaux, viande hachée pour farces salées, mais toujours finement ciselées et en petite quantité.

LA RECETTE DU CHEF
CRÈME À LA TANAISIE

Pour 6 personnes

Beurre pour les ramequins
60 g de jeunes feuilles de tanaisie fraîche grossièrement hachées
75 cl de crème fleurette
4 gros œufs légèrement battus
60 g de sucre en poudre
1 pincée de sel
1 pointe de noix muscade râpée
60 g d'amandes pilées

Préchauffez le four à 180 °C; beurrez 6 ramequins. Préparez le jus de tanaisie : à l'aide d'un mixeur, réduisez les feuilles en purée, en ajoutant éventuellement un peu d'eau. Passez à travers un chinois en pressant avec une cuiller en bois afin d'en extraire le jus (environ 1 cuil. à soupe). Réservez. Versez la crème dans une petite casserole et chauffez. Réservez. Dans un bol, mélangez les œufs, le sucre, le sel, la noix muscade et les amandes. Ajoutez peu à peu le jus de tanaisie, selon votre goût. Incorporez la crème en remuant et versez dans les ramequins. Mettez ceux-ci au four, au bain-marie, pour 30 à 40 minutes (durant la cuisson, l'eau du bain-marie ne doit pas bouillir). Assurez-vous alors que la crème est prise en piquant un couteau dedans : il doit ressortir propre. Laissez refroidir, démoulez et servez.

Les feuilles fraîches ciselées *agrémentent certaines farces*

Autres noms
Persil arabe, persil chinois, cilantro

Présentations
Feuilles : fraîches, séchées
Racines : fraîches
Graines : entières, moulues

Des alliances subtiles
Menthe fraîche, cumin

Conservation
Feuilles fraîches : elles se conservent peu de temps; séchées, elle perdent de leur arôme. Enveloppez-les dans du papier absorbant puis dans un sachet en plastique ou mettez les tiges dans un verre d'eau, au réfrigérateur; ôtez les feuilles dès qu'elles se fanent ou se décolorent. Si vous coupez les racines, laissez les tiges dans l'eau. Pour congeler les feuilles, placez-les, ciselées et couvertes d'eau, dans le bac à glaçons.
Graines : dans un récipient hermétique, au frais et à l'abri de la lumière.

Coriandre

Originaire d'Europe méridionale et du Moyen-Orient, la coriandre est l'une des herbes aromatiques les plus répandues dans le monde. Cette jolie plante annuelle, de la famille de la carotte, très ancienne, a des fleurs blanches, roses ou mauve pâle, et de fines feuilles vert clair, semblables à celles du persil plat. De nombreux marchands de légumes la vendent en bouquets frais, et les rayons d'épices la présentent sous forme de graines. Toutes ses parties sont comestibles, et chacune a sa propre saveur. Ses feuilles sont légèrement anisées, et ses graines ont un arôme qui rappelle un peu celui de l'écorce d'orange. Sa racine, de même goût que les feuilles mais plus intense, entre très souvent dans la composition des currys thaïlandais et d'autres plats d'Asie du Sud-Est. La coriandre, une des plantes amères consommées lors de la Pâque juive, est mentionnée dans la Bible. Certaines de ses graines ont même été retrouvées dans les tombes des pharaons. Les cuisiniers du Moyen-Orient, d'Espagne, du Portugal et du Mexique choisissent de préférence les feuilles. Dans le nord de l'Europe, les graines, depuis toujours plus appréciées, parfument le gin et font partie de nombreux mélanges d'épices. Mais ce sont les Indiens qui utilisent au mieux feuilles et graines dans les currys. Bien que ces deux parties de la plante soient d'un emploi très répandu, chacune d'elles a un goût particulier. Depuis que les conquistadores ont introduit la coriandre au Mexique et au Pérou, elle est devenue la compagne inséparable du chili traditionnel.

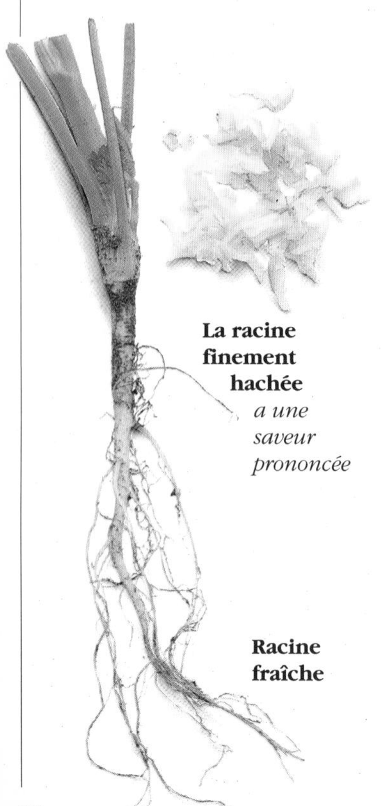

La racine finement hachée *a une saveur prononcée*

Racine fraîche

Graines marocaines

Poudre marocaine

Graines indiennes

Les graines, sucrées et très aromatiques, ont une cosse légèrement amère, un peu comme le zeste d'orange

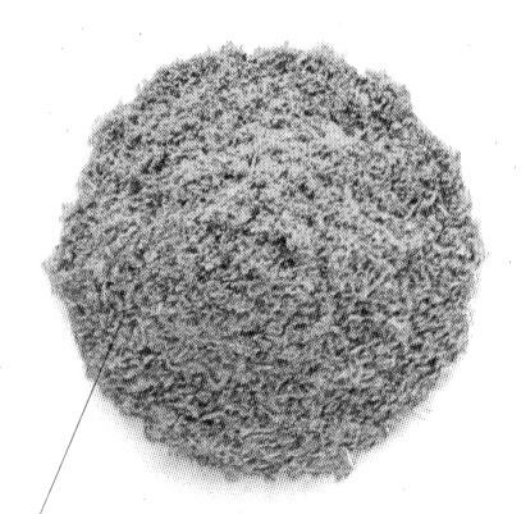

Poudre indienne

Vous pouvez acheter la coriandre en poudre ou la moudre vous-même après avoir fait griller les graines

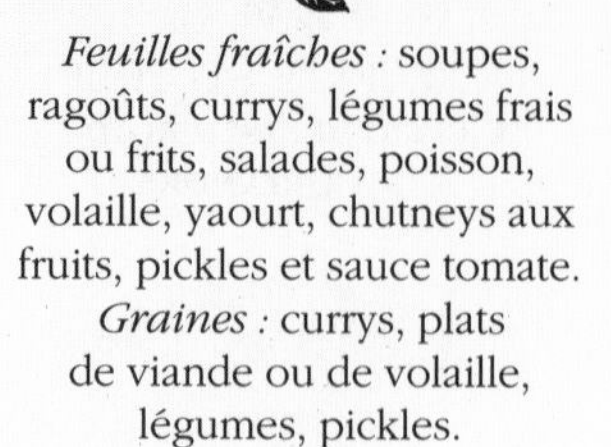

Des mariages réussis

Feuilles fraîches : soupes, ragoûts, currys, légumes frais ou frits, salades, poisson, volaille, yaourt, chutneys aux fruits, pickles et sauce tomate.
Graines : currys, plats de viande ou de volaille, légumes, pickles.

Trucs et conseils

Ajoutez les *feuilles fraîches* à la dernière minute pour qu'elles gardent un maximum de parfum. Relevez le goût des currys et des ragoûts avec les *racines* finement ciselées. Pour éviter que les *graines* ne perdent de leur arôme, gardez-les entières. Puis grillez-les légèrement avant de les moudre ou de les piler dans un mortier.

La recette du chef
Guacamole

Pour 2 à 4 personnes

1 gros avocat bien mûr
1 tomate moyenne pelée et écrasée
1/2 petit oignon blanc finement émincé
1 petit piment vert frais épépiné et haché (facultatif)
2 cuil. à soupe de feuilles de coriandre fraîche ciselées
1 cuil. à soupe de jus de citron
2 à 3 cuil. à soupe de crème fleurette (facultatif)
Sel
Poivre noir du moulin

Coupez l'avocat en deux et enlevez le noyau. Prenez une moitié du fruit dans le creux de la main et, à l'aide d'une fourchette, réduisez la chair en purée, puis versez-la dans un bol. Faites de même avec l'autre moitié, sans trop gratter. Ajoutez la tomate, l'oignon, la coriandre, le jus de citron, et éventuellement le piment et la crème. Mélangez bien. Goûtez, assaisonnez. Servez en hors-d'œuvre avec des crudités ou de petites crêpes, ou en accompagnement de viandes grillées.

LA RECETTE DU CHEF

CÉLERI BRAISÉ FROID À LA CORIANDRE

Pour 4 personnes

4 branches moyennes de céleri lavées et coupées en morceaux de 15 cm de long

3 cuil. à soupe de beurre doux

3 oignons nouveaux, avec leurs parties blanche et verte, ciselés

Sel

35 cl de bouillon de volaille

1 cuil. à soupe de graines de coriandre pilées

2 cuil. à soupe de jus de citron

Brins de coriandre fraîche, pour la décoration

Faites blanchir 2 minutes les morceaux de céleri. Égouttez et réservez. Chauffez le beurre dans une poêle et faites fondre les oignons nouveaux à feu moyen. Ajoutez le céleri, puis le bouillon de volaille, et assaisonnez. Couvrez et laissez mijoter 15 minutes. Incorporez les graines de coriandre et le jus de citron, et poursuivez la cuisson 15 minutes, jusqu'à ce que le céleri soit tendre. S'il reste plus de 15 cl de liquide, enlevez les légumes et réduisez à feu plus fort. Disposez le céleri et son jus dans un plat de service creux, couvrez d'un film alimentaire et laissez refroidir. Égouttez et servez froid ou à température ambiante, après avoir décoré de brins de coriandre.

Blanches ou rose pâle, les fleurs s'épanouissent dès le début de l'été

Les feuilles fraîches, ciselées *avec des piments, agrémentent souvent, dans les cuisines mexicaine et tex-mex, les salsas, les guacamoles et les plats de riz épicés*

Les feuilles fraîches *sont très décoratives mais, leur goût étant assez prononcé, ne les parsemez qu'en petite quantité sur les mets délicats*

Les feuilles du bas, larges et finement dentelées, ont un arôme plus puissant que celles du haut

Les jeunes feuilles vertes ressemblent à celles du persil plat, mais leur parfum bien particulier permet de ne pas les confondre

AUTRES NOMS
Takrai (Thaïlande), *sereh* (Indonésie), citronnelle

PRÉSENTATIONS
Pied entier : frais, séché, moulu

CONSERVATION
Frais : au réfrigérateur, dans un sachet en plastique; au congélateur.
Séché : dans un récipient hermétique, au frais : au réfrigérateur, bien emballé.
Moulu : dans un récipient hermétique, au frais.

TRUCS ET CONSEILS
Utilisez les *pieds entiers* ou émincés. Broyez les *tiges* pour en libérer l'arôme. N'en gardez que le bas (10-15 cm), car la partie supérieure est trop fibreuse (voir ci-dessous). Trempez les *tiges séchées* dans l'eau chaude avant de vous en servir. Un pied donne environ une cuillerée à café de lemon-grass moulu.

Moulues, les tiges *peuvent être incorporées directement aux plats*

LEMON-GRASS

Plante répandue dans tout le Sud-Est asiatique, mais aussi dans de nombreuses régions telles que l'Inde, l'Afrique, l'Australie, l'Amérique du Sud et certaines parties des États-Unis, le lemon-grass se caractérise par son parfum citronné très prononcé. Cet ingrédient typique des cuisines thaïlandaise et vietnamienne n'est pas toujours facile à trouver sur les marchés d'Occident. À défaut, remplacez-le par un zeste de citron relevé d'une pointe de gingembre frais râpé.

Le lemon-grass a des feuilles longues et effilées, et une racine en forme de bulbe, fibreuse et ligneuse

Les tiges séchées, *coupées en petits morceaux, doivent être trempées dans de l'eau chaude*

Tiges fraîches ciselées

DES MARIAGES RÉUSSIS

Currys, soupes, ragoûts et plats cuits à l'étouffée, notamment à base de poulet ou de fruits de mer.

LA RECETTE DU CHEF
SOUPE ÉPICÉE AUX CREVETTES

Pour 4 personnes

1,2 litre de bouillon de volaille
4 oignons nouveaux, avec leurs parties blanche et verte, émincés
2 cuil. à soupe de feuilles de coriandre fraîche ciselées
1 petit piment frais épépiné et haché
3 pieds de lemon-grass, coupés en morceaux de 2,5 cm
1 cuil. à soupe de sauce de poisson asiatique (voir p. 244)
Sel
1 morceau de 2,5 cm de zeste de citron vert ou de citron
2 cuil. à soupe de jus de citron vert ou de citron
500 g de crevettes surgelées décongelées
Oignon nouveau et feuilles de coriandre ciselées, pour la décoration

Dans une casserole, mélangez tous les ingrédients, à l'exception des crevettes. Portez doucement à ébullition, couvrez et laissez mijoter 20 minutes afin de mêler les saveurs. Passez le liquide à travers un chinois au-dessus d'une autre casserole. Ajoutez les crevettes et faites-les réchauffer de 1 à 2 minutes. Versez dans une soupière, parsemez d'oignon et de coriandre ciselés, et servez.

AUTRES NOMS
Fenouil sauvage,
fenouil romain,
fenouil de Florence,
finocchio

PRÉSENTATIONS
Feuilles : fraîches, séchées
Tiges : fraîches, séchées
Graines : séchées

DES ALLIANCES SUBTILES
Persil, origan, sauge,
thym, piment

CONSERVATION
Feuilles fraîches : au réfrigérateur, dans un sachet en plastique; au congélateur, dans le bac à glaçons, ciselées et couvertes d'eau; dans de l'huile d'olive ou du vinaigre.
Tiges et graines séchées : dans un récipient hermétique, au frais et à l'abri de la lumière.

Les graines, *petites et aromatiques, sont plates, ovales et striées de jaune*

Les feuilles, bleu-vert, sont plumeuses et ressemblent à celles de l'aneth, bien qu'elles n'en aient pas le goût

TRUCS ET CONSEILS
Mettez les *feuilles fraîches* dans les bouquets garnis pour les plats de poisson. Pilez légèrement les *graines* dans un mortier afin d'en libérer l'arôme. Pour les recettes indiennes, faites-les griller. Elles se marient aussi avec les salades vertes.

FENOUIL

Cette plante vivace, originaire d'Europe méridionale, est utilisée depuis des milliers d'années en tant qu'herbe, épice et légume. Apprécié des Romains et des Grecs, le fenouil était également connu dans la Chine ancienne, en Inde et en Égypte. Il accompagnait et accompagne toujours dans toute l'Europe les poissons frais ou fumés. Il en existe plusieurs espèces. Le fenouil sauvage, ou commun, venu d'Europe centrale et de Russie, a le goût le plus amer. Le fenouil de Florence, annuel et plus petit, est cultivé pour la base de ses pétioles en forme de pomme — son bulbe — et pour ses jeunes tiges, qui se mangent en légumes, crus ou cuits. Ses feuilles, à l'arôme anisé et doux, entrent dans la composition de salades ou décorent des plats. Les deux espèces ont des feuilles plumeuses et de jolies fleurs qui s'épanouissent durant tout l'été et l'automne.

DES MARIAGES RÉUSSIS
Feuilles fraîches entières : fruits de mer au four ou au gril, courts-bouillons.
Feuilles fraîches ciselées : sauces, farces, soupes, vinaigrette, salades de légumes et de fruits de mer, porc.
Graines : pain, petits gâteaux salés, saucisses, farces de viande épicées, currys, plats au chou et tourtes aux pommes.

LA RECETTE DU CHEF
BAR AU FENOUIL

Pour 4 à 6 personnes

1 bar de 2 kg écaillé, vidé et rincé
Sel
Poivre noir du moulin
10 tiges de fenouil frais ou séché
Huile d'olive
4 cuil. à soupe d'apéritif anisé (facultatif)

Préchauffez le four à 180 °C. Assaisonnez le bar de sel et de poivre, et farcissez-le avec 2 tiges de fenouil. Enduisez-le d'huile, puis graissez un plat à rôtir pouvant aller sur le feu. Répartissez-y le reste des tiges de fenouil, puis couchez-y le poisson et enfournez pour 30 à 40 minutes, jusqu'à ce que la chair soit ferme au toucher. Si vous désirez en relever le goût, faites chauffer l'apéritif anisé, sortez le plat du four et arrosez. Enflammez. Quand tout l'alcool a brûlé, dressez le bar sur un plat de service chaud, ou bien levez-en les filets que vous servirez immédiatement sur des assiettes individuelles.

Les feuilles fraîches ciselées *décorent très joliment les soupes et les salades*

Hysope

Présentations
Feuilles : fraîches, séchées
Fleurs : fraîches

Conservation
Fleurs et feuilles fraîches : au réfrigérateur, dans un sachet en plastique bien fermé.
Feuilles séchées : dans un récipient hermétique, au frais et à l'abri de la lumière.

Séchage
Suspendez dans un endroit chaud, sombre et bien aéré.

Trucs et conseils
Parsemez des *fleurs* d'hysope, qui s'épanouissent de juin à septembre, sur une salade de laitue et d'œufs durs. Aromatisez une salade verte avec des *feuilles fraîches* ciselées. Les feuilles étant plus parfumées que les fleurs, ne les mélangez pas dans un même plat.

Cette herbe nous vient de l'Antiquité. Souvent citée dans la Bible depuis Moïse jusqu'à saint Jean-Baptiste, elle était également bien connue des Arabes. Les Grecs en faisaient une décoction avec de la rue et du miel, qu'ils buvaient pour soigner la toux. Appréciée autrefois pour ses vertus médicinales, l'hysope servit, et sert encore, à parfumer des liqueurs, comme la célèbre Chartreuse. Son arôme, plutôt amer et légèrement mentholé, s'enrichit, selon certains herboristes, d'une pointe de rue. En cuisine, elle donne du goût aux soupes et aux ragoûts, et ses feuilles fraîches égaient certaines salades. Utilisée en infusion comme stimulant digestif, elle peut aussi parfumer un sirop de sucre (voir p. 196), pour la confection de certains desserts aux fruits. Cette plante odorante attire les abeilles et les papillons, mais elle a la réputation de protéger les jardins de la piéride du chou.

Généralement pourpres, les fleurs sont parfois roses ou blanches

Les feuilles, aromatiques, sont étroites et effilées

Feuilles fraîches ciselées

Les feuilles fraîches *ont une légère saveur de menthe un peu amère*

Des mariages réussis

Feuilles fraîches : fromage frais, beurres composés, sandwichs, sauces, notamment pour les crudités, pâtes chaudes ou froides.
Feuilles séchées : soupes, ragoûts, infusions.
Fleurs : salade verte.

La recette du chef
Carottes glacées à l'hysope

Pour 4 personnes

500 g de carottes nouvelles épluchées et finement tranchées
25 cl de bouillon de volaille
1 cuil. à soupe de miel liquide
1 cuil. à soupe de beurre doux
Sel
Poivre blanc du moulin
1 cuil. à soupe de feuilles d'hysope fraîche finement ciselées

Dans une casserole, mélangez les carottes, le bouillon, le miel, le beurre, le sel et le poivre. Portez à ébullition. Couvrez et laissez mijoter 20 minutes environ, jusqu'à ce que les carottes soient tendres et que le liquide se soit transformé en sirop. Parsemez d'hysope, remuez et servez immédiatement.

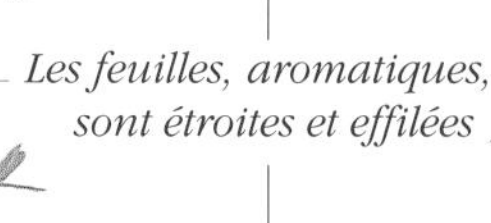

LAURIER

AUTRES NOMS
Laurier commun, laurier noble

PRÉSENTATIONS
Feuilles : fraîches, séchées

CONSERVATION
Feuilles fraîches : au réfrigérateur, dans un sachet en plastique, mais utilisez-les de préférence immédiatement. *Feuilles séchées :* dans un récipient hermétique, au frais et à l'abri de la lumière.

SÉCHAGE
Suspendez les branches dans un endroit sec, sombre et bien aéré. Détachez ensuite les *feuilles* séchées des tiges avant de les conserver.

TRUCS ET CONSEILS
Le laurier gagne de l'arôme en séchant, à condition cependant que les *feuilles* ne soient pas trop vieilles. *Fraîches,* celles-ci ont une saveur légèrement amère qui disparaît au bout de quelques jours. Hachées grossièrement ou ciselées, elles libéreront davantage de parfum. Si vous les avez gardées *entières,* ôtez-les avant de servir.

Sans doute venu d'Asie Mineure, le laurier a gagné depuis si longtemps les pays méditerranéens qu'on le croit souvent originaire de cette région. Cet arbuste aux feuilles brillantes et vert foncé, qui peut atteindre une taille imposante, est cependant généralement cultivé en caisse et taillé sous diverses formes. Ses fleurs d'un jaune crémeux sont très appréciées des abeilles. Dans l'Antiquité grecque et romaine, les couronnes de feuilles de laurier récompensaient les guerriers ou les athlètes victorieux. Certains poètes recevaient également cet insigne honorifique, et notre mot baccalauréat lui-même vient du latin *bacca laurea,* «baie de laurier». Utilisé par les cuisiniers du monde entier, le laurier se marie avec presque tous les autres ingrédients : dans les plats salés de viande et de poisson comme dans les desserts, en passant par les sauces pour les pâtes. Il est l'un des aromates du bouquet garni (voir p. 55); une seule de ses feuilles peut être aussi parfumée que toute une branche.

Les feuilles fraîches doivent être brillantes et sans taches

Les feuilles séchées *s'utilisent entières ou hachées*

DES MARIAGES RÉUSSIS

Bouquet garni, soupes, viande et volaille, sauces pour les pâtes, poisson, certains desserts.

LA RECETTE DU CHEF
POMMES DE TERRE AUX FEUILLES DE LAURIER

Pour 4 à 6 personnes

Huile d'olive
1 kg de pommes de terre épluchées et coupées en rondelles de 1,5 cm d'épaisseur
2 grosses gousses d'ail hachées
4 grandes feuilles de laurier
Sel
Poivre noir du moulin
50 cl de bouillon de volaille

Enduisez d'huile d'olive une cocotte en fonte peu profonde. Disposez une première couche de pommes de terre, avec la moitié de l'ail et du laurier. Salez, poivrez, ajoutez 2 cuil. à soupe d'huile d'olive. Étendez une seconde couche de pommes de terre, avec le reste de l'ail et du laurier. Arrosez de 2 cuil. à soupe d'huile d'olive. Salez, poivrez. Versez sur le côté le bouillon de volaille, portez à ébullition, couvrez et laissez mijoter de 25 à 30 minutes, jusqu'à ce que les pommes de terre soient tendres. S'il reste du liquide, jetez-le. Ôtez le laurier quand vous servez.

Les feuilles fraîches *déchirées dégagent tout leur arôme*

LIVÈCHE

AUTRES NOMS
Ache de montagne, céleri bâtard

PRÉSENTATIONS
Feuilles : fraîches, séchées, cristallisées
Graines : séchées
Tiges : fraîches, cristallisées

CONSERVATION
Feuilles fraîches : dans le bac à glaçons, au congélateur.
Feuilles et graines séchées : dans un récipient hermétique, au frais à l'abri de la lumière.

SÉCHAGE
Suspendez les *feuilles* dans un endroit sec, sombre et bien aéré. Détachez-les des *tiges* avant de les conserver.

Les graines *sont petites, brunes et aromatiques*

Les feuilles, d'un vert brillant, sont grandes et dentelées et ont une saveur très prononcée de céleri

TRUCS ET CONSEILS
La livèche ayant un goût prononcé, utilisez-la en petite quantité. Servez les *jeunes feuilles,* les plus tendres, crues dans une salade, et ajoutez les autres aux soupes, aux bouillons, aux ragoûts, aux fromages frais. Vous pouvez cristalliser les *tiges* ou les incorporer, ciselées, dans des soupes et des ragoûts; dans ce cas, n'omettez pas de les peler ou de les gratter. Décorez certains desserts avec les *feuilles cristallisées.* Mettez les *graines* dans des gâteaux ou des pains, ou parsemez-en des salades.

Plante vivace de haute taille, la livèche a des tiges creuses et des feuilles vertes dentelées ressemblant à celles du céleri. Sa croissance est rapide et, au début du printemps, ses fleurs groupées en ombelles jaune verdâtre sont parmi les premières à apparaître dans les jardins. Dans l'Antiquité, les Grecs et les Romains en utilisaient largement les graines, les racines et les feuilles; aujourd'hui, ses usages sont beaucoup plus limités.
La livèche a un arôme très proche de celui du céleri, mais elle a sur lui l'avantage de bien supporter la cuisson. Quelques feuilles ou jeunes tiges ciselées parfument un ragoût ou une soupe. Les feuilles se cristallisent assez bien, et permettent alors, comme l'angélique confite, de décorer des pâtisseries. Dans certaines régions d'Europe de l'Est et d'Italie, les racines, épluchées afin d'en ôter la peau amère, sont cuites et consommées en légumes.

Les feuilles du haut sont moins grandes que celles du bas et ont un pétiole plus petit

Les tiges sont creuses et cannelées

DES MARIAGES RÉUSSIS
Soupes, salades, farces, ragoûts, plats de viande

LA RECETTE DU CHEF
SOUPE DE TOMATES ET DE POMMES À LA LIVÈCHE

Pour 4 à 6 personnes

4 cuil. à soupe de beurre doux
1 oignon moyen finement émincé
500 g de tomates mondées, épépinées et coupées en morceaux
4 grosses pommes à cuire pelées et coupées en morceaux
125 g de feuilles de livèche grossièrement hachées
1 litre de bouillon de volaille
Sel
Poivre noir du moulin
Feuilles de livèche finement ciselées ou yaourt, pour la décoration

Dans une grande casserole, chauffez le beurre et faites-y fondre l'oignon. Ajoutez les tomates, les pommes et les feuilles de livèche, et faites cuire de 2 à 3 min en remuant. Versez le bouillon de volaille, portez à ébullition, couvrez et laissez mijoter 30 min. Transvasez dans un robot ménager et réduisez en purée. Passez à travers un chinois. Salez, poivrez, et réchauffez. Cette soupe délicieuse se déguste chaude, décorée de livèche fraîche, ou froide, au sortir du réfrigérateur, servie dans des bols et garnie d'une bonne cuillerée de yaourt.

Les feuilles séchées *conservent leur puissant arôme*

MÉLISSE

AUTRES NOMS
Citronnelle,
piment des abeilles,
herbe au citron

PRÉSENTATIONS
Feuilles : fraîches, séchées

CONSERVATION
Feuilles fraîches : au réfrigérateur, dans un sachet en plastique; mais utilisez-les de préférence immédiatement.
Feuilles séchées : dans un récipient hermétique, au frais et à l'abri de la lumière.

SÉCHAGE
Préférez les feuilles de la deuxième pousse, plus petites. Suspendez les bouquets dans un endroit chaud, sombre et bien aéré.

TRUCS ET CONSEILS
Utilisez la mélisse *fraîche* plutôt que *séchée*. Parsemez de feuilles fraîches ciselées les salades de fruits. Préparez des infusions relaxantes.

La mélisse met en valeur de nombreux plats, et la plupart des cuisiniers ajoutent volontiers quelques feuilles de cette herbe aux préparations comportant du jus de citron, car elles en améliorent le goût. Dans un jardin ou en bac, cette herbe est très décorative. Il faut cependant couper ses jolies petites fleurs blanches et odorantes avant de l'utiliser en cuisine. *Melissa* signifie abeille en grec, et la mélisse, aux feuilles en forme de cœur, ridées et dentelées, attire en effet ces insectes par son parfum doux et citronné. Sans doute originaire du Moyen-Orient, elle s'est rapidement répandue dans les régions méditerranéennes, où elle est cultivée depuis plus de 2 000 ans. Elle entre dans la composition de l'«eau des Carmes», boisson stimulante, et dans celle de nombreuses liqueurs.

Les feuilles, vert clair, présentent des nervures profondes et des bords dentelés; elles ont un arôme de citron très légèrement mentholé

Les feuilles fraîches ciselées *apportent de la saveur aux plats sucrés et salés*

Feuilles fraîches

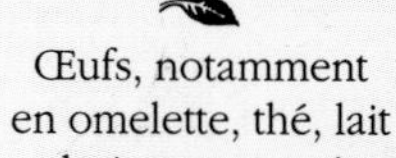

DES MARIAGES RÉUSSIS

Œufs, notamment en omelette, thé, lait pour boissons ou crèmes, salades, soupes, gibier à plumes cuit en cocotte, boissons à base de vin blanc.

LA RECETTE DU CHEF
COUPES DE VIN À LA MÉLISSE

Pour 8 litres

500 g de pêches, de préférence blanches, pelées, dénoyautées et réduites en purée
Sucre
125 g de feuilles de mélisse fraîche grossièrement hachées
3 litres de vin blanc doux, frais
Quelques brins de mélisse fraîche, pour la décoration

Dans un grand bol, mélangez la purée de pêches avec du sucre, selon votre goût. Ajoutez les feuilles de mélisse et 60 cl de vin. Mélangez bien. Laissez macérer au réfrigérateur au moins 2 heures. Au moment de servir, filtrez pour éliminer la mélisse. Versez dans un bol à punch et ajoutez le reste du vin en remuant. Décorez de brins de mélisse.

MENTHE

Autres noms
Menthe verte, menthe poivrée, menthe à feuilles rondes, menthe à eau de cologne, menthe aquatique, menthe des jardins, menthe à longues feuilles

Présentations
Feuilles : fraîches, séchées

Des alliances subtiles
Persil, coriandre, piment, ail, cardamome, basilic

Conservation
Feuilles fraîches : au réfrigérateur, très peu de temps dans un sachet en plastique : au congélateur, dans le bac à glaçons, ciselées et couvertes d'eau. *Feuilles séchées :* dans un récipient hermétique, au frais et à l'abri de la lumière.

Les multiples espèces de menthe parfument aussi bien les plats sucrés que salés, et elles figurent toutes en bonne place dans de nombreuses recettes. La menthe verte est idéale pour préparer les sauces ou les gelées à la menthe qui condimentent souvent l'agneau; elle se marie aussi très bien avec les pommes de terre nouvelles, les petits pois et les carottes. Elle aromatise le thé que boivent en grande quantité les habitants d'Afrique du Nord et du Moyen-Orient, ainsi que le whisky glacé à la menthe, mélange de bourbon local et de menthe fraîche, que dégustent, dans une coupe spéciale en argent, les Américains de l'État du Kentucky. En Occident, la menthe poivrée est couramment utilisée dans la préparation de boissons stimulantes, de liqueurs, de sucreries et de desserts. La menthe citronnée, elle, ne se cuisine pas mais apporte son arôme fruité à diverses boissons.

Des mariages réussis
Fraîche ou séchée : infusions, soupes, salades, sauces, viande, poisson, volaille, ragoûts, plats sucrés, confiseries de chocolat et desserts à base de citron comme les mousses et les tartes.

Trucs et conseils
Employée le plus souvent *fraîche,* la menthe, *séchée,* apparaît dans certains mets du Moyen-Orient, notamment les pâtisseries fourrées de fromage frais, dans les assaisonnements et les sauces au yaourt, dans les farces pour légumes tels qu'aubergines, poivrons et tomates. Elle est aussi à la base des sauces à la menthe.

Les feuilles panachées de blanc crème et de vert pâle sont appréciées pour leur saveur fruitée

Les feuilles, velues, sont vert vif

Menthe à feuilles rondes panachées

La menthe des jardins, *au goût sucré, se reconnaît à ses feuilles vert foncé et effilées, à ses tiges sombres et à ses fleurs violettes*

La menthe à feuilles rondes *a une légère odeur de pomme, qui se révèle peu agréable*

Cette variété, très commune en France, a des feuilles rapprochées, dentelées et vert vif

Menthe douce (variété marocaine)

MENTHE CRISTALLISÉE
Sur les desserts et les gâteaux, des feuilles de menthe cristallisées créent de ravissants décors, surtout si elles s'accompagnent de violettes, de pétales de rose (voir p. 211) ou d'angélique cristallisés. Elles remplacent aussi agréablement le traditionnel bonbon à la menthe qui, dans certaines régions, est servi avec le café à la fin du repas. Pour les réaliser, choisissez d'abord les plus grandes, les plus belles, sans défaut. Dans un récipient peu profond, faites fondre 60 g de gomme arabique dans 30 cl d'eau. Préparez un bol de sucre en poudre. À l'aide d'un pinceau à pâtisserie, badigeonnez largement chaque face des feuilles avec la solution de gomme. Plongez-les ensuite dans le sucre puis secouez-les doucement pour en enlever l'excès. Si vous voulez qu'elles dégagent mieux leur parfum, laissez-les couvertes de sucre pendant plusieurs heures, ou arrosez-les, une fois enrobées, de quelques gouttes d'essence de menthe. Disposez-les sur une plaque à pâtisserie. Laissez-les sécher ainsi 24 heures de chaque côté, puis conservez-les dans un bocal hermétique, au frais et à l'abri de la lumière.

Les feuilles séchées *permettent de préparer certaines sauces, bien que les fraîches soient préférables, et d'excellentes infusions calmantes*

Feuilles fraîches ciselées

ESPÈCES DE MENTHE

Il existe plus de 600 espèces et sous-espèces connues de menthe, presque toutes avec des parfums différents, parmi lesquelles la menthe verte et la menthe poivrée sont les plus couramment utilisées en cuisine. La menthe des jardins, fortement aromatique et facile à cultiver, se caractérise par sa tige rouge sombre. La menthe à feuilles rondes, à l'odeur de pomme, qui se trouve facilement sur les étals des marchands de légumes a un goût plus subtil. Comme sa parente à feuilles panachées, qui a la même saveur caractéristique, elle est aussi utile dans une cuisine qu'agréable dans un jardin. La menthe poivrée se reconnaît à son arôme poivré; elle sert surtout en confiserie, sous forme d'essence. Une autre variété, ressemblant au basilic, a un parfum de citron très agréable, qui relève délicieusement le goût d'une pâte à gâteau ou à biscuit.

Préférez les feuilles vert vif et sans taches, au frais parfum de menthe

Les feuilles, plus foncées et moins ridées que celles de la menthe verte, ont une odeur rafraîchissante de menthol et un goût assez prononcé

Menthe poivrée

Menthe poivrée

LA RECETTE DU CHEF
SAUCE YAOURT AU CONCOMBRE ET À LA MENTHE

Pour 4 personnes

400 g de yaourt, grec de préférence
1/2 concombre pelé, épépiné et finement haché
10 feuilles de menthe fraîche, verte de préférence, très finement ciselées
Sel

Dans un grand bol, battez le yaourt avec le concombre et la menthe. Salez et servez avec du pitta (pain non levé).

MONARDE

AUTRES NOMS
Thé d'Oswego,
thé de Pennsylvanie

PRÉSENTATIONS
Fleurs : fraîches, cristallisées
Feuilles : fraîches, séchées

CONSERVATION
Fleurs et feuilles fraîches : au réfrigérateur, peu de temps dans un sachet en plastique.
Feuilles séchées : dans un récipient hermétique, au frais et à l'abri de la lumière.
Fleurs cristallisées : dans de l'aluminium ménager, au frais.

SÉCHAGE
Cueillez les *feuilles* jeunes, de préférence au printemps ou en été, au début de la floraison. Suspendez-les dans un endroit chaud et bien aéré.

TRUCS ET CONSEILS
Agrémentez les salades vertes avec des *feuilles* ou des *fleurs* fraîches, entières ou hachées. Dans certaines recettes, les feuilles remplaceront les feuilles de menthe fraîche.

La monarde, de la même famille que la menthe, est originaire d'Amérique du Nord. Elle doit son nom botanique au médecin espagnol Nicolas Monardes, qui fut le premier, au XVIe siècle, à l'identifier et à la décrire. Les Indiens Oswegos d'Amérique du Nord préparaient avec les feuilles de monarde une boisson que les colons, privés du thé importé d'Angleterre à l'époque du Boston Tea Party, ne dédaignaient pas et qu'ils appelaient thé d'Oswego. Aujourd'hui, les jeunes feuilles s'utilisent en petite quantité dans des salades ou des farces. Fraîches ou cristallisées, les fleurs constituent une décoration très colorée.

Les fleurs rouges, en bouquets ébouriffés, sont tubulaires

Les feuilles, dentelées et ovales, sont veinées de rouge

Avec ses fleurs rouges en forme de pelote d'épingles, gorgées de nectar, cette jolie plante attire les abeilles

La tige velue et striée, bien droite, a une section carrée

Feuilles entières
Une feuille fraîche dans du thé de Chine lui donne une saveur d'earl grey.

DES MARIAGES RÉUSSIS
Salades, infusions, boissons fraîches, légumes, ragoûts, volaille et viande, notamment le porc.

LA RECETTE DU CHEF
SAUCE À LA MONARDE

Pour 25 cl environ

2 cuil. à soupe de beurre doux
1 oignon moyen finement émincé
1 cuil. à soupe de farine
25 cl de bouillon de volaille
1 cuil. à soupe de jus de citron
Sel
Poivre noir du moulin
1 cuil. à soupe de feuilles de monarde fraîche finement ciselées

Dans une petite casserole, chauffez le beurre et faites-y fondre l'oignon. Incorporez la farine et laissez cuire 2 minutes environ, en remuant avec une cuiller en bois. Versez peu à peu le bouillon en continuant de remuer; la sauce va épaissir. Ajoutez le jus de citron, le sel et le poivre, puis les feuilles de monarde, et poursuivez la cuisson pendant 2 minutes encore. Servez chaud en saucière, avec un rôti de porc.

Feuilles fraîches ciselées
Elles agrémentent, en petite quantité, des farces et des salades

CERFEUIL MUSQUÉ

AUTRES NOMS
Cerfeuil d'Espagne, cerfeuil anisé

DES ALLIANCES SUBTILES
Laurier, menthe, mélisse

CONSERVATION
Feuilles fraîches : dans le bac à légumes du réfrigérateur, dans un sachet en plastique; au congélateur, dans le bac à glaçons, finement ciselées et couvertes d'eau.

TRUCS ET CONSEILS
Utilisez le cerfeuil musqué pour remplacer le sucre dans des desserts et des boissons aux fruits, ou dans une crème ou du yaourt. Il rehausse agréablement le goût de toute herbe à laquelle il est associé.

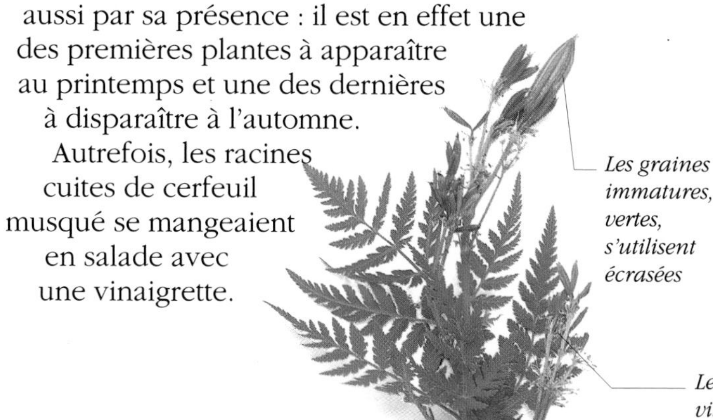

Des feuilles fraîches ciselées, *incorporées à des boissons ou fouettées avec de la crème, leur donneront un goût sucré et délicat d'anis. En infusion, les feuilles ont des vertus digestives*

Plante vivace originaire de Savoie, le cerfeuil musqué, avec ses feuilles vert pâle au goût sucré, ressemble à la fougère. D'un emploi limité en cuisine, il a l'avantage d'éviter de mettre trop de sucre lors de la cuisson des fruits acides, la rhubarbe et les groseilles notamment. Les graines, qui constituent sa partie la plus parfumée, ont un goût puissant d'anis ou de réglisse. Les graines immatures, écrasées, entrent dans la composition de salades ou de crèmes-desserts; les graines mûres, entières, parfument diverses préparations et s'utilisent comme les clous de girofle. Le cerfeuil musqué est un des rois des jardins, non seulement par son arôme mais aussi par sa présence : il est en effet une des premières plantes à apparaître au printemps et une des dernières à disparaître à l'automne.

Autrefois, les racines cuites de cerfeuil musqué se mangeaient en salade avec une vinaigrette.

Les graines immatures, vertes, s'utilisent écrasées

Les grappes de fleurs blanches sont vite remplacées par les graines

Les graines mûres, d'un brun luisant, se consomment entières

Les tiges sont creuses; les feuilles ressemblent à celles de la fougère

DES MARIAGES RÉUSSIS
Tous les plats sucrés, notamment à base de fruits, crème fouettée, gâteau de riz, bouquet garni, soupes, ragoûts; les feuilles fraîches parfument les salades composées.

LA RECETTE DU CHEF
COCKTAIL AUX FRUITS

Pour 8 personnes

50 cl de jus d'orange
25 cl de jus de citron
1 bouteille de vin rouge corsé
2 cuil. à café de cerfeuil musqué frais finement ciselé

Versez tous les ingrédients dans une grande cruche en verre. Mélangez bien et gardez au frais jusqu'au moment de servir. Mettez 2 ou 3 glaçons dans chaque verre et versez-y le cocktail.

Basilic

Autre Nom
Herbe royale

Présentations
Feuilles : fraîches, séchées

Des alliances subtiles
Persil, romarin, origan, thym, sauge, safran

Conservation
Feuilles fraîches : au réfrigérateur, dans un sachet en plastique; dans un bocal hermétique, couvertes d'huile d'olive ou de vinaigre; au congélateur, dans le bac à glaçons, en purée diluée : quand les cubes ont pris, mettez-les dans un sachet en plastique et gardez-les au congélateur.
Feuilles séchées : dans un récipient hermétique, à l'abri de la lumière et de la chaleur.

Le basilic est une herbe aromatique de tout premier plan. Son nom grec, qui vient de *basileus,* roi, montre bien l'importance qu'il a toujours eue au fil des siècles. Toutes ses espèces, qui diffèrent par la taille, la couleur et la saveur, sont comestibles. Le basilic se marie avec de très nombreux ingrédients, et particulièrement bien avec les tomates. Une simple salade de ces fruits assaisonnée de sel, de poivre et d'huile d'olive vierge, agrémentée de feuilles fraîchement cueillies, et servie avec du pain croustillant, est un vrai délice. Sous forme de *pesto* — sauce italienne faite d'huile d'olive, de basilic, d'ail, de parmesan et de pignons —, cette herbe transforme un simple plat de spaghettis en un véritable festin; en France, un mélange comparable permet de préparer la délicieuse soupe au pistou. À défaut de basilic frais, quand il fait trop froid, on peut trouver du *pesto* en conserve. Le basilic entre aussi dans la composition de marinades. En Italie, les cuisiniers conservent les feuilles dans des bocaux remplis d'huile d'olive légèrement salée, fermés hermétiquement et gardés au réfrigérateur.

Des mariages réussis
Tomates, sauces pour spaghettis telles que le *pesto,* poisson, notamment le rouget, champignons, soupes, ragoûts, salades, poulet, œufs, riz, autres herbes.

Le basilic séché *n'a pas le même goût que frais : sa saveur de menthe l'emporte*

Feuilles fraîches en morceaux

Feuilles en chiffonnade
Coupées en lanières régulières, les feuilles de basilic parfument délicieusement une soupe.

Feuilles fraîches entières

Pilon, *pesto* et pistou
Le pesto *italien, comme le pistou français, est meilleur quand le basilic est écrasé au pilon, dans un mortier.*

Les fleurs sont blanchâtres ou teintées de violet

Les jeunes feuilles du haut sont plus sucrées

Préférez les feuilles vertes, lisses, sans taches, au parfum prononcé

Grand vert

LA RECETTE DU CHEF
SPAGHETTIS AU *PESTO*

Pour 2 à 4 personnes

60 g de feuilles de basilic frais
2 à 4 gousses d'ail, selon votre goût
30 g de pignons
4 cuil. à soupe d'huile d'olive vierge extra
4 cuil. à soupe de parmesan frais râpé
Sel
500 g de spaghettis frais

À l'aide d'un robot ménager, réduisez en purée le basilic, l'ail et les pignons. Ajoutez, dans l'appareil en marche, l'huile en un filet continu. Incorporez le fromage et mixez brièvement. Versez dans un bol, goûtez et rectifiez l'assaisonnement. Réservez au chaud. Faites cuire les spaghettis. Égouttez-les, mettez-les dans un grand plat de service creux avec le *pesto,* et remuez. Servez chaud ou tiède.

Fin vert nain compact
Avec ses petites feuilles vertes, parfumées, il forme dans les jardins des massifs denses.

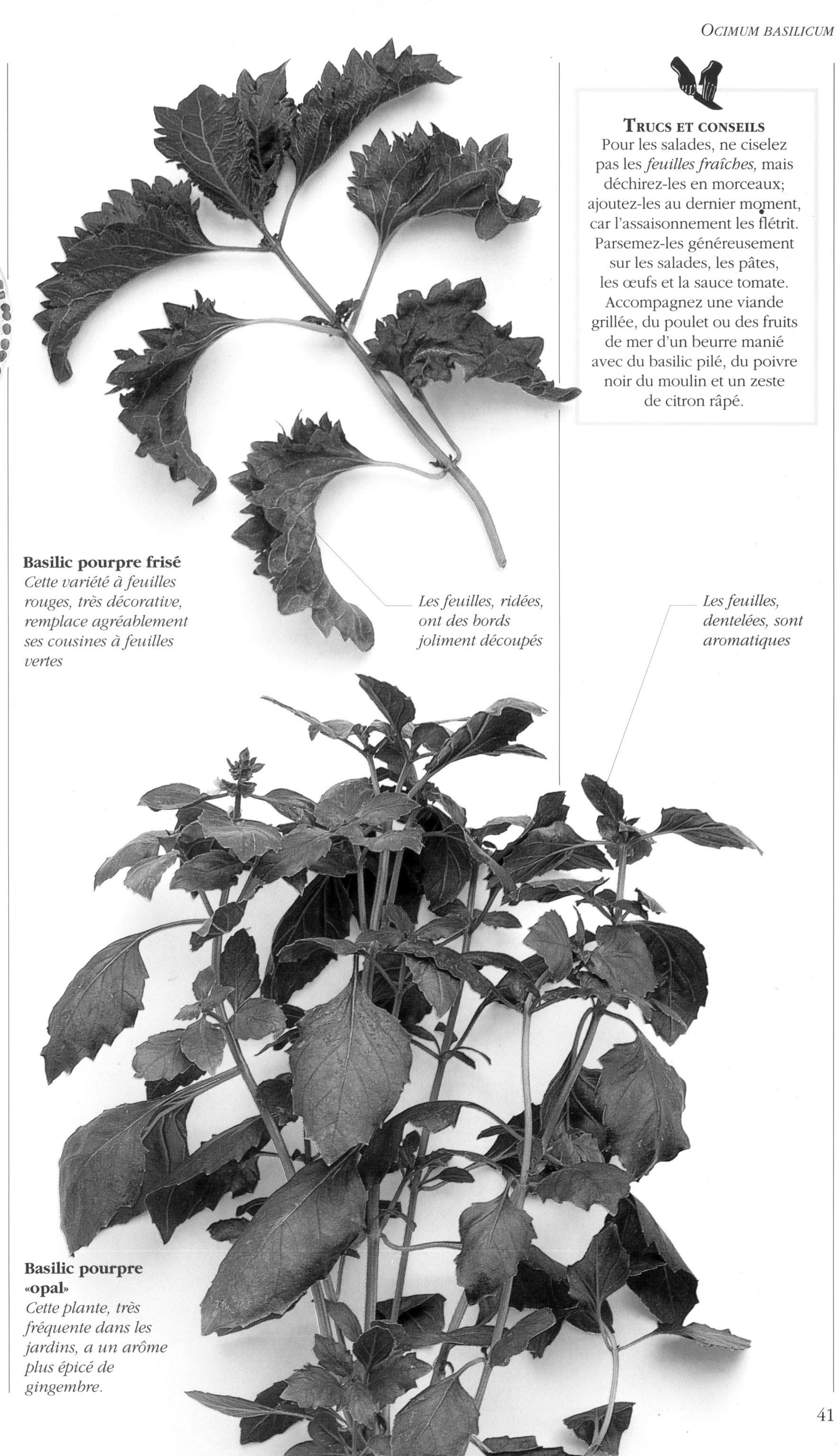

Basilic pourpre frisé
Cette variété à feuilles rouges, très décorative, remplace agréablement ses cousines à feuilles vertes

Les feuilles, ridées, ont des bords joliment découpés

Les feuilles, dentelées, sont aromatiques

Basilic pourpre «opal»
Cette plante, très fréquente dans les jardins, a un arôme plus épicé de gingembre.

TRUCS ET CONSEILS
Pour les salades, ne ciselez pas les *feuilles fraîches,* mais déchirez-les en morceaux; ajoutez-les au dernier moment, car l'assaisonnement les flétrit. Parsemez-les généreusement sur les salades, les pâtes, les œufs et la sauce tomate. Accompagnez une viande grillée, du poulet ou des fruits de mer d'un beurre manié avec du basilic pilé, du poivre noir du moulin et un zeste de citron râpé.

MARJOLAINE ET ORIGAN

AUTRES NOMS
Origan commun, marjolaine sauvage, origan de Crète, dictame, *origani*

PRÉSENTATIONS
Feuilles : fraîches, séchées

CONSERVATION
Feuilles fraîches : au réfrigérateur, dans un sachet en plastique; au congélateur, dans le bac à glaçons, ciselées et couvertes d'eau : quand les cubes ont pris, mettez-les dans un sachet en plastique et gardez-les au congélateur. *Feuilles séchées :* dans un récipient hermétique, au frais et à l'abri de la lumière.

SÉCHAGE
Attachez les tiges et suspendez-les dans un endroit chaud et bien aéré.

Ces deux plantes vivaces se ressemblent tellement qu'elles sont pratiquement indissociables. Le nom de l'origan vient de deux mots grecs signifiant «joie des montagnes», et il se développe en effet très bien en altitude. Comme la marjolaine, il a des feuilles tendres, d'un vert parfois moucheté, et de petites fleurs en grappes roses ou blanches. Cependant, poussant à l'état sauvage, il possède un arôme plus puissant que sa cousine, à la saveur plus douce et plus délicate. Ces herbes, originaires de la région méditerranéenne, agrémentent de nombreuses préparations françaises et italiennes, notamment la sauce tomate. L'origan, au parfum corsé, ingrédient indispensable de la pizza, est aussi très apprécié en Grèce. Il en existe de nombreuses sous-espèces sauvages qui, pour la plupart, poussent en Grèce, où elles portent le nom de *origani*. Plus riches en huile essentielle, elles ont un goût plus fort et plus rude que la marjolaine ou l'origan de nos contrées.

DES MARIAGES RÉUSSIS

Vinaigrette, anchois frais ou en conserve, plats italiens et grecs, volaille, gibier, fruits de mer, soupes, haricots, aubergines, pâtes, viande grillée, sauce tomate.

TRUCS ET CONSEILS
Vous pouvez sécher sans problème *l'origan,* au parfum puissant; en revanche, utilisez de préférence la *marjolaine fraîche,* et ne l'ajoutez qu'en fin de cuisson.

Elle permet de préparer des infusions aromatiques

La marjolaine fraîche ciselée *parfume les salades et les sauces au beurre pour le poisson*

Quand elles poussent en plein soleil, les feuilles deviennent vert doré

Origan doré frisé

Les fleurs, blanches ou rose pâle, s'épanouissent en été

Cette plante, qui pousse en bouquets denses, a de petites feuilles vert foncé

Origan frais

Marjolaine séchée

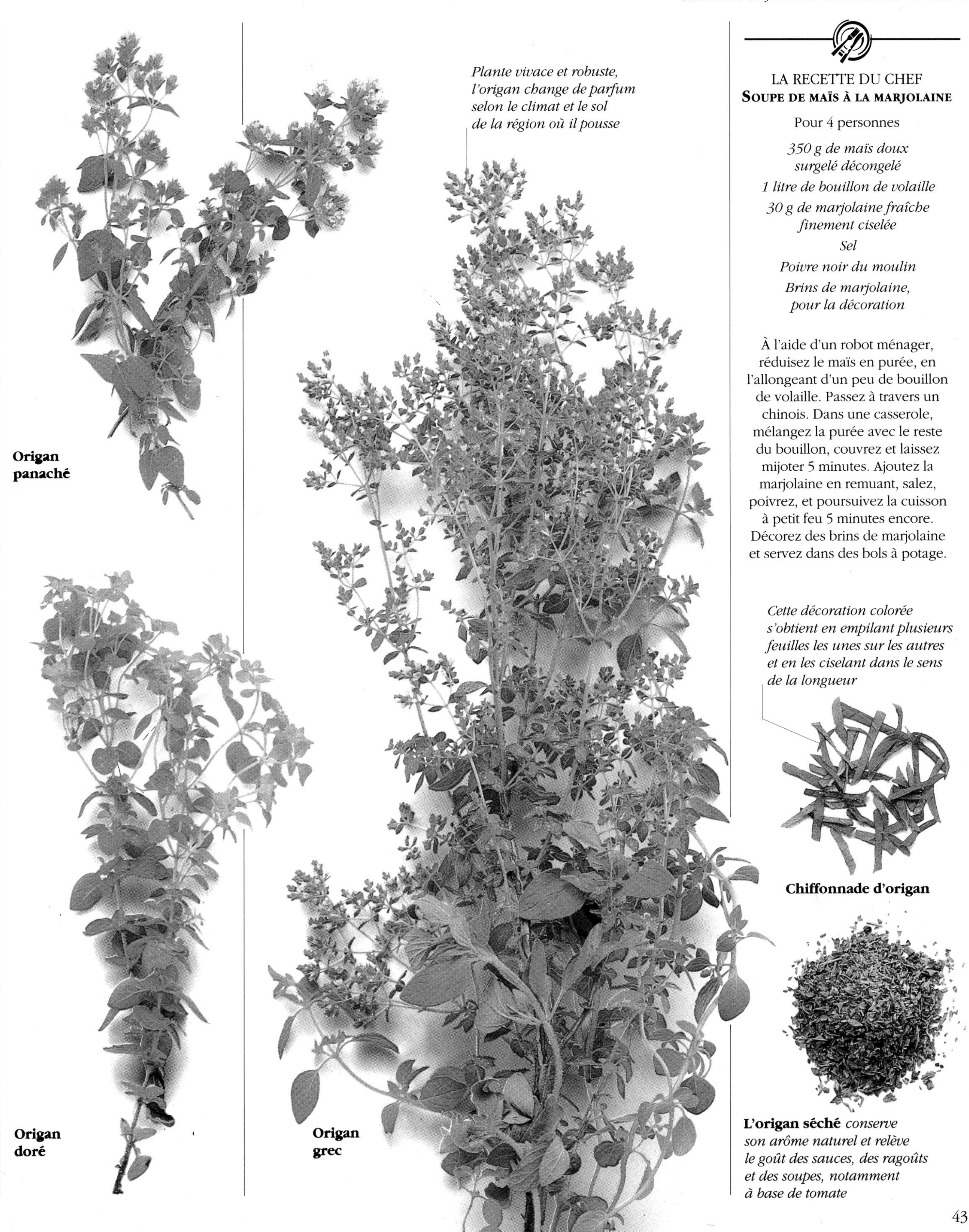

Plante vivace et robuste, l'origan change de parfum selon le climat et le sol de la région où il pousse

Origan panaché

Origan doré

Origan grec

LA RECETTE DU CHEF
Soupe de maïs à la marjolaine

Pour 4 personnes

350 g de maïs doux surgelé décongelé

1 litre de bouillon de volaille

30 g de marjolaine fraîche finement ciselée

Sel

Poivre noir du moulin

Brins de marjolaine, pour la décoration

À l'aide d'un robot ménager, réduisez le maïs en purée, en l'allongeant d'un peu de bouillon de volaille. Passez à travers un chinois. Dans une casserole, mélangez la purée avec le reste du bouillon, couvrez et laissez mijoter 5 minutes. Ajoutez la marjolaine en remuant, salez, poivrez, et poursuivez la cuisson à petit feu 5 minutes encore. Décorez des brins de marjolaine et servez dans des bols à potage.

Cette décoration colorée s'obtient en empilant plusieurs feuilles les unes sur les autres et en les ciselant dans le sens de la longueur

Chiffonnade d'origan

L'origan séché *conserve son arôme naturel et relève le goût des sauces, des ragoûts et des soupes, notamment à base de tomate*

PERSIL

AUTRES NOMS
Persil frisé, persil plat, persil de Naples

PRÉSENTATIONS
Feuilles : fraîches, séchées

CONSERVATION
Feuilles fraîches : dans un sachet en plastique, au réfrigérateur. En mettant les tiges dans un verre d'eau froide, vous leur garderez un maximum de fraîcheur.
Feuilles séchées : dans un récipient hermétique, à l'abri de la lumière et de l'humidité.

TRUCS ET CONSEILS
Utilisez de préférence le *persil plat,* qui a beaucoup plus de parfum que le *persil frisé.*

Persillade
Mélange odorant d'ail et de persil finement ciselés, qui parfume en fin de cuisson de nombreuses préparations telles que bœuf et agneau grillés, poisson frit, poulet ou légumes.

Gremolata
Mélange aromatique milanais composé de zestes d'orange et de citron et d'ail et de persil finement hachés. La gremolata, traditionnellement parsemée sur l'osso-buco, juste avant de le servir, relève tout aussi bien les autres plats de viande braisée. Il vaut toujours mieux l'ajouter au dernier moment.

Originaire d'Europe méridionale, cette plante très commune est aujourd'hui cultivée dans toutes les régions tempérées du globe. Le persil plat et le persil frisé en sont les deux espèces les plus courantes. Tous deux sont riches en vitamines et en sels minéraux. Le premier, au feuillage vert foncé, qui est plus aromatique et qui supporte bien la cuisson, est largement utilisé en cuisine. Le second convient parfaitement pour décorer toutes sortes de plats; moins parfumé, il présente cependant l'avantage de bien se conserver au réfrigérateur. Un peu de persil finement ciselé, parsemé juste avant de servir, apporte couleur et saveur aux sauces, aux salades ou aux pommes de terre nouvelles au beurre. Les tiges et les feuilles sont des ingrédients indispensables du bouquet garni (voir p. 55), et les feuilles entrent dans la composition de nombreux mélanges aromatiques. Des brins de persil frits entiers accompagnent délicieusement les fruits de mer ou les viandes grillées. Le persil bulbeux, lui, est surtout apprécié pour sa racine, dont l'arôme rappelle un peu celui du céleri.

Choisissez les feuilles vert vif, sans taches

Persil plat

Persil frisé

DES MARIAGES RÉUSSIS

Omelettes, salades, ragoûts, légumes, soupes, œufs, sauces, riz et pâtes, poisson, coquillages, viande et volaille, fromages frais, notamment la ricotta et le fromage blanc.

LA RECETTE DU CHEF
OMELETTE DE COURGETTES AU PERSIL

Pour 2 à 3 personnes

2 cuil. à soupe de beurre doux
1 cuil. à soupe d'huile d'olive
1 petit oignon finement émincé
250 g de courgettes pelées coupées en rondelles
250 g de tomates mondées, épépinées et coupées en morceaux
3 cuil. à soupe de persil plat finement ciselé
Sel
Poivre noir du moulin
4 gros œufs
Brins de persil frisé, pour la décoration

Chauffez le beurre et l'huile dans une poêle et faites-y fondre l'oignon. Ajoutez les courgettes, les tomates, le persil, le sel et le poivre. Laissez mijoter environ 8 minutes, jusqu'à ce que les courgettes soient tendres. Cassez les œufs dans un bol et battez-les légèrement. Assaisonnez-les et versez-les sur le mélange de légumes, en remuant avec une cuiller en bois. Poursuivez la cuisson à feu très doux, jusqu'à ce que les œufs aient pris. Vous pouvez passer la poêle sous le gril pour faire dorer le dessus de l'omelette. Retirez-la et décorez de quelques brins de persil frisé. Servez chaud.

Les feuilles fraîches, *ciselées, sont utilisées pour la décoration*

Petite pimprenelle

Autre nom
Pimprenelle

Présentations
Feuilles : fraîches, séchées

Conservation
Feuilles fraîches : au réfrigérateur, dans un sachet en plastique, aussitôt après la cueillette; au congélateur, dans le bac à glaçons, finement ciselées et couvertes d'eau.
Feuilles séchées : dans un récipient hermétique, au frais et à l'abri de la lumière, mais utilisez-les de préférence fraîches, d'autant plus qu'elles persistent toute l'année.

Trucs et conseils
Évitez les *feuilles* trop vieilles, car elles deviennent dures. Les plus *jeunes* se fanant assez vite, utilisez-les rapidement afin de leur conserver leur agréable saveur de concombre.

D'aspect délicat, cette jolie plante vivace à fleurs rouges est cependant suffisamment robuste pour que son feuillage vert résiste au froid de l'hiver. La pimprenelle, originaire d'Europe, était très appréciée en Angleterre à l'époque d'Élisabeth Ire; elle est ensuite, presque partout, tombée en désuétude, mais on la trouve encore parmi les ingrédients de certaines recettes italiennes et françaises. Son agréable saveur de concombre apporte une touche de fraîcheur aux salades et aux sauces. Il ne faut pas la confondre avec la sanguisorbe officinale *(Sanguisorba officinalis)*, ou grande pimprenelle, jadis réputée pour ses propriétés hémostatiques, et qui lui ressemble beaucoup.

Des mariages réussis

Brins frais : boissons à base de vin blanc, poulet poché froid, fruits de mer, salade verte, vinaigre aromatisé, soupes froides.

La recette du chef
Sauce à la pimprenelle pour poisson poché

Pour 4 personnes

50 cl de court-bouillon de poisson au vin blanc
1 cuil. à soupe de vinaigre de vin rouge
60 g de jeunes feuilles de pimprenelle finement ciselées
60 g de beurre doux froid et coupé en dés
1 kg de filets de poisson poché sans arêtes et sans peau (de la sole, par exemple)

Versez le court-bouillon de poisson dans une casserole et faites-le réduire de moitié à feu vif. Ajoutez en remuant le vinaigre et les feuilles de pimprenelle et laissez mijoter de 2 à 3 minutes à feu plus doux. À l'aide d'un fouet, incorporez un à un les dés de beurre au liquide, à tout petit feu, afin d'obtenir une sauce crémeuse. Goûtez et assaisonnez. Nappez-en les filets de poisson et servez avec du riz complet.

Feuilles ciselées

Les feuilles, découpées et fines, s'attachent à des tiges longues et gracieuses, et ont un léger parfum de concombre

Les jeunes feuilles, *plus tendres, conviennent mieux aux salades*

Romarin

Présentations
Feuilles : fraîches, séchées
Brins : frais *Fleurs :* fraîches

Conservation
Brins frais : au réfrigérateur, dans un sachet en plastique; au frais, après avoir mis les tiges dans un verre d'eau. *Feuilles séchées :* dans un récipient hermétique, au frais et à l'abri de la lumière.

Séchage
Suspendez les *branches fraîches* dans un endroit chaud et sec. Ôtez les *feuilles* des tiges avant de les conserver.

Trucs et conseils
Avant d'utiliser les *feuilles séchées,* écrasez-les afin d'en libérer l'arôme. Ne risquez pas de laisser dans les plats les *«aiguilles» fraîches,* coriaces. Pensez à les ciseler finement ou à les piler dans un mortier; dans les préparations qui mijotent longtemps, gardez les *brins entiers* mais ôtez-les juste avant de servir. Décorez les salades en les parsemant de *fleurs fraîches.*

Brochettes aux herbes
Une fois débarrassées de leurs feuilles, les tiges de romarin constituent d'excellentes brochettes.

Le nom de cette jolie plante aromatique, aux feuilles en forme d'aiguilles et aux fleurs d'un beau bleu lumineux, vient du latin et signifie «rosée de mer». Le romarin est en effet natif du littoral méditerranéen, où il bénéficie d'un sol riche en calcium, d'un climat sec et des embruns maritimes. Son arôme puissant et relevé est particulièrement agréable. En Italie, cette herbe parfume très fréquemment le veau, la volaille ou l'agneau, notamment lorsqu'ils sont longuement mijotés avec du vin, de l'huile d'olive et de l'ail. Le romarin est également apprécié, bien qu'à un moindre degré, dans d'autres pays méditerranéens, tandis que dans le nord de l'Europe, il entre surtout dans la composition des saucisses. Il pourrait être plus largement utilisé car il se marie bien avec les légumes forts en goût, les confitures et les gelées, et même avec les boissons à base de vin.

Les feuilles en forme d'aiguilles, vert foncé et étroites, sont très aromatiques, avec un parfum boisé et piquant

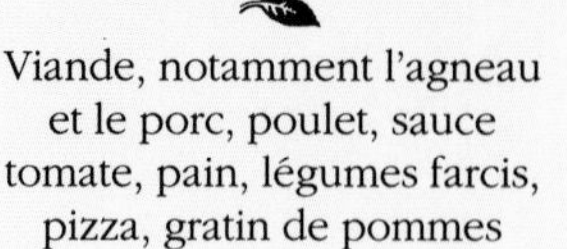

Des mariages réussis

Viande, notamment l'agneau et le porc, poulet, sauce tomate, pain, légumes farcis, pizza, gratin de pommes de terre, gelée de pomme.

La recette du chef
Betteraves au romarin

Pour 4 personnes

12 petites betteraves
Sel
Poivre noir du moulin
2 branches de romarin
3 cuil. à soupe de beurre doux

Dans une casserole, posez les betteraves et recouvrez-les d'eau. Salez et laissez mijoter à couvert de 30 à 45 minutes, selon leur taille et leur âge, jusqu'à ce qu'elles soient tendres. Laissez refroidir puis pelez-les et coupez-les en tranches. Détachez les feuilles des branches de romarin et ciselez-les finement. Dans une casserole, faites revenir de 2 à 3 minutes dans le beurre les rondelles de betteraves et le romarin, salez et poivrez, afin de bien mêler les saveurs; le beurre ne doit pas brunir. Servez aussitôt.

Les feuilles fraîches, *enfermées dans un carré de mousseline, ne se répandront pas dans les plats*

Les feuilles fraîches ciselées *donnent de la saveur aux sauces, aux ragoûts et aux marinades*

Oseille

Autres noms
Oseille commune, grande oseille, oseille de Chambourcy, oseille-épinard, patience

Conservation
Feuilles fraîches : au réfrigérateur, peu de temps dans un sachet en plastique; au congélateur, qu'elles supportent bien, alors qu'elles sèchent mal.

Trucs et conseils
En raison de sa grande acidité, l'oseille cuite dans une casserole en fer, ou coupée avec un couteau en acier non inoxydable, se décolore.

Chiffonnade d'oseille
La chiffonnade, aussi jolie que savoureuse, permet de mieux libérer dans un plat l'arôme de l'oseille. Lavez les herbes et séchez-les. Coupez les tiges et empilez les feuilles. Faites-en un rouleau très serré, que vous couperez en tronçons fins (voir ci-dessus). Utilisez la chiffonnade telle quelle ou réduisez-la en purée : dans une petite casserole, mélangez 250 g de chiffonnade d'oseille avec 2 cuil. à soupe de beurre et faites fondre 10 minutes environ en remuant souvent, jusqu'à obtenir une purée. Servez avec du poisson poché.

Parmi les nombreuses espèces d'oseille, il en est deux qui sont utilisées en tant que légumes verts ou que fines herbes : la grande oseille, *Rumex acetosa,* et l'oseille ronde, *Rumex scutatus,* que les cuisiniers préfèrent pour son goût un peu moins acide. Quant à l'oseille-épinard, *Rumex patienta,* connue aussi sous le nom de patience, elle tient une place moins importante en gastronomie. Déjà connues au temps des pharaons, toutes ces herbes figurent encore aujourd'hui dans divers plats égyptiens. Chez les Grecs et les Romains de l'Antiquité, l'oseille était réputée pour son acidité qui facilitait la digestion. Elle a toujours été très appréciée dans toute l'Europe, et plus particulièrement en France où diverses variétés ont été autrefois sélectionnées, et où elle est encore largement cultivée. On la retrouve très fréquemment, notamment dans le potage et avec le saumon. Ses feuilles sont riches en potassium et en vitamines A et C. Elle se réduit facilement en purée, qui constitue la base de délicieuses sauces accompagnant les œufs ou le poisson pochés. Une viande un peu dure, coupée en morceaux avant la cuisson et enveloppée de feuilles d'oseille, retrouve grâce à leur acidité toute sa tendreté.

La grande oseille a de belles feuilles vertes, lancéolées, avec une base assez large

Les jeunes pousses, moins acides, sont idéales dans les salades et les sandwichs

Des mariages réussis

Salades vertes mélangées, sandwichs, sauces à base de crème, soupes, omelettes, quiches et autres plats aux œufs, fromage frais, notamment de chèvre, veau, porc, poisson.

LA RECETTE DU CHEF
Sauté de veau à l'oseille

Pour 6 personnes

2 cuil. à soupe d'huile végétale
2 cuil. à soupe de beurre
1 kg de veau désossé coupé en dés de 4 cm
2 oignons moyens finement émincés
250 g de champignons en morceaux
25 cl de vin blanc sec
25 cl de bouillon de volaille
Bouquet garni
Sel
Poivre noir du moulin
Chiffonnade d'oseille fraîche (voir ci-contre)

Dans une poêle, chauffez l'huile et le beurre, ajoutez le veau et faites-le dorer. Versez le tout dans une cocotte. Faites revenir les oignons et les champignons dans la poêle et ajoutez-les au contenu de la cocotte, en même temps que le vin, le bouillon, le bouquet garni, le sel et le poivre. Couvrez et laissez mijoter 30 minutes. Disposez la viande dans un plat de service chaud. Ôtez le bouquet garni. Laissez réduire le jus de moitié, ajoutez la chiffonnade d'oseille en remuant et réchauffez. Nappez le veau et servez avec du riz complet nature.

Feuilles ciselées

Présentations
Feuilles : fraîches, séchées et pilées

Des alliances subtiles
Romarin, thym, origan, persil, laurier

Conservation
Feuilles fraîches : au réfrigérateur, quelques jours dans un sachet en plastique.
Feuilles séchées : dans un bocal hermétique, au frais et à l'abri de la lumière afin de leur conserver leur couleur et leur parfum puissant.
Feuilles pilées : dans un bocal hermétique.

Séchage
Cueillez la sauge au printemps, quand les tiges sont courtes; suspendez les feuilles dans un endroit chaud et bien aéré.

Sauge

La sauge, répandue dans le monde entier, est originaire du littoral septentrional de la Méditerranée. Cet arbuste vivace de taille moyenne a des fleurs bleues ou lilas qui s'épanouissent à la fin du printemps, et un arôme très prononcé. La sauge fait partie de ces plantes aromatiques dont l'usage n'est pas seulement culinaire et, dans le passé, elle fut connue en médecine bien avant d'être appréciée en gastronomie. Les Grecs, les Romains, les Arabes l'utilisaient pour ses vertus curatives, comme tonique et comme remède contre les morsures de serpents; pour les gens du Moyen Âge, elle soignait tous les maux. Nous ne savons pas avec précision depuis quand la sauge joue un rôle plus important en cuisine qu'en médecine, mais cette évolution remonte sans doute à plusieurs siècles. Les Italiens la cuisinent avec la viande, notamment le foie de veau et le veau en général, les Allemands l'ajoutent aux plats d'anguille, tandis que les Français en parfument le porc, le veau et la charcuterie. Dans de nombreux pays, notamment en Grèce, le thé à la sauge est très apprécié. Au Moyen-Orient, elle agrémente les salades, et en Angleterre, elle entre dans la composition des saucisses fraîches, de la traditionnelle farce pour le porc ou l'oie, et du fromage appelé derby.

Des mariages réussis
Farce aux oignons pour volaille, viande grasse, notamment l'oie et le porc, saucisses et charcuterie, veau, anchois, riz, sauce tomate, salades, marinades, plats au fromage.

La sauge séchée *est plus parfumée que la fraîche; utilisez-la en petite quantité*

Les feuilles, longues et étroites, ont une saveur piquante

La sauge de jardin a des feuilles gris-vert, épaisses et veloutées

Sauge de jardin à feuilles larges

Sauge officinale
Il existe des variétés à feuilles plus ou moins larges, lancéolées ou arrondies.

Des feuilles fraîches ciselées *apportent de la saveur aux sauces pour les pâtes et aux farces*

Les feuilles entières *peuvent être piquées sur des brochettes*

TRUCS ET CONSEILS
Utilisez cette herbe, à l'arôme prononcé et légèrement camphré, en petite quantité. Mariez-la aux viandes grasses car elle en facilite la digestion. Mettez cependant davantage de *feuilles fraîches,* d'un beau gris-vert, au parfum plus léger. Incorporez-les entières à de nombreux plats. Déchirez simplement les *jeunes feuilles* en morceaux : toutes petites, elles sont assez douces pour parsemer une salade verte. Sur des brochettes, enfilez des feuilles de sauge entre les morceaux de viande et de légumes.

Les feuilles, à maturité, sont veloutées, les tiges sont nettement pourpres

Sauge pourpre

Cette variété a des feuilles vertes tachées de rose et bordées de blanc

Sauge «tricolore»

Certaines feuilles sont vertes, d'autres jaunes

Sauge ananas

Espèces de sauge
Les sauges à feuilles pourpres, pourpre panaché et doré panaché forment au jardin un séduisant trio et, tout comme l'espèce à feuilles gris-vert, sont utilisées en cuisine.

LA RECETTE DU CHEF
SALTIMBOCCA

Pour 4 personnes

8 petites escalopes de veau
8 petites tranches de jambon cru, de Parme de préférence
8 jeunes feuilles de sauge fraîche, assez grandes
Poivre noir du moulin
1 cuil. à soupe d'huile d'olive
3 cuil. à soupe de beurre doux
15 cl de marsala ou de porto

À l'aide d'une batte à côtelette, aplatissez les escalopes. Disposez sur chacune d'elles une tranche de jambon et une feuille de sauge. Poivrez et enroulez la viande autour de sa garniture. Fixez à l'aide d'une pique en bois ou de ficelle de cuisine. Dans une poêle, chauffez l'huile et le beurre et faites rissoler les escalopes roulées à feu modéré. Versez le marsala ou le porto et portez à ébullition. Couvrez et laissez mijoter de 10 à 15 minutes. Servez chaud avec des pâtes au beurre.

Pour parfumer de sauge
Placez le jambon et la sauge au milieu de l'escalope et roulez.

Présentations
Feuilles : fraîches, séchées

Des alliances subtiles
Romarin, thym, sauge, fenouil, laurier

Conservation
Feuilles fraîches : au réfrigérateur, dans un sachet en plastique; au congélateur, dans le bac à glaçons, finement ciselées et couvertes d'eau.
Feuilles séchées : dans un récipient hermétique, à l'abri de la lumière.

Séchage
Cueillez les *feuilles* de sarriette vivace ou annuelle juste avant la floraison. Suspendez-les dans un endroit chaud, sombre et bien aéré.

Sarriette

Les deux espèces de cette herbe, la sarriette commune ou des jardins *(Satureia hortensis)* et la sarriette vivace ou des montagnes *(Satureia montana),* toutes deux natives de la région méditerranéenne, séduisent tout autant les jardiniers que les cuisiniers. Leur parfum poivré rappelle un peu celui du thym. Autrefois, les Romains appréciaient une préparation à base de vinaigre et de sarriette annuelle, assez proche de nos actuelles sauces à la menthe. Cette herbe se marie très bien avec tous les légumes secs, mais aussi avec les saucisses, les farces et les mélanges d'herbes. Petit arbuste atteignant 30 cm de hauteur, la sarriette vivace a des feuilles persistantes, brillantes et d'un vert lumineux, et des fleurs rosées. Elle possède un arôme plus fort, plus âpre, plus épicé que celui de la sarriette annuelle qui, elle, peut mesurer jusqu'à 45 cm de hauteur et a des feuilles étroites et vert foncé, et des fleurs couleur lilas.

Des mariages réussis
Légumes secs, notamment lentilles et haricots blancs, salades aux légumes cuits, veau et porc grillés, volaille, lapin, soupes, sauce au raifort, concombre, farces et charcuterie, fromage de chèvre, sauce tomate, marinades, poisson, notamment la truite.

Trucs et conseils
Utilisez les *feuilles* de sarriette en cas de régime hyposodé, car leur arôme tenace compense le manque de sel. Mariez l'espèce annuelle avec des haricots frais, l'espèce vivace avec des haricots secs. Pour donner aux marinades ou aux assaisonnements de salades de haricots la saveur subtile de cette herbe, faites-en infuser quelques *brins frais* dans du vinaigre de vin.

Roses ou blanches, les fleurs s'épanouissent depuis le milieu de l'été jusqu'à l'automne

La sarriette vivace, aux feuilles vertes et étroites, dégage un arôme fort et épicé

Les feuilles, pointues, ont un aspect brillant

Les feuilles fraîches ciselées *parfument agréablement une sauce au raifort*

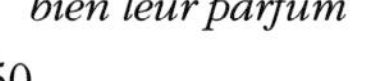

Les feuilles séchées *conservent bien leur parfum*

La sarriette vivace *a une texture moins agréable que l'espèce annuelle*

Feuilles fraîches entières

LA RECETTE DU CHEF
HARICOTS VERTS À LA SARRIETTE D'ÉTÉ

Pour 4 à 6 personnes

1 kg de jeunes haricots verts frais effilés

4 cuil. à soupe de beurre doux

2 cuil. à soupe de feuilles de sarriette annuelle fraîche finement ciselées

Sel

Poivre noir du moulin

Plongez les haricots dans une grande casserole d'eau bouillante. Salez et poursuivez la cuisson sur feu vif, à découvert, pendant 8 à 10 minutes selon l'âge et la fraîcheur des haricots. Ils doivent être tendres tout en restant croquants. Versez-les dans une passoire, rincez-les à l'eau froide, égouttez-les de nouveau et remettez-les dans la casserole. Ajoutez le beurre et la sarriette. Salez et poivrez si nécessaire. Réchauffez de 1 à 2 minutes.

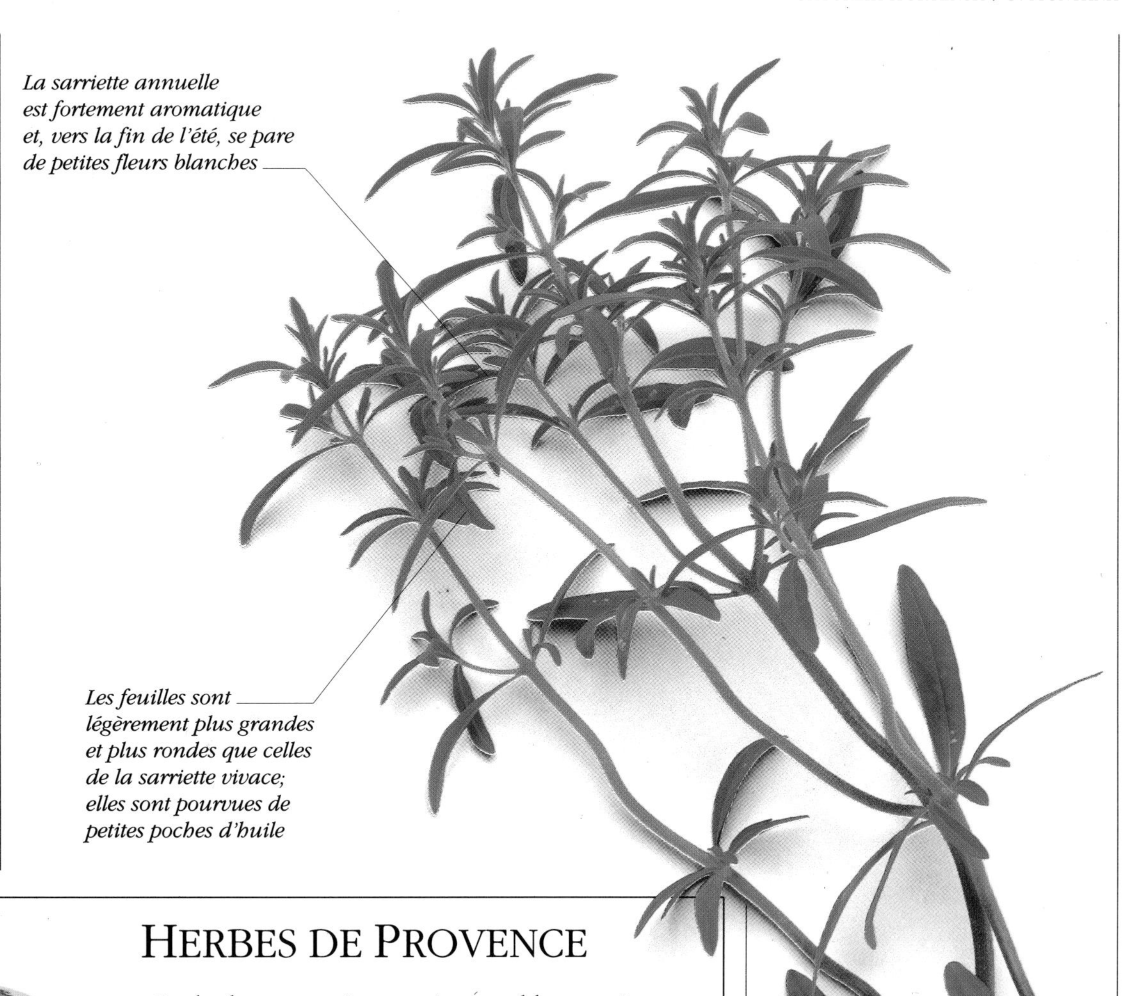

La sarriette annuelle est fortement aromatique et, vers la fin de l'été, se pare de petites fleurs blanches

Les feuilles sont légèrement plus grandes et plus rondes que celles de la sarriette vivace; elles sont pourvues de petites poches d'huile

Les tiges, rouge clair, sont couvertes d'un léger duvet

La sarriette annuelle *rappelle, par son arôme, à la fois la menthe et le thym. Une ou deux feuilles séchées ciselées suffisent à parfumer une salade, un plat au fromage ou un mélange d'herbes*

HERBES DE PROVENCE

Ces herbes aromatiques qui, ensemble, constituent un délicieux mélange poussent, durant les mois d'été, sur les hauteurs du midi de la France. Fraîches, elles se cuisinent par poignées entières; séchées, elles apportent pendant tout l'hiver leur parfum. Les herbes de Provence parfument tous les plats typiques de la région méditerranéenne et plus particulièrement les ragoûts, les tomates cuites, les garnitures de pizza, ou relèvent le goût de brochettes à griller.

Les pots traditionnels en terre cuite *sont parfaits pour conserver ce mélange d'herbes, en attendant la prochaine récolte*

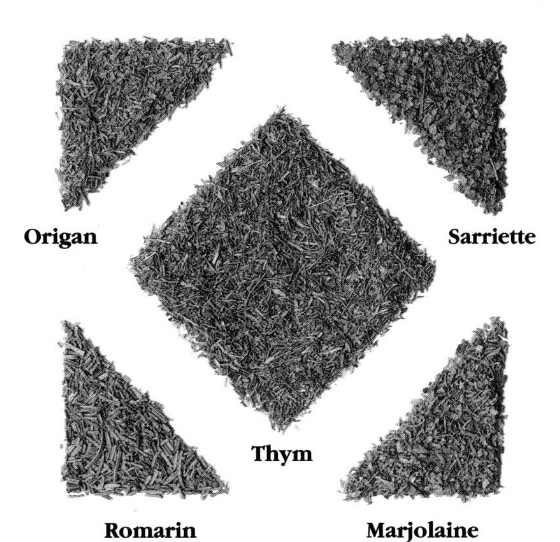

AUTRES NOMS
Thym maraîcher, farigoule, serpolet, thym-citron

PRÉSENTATIONS
Feuilles : fraîches, séchées

CONSERVATION
Feuilles fraîches : au réfrigérateur, dans un sachet en plastique; au congélateur, dans le bac à glaçons, finement ciselées et couvertes d'eau.
Feuilles séchées : dans un récipient hermétique, au frais et à l'abri de la lumière.

SÉCHAGE
Suspendez les tiges en bouquets dans un endroit chaud, sec et bien aéré.

THYM

Il existe environ 100 espèces différentes de thym, mais les cuisiniers n'en utilisent que trois. Déjà très employé dans la Grèce ancienne, il était sans doute connu depuis bien plus longtemps dans les pays méditerranéens. Cette herbe joue un rôle essentiel dans leur gastronomie. Un bouquet garni sans thym perd beaucoup de sa saveur. Rares sont les plats que sa présence parfumée n'améliorent pas. Son arôme agréable, caractéristique, se marie bien avec ceux de nombreuses autres herbes, notamment le romarin, qu'il met en valeur sans jamais le supplanter. Les vertus digestives du thym en font l'allié des plats de mouton, de porc, de canard ou d'oie, viandes grasses. Une de ses espèces, le serpolet, pousse à profusion en Provence et apporte sa saveur particulière aux recettes de la région. Le thym-citron, à l'agréable odeur citronnée, donne de délicieuses infusions. Aromate exceptionnel, le thym sous toutes ses formes s'épanouit dans les jardins mais pousse aussi très bien en jardinière ou en pot.

DES MARIAGES RÉUSSIS
Tous les plats à cuisson lente, notamment les ragoûts et les soupes, légumes sautés ou au four, sauce tomate, farces, volaille rôtie, viande grillée ou rôtie, pain, sauces.
Thym-citron : poisson et poulet, et certains desserts aux fruits frais, mais en petite quantité.

Les espèces à feuilles panachées, qui remplacent agréablement le thym commun, sont plus difficiles à cultiver

Thym panaché

Les feuilles, aromatiques, lancéolées et d'un vert moyen, sont couvertes d'un léger duvet

En été, le thym maraîcher a des fleurs lilas clair et une tige ligneuse

Thym maraîcher

Les feuilles fraîches ciselées *ont un parfum plus prononcé que lorsqu'elles sont séchées; utilisez-les en petite quantité*

Les feuilles séchées *conservent un délicat arôme*

Les feuilles fraîches *relèvent le goût de tous les plats salés*

TRUCS ET CONSEILS

Le thym *séché* vendu dans le commerce n'a pas le parfum de celui que vous récolterez et ferez sécher vous-même. Dans les soupes, les ragoûts, la sauce tomate ou le riz complet, glissez une branche que vous ôterez avant de servir. Mettez-en une dans l'eau de cuisson des légumes, ou dans de l'huile ou du vinaigre pour les parfumer. Si vous l'utilisez *frais,* détachez les feuilles des tiges.

Dégarnir les tiges
Pour ne garder que l'arôme du thym, dégarnissez les tiges à l'aide d'une fourchette.

Le thym Silver Posie *est un arbrisseau à fleurs rose pâle ou lilas; ses feuilles sont bordées de gris argenté*

Le nectar des fleurs, couleur vieux rose, attire les abeilles, qui en font un miel très apprécié

Cette variété rampante a des feuilles d'un vert lumineux, marquées de jaune

Thym Doone Valley

Il parfume aussi bien les plats sucrés que salés

Thym-citron

LA RECETTE DU CHEF
COURGETTES AU THYM FRAIS

Pour 4 à 6 personnes

1 kg de petites et jeunes courgettes
4 cuil. à soupe de beurre doux
2 cuil. à soupe de feuilles de thym frais finement hachées
Sel
Poivre noir du moulin

Épluchez les courgettes et coupez-les en rondelles de 2,5 cm d'épaisseur. Plongez-les dans une grande casserole d'eau bouillante salée et faites-les blanchir 5 minutes. Égouttez-les longuement. Rincez et essuyez la casserole. Chauffez le beurre et ajoutez le thym et les courgettes égouttées. Salez et poivrez. Remuez doucement, couvrez et laissez mijoter 5 minutes environ, jusqu'à ce que les légumes soient tendres. Servez chaud ou à température ambiante.

AUTRES NOMS
Verveine citronnelle, citronnelle

PRÉSENTATIONS
Feuilles : fraîches, séchées

CONSERVATION
Feuilles fraîches : au réfrigérateur, dans un sachet en plastique bien fermé.
Feuilles séchées : dans un récipient hermétique, au frais et à l'abri de la lumière.

TRUCS ET CONSEILS
Mettez des *feuilles fraîches* dans les salades de fruits, mais en petite quantité car leur goût pourrait rappeler celui des cosmétiques parfumés au citron.

VERVEINE ODORANTE

Arbuste à feuilles caduques, la verveine odorante, qui peut atteindre 4,50 m de hauteur sous des climats chauds, se limite à 1 m dans les régions plus fraîches. Ses feuilles, très parfumées, emplissent l'air d'un arôme de citron. Originaire du Chili, elle fut importée en Europe par les Espagnols et servit tout d'abord à la fabrication de savons et de cosmétiques. Ses feuilles longues, pointues, sont vert clair, et de minuscules fleurs mauves apparaissent en grappes à l'extrémité des tiges. Grâce à son goût fortement citronné, la verveine odorante remplace très bien le lemon-grass dans les recettes orientales. La verveine officinale, elle, est inodore.

Les feuilles, longues, pointues, de texture inégale, ont un puissant parfum citronné; elles poussent sur les tiges par groupes de trois

Les feuilles fraîches *du haut, ciselées, agrémentent des salades de fruits ou de légumes*

DES MARIAGES RÉUSSIS

Boissons aux fruits frais, notamment celles aux pêches ou aux fraises, infusions à la réglisse ou à la menthe, salades de fruits, en infusion dans les crèmes-desserts vanillées.

LA RECETTE DU CHEF
RIZ AU LAIT À LA VERVEINE

Pour 4 à 6 personnes

250 g de riz à grains ronds
1/2 cuil. à café de sel
60 cl de lait
2 ou 3 feuilles fraîches de verveine odorante
125 g de sucre
1 cuil. à soupe de beurre doux
4 jaunes d'œufs légèrement battus
Feuilles fraîches de verveine odorante, pour la décoration

Dans une casserole, mélangez le riz, 50 cl d'eau et le sel. Portez à ébullition et laissez cuire à découvert, sur feu moyen, 30 minutes environ. Dans une autre casserole, chauffez le lait sans le faire bouillir et versez-le sur le riz en remuant. Glissez les feuilles de verveine dans le mélange et maintenez, à découvert, sur feu très doux, en remuant de temps en temps, jusqu'à ce que le riz ait absorbé presque tout le lait. Ôtez les feuilles de verveine. Ajoutez le sucre, le beurre et les jaunes d'œufs et poursuivez la cuisson, toujours en remuant régulièrement, pour obtenir un ensemble homogène et onctueux. Versez dans un plat de service, laissez refroidir et mettez au réfrigérateur. Décorez de feuilles de verveine odorante et servez.

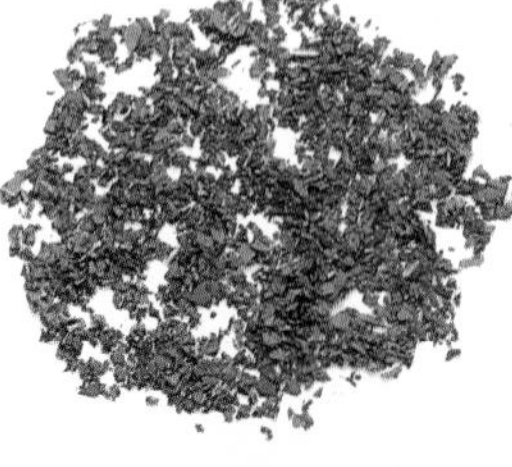

Feuilles fraîches ciselées

HERBES EN BOUQUETS

Parmi les herbes, il en est qui se marient plus agréablement avec certains mets. De même, elles s'associent parfois pour former des unions très réussies. Ces mélanges aromatiques, qui parfument des soupes, des ragoûts, des sauces, se composent de quelques brins liés les uns aux autres ou de plantes beaucoup plus diverses, en passant par le classique bouquet garni. Qu'elles soient fraîches ou séchées, les herbes doivent toujours être retirées en fin de cuisson. Un bouquet composé d'une branche de céleri et de brins de persil, de thym, de marjolaine, d'estragon et de laurier est parfaitement adapté aux volailles mijotées; pour le gibier, vous le compléterez avec des baies de genièvre. Pour parfumer l'agneau, choisissez des brins de romarin, de thym, de sarriette, de menthe et de persil; dans les sautés de bœuf, remplacez la menthe par un zeste d'orange. Avec le porc, préférez la sauge, le thym et la marjolaine frais. Quant aux fruits de mer, ajoutez-leur de l'aneth, de l'estragon et un zeste de citron.

Si la longueur des tiges le permet, attachez-les à l'aide de ficelle de cuisine

BOUQUET GARNI FRAIS

Le bouquet garni est le mélange d'herbes français par excellence. Essentiel en cuisine, il se compose en général de trois brins de persil, d'une petite branche de thym et d'une autre de laurier. Vous le trouverez tout prêt dans le commerce, complété parfois par une branche de céleri ou la partie verte d'un poireau. Si vous le confectionnez vous-même, assurez-vous que les arômes des herbes s'équilibrent bien; souvenez-vous que celui du laurier est prononcé alors que celui du persil est plutôt doux. Et n'oubliez pas que le parfum d'un bouquet garni trop petit disparaîtra dans une marmite de soupe et qu'à l'inverse, s'il est trop gros, il étouffera les autres goûts dans une petite casserole de sauce.

Bouquet garni enrichi d'une branche de céleri, d'origan et d'un zeste d'orange

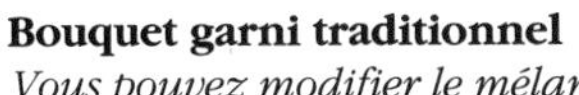

Bouquet garni traditionnel
Vous pouvez modifier le mélange classique — trois brins de persil, une branche de laurier et un brin de thym — en fonction du plat que vous allez préparer.

Thym

Le mélange d'herbes séchées est disposé sur un carré de mousseline

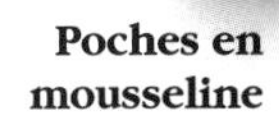

Poches en mousseline

Laurier

Persil

BOUQUET GARNI SÉCHÉ

Vous achèterez ou ferez vous-même un bouquet garni composé de laurier, de persil et de thym séchés. Mélangez les herbes en quantités égales et placez-les dans un carré de mousseline que vous fermerez à l'aide de ficelle de cuisine ou de fil à coudre. Retirez-le en fin de cuisson. Des sachets d'herbes aromatiques mélangées font des petits cadeaux originaux, surtout si vous variez les plantes.

Bouquet garni en sachets

ÉPICES
DU MONDE

GALANGA

AUTRES NOMS
Grand galanga :
gingembre thaïlandais
Petit galanga :
kencur, krachai

PRÉSENTATIONS
Rhizome : frais, séché, moulu, au vinaigre

CONSERVATION
Rhizome frais : au réfrigérateur, dans un sachet en plastique. Mais il est difficile à trouver hors des pays d'Orient.
Rhizome séché : dans un récipient hermétique, au frais et à l'abri de la lumière.

Les deux espèces de galanga, membres de la famille du gingembre, les Zingibéracées, tiennent une place très importante dans la gastronomie du Sud-Est asiatique. Le grand galanga *(Alpinia galanga),* originaire d'Indonésie, est un rhizome assez gros, noueux et couvert d'une écorce brun rougeâtre ou blanc crème. Il est très utilisé en tant qu'épice dans les recettes thaïlandaises, où il remplace bien souvent le gingembre, au goût très proche. Le petit galanga *(Alpinia officinarum),* plus courant dans le Sud-Est asiatique, se mange plutôt en légume. Épluché et pilé, il relève les currys ou les ragoûts. Une autre espèce, *Kaempferia galanga,* est plus rare en Occident. Elle fut pourtant très employée autrefois par les cuisiniers européens; elle entre encore dans la fabrication de liqueurs et de boissons amères. En français, le nom de galanga s'applique aussi bien au rhizome lui-même qu'au tubercule de souchet long.

DES MARIAGES RÉUSSIS

Currys, soupes, ragoûts, volaille, fruits de mer, notamment les crevettes, sauces à base de noix de coco, agneau.

TRUCS ET CONSEILS
À défaut, remplacez le galanga par du gingembre frais râpé (voir p. 108), en réduisant les proportions de moitié. Le goût sera cependant plus piquant et moins aromatique.

LA RECETTE DU CHEF
POULET FAÇON SUD-EST ASIATIQUE

Pour 2 à 4 personnes

6 grosses gousses d'ail hachées
1 cuil. à soupe de poivre noir en grains concassé
2 cuil. à soupe de galanga en poudre ou 1 cuil. à soupe de gingembre frais râpé
1/2 cuil. à café de sel, ou selon votre goût
8 cuisses de poulet
Huile pour friture

Dans un bol, mélangez l'ail, le poivre, le galanga ou le gingembre et le sel. Enduisez largement les cuisses de poulet avec ce mélange, mettez-les dans un grand bol, couvrez et laissez mariner de 3 à 4 heures au réfrigérateur. Versez l'huile dans une poêle, sur 5 cm de hauteur environ. Chauffez-la à 190 °C; elle ne doit pas fumer. Faites-y frire les cuisses de poulet jusqu'à ce qu'elles soient bien cuites et brun doré. Égouttez-les sur du papier absorbant et servez avec du riz.

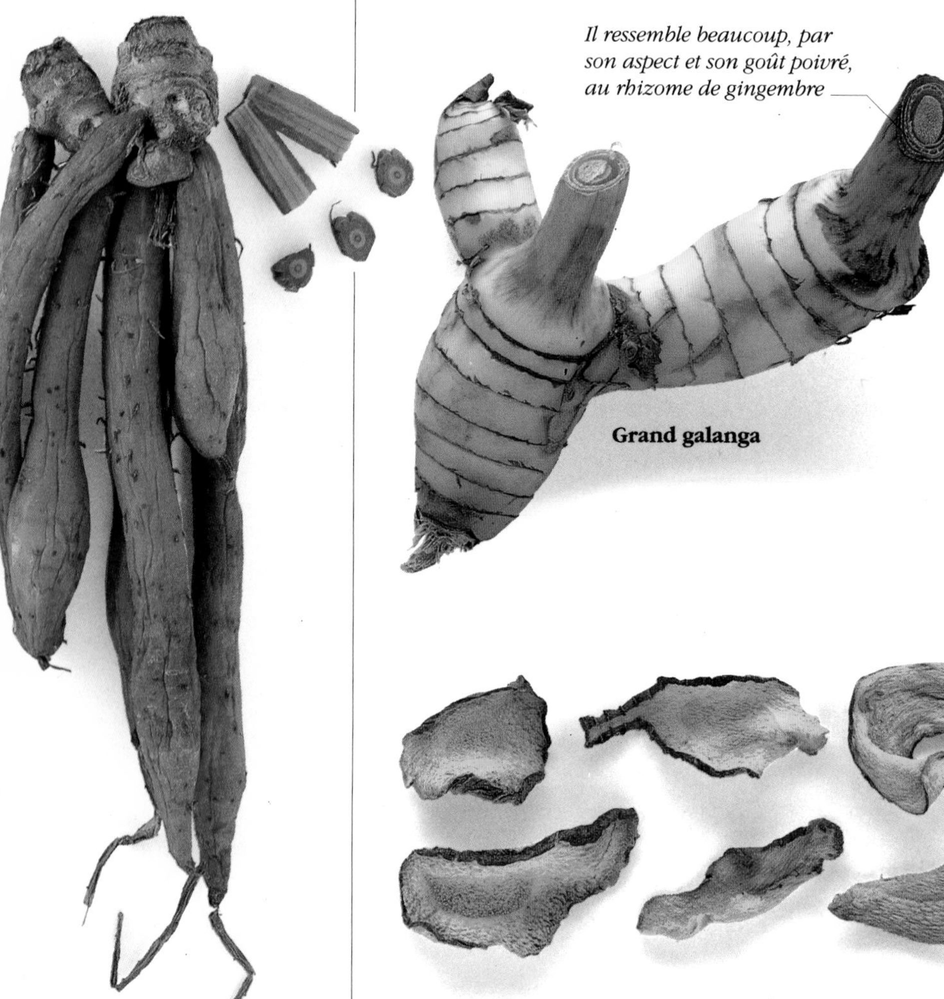

Tranches fraîches

Tranches séchées

Kaempferia galanga

Galanga en poudre

GRAINES DE CÉLERI

PRÉSENTATIONS
Graines : entières, moulues

CONSERVATION
Entières et moulues : dans un récipient hermétique, au frais et à l'abri de la lumière, afin de leur conserver leur goût de céleri légèrement amer.
Sel de céleri : dans un récipient hermétique, au frais et à l'abri de la lumière.

TRUCS ET CONSEILS
Les graines entières gardent bien leur parfum, mais ne les utilisez qu'en petite quantité, à cause de leur amertume. Écrasez-les pour libérer tout leur arôme.
Le sel de céleri a tendance à s'éventer; conservez-le au réfrigérateur.

Le céleri s'est développé au XVIIe siècle à partir de l'ache odorante, qui poussait naturellement dans les marais salants d'Europe. La sélection a donné deux espèces principales : le céleri en branches, à feuillage vert et à côtes blanches et charnues, et le céleri-rave. Ce dernier se mange cuit, en légume, ou cru, en salade. Les graines de céleri, brunes et minuscules, sont creusées de cinq sillons plus clairs; aromatiques et un peu âcres, elles ont le même goût que la plante. Leur légère amertume met en valeur les autres parfums, et elles apportent leur saveur à certaines préparations pour lesquelles la plante elle-même ne conviendrait pas — pâte à pain ou biscuits salés, par exemple. Elles s'utilisent entières dans des salades, sur des légumes cuits, ou en poudre, dans des plats cuisinés. Le sel de céleri, mélange de graines de céleri moulues et de sel fin, aromatise diverses boissons, notamment le jus de tomate et le Bloody Mary.

Les minuscules graines brunes sont creusées de sillons plus clairs et ont un goût légèrement amer

Graines entières

Branches de céleri

Cet assaisonnement au céleri et aux herbes *parfumera une viande à griller*

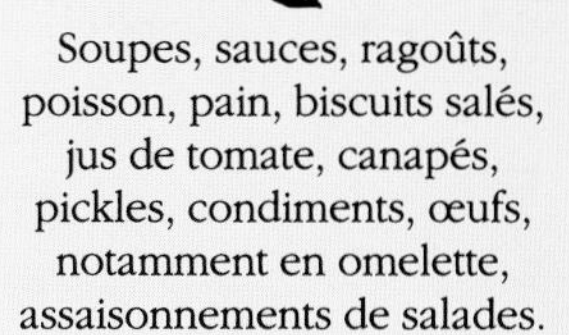

DES MARIAGES RÉUSSIS

Soupes, sauces, ragoûts, poisson, pain, biscuits salés, jus de tomate, canapés, pickles, condiments, œufs, notamment en omelette, assaisonnements de salades.

LA RECETTE DU CHEF
CONCOMBRES POCHÉS AUX GRAINES DE CÉLERI

Pour 6 personnes

1 kg de concombres pelés et coupés en tranches de 2,5 cm d'épaisseur

Bouillon de volaille ou eau

1 ou 2 cuil. à soupe de beurre doux

2 cuil. à café de graines de céleri en poudre

2 ou 3 cuil. à soupe de crème fraîche épaisse (facultatif)

Dans une casserole, recouvrez les tranches de concombre de bouillon ou d'eau. Portez à ébullition et laissez mijoter 5 minutes à couvert, jusqu'à ce que les concombres soient tendres. Égouttez-les bien et remettez-les dans la casserole. Dans une autre, plus petite, chauffez le beurre et ajoutez en remuant les graines de céleri en poudre, et éventuellement la crème. Versez sur les concombres et mélangez doucement. Disposez sur un plat de service réchauffé à four doux et servez chaud en légume. (Vous pouvez aussi laisser les graines de céleri entières.)

Rocou

Autres noms
Urucù, achiote,
bija, bijol

Présentations
Graines : entières, en poudre

Conservation
Graines : dans un récipient hermétique, au frais et à l'abri de la lumière. Bien rouges, elles se conservent très longtemps; évitez celles qui brunissent.

Trucs et conseils
En cuisine, le rocou intervient davantage en tant que colorant qu'en tant qu'aromate. Toutefois, l'huile teintée et parfumée au rocou est un ingrédient précieux de la cuisine des Caraïbes. Pour la préparer, chauffez dans une petite casserole 25 cl d'huile de maïs ou d'arachide. Ajoutez-y 60 g de graines de rocou et faites cuire de 2 à 5 minutes, selon la force des graines, en remuant jusqu'à ce que l'huile prenne une belle couleur orange. Retirez du feu. Laissez refroidir l'huile, filtrez-la et conservez-la au réfrigérateur dans une bouteille en verre. Elle se garde très longtemps.

Le rocouyer, de la famille des Bixacées, est un très joli arbrisseau qui pousse aux Caraïbes, au Mexique et en Amérique centrale et du Sud. Ses grandes fleurs, d'un beau rouge incarnat, ressemblent à des roses sauvages. Son intérêt commercial tient au pigment que l'on extrait de la matière cireuse rouge qui entoure les quelque 50 graines de ses fruits en forme de cœur et couverts d'épines. Autrefois, les guerriers caraïbes se peignaient le corps avec cette teinture connue également des Mayas du Guatemala. Le rocou est très souvent présent dans les recettes des Caraïbes et d'Amérique latine, surtout comme colorant, mais aussi comme épice. Il est l'un des ingrédients de la sauce piquante servie avec le plat national jamaïquain, arilles de graines de blighia et morue salée. Au Mexique, ses graines, pilées avec d'autres herbes et épices, dont le cumin et l'origan, entrent dans la composition d'un assaisonnement au goût parfumé et fleuri. Le rocou a été introduit par les Espagnols aux Philippines, où il est devenu indispensable à de nombreuses préparations culinaires. En Europe, il permet de colorer certains fromages tels que le livarot, l'édam, le leicester ou le chester. Selon les îles ou les pays, le rocou a des appellations très différentes.

Huile au rocou

Graines

Les graines sont extraites des capsules

Des mariages réussis
Légumes secs, céréales, riz, volaille, poisson, notamment la morue salée, porc, ragoûts de bœuf et d'agneau, soupes, gumbos, potiron, oignons, tomates, currys, mélanges d'épices, coquillages, notamment les crevettes, sauces pimentées, œufs, patates douces, plantain.

La recette du chef
Riz pilaf

Pour 4 à 6 personnes

300 g de riz à grains longs
4 cuil. à soupe d'huile au rocou (voir à gauche)
60 cl de bouillon de volaille
Sel

Lavez et égouttez le riz. Chauffez l'huile dans une poêle. Versez-y le riz, remuez et laissez-le cuire 2 minutes, jusqu'à ce qu'il soit translucide. Ajoutez le bouillon de volaille et salez. Portez à ébullition et laissez mijoter à couvert 20 minutes environ, ou jusqu'à ce que le liquide soit absorbé. Laissez reposer 10 minutes. Avant de servir, aérez le riz à l'aide d'une fourchette. Ce plat se marie bien avec le poulet épicé.

Autre nom
Almàcigo (bois)

Présentations
Feuilles : séchées *Écorce* : séchée

Conservation
Feuilles : dans un récipient hermétique, au frais et à l'abri de la lumière.

Trucs et conseils
Ajoutez toujours la poudre de sassafras hors du feu, mais quand le plat est encore très chaud, et remuez bien le liquide de cuisson. Le mélange ne doit pas bouillir, car il deviendrait gluant.

Sassafras

Les Indiens Choctaws de Louisiane furent les premiers à utiliser le sassafras, ce bel arbre d'Amérique du Nord, de la famille du laurier, qui peut atteindre la taille considérable de 27 m. Très aromatique, il a des fleurs verdâtres et des fruits bleu foncé portés par des tiges rouges. Ses feuilles, d'un vert lumineux, présentent trois formes différentes pour un même arbre. Autrefois, les feuilles et l'écorce aromatisaient le thé, parfumaient des médicaments et, mélangées à d'autres ingrédients, entraient dans la préparation d'une boisson fortifiante. Aujourd'hui, le sassafras se vend essentiellement sous forme de poudre obtenue en broyant les feuilles séchées. Cette poudre est l'agent liant du *gumbo,* un plat mi-soupe mi-ragoût très populaire dans le Sud américain, héritage combiné des cuisines amérindienne, française, espagnole et africaine. Son nom vient sans doute du mot africain bantou *gombo* — ou *ketmie* —, qui désigne une plante potagère tropicale arrivée aux États-Unis par les Antilles françaises. On confond d'ailleurs souvent sassafras et gombo, qui sert également d'agent liant. Les feuilles très jeunes et toutes tendres de sassafras complètent agréablement les salades vertes.

Écorce séchée

Écorce moulue

Feuilles moulues (poudre de sassafras)

Des mariages réussis

Gumbos cajuns ou créoles, soupes, poisson, crustacés, volaille, gibier, ragoûts de viandes et de légumes très épicés, tous les plats salés réclamant une liaison.

LA RECETTE DU CHEF
Gumbo de crevette et de crabe

Pour 6 personnes

4 cuil. à soupe d'huile végétale
1 oignon moyen finement haché
4 oignons nouveaux hachés
4 branches de céleri hachées
1 poivron vert moyen épépiné et haché
3 cuil. à soupe de farine
Sel
500 g de crevettes cuites
500 g de chair de crabe cuite sans coquille ni cartilage
1/2 cuil. à café de sauce pimentée
4 cuil. à café de persil plat ciselé
1 cuil. à soupe de sassafras en poudre

Dans une casserole, chauffez l'huile et faites-y revenir l'oignon, les oignons nouveaux, le céleri et le poivron vert. Ajoutez la farine passée à travers un chinois et cuisez de 2 à 3 minutes; le mélange ne doit pas brunir. Versez-y peu à peu 2 litres d'eau; assaisonnez. Portez à ébullition et laissez mijoter 15 minutes à couvert. Ajoutez les crevettes et la chair de crabe et faites-les réchauffer. Incorporez la sauce pimentée et le persil; goûtez et rectifiez l'assaisonnement. Retirez du feu et délayez la poudre de sassafras en remuant bien. Servez avec du riz complet.

MOUTARDE

Autres noms
Moutarde noire ou sénevé, moutarde brune, moutarde blanche

Présentations
Graines : entières, en poudre, en huile *Condiment :* fort, doux, aromatisé

Conservation
Graines : dans un récipient hermétique, au frais et au sec. *Condiment :* au réfrigérateur, dans un pot bien fermé.

Trucs et conseils
Pour obtenir la saveur la plus forte, mélangez de la *moutarde en poudre* (en vente en pharmacie) avec de l'eau froide et laissez reposer 15 minutes avant de l'utiliser. La moutarde japonaise se prépare de la même façon, mais avec de l'eau bouillante. Dans les plats chauds, ajoutez la moutarde en fin de cuisson, en chauffant doucement. Dans les ragoûts, délayez éventuellement de la moutarde en poudre dans l'huile qui a servi à faire revenir l'ail et les oignons. La mayonnaise se prépare toujours avec le *condiment.*

Son nom vient du latin *mustum ardens,* qui signifie «moût brûlant». Les anciens Romains mélangeaient en effet les graines de moutarde moulues à du jus de raisin non fermenté (du moût), qui développait leur saveur piquante. Toutes les moutardes, et elles sont nombreuses, proviennent de trois espèces, appartenant à la famille des crucifères, dont deux sont très proches : *Brassica nigra,* ou moutarde noire, qui peut atteindre 2 m, et *Brassica juncea,* ou moutarde brune. Toutes deux portent des petites graines rondes, mais la seconde, plus petite et donc plus facile à récolter, a nettement supplanté la première. Elles sont particulièrement parfumées; la noire est très appréciée des Indiens pour le goût spécifique qu'elle donne à leurs plats. La troisième espèce, *Brassica alba,* ou moutarde blanche, porte des graines plus grosses et jaunâtres. Elle est beaucoup moins piquante que les variétés brune et noire. Très largement utilisée en Amérique du Nord dans la fabrication de la moutarde, elle n'entre jamais dans la composition de la moutarde de Dijon.

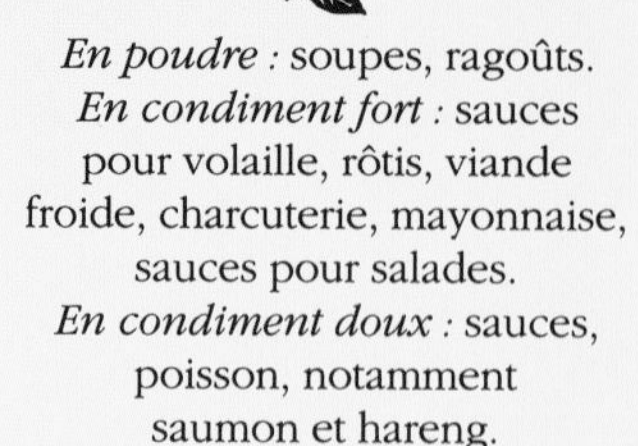

Des mariages réussis
En poudre : soupes, ragoûts. *En condiment fort :* sauces pour volaille, rôtis, viande froide, charcuterie, mayonnaise, sauces pour salades. *En condiment doux :* sauces, poisson, notamment saumon et hareng.

Faire germer des graines
Associées, les pousses de moutarde blanche, *Brassica alba,* et de cresson alénois, *Lepidium sativum,* donnent une salade croquante et légèrement poivrée. Cette culture était très populaire dans l'Angleterre victorienne, où les graines étaient disposées dans les rainures de cônes en terre cuite. Aujourd'hui, vous pouvez les faire germer dans un bac contenant une mince couche de terre ou sur un morceau de toile ou de coton humide. Les pousses sont comestibles au bout de 2 semaines environ ou lorsqu'elles atteignent 5 cm de haut. Si vous les mariez à du cresson, plantez celui-ci 3 ou 4 jours après la moutarde, car il se développe plus vite. Servez les fines pousses en salade ou dans des sandwichs, ou décorez-en un plat.

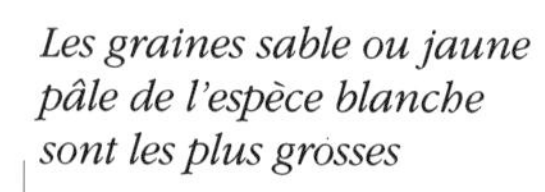

Les graines sable ou jaune pâle de l'espèce blanche sont les plus grosses

Graines blanches

Plus fortes et piquantes, ces graines sont plus petites que les blanches

Graines noires

Amères, piquantes et aromatiques, les graines brunes remplacent aujourd'hui largement les noires

Graines brunes

Moutarde en poudre

C'est le curcuma ajouté au condiment qui lui donne sa couleur jaune vif

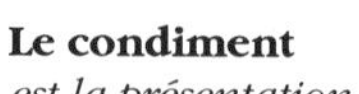

Le condiment *est la présentation la plus courante de la moutarde*

Moutarde condiment

Dans les cuisines du monde entier, ce condiment est connu de très longue date. Il trônait déjà sur la table des anciens Égyptiens, des Grecs et des Romains, et le pape Jean XXII créa une charge de «grand moutardier», qui devait contrôler la qualité de la moutarde que l'on servait dans son palais en Avignon. Aux XVIIIe et XIXe siècles, il en existait au moins 93 variétés destinées à la consommation; la mode en était définitivement lancée. La méthode de fabrication s'est également transmise à travers les siècles. De nos jours, comme au Moyen Âge, les graines sont mélangées à un liquide dans lequel elles macèrent : verjus ou moût de raisin, vin, vinaigre, cidre ou eau. Puis elles sont réduites en une pâte fine. Pendant la fabrication, la température ne doit jamais excéder 40 °C, car la chaleur évapore les huiles essentielles contenues dans les graines, et qui sont précisément la source de leur arôme. Quant aux usages culinaires de ce condiment plein de feu, aux saveurs multiples, ils ont peu changé au cours du temps. Nature, il accompagne les viandes froides et entre dans la composition de très nombreux plats et sauces chaudes ou froides.

Préparer une sauce moutarde

Ne laissez pas cuire la moutarde si vous voulez qu'elle garde sa saveur. Une simple cuillerée de condiment assaisonne par exemple très bien les viandes froides, mais d'autres préparations sont plus élaborées. Plusieurs sauces froides telles que la vinaigrette, la mayonnaise ou la sauce à l'aneth (ci-dessous) sont parfumées à la moutarde et se marient agréablement avec des salades de légumes.

1 Faites fondre 1 ou 2 cuil. à soupe de sucre dans 1 1/2 cuil. à soupe de vinaigre de vin blanc. Incorporez 15 cl d'huile d'olive vierge en battant au fouet.

2 Ajoutez 6 cuil. à soupe de moutarde de Dijon, 2 ou 3 brins d'aneth ciselés et du poivre blanc du moulin. Remuez bien.

Cette sauce convient particulièrement au saumon mariné à l'aneth (voir p. 102).

Conserver la moutarde

La moutarde condiment se conserve bien, sans perdre de sa force, durant un an, dans un récipient hermétique mais, dès l'ouverture du pot, il faut la consommer rapidement, car son arôme se détériore. Il vaut mieux la conserver dans un pot à goulot étroit, de préference en grès ou en porcelaine; sa surface s'oxyde en effet rapidement à l'air et prend un aspect désagréable.

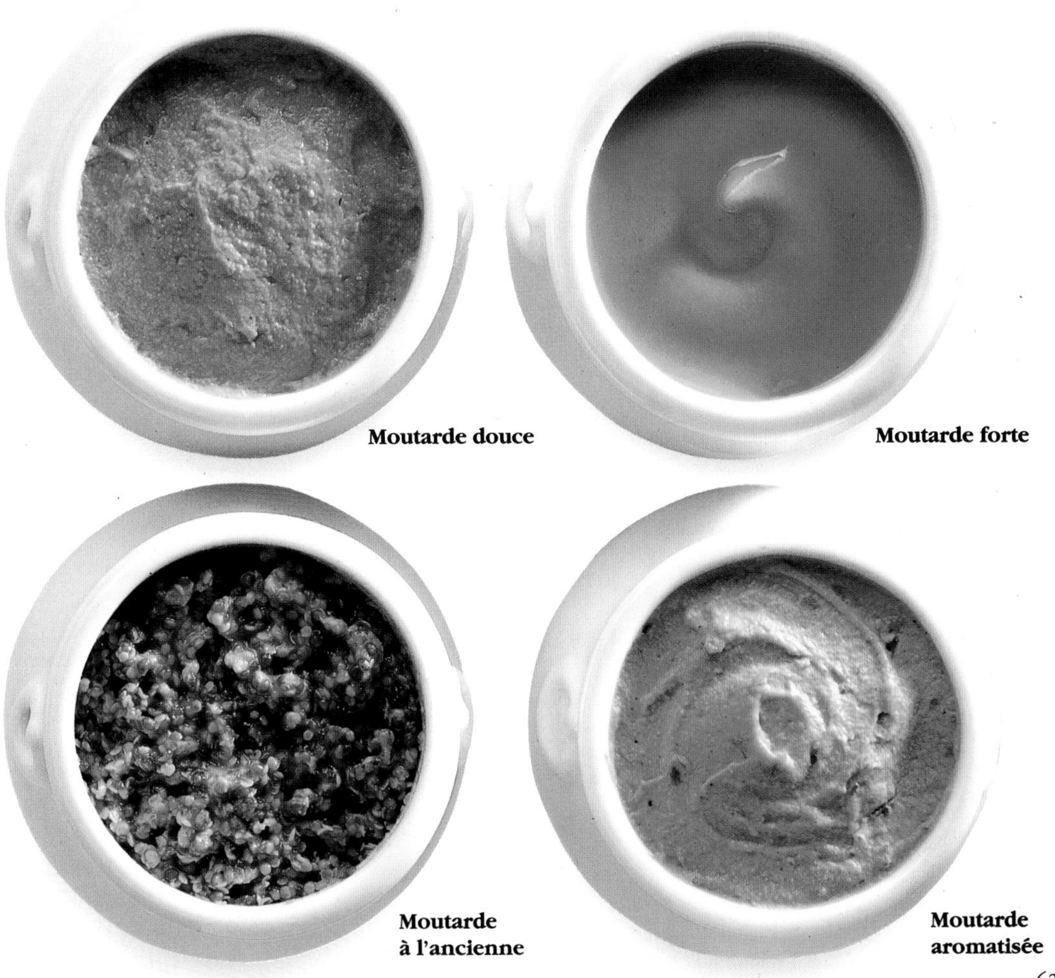

Moutarde douce

Moutarde forte

Moutarde à l'ancienne

Moutarde aromatisée

Moutarde à l'ancienne
Les moutardes à l'ancienne sont préparées avec des graines brunes grossièrement concassées, mélangées à du vinaigre et à des épices. La plus célèbre, la moutarde de Meaux, se reconnaît à son pot en grès scellé de cire rouge; elle ressemble beaucoup aux anciennes moutardes anglaises et, lisse ou plus granuleuse, elle est aujourd'hui très appréciée. Elle doit sa relative douceur à la présence des enveloppes de ses graines, qui ne sont que partiellement tamisées.

Moutarde douce et moutarde forte

Bien que les variétés de moutarde soient très diverses, il en existe deux types de base : la douce et la forte. La différence tient à la façon dont les graines sont traitées. Pour la première, on leur conserve tout ou partie de leur enveloppe; pour la seconde, dont la plus connue est celle de Dijon, elles sont moulues puis tamisées. Les moutardes douces, notamment celles de Bordeaux, d'Orléans et de Meaux (à l'ancienne), contiennent une grande proportion de cosses et au moins 20% de moutarde en poudre. Les moutardes allemandes, assez foncées, légèrement sucrées, et préparées à base de graines noires ou brunes moulues et de vinaigre, sont plus ou moins fortes. Les moutardes américaines, elles, sont faites avec des graines blanches en poudre, plus douces, du vinaigre, du sucre, des épices et, très souvent, du curcuma, qui leur donne une couleur jaune bien franche.

La recette du chef
Sauce crème à la moutarde

Pour 20 cl environ

60 g de beurre doux
15 cl de crème fraîche épaisse
1 cuil. à café de jus de citron
Sel
Poivre noir du moulin
1 ou 2 cuil. à café de moutarde à l'ancienne
2 ou 3 cuil. à soupe de ciboulette fraîche ciselée

Dans une casserole peu profonde, chauffez le beurre à feu modéré. Quand il mousse, versez-y la crème. Portez à ébullition et laissez épaissir 5 minutes. Ajoutez le jus de citron, le sel et le poivre puis, en remuant, la moutarde. Goûtez et rectifiez l'assaisonnement. Retirez la casserole du feu et incorporez la ciboulette. Servez immédiatement avec un poisson, une viande ou une volaille grillée. Ne réchauffez jamais cette sauce mais, si vous devez attendre un peu (15 minutes au maximum), mettez-la dans un bol au-dessus d'une casserole d'eau chaude.

Moutarde de Dijon

Moutarde de Bordeaux

Moutarde allemande

Moutarde américaine

Moutarde du Beaujolais

Moutarde douce

MOUTARDES AROMATISÉES

De nombreuses moutardes sont aromatisées par une herbe, une épice ou un autre aromate. Dès le XVIe siècle, une moutarde piquante relevée de raifort connut une grande popularité. Ces produits, aujourd'hui très appréciés, sont délicatement parfumés avec des herbes fines telles que le basilic, l'estragon ou la menthe, ou au contraire corsés avec des ingrédients plus épicés — poivre vert en grains, piment ou gingembre, par exemple —, ou encore avec des fruits comme le citron ou certaines baies. Les fabricants sont d'ailleurs inventifs. La moutarde aux quatre fruits, produit typiquement français, est additionnée de baies rouges et de betterave. En Angleterre, on ajoute souvent au condiment du miel, du whisky de malt ou de la bière. Quant à la moutarde de Crémone, en Italie, elle est composée de fruits macérés dans un sirop de moutarde.

Aromatiser une moutarde condiment

Si les moutardes aromatisées accompagnent délicieusement les viandes froides, les poissons, les volailles, les pâtés et les légumes, elles remplacent aussi, dans de nombreuses préparations, la moutarde nature, à condition que leur parfum s'accorde avec celui du plat. Vous pouvez très facilement les préparer vous-même. Mélangez 2 cuil. à café d'herbes fraîches ciselées, ou d'un autre aromate, à 125 g de moutarde et laissez reposer 10 minutes au moins. Modifiez éventuellement ces proportions selon votre goût. Pour obtenir en un instant une délicieuse sauce d'accompagnement pour des légumes cuits à l'eau ou pour des fruits de mer pochés, ajoutez à cette préparation du yaourt ou de la crème fleurette.

Piments

Citron

Grains de poivre vert

Menthe

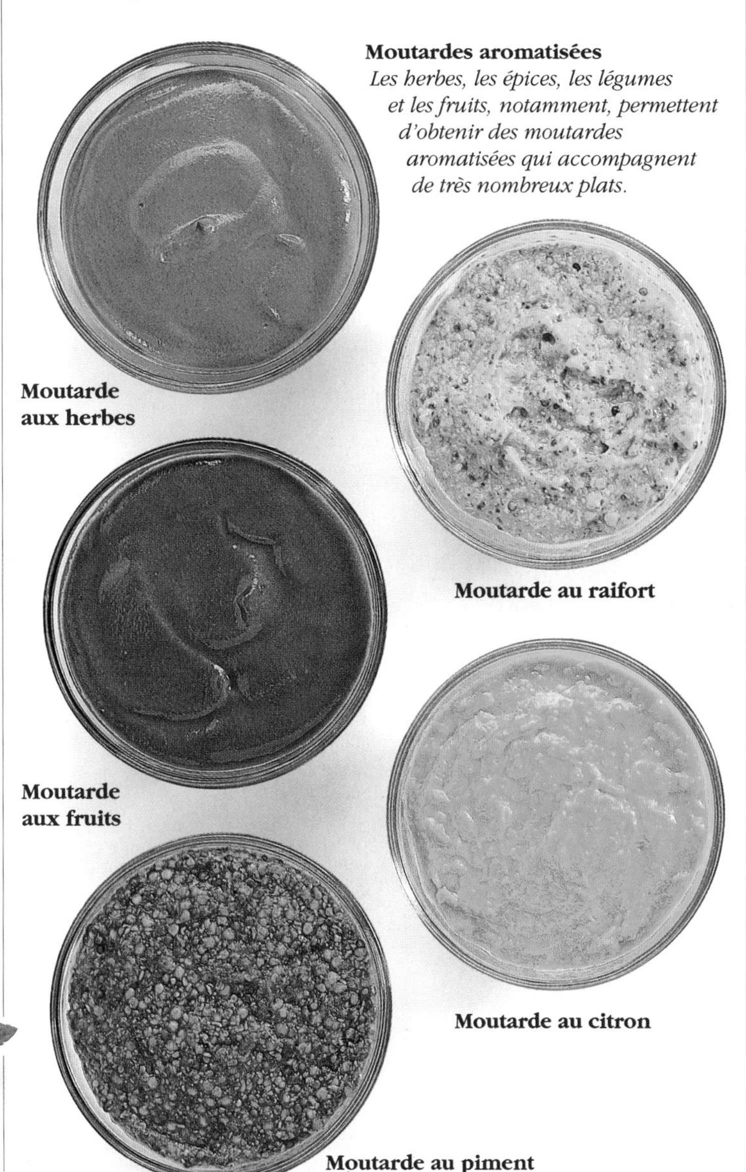

Moutardes aromatisées
Les herbes, les épices, les légumes et les fruits, notamment, permettent d'obtenir des moutardes aromatisées qui accompagnent de très nombreux plats.

Moutarde aux herbes

Moutarde au raifort

Moutarde aux fruits

Moutarde au citron

Moutarde au piment

LA RECETTE DU CHEF

Saumon à la sauce moutarde citronnée

Pour 4 personnes

4 tranches de saumon de 150 à 200 g chacune
Le jus d'un gros citron
Le jus d'une grosse orange
50 g de beurre doux
Sel
Poivre noir du moulin
20 cl de crème fraîche épaisse
1 cuil. à soupe de moutarde de Dijon au citron
Persil frais ciselé, pour la décoration (facultatif)

Rincez et séchez le saumon. Mettez-le dans un plat peu profond et versez dessus les jus de citron et d'orange. Recouvrez-le de film alimentaire et laissez-le mariner 1 heure au réfrigérateur en le retournant de temps en temps. Retirez-le alors de la marinade, sans la jeter, et séchez-le dans du papier absorbant. Chauffez le beurre dans une grande poêle antiadhésive. Quand il mousse, ajoutez le saumon, salez et faites-le revenir 2 minutes. Retournez le poisson et laissez cuire 2 minutes. Si les tranches sont épaisses, poursuivez un peu la cuisson. Mettez-les alors dans un plat et réservez au chaud. Versez la marinade dans la poêle et portez à ébullition. Faites-la réduire des deux tiers. Ajoutez la crème et laissez bouillonner de 2 à 3 minutes. Poivrez et incorporez la moutarde en remuant. Versez la sauce sur le saumon, décorez éventuellement de persil, et servez immédiatement avec du riz complet.

Moutarde en poudre

D'un usage répandu dès le début du XVIIIe siècle, la moutarde en poudre se préparait alors à partir d'un mélange de graines noires et blanches moulues. Une fois tamisé, celui-ci donnait une poudre très fine qui remplaça celle que l'on utilisait jusqu'alors, moins forte et plus granuleuse. Depuis, les méthodes de fabrication ont peu changé. On ajoute cependant aujourd'hui à cette poudre de la farine de blé, du curcuma pour la colorer, ainsi que du sucre, du sel et des épices. La moutarde en poudre sert aussi d'agent de conservation et entre souvent dans la composition des pickles et des chutneys. Plus relevée que la nôtre, la moutarde épicée de Chine, appelée *gai,* est faite à partir de graines brunes. Mais la plus forte de toutes demeure sans doute la *karashi* japonaise, ingrédient des véritables sauces soja et qui accompagne, en très petite quantité, certains plats nationaux. Les palais occidentaux doivent s'en méfier !

Préparer de la moutarde

La moutarde en poudre est très forte, et son arôme se développe dès qu'elle se trouve en contact avec un liquide. Commencez par la mélanger avec de l'eau froide ou du vinaigre, du lait, du cidre ou même de la bière. Attendez ensuite de 15 à 30 minutes que cette pâte révèle toute sa saveur, qui s'atténue cependant au bout de quelques heures. Elle perd aussi de son goût piquant à la chaleur; ne l'ajoutez donc qu'en fin de cuisson.

LA RECETTE DU CHEF
Moutarde cajun

Pour 15 cl environ

60 g de moutarde en poudre
1 cuil. à soupe de farine
3 cuil. à soupe de vinaigre de vin blanc
1 cuil. à soupe de miel
1 gousse d'ail finement hachée
1 cuil. à soupe de piments broyés
1 cuil. à café d'origan séché
1 cuil. à café de cumin en poudre
1 cuil. à café de thym séché
1 cuil. à café de poivre noir en grains
1 cuil. à café de paprika

Mélangez la moutarde en poudre et la farine. Ajoutez peu à peu 5 cl d'eau froide, en tournant, et laissez reposer 15 minutes. Incorporez les autres ingrédients et remuez.

Une fois réduite en poudre, la moutarde doit être mélangée à un liquide qui développe son goût piquant

Poudre de moutarde

Poudre de moutarde au piment

Poudre de moutarde au poivre

Graines de moutarde séchées avec de la menthe

Poudre de moutarde à la ciboulette

LA RECETTE DU CHEF
Moutarde au miel

Pour 15 cl environ

60 g de moutarde en poudre
1 cuil. à soupe de farine
2 cuil. à soupe de vinaigre de cidre
1 cuil. à soupe de cognac
1 cuil. à soupe de miel

Mélangez la moutarde en poudre et la farine. Ajoutez peu à peu 6 cl d'eau froide, en tournant, et attendez 15 minutes. Incorporez les autres ingrédients et remuez.

Parfumer la moutarde en poudre

La moutarde en poudre se parfume de la même façon que la moutarde condiment. Des piments broyés et des grains de poivre noir ou blanc concassés ou moulus relèvent encore sa puissante saveur, tandis que des herbes séchées — basilic, menthe ou estragon — compensent par leur douceur son goût piquant. Vous pouvez également lui ajouter un zeste râpé de citron, de lime ou d'orange, ou encore du gingembre frais ou du raifort, eux aussi râpés. Si vous mêlez des arômes très prononcés, ajoutez un peu de farine de blé ou de maïs à la moutarde en poudre avant de la diluer dans l'eau.

Piment

Présentations
Frais : immature (vert), mûr (jaune ou rouge)
Séché : entier, moulu, broyé
Préparé : au vinaigre, en conserve, entier et haché

Tous les piments, doux et forts, font partie de la vaste famille des Solanacées, qui regroupe également la pomme de terre, la tomate et l'aubergine. Déjà cultivés il y a 9 000 ans environ dans la vallée de Mexico, en Amérique centrale, ils étaient appelés *chilli* en nahuatl, la langue de la région, et ce terme regroupait toutes les espèces du genre *Capsicum,* parmi lesquelles l'*annuum,* la plus répandue. Bien que très ancienne, l'existence des piments demeura l'un des secrets du Nouveau Monde, alors inconnu des Occidentaux, jusqu'à ce que, vers la fin du XVe siècle, Christophe Colomb les leur fasse découvrir; leur long périple à travers la planète commençait. Avec les Portugais, ils partirent vers les Indes orientales, l'Asie et l'Afrique. Au XVIe siècle, avec l'expansion de l'Empire ottoman, les Européens redécouvrirent les piments, et la boucle fut bouclée au XVIIe siècle, quand les immigrants venus de l'Ancien Monde les réintroduisirent en Amérique. Du plus doux à l'«enragé», il en existe des centaines de variétés — dont plus de 150 poussent au Mexique. Outre leur goût brûlant, ils sont connus pour leur haute teneur en vitamine C. Dans toutes les cuisines du monde, les piments relèvent de nombreux mets salés et entrent très souvent dans la composition des sauces piquantes traditionnelles telles que celle de Thaïlande, appelée *nam prik,* ou celle d'Indonésie, *sambal,* qui sont toutes deux préparées à partir de poivrons doux et de piments forts (voir p. 69). Le Mexique possède ses *salsas* et la Tunisie, l'ardent *harissa,* qui se retrouve également en Algérie et au Maroc (voir p. 71).
Au Mexique et dans le Sud-Ouest américain, les piments sont couramment consommés en légumes.

Sécher des piments
Choisissez des piments bien mûrs, jaunes ou rouges. Placez-les sur des étagères à claire-voie pour que l'air circule tout autour, mais retournez-les souvent pour éviter qu'ils moisissent. Vous pouvez également les suspendre : passez, à l'aide d'une aiguille, un gros fil de coton à travers chaque piment, sous le pédoncule. Accrochez-les dans un endroit chaud et sec, et attendez 1 semaine environ.

Préparer des piments
Les piments, frais ou secs, doivent être manipulés avec précaution. Ils contiennent en effet un alcaloïde, la capsaïcine (voir à droite), qui peut irriter la peau, les yeux et le nez. Quand vous les préparez, enfilez des gants en caoutchouc et lavez-vous ensuite soigneusement les mains. Si cependant vous sentiez une brûlure, vous pouvez essayer de vous les rincer à l'eau oxygénée, qui rend la capsaïcine soluble dans l'eau.

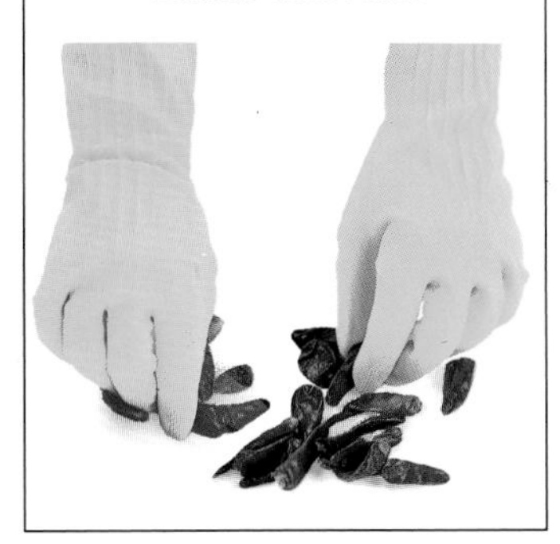

Piments secs

Piments broyés

Piment frais immature

Piment frais mûr

L'échelle de chaleur
Le goût piquant des piments tient à un alcaloïde, la capsaïcine, qu'ils contiennent. Cette substance grasse et insoluble dans l'eau, mise en contact avec les yeux ou la peau, peut causer des brûlures. La force d'un piment se mesure en unités Scoville.
Les plus bas dans l'échelle, comme le piment banane, se trouvent au niveau 0 car ils sont très doux.
Le plus fort, le piment habañero, varie de 100 000 à 300 000 unités Scoville et brûle terriblement.

Trucs et conseils
- Un piment est plus fort quand il cuit longtemps. Un plat longuement mijoté sera donc toujours relevé; une friture rapide ne prendra qu'une saveur légèrement épicée.
- Finement haché, le piment fond dans le plat; s'il est coupé plus gros, vous pouvez l'ôter en cours de cuisson.
- Pour atténuer sa force, laissez tremper un piment frais ou séché 1 heure dans une solution composée de trois quarts de vinaigre de vin doux et d'un quart de sel.

Les graines, très piquantes, sont souvent grattées avant la cuisson

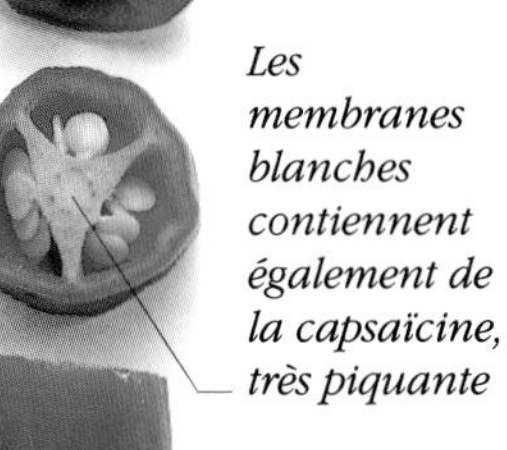

Les membranes blanches contiennent également de la capsaïcine, très piquante

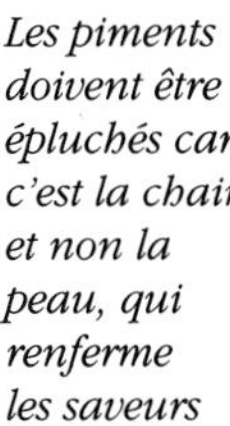

Les piments doivent être épluchés car c'est la chair, et non la peau, qui renferme les saveurs

Piments frais

Des mariages réussis

Sauce tomate fraîche, oignons, avocats, haricots et lentilles, fromages doux tels que le cheddar, certains fromages de chèvre, mozzarella et ricotta sèches, saucisses, ragoûts de viande, maïs, volaille, poisson, coquillages.

LA RECETTE DU CHEF
Piments rellenos

Pour 6 personnes

6 gros piments verts piquants (poblanos) avec leur queue
500 g de mozzarella et de cheddar coupés en bâtonnets
2 œufs, blanc et jaune séparés
Sel
Huile pour friture
Farine tamisée pour l'enrobage
Sauce tomate (voir p. 171)

Pelez les piments (voir p. 69) en prenant soin de ne pas briser les queues. Ouvrez-les d'un seul côté dans le sens de la longueur et, après avoir ôté les graines, farcissez-les de bâtonnets des deux fromages. Refermez l'incision à l'aide d'une pique en bois. Mettez les blancs d'œufs dans un bol avec une pincée de sel et montez-les en neige. Battez légèrement les jaunes et incorporez-les aux blancs. Chauffez de l'huile dans une grande friteuse. Enrobez légèrement les piments de farine, plongez-les dans le mélange d'œufs, puis dans l'huile chaude. Laissez-les dorer d'un côté, retournez-les et faites dorer l'autre face. Égouttez-les sur du papier absorbant. Pour qu'ils ne collent pas, cuisez-les éventuellement en plusieurs fournées. Réchauffez la sauce tomate dans une grande casserole peu profonde. Ajoutez-y les piments cuits bien égouttés, et poursuivez un peu la cuisson. Servez immédiatement avec du riz cuit à l'eau.

Au Mexique et dans le sud-ouest des États-Unis, certains plats traditionnels sont préparés exclusivement avec des piments frais, d'autres avec des piments séchés, plus gros. Les plus courants de ces piments frais, très forts, sont les jalapenos, les serranos, les poblanos, les anaheims et les piments bananes. Ils sont marinés au vinaigre et servis tels quels ou, quand ils sont plus doux, ajoutés nature à des sauces fraîches ou à des *salsas;* ils sont habituellement épluchés (voir p. 69). Tout comme leur force, leur forme et leur taille varient. Les jalapeños et les piments bananes, qui donnent le paprika hongrois, sont assez peu piquants et juteux. Les poblanos, eux aussi assez doux, le sont moins, alors que les serranos sont nettement plus puissants et plutôt secs. Si la capsaïcine présente dans les graines et les membranes détermine la force d'un piment, c'est sa chair qui lui donne son goût distinctif, très difficile à retrouver dans une autre variété.

Trucs et conseils

- Pour farcir des piments, ôtez leur pédoncule. Enlevez les graines et les membranes à l'aide d'une cuiller; remplissez-les de la garniture par le haut. Vous pouvez aussi les inciser en longueur, les farcir et les refermer à l'aide d'une pique en bois.
- Pour que les piments soient moins forts, ôtez leurs graines et leurs membranes. S'ils sont frais, épluchez-les (voir p. 69).

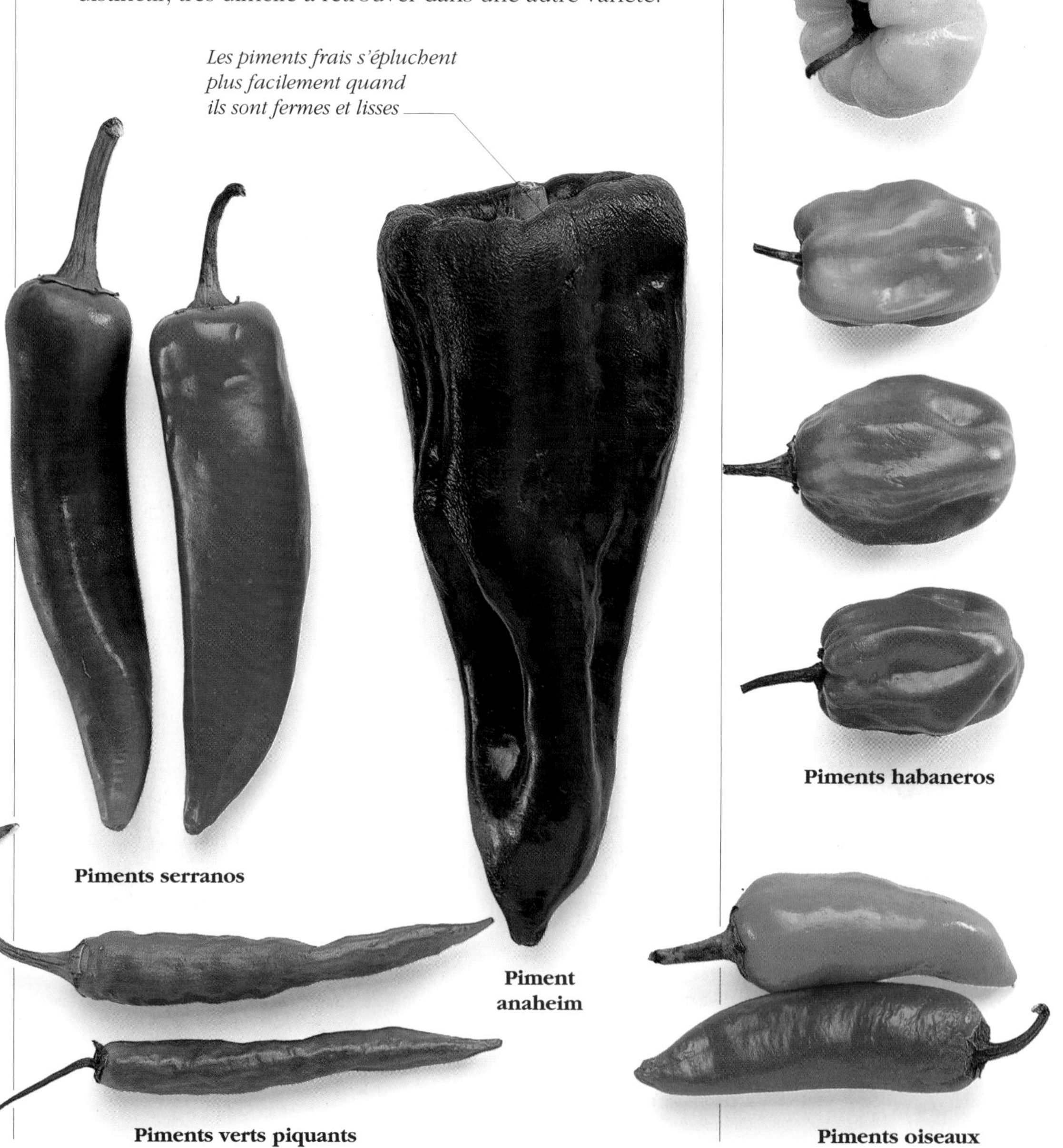

Les piments frais s'épluchent plus facilement quand ils sont fermes et lisses

Piments serranos

Piment anaheim

Piments verts piquants

Piments habaneros

Piments oiseaux

LA RECETTE DU CHEF

SAMBAL INDONÉSIEN AUX POIVRONS VERTS

Pour 4 personnes

1 cuil. à soupe d'huile végétale
2 poivrons verts moyens, épépinés et coupés en dés
2 petits piments verts frais, épépinés et finement hachés
1 oignon moyen finement émincé
3 grosses gousses d'ail hachées
1 cuil. à soupe de sucre
2 cuil. à soupe de jus de lime
1 cuil. à soupe de sauce de poisson asiatique ou de sauce soja
Sel

Chauffez l'huile dans une poêle. Mettez-y les poivrons, les piments, l'oignon et l'ail, et faites revenir 3 minutes environ, en tournant sans arrêt. Ajoutez le sucre, le jus de lime et la sauce de poisson, et laissez mijoter 5 minutes, en remuant de temps en temps. Goûtez et assaisonnez. Versez le mélange dans un bol pour qu'il refroidisse un peu. Servez aussitôt ou couvrez et mettez au réfrigérateur — 3 jours au maximum.

Piments chipotles fumés

Piment ancho grillé

Piments jalapeños au vinaigre

ÉPÉPINER UN PIMENT

Que vous les utilisiez entiers, hachés ou coupés en morceaux, ôtez le pédoncule des piments; ouvrez-les en deux et grattez l'intérieur à l'aide d'une petite cuiller ou d'un couteau bien aiguisé. Jetez les graines et les membranes; passez les piments sous l'eau froide et séchez-les. Nettoyez ensuite soigneusement le plan de travail pour que leur goût piquant n'imprègne pas d'autres aliments.

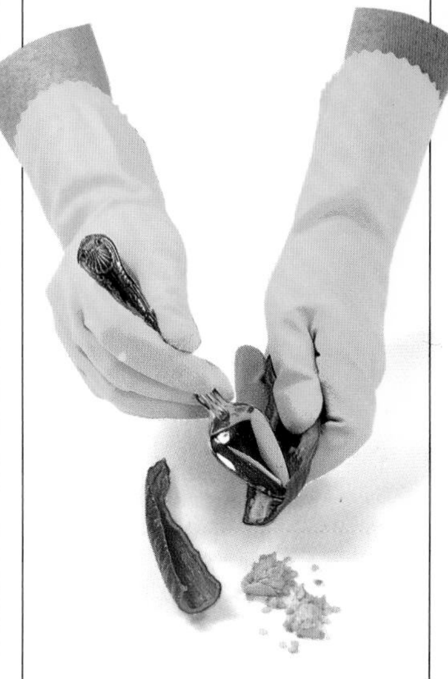

PELER DES PIMENTS

La plupart des piments frais ont une peau épaisse qu'il vaut mieux ôter avant de les préparer. Plusieurs méthodes sont ici expliquées. S'ils sont bien charnus, vous pouvez aussi utiliser le couteau éplucheur. Surveillez bien leur cuisson, qu'ils soient frais ou séchés; ils ne doivent surtout pas brûler, car les vapeurs qu'ils dégageraient risquent de vous irriter les yeux et le nez. Après les avoir fait griller, enfilez des gants en caoutchouc et ôtez leur peau sous l'eau courante, ou faites-les suer.

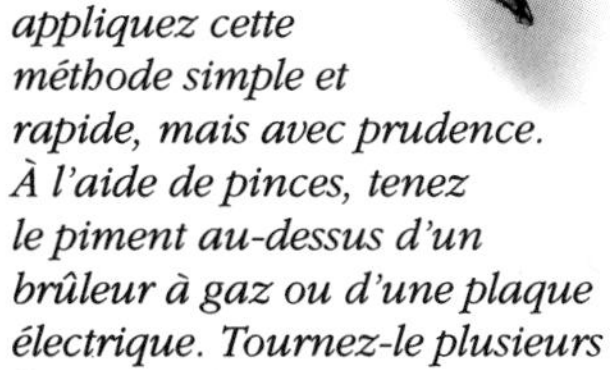

Les carboniser
Si vous n'avez que deux ou trois piments à préparer, appliquez cette méthode simple et rapide, mais avec prudence. À l'aide de pinces, tenez le piment au-dessus d'un brûleur à gaz ou d'une plaque électrique. Tournez-le plusieurs fois jusqu'à ce que sa peau soit boursouflée et noircie de tous les côtés.

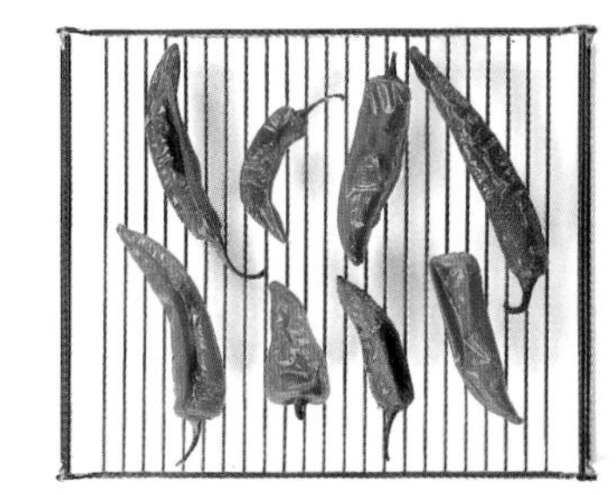

Les rôtir
Préchauffez le four à 200 °C. Enduisez les piments d'huile, puis placez-les sur la grille. Faites-les rôtir en les tournant de temps en temps jusqu'à ce qu'ils soient bien noirs.

Les faire frire
Chauffez de l'huile végétale dans une casserole à fond épais. Faites-y frire les piments 5 secondes. Sortez-les et laissez-les refroidir avant de les peler.

Les faire suer
Placez les piments grillés et encore chauds dans un sachet en plastique ou enveloppez-les d'un linge humide, et laissez-les suer de 5 à 10 minutes jusqu'à ce que la peau se détache facilement. Ôtez-en tous les lambeaux avec vos doigts protégés par des gants.

Des alliances subtiles
Coriandre, basilic, gingembre, origan, cannelle, poivre noir, cumin, fenouil, persil plat

Trucs et conseils

- Pour libérer le maximum de saveur des variétés les plus grosses, faites-les griller à sec avant de les utiliser.
- Quand les piments doivent être réduits en purée, faites-les d'abord tremper afin de les amollir. Avec des gants en caoutchouc, découpez-les en morceaux et mettez-les 1 heure dans de l'eau chaude. Pour les détailler, le meilleur ustensile est souvent la paire de ciseaux; nettoyez-la ensuite soigneusement afin d'en éliminer toute trace de capsaïcine. Vous obtiendrez une saveur plus subtile en mélangeant plusieurs variétés de piments secs et en les réduisant en une fine poudre qui vous servira chaque fois que vous aurez besoin de piment moulu.

Griller à sec
Chauffez une poêle antiadhésive ou en fonte et mettez-y les piments. Pressez-les à l'aide d'une spatule en bois pour qu'ils perdent leur eau. Au bout de quelque temps, variable selon leur taille, ils commencent à gonfler et à s'amollir. Retirez-les alors du feu; ils ne doivent pas changer de couleur ni devenir croquants.

Piments séchés

En général, les gros piments séchés sont plus doux que les petits. S'ils ont été traités dans de bonnes conditions, ils se conservent longtemps, et sont donc disponibles à tout moment. Leur souplesse est signe de fraîcheur; plus ils sont grands, plus ils restent tendres. Il vaut toujours mieux les acheter en emballage transparent pour mieux les voir. Ils sont souvent couverts de poussière : cela ne dépend pas de leur âge mais de leur lieu de conditionnement; il suffit, avant de les utiliser, de les essuyer avec un chiffon doux et sec. Il existe de nombreuses variétés de ces piments. Les anchos sont des poblanos séchés; les moins vieux ont une légère odeur de pruneau. Les guajillos, très rares sous leur forme fraîche, sont moyennement piquants, alors que les pasillas le sont un peu plus. Ceux qui présentent des taches claires doivent être évités : ils sont sans doute parasités par des larves de papillon.

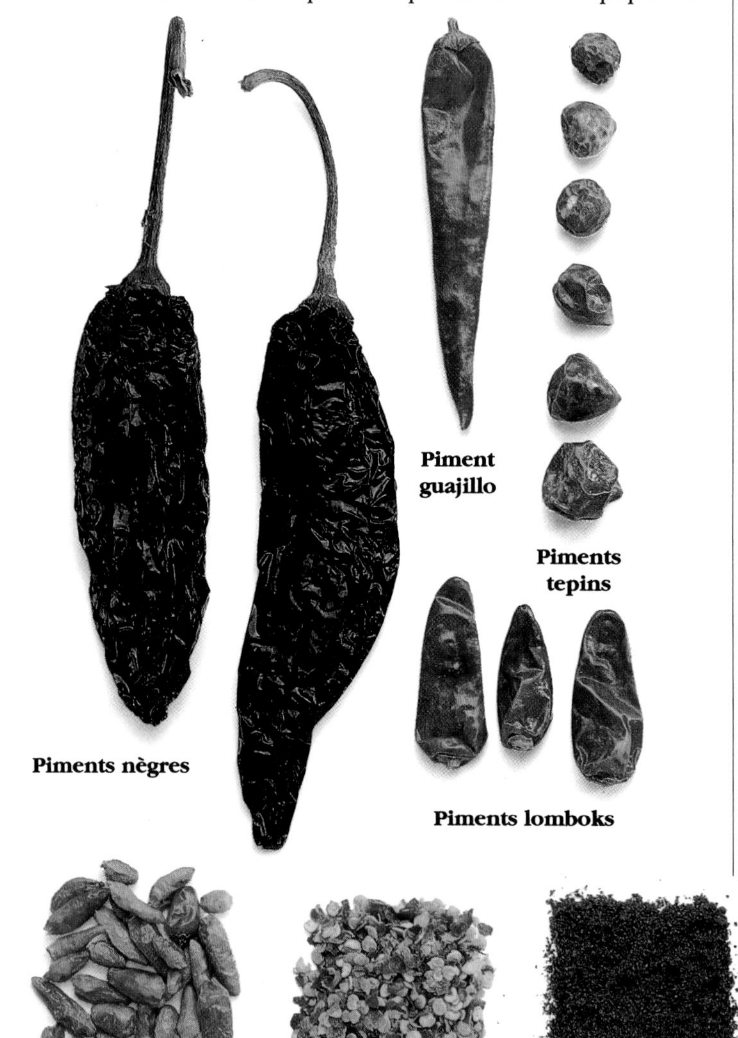

Piment guajillo

Piments tepins

Piments nègres

Piments lomboks

Piments mouchetés

Piments pilés

Poudre de piment

Conservation
Entiers : au réfrigérateur, dans un sachet en plastique bien fermé.
Moulus : dans un récipient hermétique, au frais et à l'abri de la lumière.

La recette du chef
Haricots mexicains au chorizo et aux piments

Pour 6 personnes

500 g de haricots rouges secs ou de haricots d'Espagne, mis à tremper toute une nuit
1 cuil. à soupe de saindoux ou d'huile
1 oignon moyen émincé
250 g de chorizo coupé en tranches épaisses
2 piments poblanos grillés, pelés, épépinés et ciselés (ou 2 anchos moulus)
2 tomates pelées, épépinées et concassées
Sel
Coriandre fraîche ciselée, pour la décoration

Dans une casserole, couvrez les haricots de 2 litres d'eau froide. Portez à ébullition et laissez-les cuire de 1 à 2 heures. Réservez-les. Dans une grande poêle, chauffez le saindoux ou l'huile. Ajoutez l'oignon, le chorizo et les piments, et faites-les dorer de 5 à 10 minutes. Incorporez les haricots et leur jus de cuisson, ainsi que les tomates. Assaisonnez et laissez mijoter 30 minutes à découvert. Parsemez de coriandre.

Piment ancho

LA RECETTE DU CHEF
Harissa

Pour 50 g

50 g de piments rouges secs
2 gousses d'ail
Sel
2 cuil. à café de graines de coriandre
1 1/2 cuil. à café de cumin en poudre
1 cuil. à café de graines de carvi
1 cuil. à café de menthe séchée ciselée
Huile d'olive vierge extra fine

Épépinez les piments et coupez-les en morceaux. Faites-les tremper 20 minutes environ dans de l'eau chaude pour les amollir. Égouttez-les et pilez-les dans un mortier. Écrasez l'ail avec un peu de sel. Mélangez tous les ingrédients. Ajoutez-y en remuant 2 cuil. à soupe d'huile. Transvasez cette pâte dans un pot et recouvrez-la d'une couche d'huile. Mettez-la au réfrigérateur; l'harissa se conserve ainsi 6 semaines.

Piments

Harissa

Ail

Sel

Menthe

Cumin

Graines de coriandre

Poudres de piment

Bien que la plupart des piments secs moulus puissent s'utiliser purs, il existe de nombreuses poudres pimentées, mélanges d'épices et d'aromates. Si vous les préparez vous-même, essayez d'abord avec des herbes et des épices.

Enfilez les piments sur une ficelle, faites-les sécher plusieurs jours, puis passez-les dans un robot ménager pour obtenir de la poudre

Poudres pimentées industrielles
Ces poudres peuvent contenir, outre du piment, de l'ail, de l'oignon, du cumin, de l'origan, du piment de la Jamaïque, du sel et d'autres épices. Elles ne remplacent pas le piment en poudre mais entrent souvent dans la composition du chili con carne.

Piment de Cayenne
Obtenue à partir de petits piments rouges de la variété Capsicum frutescens *moulus, cette poudre est utilisée depuis le XVIIIe siècle pour épicer les plats occidentaux. Presque aussi relevée que les autres poudres de piment, elle sert parfois de condiment de table.*

Piments pilés
Vous pouvez acheter dans le commerce des piments pilés brûlants, ou les préparer vous-même avec des piments secs. Traditionnellement, on les écrase dans un mortier, mais les vapeurs et la fine poudre qui s'en dégagent irritent les yeux et le nez; utilisez plutôt un robot ménager.

Paprika

Autres noms
Poivre rouge, poivron-tomate, *pimientó, pimentón,* paprika de Hongrie, paprika noble

Présentations
Frais : entier
Sec : moulu

Conservation
Sec : dans un récipient hermétique, au frais et à l'abri de la lumière. Le paprika perd rapidement de son parfum et de son arôme; gardé trop longtemps, il brunit et s'évente.

Trucs et conseils
Choisissez la meilleure qualité de paprika. Lisez bien les indications de l'étiquette : il risque d'être beaucoup plus piquant que vous ne le pensez. Ainsi, les boîtes de «paprika d'Espagne» contiennent une poudre plus forte, plus épicée, assez proche du piment de Cayenne.

Les piments doux qui, séchés et réduits en poudre, donnent le paprika ont une longue histoire. L'arbuste, originaire du sud du Mexique, fut introduit par les Espagnols dans leur pays et au Maroc, et de là, prit le chemin de la Hongrie, où il s'adapta et devint au XIXe siècle un ingrédient essentiel de la cuisine locale. Ces piments charnus sont souvent presque aussi longs que larges et, comme les autres représentants de cette vaste famille, ils sont riches en vitamine C. Si, ce qui est rare, on peut les acheter frais, il faut absolument les préparer farcis, car leur goût légèrement piquant les rend alors délicieux. Le paprika en poudre apporte non seulement sa saveur subtile aux plats, mais il leur donne également une belle couleur rouge profond. En Espagne, une espèce proche, le *pimientó,* fruit pointu en forme de cœur, permet de préparer le *pimentón,* l'équivalent du paprika; il est plus connu en tant que garniture des olives farcies d'Espagne.

La couleur varie du rose clair au rouge vif, et le goût de doux à très fort

***Pimentón* espagnol**

Piment frais

Paprika de Hongrie

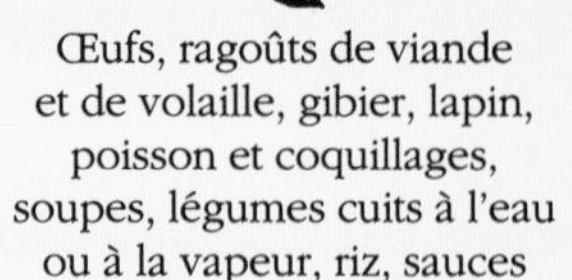

Des mariages réussis

Œufs, ragoûts de viande et de volaille, gibier, lapin, poisson et coquillages, soupes, légumes cuits à l'eau ou à la vapeur, riz, sauces à base de crème fraîche.

La recette du chef
Poulet au paprika

Pour 4 personnes

2 cuil. à soupe d'huile végétale
2 oignons moyens finement émincés
1 poulet de 1,5 kg coupé en morceaux
250 g de tomates pelées, épépinées et concassées
1 1/2 cuil. à soupe de paprika
Sel
Poivre noir du moulin
2 cuil. à soupe de crème fleurette
1 cuil. à soupe de farine tamisée
1 poivron vert moyen, sans graines ni membranes, coupé en rondelles
2 cuil. à soupe de crème fraîche épaisse

Chauffez l'huile dans une cocotte. Faites-y fondre les oignons. Ajoutez le poulet et les tomates, et laissez mijoter à couvert 10 minutes. Incorporez le paprika en remuant et assaisonnez. Versez-y 20 cl d'eau, couvrez et poursuivez la cuisson 30 minutes. S'il y a trop de liquide, ôtez le couvercle et laissez réduire 15 minutes environ. Mélangez la crème fleurette et la farine pour obtenir une pâte lisse. Retirez les morceaux de poulet et gardez-les au chaud. Ajoutez la pâte au jus restant dans la cocotte, tournez sans arrêt de 5 à 10 minutes, jusqu'à ce que la sauce ait épaissi. Toujours en remuant, incorporez le poivron vert et la crème épaisse. Remettez le poulet dans la cocotte et faites réchauffer de 5 à 7 minutes. Servez avec du riz cuit à l'eau.

Autres noms
Ajwain, carom, lovage, *omam, omum*

Présentations
Graines : entières, moulues

Ajowan

Originaire du sud de l'Inde, l'ajowan fait partie de la famille du carvi et du cumin, bien que son goût rappelle celui du thym, tout en étant fort et amer. Ses graines ressemblent beaucoup à celles du céleri. La plante, qui pousse aussi en Égypte, en Iran, au Pakistan et en Afghanistan, est jolie et a un peu l'aspect du persil sauvage. La couleur de ses graines varie du brun clair au rouge. Elle est également cultivée pour son huile essentielle, le thymol, utilisé pour ses vertus germicides et antiseptiques, mais aussi en cuisine. Comme de nombreuses épices qui entrent dans les recettes indiennes, l'ajowan a un double rôle : il parfume les plats et évite les problèmes de digestion et de flatulence. Il se marie donc particulièrement bien avec les féculents et les légumineuses.

Conservation
Graines : dans un récipient hermétique, au frais et à l'abri de la lumière.

Trucs et conseils
Mettez de l'ajowan dans les entremets, les biscuits à pâte riche ou les haricots, afin de réduire les flatulences. Utilisez-le en petite quantité, car il donne aux mets un goût prononcé de thym.

Des mariages réussis

Pickles, galettes indiennes à base de noix, d'amandes, de cacahuètes et de légumineuses, pâtisseries, féculents, tubercules.

LA RECETTE DU CHEF
Lentilles brunes aux épices

Pour 4 personnes

250 g de lentilles brunes
2 cuil. à soupe d'huile végétale
1 oignon moyen finement émincé
1 gousse d'ail hachée
1/4 de cuil. à café de graines d'ajowan moulues, ou selon votre goût
1/4 de cuil. à café de piment de Cayenne, ou selon votre goût
Sel

Dans une casserole, faites tremper 1 heure les lentilles dans 1/2 litre d'eau. Chauffez l'huile dans une poêle et faites-y fondre l'oignon. Ajoutez l'ail et laissez-le revenir 30 secondes. Versez le contenu de la poêle dans la casserole, et ajoutez l'ajowan, le piment de Cayenne et le sel. Portez à ébullition à feu moyen. Couvrez et laissez mijoter de 1 heure à 1 h 30, jusqu'à ce que les lentilles soient tendres et qu'elles aient absorbé tout le liquide. Servez chaud.

Les graines pilées sont fortement aromatiques

Ajowan moulu

Les graines *ressemblent à celles du céleri, mais elles sont plus grandes et ont un goût de thym fort et piquant*

Naan

Pakora

Les galettes indiennes *telles que le naan, le pakora ou le paratha, sont préparées avec des graines d'ajowan qui leur donnent un goût de thym*

CARVI

Présentations
Graines : séchées, moulues
Feuilles : fraîches *Racine :* fraîche

Conservation
Graines : séchées ou moulues, dans un récipient hermétique, à l'abri de la lumière.
Feuilles et racine : au réfrigérateur, dans un sachet en plastique, mais peu de temps.

Trucs et conseils
Les graines relèvent le goût de nombreux légumes; elles se marient bien avec les pommes de terre nouvelles à l'eau arrosées de beurre ou avec du chou. *Les racines,* pochées ou cuites au four, se servent en légumes.

Le carvi est connu en tant qu'épice depuis 5 000 ans au moins; on en a retrouvé des traces sur des sites préhistoriques. Originaire de pays d'Orient au climat tempéré, notamment d'Iran et de Turquie, il s'est ensuite largement répandu en Europe et en Amérique du Nord. *Karawiya,* son nom en arabe ancien, lui est resté dans ces régions. Cette plante bisannuelle au feuillage duveteux et à fleurs blanc crème peut atteindre 60 cm de haut. Elle fut jadis très populaire en Angleterre, où ses graines entrent toujours dans la composition de biscuits fabriqués depuis des siècles, et Falstaff, un personnage de Shakespeare, est invité à partager une «pomme reinette… avec une assiette de carvi». Plus tard, sous l'influence de la mode allemande, il revint au goût du jour. Aujourd'hui, il est très présent dans les cuisines hongroise, autrichienne et allemande, où il parfume le pain et la pâtisserie; ailleurs, il est plus accessoire. Les Français ont tendance à l'utiliser en petite quantité. Il a pourtant des vertus médicinales : après un repas, on peut en mâcher les graines ou les faire infuser.

Carvi moulu

Les graines séchées, *brun foncé, creusées de sillons clairs, ont un arôme puissant et épicé*

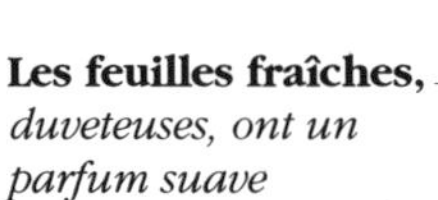

Les feuilles fraîches, *duveteuses, ont un parfum suave*

Des mariages réussis

Jeunes feuilles : finement ciselées, pour décorer une salade, ou dans tous les plats où du persil serait apprécié.
Graines : gâteaux, pain, légumes, notamment les pommes de terre, le chou, les carottes et les champignons, saucisses, viandes grasses telles que porc, canard et oie.

LA RECETTE DU CHEF

Gâteau aux graines de carvi

Pour 6 à 8 personnes

Beurre et farine pour chemiser le moule
250 g de beurre doux
250 g de sucre
4 œufs
250 g de farine
1/2 cuil. à café de sel
1 cuil. à café de levure chimique
1 cuil. à café d'essence de vanille
1 cuil. à soupe de graines de carvi

Préchauffez le four à 180 °C. Beurrez et farinez un moule de 20 à 25 cm de diamètre. Dans un bol, travaillez au fouet le beurre avec le sucre jusqu'à ce que le mélange mousse. Ajoutez les œufs, un par un, en battant bien à chaque fois. Tamisez ensemble la farine, le sel et la levure, et incorporez le tout à la pâte. Ajoutez la vanille et les graines de carvi et versez la préparation dans le moule. Mettez au four pour 50 minutes environ, jusqu'à ce que le gâteau soit brun doré et se détache du bord du moule. Laissez-le refroidir 10 minutes avant de le démouler sur un plat. Servez-le nature avec du thé, ou glacez-le avec une crème au beurre (voir p. 197).

MÉLANGES D'ÉPICES

Autrefois, un garde-manger bien approvisionné en épices exotiques était une marque de prospérité, et les mélanges un véritable luxe. Aujourd'hui, les cuisiniers ont tendance à les utiliser seules plutôt qu'associées. Pourtant, certains mélanges d'épices se sont maintenus en Europe : quatre-épices, mélange pour pâtisseries et épices à marinade. En Inde et en Asie, ils ont gardé leur importance, notamment dans les poudres de curry; d'autres, souvent à base de piment, sont répandus sur le continent américain. Au Moyen-Orient et en Afrique du Nord, ils sont aussi fréquents.

ÉPICES À MARINADE

Cette préparation anglaise aromatise les conserves de fruits ou de légumes, les chutneys ainsi que le vinaigre. Les proportions comme le choix des épices varient — cette recette n'en est qu'un exemple. Vous pouvez y ajouter des graines de fenouil et remplacer le macis par une pincée de noix muscade fraîche râpée.

Mélangez 1 cuil. à soupe de chacun des ingrédients suivants : grains de poivre noir, graines de moutarde blanche, piments mouchetés, piment de la Jamaïque, graines d'aneth et macis pilé. Ajoutez-y un morceau de cannelle de 5 cm de long pilé, 2 feuilles de laurier ciselées, 1 cuil. à café de clous de girofle et 2 cuil. à soupe de gingembre moulu.

MÉLANGE POUR PÂTISSERIES

Depuis le XVIIe siècle, les livres de cuisine mentionnent généralement une épice par recette plutôt que des mélanges. Pourtant, certains d'entre eux, très appréciés, sont encore utilisés. Ce mélange anglais traditionnel parfume les entremets, les gâteaux et les biscuits. Ici aussi, vous modifierez les proportions et le choix des épices selon votre goût.

Pilez 1 cuil. à soupe de graines de coriandre, 1 morceau de cannelle de 5 cm de long, 1 cuil. à café de grains de piment de la Jamaïque et 1 cuil. à café de clous de girofle. Ajoutez 1 cuil. à soupe de noix muscade fraîche râpée et 2 cuil. à café de gingembre moulu. Conservez dans un récipient hermétique, au frais et à l'abri de la lumière.

QUATRE-ÉPICES

Ce mélange français aromatise notamment les charcuteries et, moins fréquemment, les plats mijotés. Sa composition peut changer, mais la tradition veut qu'il comporte du poivre noir, de la noix muscade, des clous de girofle et du gingembre. On y ajoute parfois du piment de la Jamaïque et de la cannelle.

Dans un moulin à poivre, broyez 1 cuil. à soupe bien pleine de grains de poivre noir et 2 cuil. à café de clous de girofle. Ajoutez 2 cuil. à café de noix muscade râpée et 1 cuil. à café de gingembre moulu. Conservez le mélange dans un récipient hermétique, au frais et à l'abri de la lumière.

Autres noms
Cannelier-casse, fausse cannelle

Présentations
Séchée : écorce roulée en tuyaux ou moulue, feuilles, fruits

Conservation
Dans un récipient hermétique, au frais et à l'abri de la lumière.

Trucs et conseils
Conservez la cannelle de Chine dans l'obscurité, car la lumière altère rapidement sa saveur. Bien que légèrement différente, elle remplace agréablement la cannelle de Ceylan. Mais utilisez-la en plus petite quantité, car elle a un goût plus prononcé.

Cannelle de Chine

Bien que très proche de la cannelle — originaire de Ceylan —, avec laquelle on la confond souvent, la cannelle de Chine, ou cannelier-casse, provient de Birmanie. Cette épice très ancienne est largement cultivée dans le Sud chinois et en Indonésie. Connue en Chine dès 2500 avant J.-C., elle arriva en Europe par la route des épices. En fait, ces deux cannelles viennent encore, en grande partie, d'Orient. Elles sont, l'une et l'autre, l'écorce séchée du cannelier, un arbre de la famille du laurier. Celle-ci est prélevée sur des branches fines séchées au soleil, puis roulée en forme de tuyaux; ceux de la cannelle de Chine, très aromatiques, sont plus courts et plus épais que ceux de la cannelle de Ceylan. Les feuilles, qui ont leur goût propre, s'utilisent comme celles du laurier. Les fruits aromatisent certains plats. Cette épice, moins chère que la vraie cannelle, la remplace souvent dans le mélange chinois aux cinq épices, dont elle est l'un des ingrédients.

Des mariages réussis

Currys, conserves au vinaigre, notamment de betteraves, assaisonnements, ketchup, rhubarbe, plats cuits au four.

La recette du chef
Toasts à la cannelle de Chine

Pour 4 personnes

8 tranches de pain de mie
6 à 8 cuil. à soupe de beurre doux à température ambiante
4 cuil. à soupe de sucre
1 1/2 cuil. à café de cannelle de Chine moulue, ou selon votre goût

Préchauffez le gril. Beurrez les tranches de pain et coupez-les en deux. Mélangez le sucre et la cannelle de Chine, et saupoudrez-en le pain. Passez-le sous le gril, le temps que le sucre fonde.

La cannelle de Chine a un parfum sucré et piquant proche de celui de la cannelle de Ceylan

Écorce

Fruits

Toasts à la cannelle de Chine

La cannelle de Chine moulue, *d'un brun-rouge sombre, a une chaude saveur*

Présentations
Séchée : bâtons roulés, tuyaux, en poudre

Conservation
Dans un récipient hermétique, au frais et à l'abri de la lumière.

Trucs et conseils
Une pincée de *cannelle moulue* relève délicatement les viandes mijotées, notamment l'agneau, ainsi que les farces pour le canard ou l'oie, ou toute autre farce à base de fruits séchés, abricots ou pruneaux par exemple. Les *bâtons de cannelle* permettent de parfumer les boissons chaudes — vin, chocolat ou café.

Cannelle

Originaire de Ceylan, cette épice délicatement parfumée et suave se cultive aujourd'hui dans la plupart des régions tropicales chaudes et humides. Très ancienne, la cannelle est citée dans les textes sanskrits et dans la Bible; mais elle est mentionnée pour la première fois dans la Chine ancienne, sous le nom de *kwei.* C'est ainsi que s'installa très tôt, et pour longtemps, la confusion entre cannelle de Chine et cannelle de Ceylan. Aujourd'hui, les Européens apprécient plutôt cette dernière, tandis que les Américains préfèrent la première. La cannelle provient d'un arbuste de la famille du laurier, et plus précisément de l'écorce de ses branches fines qui, dépouillée de son enveloppe externe, s'enroule en tuyaux de 2,5 cm de diamètre environ. Si son utilisation en Occident se limite généralement aux mets sucrés, elle parfume souvent, au Moyen-Orient, les viandes mijotées, notamment l'agneau. Mélangée à des fruits séchés, elle farcit la volaille et le porc, et elle accompagne délicieusement le potiron ou les patates douces au beurre.

Des mariages réussis

Gâteaux, entremets, biscuits et pain, viande et gibier mijotés, légumes, compotes et currys.

LA RECETTE DU CHEF
Crème à la cannelle

Pour 50 cl

30 cl de lait
20 cl de crème fleurette
1 bâton de cannelle
5 jaunes d'œufs
60 g de sucre en poudre

Dans une casserole, portez à ébullition le lait, la crème et la cannelle. Hors du feu, laissez infuser 15 minutes au moins. Dans un grand bol, battez les jaunes avec le sucre jusqu'à ce que le mélange mousse et blanchisse. Éventuellement, remettez sur le feu le lait et la crème, puis versez-les chauds sur les jaunes d'œufs en tournant. Versez de nouveau le tout dans la casserole et faites épaissir à feu doux en remuant sans arrêt avec une cuiller en bois. Quand la crème est cuite, elle doit napper la cuiller. Passez-la à travers un chinois au-dessus d'un plat creux. Couvrez et mettez au réfrigérateur. Servez avec un entremets, un gâteau ou une tourte aux fruits, notamment aux pommes.

Écorce

La cannelle permet de parfumer de nombreux plats, sucrés ou salés

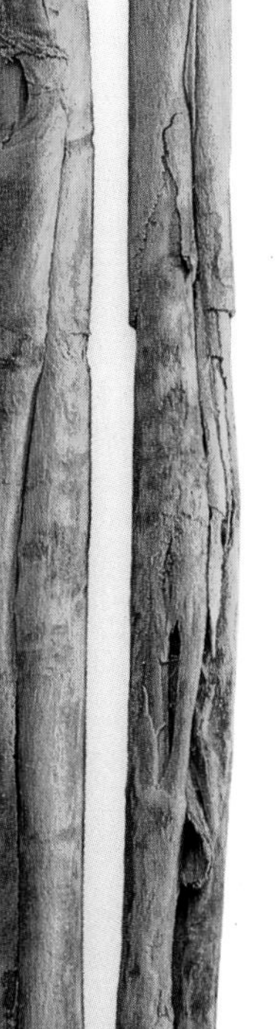

Bâtons de cannelle

Tuyaux de cannelle

Cannelle moulue

SAFRAN

AUTRE NOM
Crocus

PRÉSENTATIONS
Séché : en filaments, en poudre

CONSERVATION
Dans un récipient hermétique, à l'abri de la lumière. Achetez-le en petite quantité, car il s'évente très vite.

TRUCS ET CONSEILS
Pour obtenir une couleur et une saveur plus prononcées, pilez les *filaments* dans un mortier. Après avoir ajouté cette poudre au plat, rincez le mortier et le pilon avec un peu du liquide de cuisson, afin de ne pas en perdre le moindre grain. Si vous utilisez les *filaments* dans une préparation un peu consistante, rincez-les d'abord à l'eau tiède et ne les ajoutez qu'au dernier moment. Le *safran en poudre* évite ces précautions.

Pour obtenir 500 g de safran, il ne faut pas moins de 60 000 fleurs de crocus, dont les trois stigmates sont cueillis à la main ! Voilà pourquoi cette épice est la plus chère du monde. Le safran aurait été utilisé en cuisine dès le Xe siècle avant J.-C., au temps du roi Salomon. Les marchands phéniciens l'appréciaient beaucoup et en emportaient dans tous leurs déplacements. L'Espagne en est aujourd'hui le principal producteur, bien qu'il soit cultivé dans plusieurs pays méditerranéens. Selon certaines sources, ce serait précisément les Phéniciens qui auraient introduit cette épice dans la péninsule Ibérique puis, plus tard, en Cornouailles, où ils l'échangeaient contre de l'étain. Dans ces deux régions, on prépare toujours les petits pains au safran, héritage certain de ce commerce. Le safran, à la saveur piquante et d'un beau jaune orangé, est indispensable à la préparation de certains plats comme la bouillabaisse ou la paella et, en Scandinavie, les biscuits au safran font toujours partie du repas de Noël. Il entre dans la fabrication de liqueurs, la célèbre Chartreuse notamment. Il ne faut pas confondre le crocus avec le safran des prés *(Colchicum autumnale),* qui lui ressemble, mais qui est très vénéneux.

Safran moulu

Pour obtenir une belle couleur jaune, faites tremper les filaments

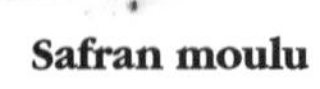

Les filaments, fins et noueux, mesurent environ 2,5 cm de long

Les filaments *sont rouge orangé; les plus sombres sont les meilleurs*

DES MARIAGES RÉUSSIS

Poisson, notamment préparé avec de l'ail, comme dans la bouillabaisse, la zarzuela et la paella espagnoles, volaille et bœuf mijotés, sauce tomate, pain sucré et biscuits.

LA RECETTE DU CHEF
LOTTE SAUCE AU SAFRAN

Pour 6 personnes

1 kg de filets de lotte coupés en dés de 5 cm de côté
Sel
Poivre noir du moulin
25 cl de vin blanc sec
15 cl de court-bouillon de poisson
15 cl de crème fraîche
4 cuil. à soupe de beurre doux et froid coupé en morceaux
1/2 cuil. à café de filaments de safran pilés

Mettez la lotte dans une poêle assez profonde et assaisonnez-la. Versez le vin et le court-bouillon, et portez à ébullition. Couvrez et laissez mijoter de 7 à 10 minutes, jusqu'à ce que le poisson soit cuit. Sortez-le et réservez-le au chaud. Mélangez dans la poêle la crème au liquide de cuisson. Incorporez le beurre, morceau par morceau, en remuant vigoureusement; la sauce ne doit pas bouillir. Ajoutez le safran. Remettez le poisson dans la poêle avec tout le jus qu'il a rendu et réchauffez-le avant de servir.

Cumin

Présentations
Graines : entières, moulues

Conservation
Dans un récipient hermétique, à l'abri de la lumière.

Trucs et conseils
Préférez les *graines entières* que vous pilerez vous-même au dernier moment, car l'huile essentielle qu'elles contiennent s'évapore très vite. Si vous les grillez avant de les écraser, elles dégageront mieux leur chaude saveur. À moins de l'apprécier particulièrement, utilisez le cumin en petite quantité, car son parfum puissant domine les autres.

Herbe annuelle originaire d'Orient, le cumin est cultivé depuis des temps très anciens en Inde, en Égypte, en Arabie et dans les pays méditerranéens. Un climat tempéré lui suffisant pour se reproduire, il est aujourd'hui beaucoup plus largement répandu, jusqu'en Europe du Nord. L'épice elle-même provient de la graine de cette plante, qui peut atteindre 30 cm de haut et qui porte des fleurs dont la couleur varie du mauve ou rose au blanc. Les Romains de l'Antiquité en faisaient une pâte dont ils badigeonnaient le pain. L'huile essentielle extraite du cumin est utilisée en parfumerie, et elle passait autrefois pour avoir des propriétés médicinales. Pline l'Ancien raconte que ses étudiants s'en enduisaient le visage pour accentuer leur pâleur et lui faire croire qu'ils étaient surchargés de travail. En raison de leur ressemblance, on confond souvent le carvi et le cumin, tout comme le cumin noir et la nigelle aromatique. Mais la saveur du cumin est unique et en fait le complément précieux de nombreux mets salés. Épice indispensable des cuisines indienne et mexicaine, il est aussi très présent en Afrique du Nord et au Moyen-Orient.

Le garam masala, *mélange d'épices traditionnel du nord de l'Inde, se compose généralement de cumin, de graines de coriandre, de cardamome, de poivre noir, de clous de girofle, de macis, de laurier et de cannelle*

Graines de cumin

Cumin moulu

Graines de cumin noir

Cumin noir moulu

Des mariages réussis

Pickles, chou, plats mexicains, notamment ceux du Yucatan, *chili con carne,* plats nord-africains tel le couscous, plats indiens comme les currys, ragoûts de viande, certains fromages, saucisses, sauce tomate.

La recette du chef
Ragoût de porc aux épices

Pour 6 personnes

1 gros oignon émincé
2 gousses d'ail hachées
1/2 cuil. à café de sel
1/2 cuil. à café de graines de cumin pilées
1/4 de cuil. à café de poivre noir du moulin
1,5 kg d'échine de porc maigre, désossée et coupée en dés de 5 cm de côté
1 litre de bouillon de viande ou d'eau
125 g de graines de potiron mondées finement moulues
1 cuil. à soupe de jus de citron

Dans une grande cocotte, mélangez tous les ingrédients, à l'exception des graines de potiron et du jus de citron. Laissez mijoter à couvert 2 heures environ, jusqu'à ce que le porc soit tendre. Ajoutez les graines de potiron et faites bouillir 5 minutes, pour que le liquide épaississe. Goûtez et assaisonnez; versez le jus de citron et servez immédiatement avec du riz cuit à l'eau.

AUTRE NOM
Safran des Indes

PRÉSENTATIONS
Frais : entier
Séché : entier, moulu

CONSERVATION
Dans un récipient hermétique, au frais et à l'abri de la lumière.

TRUCS ET CONSEILS
Même s'il n'en a pas le parfum subtil et aromatique, le curcuma remplace agréablement le safran, beaucoup plus cher. Il a un goût plus doux et plus musqué, mais sa couleur jaune est plus vive. Il peut aussi se substituer au rocou (voir p. 60), également jaune, et au *palillo,* épice péruvienne moins connue qui donne aux plats une belle teinte dorée.

CURCUMA

Jolie plante vivace à larges feuilles rappelant celles du lis et à fleurs jaunes, le curcuma fait partie de la famille du gingembre et, comme celui-ci, il est cultivé pour son rhizome. Il pousse depuis plus de 2 000 ans en Inde, en Chine et au Moyen-Orient; aujourd'hui, il a conquis toutes les régions tropicales du monde. Il aurait fait partie des épices jaunes que les Perses associaient au culte du Soleil. Rarement disponible frais, il est plus courant sous sa forme séchée et moulue. Il apporte aux mets une saveur chaude et suave ainsi qu'une belle couleur jaune. Composant essentiel de la poudre de curry, il parfume aussi de nombreux plats indiens végétariens. En Inde comme en Chine, le curcuma permet de fabriquer une teinture pour textiles et il est réputé, en Inde surtout, pour ses propriétés digestives.

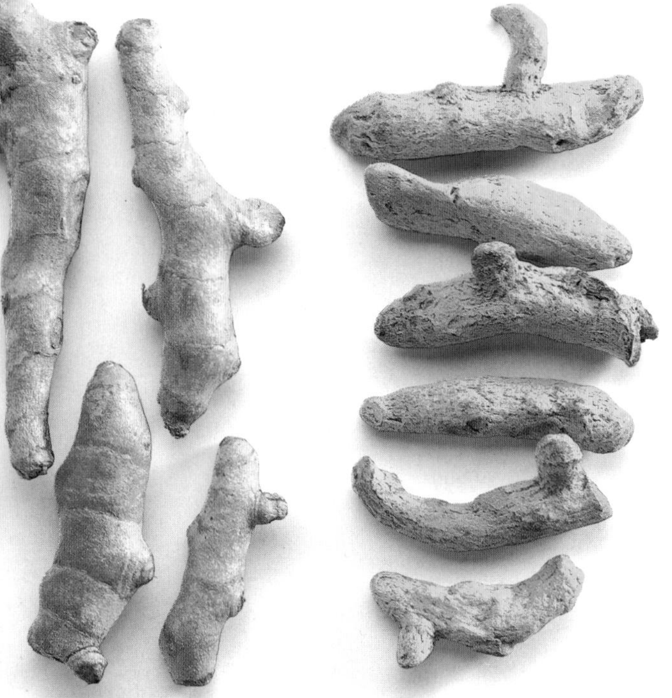

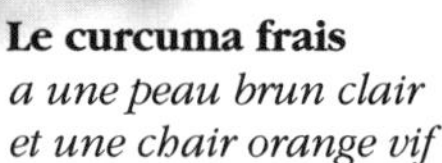

Le curcuma frais
a une peau brun clair et une chair orange vif

Curcuma séché

Une épice colorée
Le curcuma, réputé pour sa couleur jaune d'or, a longtemps été exploité comme colorant pour textiles.

Curcuma moulu

DES MARIAGES RÉUSSIS

Poudres de curry, conserves au vinaigre, notamment piccalilli, chutneys, œufs à la diable, haricots et lentilles, pilafs de poisson et de riz, volaille, poisson, crustacés, légumes, surtout le chou-fleur et les pommes de terre.

LA RECETTE DU CHEF
POULET AU CURCUMA

Pour 4 personnes

2 cuil. à soupe d'huile de maïs ou d'arachide
1 oignon moyen finement haché
1 gousse d'ail finement hachée
1 cuil. à café de curcuma moulu
1 poulet de 1,5 kg coupé en morceaux
Sel
Poivre noir du moulin
50 cl de bouillon de volaille
2 cuil. à soupe de jus de citron
Persil plat, pour la décoration

Dans une cocotte, chauffez l'huile et faites-y fondre l'oignon 5 minutes. Ajoutez l'ail et laissez cuire encore 2 minutes. Incorporez le curcuma. À feu plus fort, mettez le poulet et faites-le dorer de tous les côtés. Assaisonnez et versez le bouillon de volaille. Portez à ébullition, couvrez et laissez mijoter 45 minutes environ, jusqu'à ce que le poulet soit tendre. Ajoutez le jus de citron en remuant. Ôtez le poulet. Faites réduire la sauce à feu vif, afin qu'elle épaississe légèrement. Nappez-en le poulet. Décorez avec le persil et servez avec du riz basmati et du riz sauvage.

POUDRES DE CURRY

Bien que le mot «curry» fasse toujours penser à la cuisine indienne, il a en fait été inventé par les colons britanniques en Inde. Les currys — ou caris — sont des plats de viande, de poisson ou de légumes accompagnés d'une sauce forte et parfumée, faite à partir d'épices mêlées, entières ou moulues. Ces mélanges, appelés *masalas,* d'une grande complexité, varient considérablement en force. Il n'en existe pas de recette précise, et chacun les prépare en fonction de sa région, de sa caste et du plat. Ils réunissent cependant des épices originaires de l'Inde : curcuma, gingembre, poivre, cumin, coriandre et piment. S'y ajoutent parfois le clou de girofle ou la noix muscade. Généralement, on les fait griller dans une poêle avant de les moudre. Les Occidentaux connaissent bien les poudres de curry mais, en Orient, elles se présentent souvent sous forme de pâtes.

POUDRE DE CURRY DE BASE

Dans la cuisine indienne, les mélanges d'épices sont essentiels et il en existe des centaines à travers tout le sous-continent. Cette recette correspond à une poudre de curry de base, que vous délayerez dans un peu d'eau tiède. Si vous la souhaitez plus aromatique et moins épicée, réduisez le nombre de piments et ajoutez 1 cuil. à café de cannelle et quelques clous de girofle moulus.

Dans une poêle en fonte, mélangez 6 piments rouges secs, 30 g de graines de coriandre, 1/2 cuil. à café de graines de moutarde, 1 cuil. à café de poivre noir et 1 cuil. à café de graines de fenugrec. Faites griller les ingrédients à feu moyen, jusqu'à ce qu'ils soient tous brun doré; ils ne doivent pas noircir. Laissez refroidir puis pilez les épices dans un mortier. Ajoutez-y 1 cuil. à café de gingembre et 1 de curcuma moulus. Cette poudre se conserve 3 mois dans un récipient hermétique, au frais et à l'abri de la lumière.

POUDRE DE COLOMBO

Les Cinghalais venus travailler aux Antilles au XIXe siècle y firent connaître leurs traditions culinaires, que les indigènes adoptèrent avec enthousiasme. Baptisés du nom de la capitale du Sri Lanka, les *colombos* sont des plats mijotés, de porc, de poulet, de chevreau ou de légumes tropicaux, condimentés par cette poudre, parfois allongée de vin blanc, de bouillon, de lait de coco ou de rhum.

Pelez et hachez 3 gousses d'ail, épépinez et pilez 2 piments frais (voir p. 69). Dans un bol, mélangez 1/2 cuil. à café de curcuma moulu, 1/2 cuil. à café de coriandre moulue et 1 cuil. à café de moutarde en poudre. Ajoutez l'ail et le piment, et remuez bien. Cette poudre se conserve jusqu'à 6 semaines au réfrigérateur, dans un récipient hermétique.

Bien qu'il porte le nom de poudre, ce mélange relevé est en réalité une pâte

PÂTE DE CURRY ROUGE THAÏLANDAISE

Les currys thaïlandais sont très piquants. Les nouilles orientales ou les salades qui les accompagnent compensent la force des piments. Le *trasi,* pâte ferme à base de crevettes fermentées, se trouve dans les épiceries orientales, parfois sous son nom malais, *blachan*. Il permet de préparer ce mélange qui accompagne bien le bœuf.

Dans une poêle, grillez de 2 à 3 minutes 1 cuil. à café de cumin et 1 cuil. à soupe de graines de coriandre. Laissez refroidir puis pilez-les dans un mortier avec 1 cuil. à café de poivre noir en grains. Ajoutez 3 échalotes ciselées, 2 gousses d'ail hachées et 2 tiges de lemon-grass émincées. Réduisez le tout en une pâte fine. Épépinez et coupez 10 piments rouges secs en lanières. Ajoutez-les au mélange en même temps que 1 cuil. à soupe de galanga moulu, 2 cuil. à café de zeste de lime râpé, un petit morceau de trasi *et du sel.*

CARDAMOME

Cette épice était déjà connue et appréciée par les Égyptiens de l'Antiquité, puis par les Grecs et les Romains. Parvenue en Europe par les pistes des caravanes, elle demeure, après le safran et la vanille, une des épices les plus chères. Si elle entre dans la composition de certaines pâtisseries en Allemagne, en Russie et en Scandinavie, c'est en Inde et au Moyen-Orient qu'elle parfume de très nombreux plats. En France et aux États-Unis, son huile essentielle est utilisée en parfumerie. La plante pousse abondamment sur la côte de Malabar, en Inde, tandis qu'une autre espèce se développe à Sri Lanka, au Mexique et au Guatemala. Membre de la famille du gingembre, cet arbuste vivace de bonne taille a des feuilles lancéolées et de courts rameaux fleuris. Après la floraison, ceux-ci portent des petites capsules vertes que l'on récolte à la main et qui contiennent chacune une vingtaine de graines aromatiques. Les capsules blanches n'existent pas à l'état naturel; elles ont en fait été décolorées. Quant aux brunes, ou fausses cardamomes, elles ne sont qu'une variété de médiocre qualité. Pour libérer tout l'arôme des graines vertes ou blanches, il faut retirer leurs capsules juste avant de les utiliser.

PRÉSENTATIONS
Séchée : capsules, graines entières, graines moulues

CONSERVATION
Dans un récipient hermétique, au frais et à l'abri de l'humidité.

TRUCS ET CONSEILS
Les *graines moulues* perdent rapidement de leur parfum. Achetez de préférence des *capsules* entières, que vous ouvrirez au dernier moment. Évitez les cardamomes brunes, au goût camphré peu agréable.

DES MARIAGES RÉUSSIS
Gâteaux, pâtisseries, liqueurs, café, currys, pilafs, pickles, harengs marinés, viande, punchs, vins épicés, crèmes-desserts et fruits.

GRAINE DE PARADIS
La graine de paradis, ou maniguette, est une très proche cousine de la cardamome. Minuscule, elle a presque le même arôme, un peu plus fort et poivré.

Le goût des graines de cardamome s'évente rapidement; il vaut mieux acheter des capsules entières et moudre les graines au dernier moment

Cardamome en poudre

Graines

Capsules de cardamome verte

Capsules de cardamome blanche

Capsules de cardamome brune

La cardamome en cuisine

Le goût fort et citronné de la cardamome rehausse la saveur des plats salés aussi bien que sucrés. Ingrédient essentiel de la gastronomie indienne, elle relève les pilafs et les currys, notamment ceux du nord de l'Inde et du Pakistan, ainsi que les desserts crémeux tel le *kulfi,* crème glacée parfumée à la pistache et aux amandes. D'un usage très répandu dans tout le Moyen-Orient, la cardamome parfume surtout les innombrables confiseries et pâtisseries de la région. Ici comme en Afrique du Nord, elle aromatise de son parfum poivré le café traditionnel, fort et amer; dans d'autres pays d'Afrique, elle condimente le thé. Ses propriétés digestives l'ont rendue très populaire; on prépare des infusions avec ses graines ou on les mâche pour se purifier l'haleine. Dans les pays d'Europe du Nord, la cardamome, synonyme de chaleur, permet de préparer des boissons chaudes épicées. En Allemagne, on la retrouve dans certaines charcuteries, et en Scandinavie, dans les pains et les pâtisseries. Sa poudre se marie bien avec les salades de fruits, et ses graines avec les poires pochées ou les pommes au four. On obtient également des glaces délicieuses en faisant infuser des gousses de cardamome pilées dans la crème ou le lait chaud.

Griller la cardamome
Avant de les utiliser dans des mets salés, grillez les graines de cardamome pour libérer tout leur parfum. Ouvrez les capsules, sortez-en les graines brunes et collantes et passez-les quelques minutes dans une poêle chaude.

Boissons à la cardamome

Après le repas, une infusion de gousses de cardamome est digestive. Au Moyen-Orient, on parfume le café «à la turque» avec de la cardamome en graines ou en poudre. Pour préparer une tisane, mettez 12 capsules écrasées dans 1,5 litre d'eau bouillante, puis un morceau de zeste d'orange. Attendez 10 minutes. Ajoutez 2 ou 3 cuil. à soupe de feuilles de thé. Laissez infuser selon votre goût, passez à travers un chinois et servez avec du lait chaud et du sucre.

Thé à la cardamome

Capsules de cardamome verte

Café parfumé à la cardamome

La recette du chef

Salade de fruits à la cardamome

Pour 4 personnes

2 cuil. à soupe de sucre
15 cl de jus d'orange
1/2 cuil. à café de cardamome en poudre
2 oranges coupées en quartiers ou en tranches (voir p. 174)
1 pomme coupée en dés
1 poire coupée en dés
2 bananes coupées en rondelles
2 prunes coupées en dés
Raisins, cerises, myrtilles ou framboises, selon votre goût
Menthe fraîche, pour la décoration

Dans une petite casserole, mélangez le sucre à 15 cl d'eau et faites-le fondre à feu doux. Laissez refroidir. Ajoutez le jus d'orange et la cardamome. Dans un grand bol, mélangez les oranges, la pomme, la poire, les bananes, les prunes, et nappez-les du sirop. Mettez au réfrigérateur pour 30 minutes au moins, décorez avec les fruits ronds et la menthe, et servez.

CLOUS DE GIROFLE

PRÉSENTATIONS
Boutons : séchés, entiers, moulus

CONSERVATION
Dans un récipient hermétique, au frais et à l'abri de la lumière.

TRUCS ET CONSEILS
Parfumez le bouillon de volaille avec un oignon piqué de clous de girofle. Pour les plats de viande mijotés tels que la daube ou le pot-au-feu, ajoutez un clou de girofle au bouquet garni.

Le nom de cette épice vient du latin *clavus,* clou, et en effet les boutons floraux du giroflier, petit arbre à feuilles persistantes, en ont bien l'aspect. Les clous de girofle ont une longue et étrange histoire. Originaires des Moluques, ou archipel des Épices, dans le Sud-Est asiatique, ils étaient déjà connus des Chinois bien avant l'ère chrétienne. À l'époque où les Occidentaux recherchaient ardemment des épices, les Hollandais, après avoir chassé les Portugais en 1605, établirent leur monopole sur cet archipel. Ils limitèrent la culture des clous de girofle à une seule île mais, en 1770, les Français réussirent à passer des graines en contrebande vers l'île Maurice. Le giroflier ne se développe que sous climat tropical maritime et, aujourd'hui, il pousse en Indonésie, à Madagascar, en Tanzanie, à Sri Lanka, en Malaisie et sur l'île de Grenade. Ses boutons ont une saveur et un parfum piquants, fortement aromatiques. Employés seuls, ils dégagent une certaine amertume qu'atténue la chaleur de la cuisson. Dans de nombreux gâteaux et biscuits de fête, cette épice est indispensable, et un oignon piqué de quelques clous de girofle apporte une saveur profonde aux ragoûts et aux braisés.

DES MARIAGES RÉUSSIS

Bœuf, sautés d'agneau et de porc, tous les plats avec jambon, poitrine fumée, langue ou toute autre viande bouillie, pouding de Noël, hachis, pain d'épice, gâteaux et pains épicés, sauce au pain à l'anglaise, pickles, vin chaud épicé, cakes, marinades pour gibier, chutneys et compotes de fruits.

LA RECETTE DU CHEF
JAMBON CUIT AUX CLOUS DE GIROFLE

Pour 4 personnes

2 ou 3 cuil. à soupe de cassonade
1 cuil. à café de moutarde de Dijon
4 cuil. à soupe de lait ou de jus de pomme
1 jambon cuit de 1,5 kg
Clous de girofle

Préchauffez le four à 180 °C. Dans un bol, mettez la cassonade, la moutarde et le lait ou le jus de pomme, et mélangez bien. Ne laissez sur le jambon qu'une couche de graisse de 1 cm d'épaisseur et faites-y des entailles en losanges. Enduisez la viande de la préparation sucrée. Piquez un clou de girofle à chaque intersection des losanges. Placez le jambon dans un plat à rôtir peu profond. Enfournez pour 30 minutes, en arrosant souvent avec le jus de cuisson; le glaçage ne doit pas brûler. Servez chaud, avec de la moutarde et des pommes de terre au four, ou froid avec des fruits épicés et de la salade.

Avant de fermer le sachet, placez un clou de girofle au milieu du mélange classique de persil, de laurier et de thym

Bouquet garni épicé
Pour donner davantage de saveur aux ragoûts de bœuf, de porc ou d'agneau, ajoutez-leur un bouquet garni complété d'un clou de girofle.

Clous de girofle

Bouquet garni

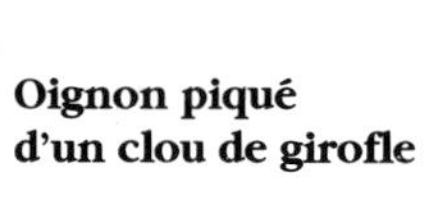

Oignon piqué d'un clou de girofle

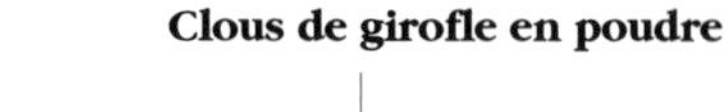

Clous de girofle en poudre

Autre nom
Ase fétide

Présentations
Résine : fraîche, séchée, en pâte

Trucs et conseils
Utilisez l'*asa-fœtida moulue* en très petite quantité. Vous pouvez frottez le gril avec un morceau d'asa-fœtida avant d'y cuire une viande.

Asa-Fœtida

De toute évidence, l'asa-fœtida — ou férule —, gomme résineuse de deux espèces de fenouil géant, a une odeur repoussante due aux composés sulfureux qu'elle contient, mais qui, heureusement, disparaît à la cuisson. Ce condiment se retrouve fréquemment dans la gastronomie des pays d'Asie, notamment comme assaisonnement de plats indiens végétariens. L'espèce la plus grande, *Ferula asafœtida,* peut atteindre 3,50 m de haut, tandis que *Ferula narthex* ne mesure que 2,50 m. En Afghanistan et en Iran, leurs pays d'origine, leurs feuilles et leurs tiges sont encore consommées en légumes. Les Romains de l'Antiquité utilisaient la résine aussi bien en médecine qu'en cuisine, où elle parfumait les sauces et le vin. Il est préférable de l'acheter en poudre et, pour l'apprécier pleinement, de ne l'ajouter dans une préparation, quelle qu'elle soit, qu'en petite quantité. Il ne faut pas la confondre avec *Ferula communis,* souvent cultivée pour son feuillage, et qui est toxique. De nombreuses autres espèces du genre *Ferula* ont des propriétés médicinales que les Chinois exploitent dans divers remèdes à base de plantes.

Des mariages réussis

Poisson, poisson salé, légumes et toutes les légumineuses. En très petite quantité : chutneys, pickles, sauces.

LA RECETTE DU CHEF
Riz aux pignons et aux champignons

Pour 4 personnes

4 cuil. à soupe de beurre doux
125 g de champignons émincés
Sel
Poivre noir du moulin
30 g de pignons
250 g de riz à grains longs cuit
Une petite pincée d'asa-fœtida
2 cuil. à soupe de persil finement ciselé

Les Romains conservaient dans des jarres l'asa-fœtida avec des pignons, qu'ils broyaient ensuite pour parfumer les mets. Cette recette de risotto remet au goût du jour cette épice pìquante très ancienne. Chauffez le beurre dans une poêle, mettez-y les champignons et laissez-les cuire à feu modéré jusqu'à ce qu'ils soient dorés. Assaisonnez. Grillez les pignons de 2 à 3 minutes dans une petite poêle sèche en la secouant sans arrêt, jusqu'à ce qu'ils aient pris une légère couleur. Éventuellement, réchauffez le riz. Incorporez-y les champignons, les pignons, l'asa-fœtida et le persil. Goûtez et rectifiez l'assaisonnement. Servez aussitôt.

Asa-fœtida en poudre

Le chat masala *est un mélange d'épices indien, composé d'asa-fœtida en poudre, de menthe, de gingembre, d'ajowan, de piment de Cayenne, de sel noir, de poudre de mangue, de cumin et de graines de grenade séchées*

Asa-fœtida en pâte
Les épiceries spécialisées la vendent souvent sous cette forme.

ANIS ÉTOILÉ

AUTRE NOM
Badiane de Chine

PRÉSENTATIONS
Séché : entier, cassé, moulu, en graines

CONSERVATION
Dans un récipient hermétique, à l'abri de la lumière, cette épice garde sa saveur très longtemps.

TRUCS ET CONSEILS
Pour donner une saveur épicée-sucrée à un poulet ou un canard, placez dans leur cavité abdominale, juste avant de les rôtir ou de les braiser, un morceau d'anis étoilé.

L'anis étoilé est le fruit d'un petit arbre à feuilles persistantes originaire de Chine et pouvant atteindre 8 m de haut. Celui-ci ne commence à porter des fruits qu'au bout de 6 ans, mais il en produit ensuite pendant plus d'un siècle. Ses fleurs jaunes donnent naissance à des fruits bruns qui, en mûrissant, prennent la forme d'une étoile dont chaque pointe contient une petite graine brune et luisante, moins aromatique que la cosse elle-même. L'anis étoilé est largement employé par les cuisiniers chinois et vietnamiens, et entre dans la composition de la poudre de cinq-épices fabriquée en Chine. Un marin anglais l'aurait rapportée à la fin du XVIe siècle en Europe, où il n'a jamais joué un très grand rôle en gastronomie. Contenant la même huile essentielle que l'anis, l'anéthol, il a un goût comparable mais un peu plus fort. Il exerce une action stimulante et diurétique, et, en infusion, il soulage les maux de gorge. Son huile essentielle parfume les liqueurs telles que l'anisette.

DES MARIAGES RÉUSSIS

Plats orientaux, notamment à base de porc, de canard et de poulet, légumes sautés, plats mijotés parfumés à la sauce soja, poisson, crustacés, potiron.

LA RECETTE DU CHEF
AILERONS DE POULET À L'ORIENTALE

Pour 4 personnes

16 ailerons de poulet
4 cuil. à soupe de xérès sec
25 cl de bouillon de volaille ou d'eau
2 cuil. à soupe de sauce soja
1 étoile d'anis cassée
Sel

Placez les ailerons de poulet dans une cocotte et arrosez-les de xérès. Faites-les mariner 30 minutes, en les retournant de temps en temps. Ajoutez le bouillon ou l'eau, la sauce soja, l'anis étoilé et assaisonnez. Portez à ébullition et laissez mijoter à couvert 45 minutes environ, jusqu'à ce que le poulet soit tendre. Goûtez et rectifiez l'assaisonnement. Servez en entrée, ou avec du riz cuit à l'eau, en plat principal.

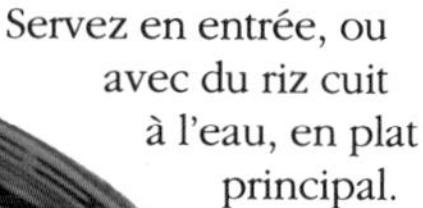

Anis étoilé entier

Graines

Anis étoilé en poudre

La poudre de cinq-épices, *mélange composé d'anis étoilé, de fagara, de cannelle de Chine, de graines de fenouil et de clous de girofle, est très appréciée en Chine et au Viêt-nam*

Anis étoilé cassé

GENIÈVRE

PRÉSENTATIONS
Baies : fraîches, séchées

CONSERVATION
Baies séchées : dans un récipient hermétique, au frais et à l'abri de la lumière.

TRUCS ET CONSEILS
Afin d'en libérer la saveur, concassez les baies avant de les utiliser. Les *baies séchées* depuis peu de temps ont le parfum le plus prononcé, mais il s'évente vite; achetez-les en petite quantité et ne les gardez pas plus de 6 mois. Le gibier se marie bien avec une gelée de pomme au genièvre.

Les baies de genièvre, fruits d'un petit arbre à feuilles persistantes, sont pourpres quand elles arrivent à maturité. Leur arôme trop profond empêche de les consommer fraîches; mais, une fois séchées, elles ont une agréable saveur relevée et épicée, avec un arrière-goût de pin. En cuisine, il faut les broyer afin d'en libérer tout le parfum, qui se marie particulièrement bien avec ceux du gibier à poil et à plume, également puissants. Elles sont cependant plus ou moins fortes selon leur région d'origine, les plus parfumées venant d'Europe méridionale. Elles entrent toujours dans la fabrication du gin et d'autres liqueurs appréciées des Hollandais, des Belges et des Allemands. Le folklore associe le genévrier et ses baies à la sécurité. Selon les Romains de l'Antiquité, la Sainte Famille, pendant sa fuite loin du royaume d'Hérode, se serait abritée sous les branches d'un genévrier, qui l'aurait protégée. Dans de nombreuses légendes, cet arbre joue ainsi un rôle de gardien.

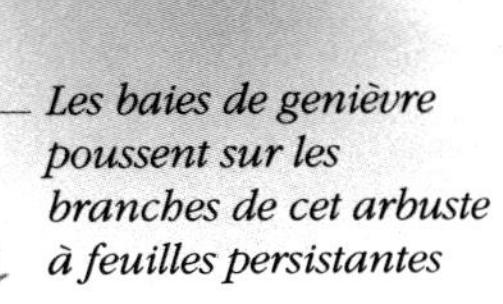

Baies fraîches

Les baies de genièvre poussent sur les branches de cet arbuste à feuilles persistantes

Baies séchées

DES MARIAGES RÉUSSIS

Marinades pour viande ou gibier, en infusion dans les sauces, les farces, les plats cuits à l'étouffée, les pâtés, les saucisses, le chou.

LA RECETTE DU CHEF
CHEVREUIL
SAUCE AU GENIÈVRE

Pour 4 personnes

4 cuil. à soupe de beurre doux
2 cuil. à soupe de farine
50 cl de bouillon de viande
15 cl de madère sec (sercial)
2 cuil. à café de baies de genièvre écrasées
Sel
Poivre noir du moulin
2 cuil. à soupe d'huile
4 tranches de filet de chevreuil de 125 g environ chacune

Chauffez 3 cuil. à soupe de beurre dans une casserole. Versez-y la farine en remuant et laissez-la cuire à feu très doux de 2 à 3 minutes, en tournant sans arrêt. Hors du feu, ajoutez peu à peu le bouillon de viande en remuant. Incorporez le madère et remettez sur le feu. Ajoutez le genièvre et poursuivez la cuisson 5 minutes en remuant, pour que la sauce épaississe. Assaisonnez et gardez au chaud. Dans une poêle, chauffez à feu vif le reste du beurre et l'huile, et faites rissoler le chevreuil 6 minutes, jusqu'à ce qu'il soit à point. Assaisonnez, disposez sur des assiettes chaudes, nappez de sauce et servez avec des légumes au beurre.

PRÉSENTATIONS
Macis : entier, moulu
Noix muscade : entière, moulue

DES ALLIANCES SUBTILES
Cardamome, cannelle, clous de girofle, gingembre, poivre

CONSERVATION
Entière, moulue : dans un récipient hermétique, au frais et à l'abri de la lumière; le *macis en poudre* se conserve très bien.

MACIS ET NOIX MUSCADE

Le macis et la noix muscade sont mentionnés dès le Ier siècle avant J.-C.; Pline l'Ancien décrit à cette époque un arbre portant une noix qui a deux parfums différents. En fait, ces deux épices sont bien distinctes. La noix muscade est le noyau dur du fruit d'un arbre à feuilles persistantes, originaire des Moluques, ou archipel des Épices. Le fruit s'ouvre sur une graine — noix muscade — entourée d'un entrelacs de fibres orangé plus ou moins rouge — macis ou arille. Tous deux sont depuis très longtemps utilisés en Inde. Au début du Moyen Âge, les Arabes furent les premiers à les importer vers l'Europe, où elles allaient très vite devenir des ingrédients précieux et recherchés. On transportait alors la noix muscade dans de petites boîtes en argent ou en bois comportant une râpe, afin d'en avoir toujours à portée de main.

DES MARIAGES RÉUSSIS

Macis : gâteaux, entremets, crèmes, desserts, soufflés, sauces, soupes, volaille, poisson.
Noix muscade : fruits cuits au four ou en compote, crèmes, lait de poule, punchs, sauces, notamment à l'oignon et au pain, pâtes, légumes, surtout les épinards.

TRUCS ET CONSEILS
La chaleur atténuant le goût de la noix muscade, ajoutez-la fraîchement râpée en fin de cuisson. Cuisez à l'eau des légumes — chou, pommes de terre ou chou-fleur —, réduisez-les en purée avec du beurre, du sel et du poivre, et ajoutez une pincée de noix muscade fraîchement râpée.

La noix muscade est entourée d'un entrelacs de fibres, ou arille, qui donne le macis

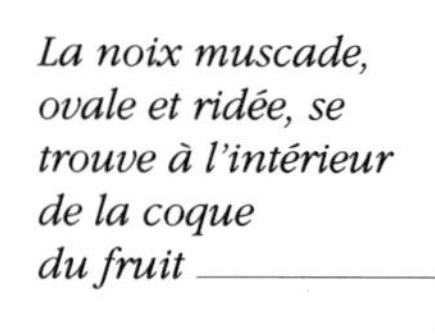

La noix muscade, ovale et ridée, se trouve à l'intérieur de la coque du fruit

Noix muscade entière

Les râpes traditionnelles *sont dotées d'un compartiment pour les noix, que l'on peut râper dès que l'on en a besoin*

Noix muscade moulue
Disponible dans le commerce sous cette forme, elle sera toutefois meilleure si vous en râpez vous-même une graine, car elle perd vite de son parfum.

LE MACIS ET LA NOIX MUSCADE EN CUISINE

Ces épices universelles parfument aussi bien les plats salés que les plats sucrés. La noix muscade a une saveur chaude et se marie bien avec les mets riches, dont elle facilite la digestion. En outre, les Italiens l'utilisent beaucoup dans les plats de pâtes farcies, soit mélangée à la garniture, soit râpée et saupoudrée juste avant de servir. Elle est indispensable dans la béchamel et dans de nombreuses charcuteries. Le macis a le même goût — qui rappelle un mélange de cannelle et de poivre — que la noix, bien qu'il soit plus subtil.

LA RECETTE DU CHEF

FUSILLIS AUX CHAMPIGNONS ET À LA NOIX MUSCADE

Pour 4 personnes

4 cuil. à soupe de beurre doux
2 oignons moyens finement émincés
1 kg de champignons émincés
1/4 de cuil. à café de noix muscade en poudre
Sel
Poivre noir du moulin
25 cl de crème fraîche épaisse
500 g de fusillis
Parmesan fraîchement râpé, pour saupoudrer les pâtes

Dans une grande casserole, chauffez le beurre et faites-y fondre les oignons à feu modéré. Mettez-y les champignons et laissez-les suer jusqu'à ce qu'ils aient rendu toute leur eau. Ajoutez la noix muscade et assaisonnez. Incorporez la crème et réchauffez rapidement le mélange. Cuisez les fusillis en suivant les indications portées sur l'emballage. Égouttez-les soigneusement. Dans un plat creux, mélangez-les à la sauce. Servez aussitôt avec du parmesan râpé. Cette sauce accompagne bien toutes sortes de pâtes.

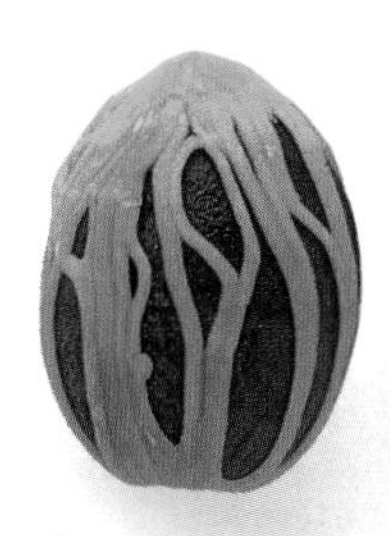

Fleurs de macis
Leur couleur permet souvent de préciser leur origine. Les graines à téguments rouge orangé viennent généralement d'Indonésie; quand ils sont jaune orangé, elles proviennent plutôt de l'île de Grenade.

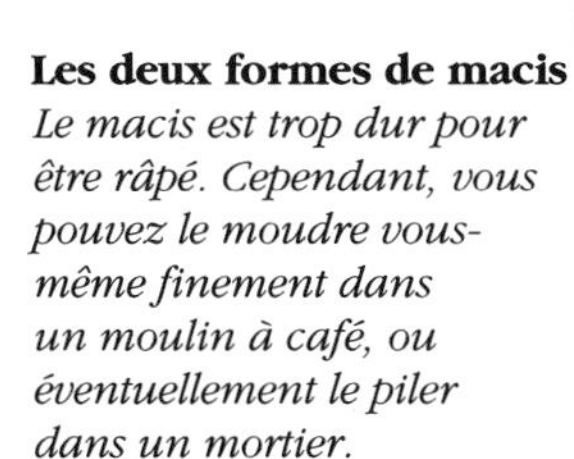

Les deux formes de macis
Le macis est trop dur pour être râpé. Cependant, vous pouvez le moudre vous-même finement dans un moulin à café, ou éventuellement le piler dans un mortier.

Huile essentielle
Utilisée à l'origine à des fins médicinales, l'huile essentielle, à raison de 1 ou 2 gouttes, augmente l'effet sédatif des boissons chaudes servies le soir.

Macis en poudre

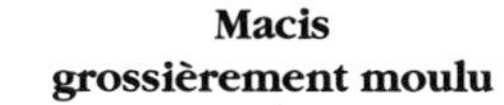

Macis grossièrement moulu

LA RECETTE DU CHEF

GÂTEAU À LA NOIX MUSCADE ET SAUCE CITRONNÉE AU MACIS

Pour 6 personnes

Du beurre pour chemiser le moule
250 g de farine tamisée
150 g de sucre en poudre
200 g de cassonade
250 g de beurre doux
1 cuil. à café de bicarbonate de soude
1 cuil. à café de noix muscade râpée
1 œuf
25 cl de crème fleurette
100 g de cerneaux de noix hachés
150 g de miel
Sel
1 1/2 cuil. à soupe de fécule de maïs
2 cuil. à soupe de jus de citron
1 cuil. à café de zeste de citron râpé
2 cuil. à soupe de beurre doux
1 pincée de macis en poudre

Préchauffez le four à 180 °C; beurrez un moule à gâteau de 20 à 25 cm de diamètre. Dans un bol, mélangez la farine, le sucre en poudre et la cassonade. Ajoutez le beurre et passez le mélange au mixeur jusqu'à ce que vous obteniez de grosses miettes. Tassez la moitié de la pâte dans le fond du moule. Incorporez à l'autre moitié le bicarbonate, la noix muscade, l'œuf et la crème fleurette. Versez cette préparation dans le moule et parsemez de noix. Enfournez pour 30 à 40 minutes, jusqu'à ce que la pâte se détache des bords. Pour préparer la sauce, mettez le miel assaisonné d'une pincée de sel dans une casserole, et chauffez doucement pour le faire fondre. Délayez la fécule de maïs dans le jus de citron et ajoutez-les au miel avec 25 cl d'eau. Portez doucement à ébullition, que vous maintiendrez 1 minute, en remuant sans arrêt jusqu'à ce que la sauce ait épaissi. Hors du feu, incorporez en tournant le zeste de citron, le beurre et le macis. Coupez des tranches de gâteau pendant qu'il est encore chaud et nappez-les de sauce citronnée.

AUTRES NOMS
Nigelle romaine, poivrette, herbe aux épices, cumin noir

PRÉSENTATIONS
Graines séchées : entières, moulues

CONSERVATION
Dans un récipient hermétique, au frais et à l'abri de la lumière.

TRUCS ET CONSEILS
Si vous remplacez le poivre par de la nigelle, vous donnerez aux plats occidentaux un goût un peu plus épicé et plus amer. Pour mieux libérer leur arôme, grillez les *graines* dans une poêle sèche. Parfumez-en des légumes revenus au beurre : elle leur apportera une saveur exotique et une agréable consistance croustillante. Vous pouvez aussi frotter avec quelques graines une viande à griller ou à frire.

NIGELLE AROMATIQUE

La nigelle aromatique est une proche parente de la nigelle de Damas, plante élégante au feuillage duveteux et à jolies fleurs bleues, appelée aussi cheveux-de-Vénus. Originaires d'Asie occidentale, du Moyen-Orient et d'Europe méridionale, elles sont aujourd'hui essentiellement cultivées en Inde. La nigelle aromatique en poudre remplace souvent le poivre dans de nombreux mélanges d'épices de ce pays; la nigelle de Damas, en graines, est parsemée sur le pain en Turquie et dans d'autres pays du Moyen-Orient. La nigelle est une plante annuelle de pleine terre pouvant atteindre 60 cm de haut; ses graines se récoltent avant leur pleine maturité, afin d'éviter que les capsules éclatent et les laissent échapper.

Toutes noires et très petites, elles ont un arôme peu marqué, poivré, et ressemblent à des graines d'oignon, avec lesquelles on les confond souvent. En Inde, on l'appelle aussi *kala jeeras,* comme le cumin noir (voir p. 79). Mais on la trouve dans les épiceries sous son nom vraiment indien, *kalonji*.

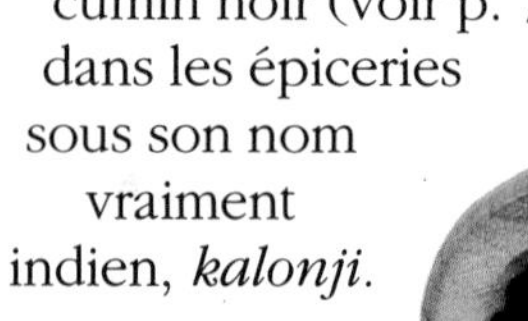

Graines de nigelle

Le panch phoran *est un mélange d'épices indien composé de graines de cumin, de fenouil, de moutarde, de fenugrec et de nigelle; il parfume les plats de légumes et de légumineuses*

Nigelle moulue

Comme les grains de poivre, les graines de nigelle peuvent être moulues dans un moulin à poivre ou à café, et ajoutées directement aux mets

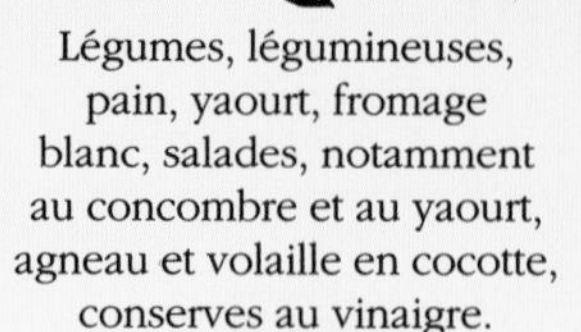

DES MARIAGES RÉUSSIS

Légumes, légumineuses, pain, yaourt, fromage blanc, salades, notamment au concombre et au yaourt, agneau et volaille en cocotte, conserves au vinaigre.

LA RECETTE DU CHEF
SALADE DE CONCOMBRE ÉPICÉE

Pour 2 à 4 personnes

1 concombre coupé en petits dés
Sel
250 g de yaourt épais, grec de préférence
1/2 cuil. à café de graines de nigelle
1 cuil. à soupe de feuilles de menthe fraîche finement ciselées
Des feuilles de laitue croquante, pour disposer la salade

Mettez les dés de concombre dans un saladier peu profond et assaisonnez-le. Ajoutez le yaourt, la nigelle et la menthe, et mélangez bien. Servez cette salade fraîche sur des assiettes garnies de feuilles de laitue. Vous pouvez préparer le concombre à l'avance, mais ne le mélangez aux autres ingrédients qu'au dernier moment, car son eau diluerait la sauce.

GRAINES DE PAVOT

AUTRES NOMS
Pavot officinal, pavot somnifère

PRÉSENTATIONS
Graines : entières, moulues

CONSERVATION
Dans un récipient hermétique, au frais et à l'abri de la lumière.

TRUCS ET CONSEILS
L'huile de pavot, fine et légère, est parfaite dans un assaisonnement de salade. Appelée *huile d'œillette,* elle doit porter la mention «première pression à froid»; claire et inodore, elle a alors un léger goût d'amande. Quand elle a été pressée plusieurs fois, elle parfume des savons et des onguents, et entre dans la fabrication de peintures; veillez donc à ne pas faire de confusion. En grillant légèrement les graines, vous libérerez leur parfum.

Il s'agit en fait de la graine du pavot à opium, dont le nom botanique signifie «porteur de sommeil». Originaire du Moyen-Orient, cette plante de haute taille a de belles fleurs roses, blanches ou lilas. Ses minuscules graines, bien croquantes, ont un goût de noix. L'épice se compose des graines mûres, alors que les dérivés médicinaux — opium, morphine, codéine — proviennent d'alcaloïdes contenus dans la sève des capsules immatures. Dans le centre et le nord de l'Europe, au Moyen-Orient, en Inde et dans certaines régions d'Amérique du Nord, les graines parfument souvent les plats mijotés ou cuits au four. En Europe, les plus communes sont bleu-gris, mais il en existe une variété jaune crème en Inde, et une brune en Turquie. Les anciens Égyptiens appréciaient l'opium pour ses vertus curatives, et ce n'est qu'au XIXe siècle, quand les Chinois, les artistes et les écrivains européens commencèrent à fréquenter assidûment les fumeries, qu'il devint un stupéfiant.

DES MARIAGES RÉUSSIS
Pain, biscuits, gâteaux, pâtisserie, salades, notamment de chou cru, assaisonnements à base de crème, currys, sauces pour viande et poisson, nouilles aux œufs, en décoration de légumes.

LA RECETTE DU CHEF
GARNITURE AUX GRAINES DE PAVOT

Pour 300 g environ

125 g de sucre
15 cl de lait ou d'eau
125 g de graines de pavot
75 g de raisins de Smyrne grossièrement hachés
2 cuil. à soupe de miel liquide
Le zeste d'un citron râpé

Dans une petite casserole, mélangez le sucre avec le lait ou l'eau, et portez à ébullition à feu modéré. Laissez cuire 5 minutes en remuant sans arrêt. Ajoutez les graines de pavot, les raisins secs, le miel et le zeste de citron, et faites bouillir encore 3 minutes en tournant; le mélange doit épaissir. Laissez-le refroidir avant d'en garnir des gâteaux ou des pâtisseries.

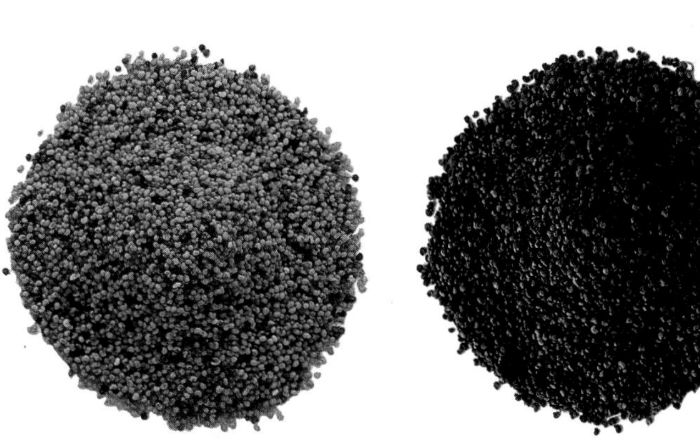

Les graines brunes *sont pour la plupart d'origine turque*

Les graines bleu-gris *sont très communes en Europe*

Graines jaunes

La pâte de graines de pavot, *préparée à partir de graines moulues et d'huile d'œillette, est la base de divers plats et pâtisseries turcs*

Graines de pavot moulues

La capsule mûre *a une enveloppe cannelée couronnée d'un stigmate. À l'intérieur, plusieurs alvéoles contiennent des centaines de graines*

Autres noms
Toute-épice,
myrte-piment

Présentations
Baies : entières, moulues

Conservation
Dans un récipient hermétique, au frais et à l'abri de la lumière.

Trucs et conseils
Ce poivre universel rehausse le goût de la plupart des autres épices. Ajoutez-le aux pickles, aux conserves salées ou aux chutneys, ou parfumez-en les plats cuits au four ou les boissons épicées afin de leur donner une saveur chaude. Mettez quelques *baies entières* dans le moulin à poivre.

Piment de la Jamaïque

Bien qu'il soit originaire du Nouveau Monde et inconnu ailleurs jusqu'à ce que les Espagnols l'introduisent en Europe au XVIe siècle, le piment de la Jamaïque est aujourd'hui connu par les gastronomes du monde entier. L'arbre, le myrte-piment, est gracieux et très aromatique. Très grand avec des petites fleurs blanches, il porte des baies de la taille de gros grains de poivre. On les récolte encore vertes, et on les sèche au soleil, qui les rend brunes et comestibles. Cette épice doit à son goût légèrement poivré, qui rappelle celui d'un mélange de noix muscade, de cannelle et de clou de girofle, son nom américain de «toute-épice». À la Jamaïque, dans les zones de culture, l'air embaume, au moment de la floraison, des parfums émanant de l'écorce, des feuilles, des fleurs et, plus tard, des baies. Aux Caraïbes, les Indiens Arawaks et les tribus indigènes connaissaient déjà le piment de la Jamaïque, et il est fort probable que les Mayas et les Aztèques s'en servaient aussi en cuisine.

Des mariages réussis

Mélanges pour conserves au vinaigre, marinades pour poisson, crustacés, viande, gibier et volaille, charcuterie, notamment le jambon, légumes, riz, gâteaux, tourtes, entremets, condiments, chutneys.

LA RECETTE DU CHEF
Crevettes au piment de la Jamaïque

Pour 4 personnes

1 litre de bière blonde
1/2 cuil. à café de sel
1 cuil. à café de baies de piment de la Jamaïque grossièrement concassées
500 g de grosses crevettes cuites

Dans une grande casserole, mélangez la bière blonde, le sel et le piment de la Jamaïque, et portez à ébullition. Couvrez et laissez mijoter 5 minutes. Hors du feu, ajoutez les crevettes; laissez-les mariner jusqu'à ce que le liquide ait refroidi. Égouttez-les et servez-les en amuse-gueule ou en entrée avec un coulis de tomates ou une sauce vinaigrette.

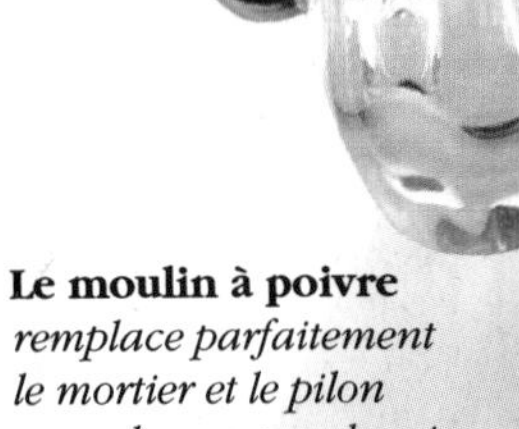

Le moulin à poivre *remplace parfaitement le mortier et le pilon quand vous avez besoin de moudre des épices*

Piment de la Jamaïque moulu

Le piment de la Jamaïque est une épice universelle qui relève les plats salés aussi bien que les plats sucrés. Il vaut mieux le moudre au dernier moment plutôt que l'acheter en poudre

Piment de la Jamaïque et grains de poivre *Pour obtenir un nouveau parfum poivré, mélangez en quantités égales des grains de piment de la Jamaïque et de poivre vert, noir et blanc.*

Les baies entières, *de la taille d'un petit pois, présentent une surface rugueuse qui en est la partie la plus aromatique*

AUTRES NOMS
Anis vert, anis cultivé

PRÉSENTATIONS
Graines : séchées
Feuilles : fraîches

CONSERVATION
Feuilles : au réfrigérateur, dans un sachet en plastique, mais peu de temps.
Graines : dans un récipient hermétique, au frais et à l'abri de la lumière. Mais, même dans de bonnes conditions, elles perdent rapidement de leur goût.

Les petites fleurs blanc crème qui sortent au début de l'été donnent naissance aux graines

ANIS

L'anis, une des épices les plus anciennes, est apparenté à l'aneth, au fenouil, au carvi et au cumin. La plante, qui atteint souvent 60 cm de haut, a un feuillage rappelant celui de la coriandre, et des touffes de fleurs blanc crème. Originaire du Moyen-Orient, elle est aujourd'hui cultivée en Russie méridionale, en Turquie, en Inde et dans de nombreuses régions d'Europe, où elle sert notamment en distillerie. Il existe en France, sous le nom de pastis, de nombreuses marques d'alcools anisés, très populaires dans les cafés du Midi et servis avec des glaçons et une carafe d'eau. En Grèce, l'ouzo est très apprécié à l'apéritif, et en Turquie, on déguste le raki, très proche. L'anisette, très prisée en Espagne et en Italie, se boit nature ou devient ingrédient culinaire, au même titre que le pastis qui entre dans diverses recettes de poisson, notamment le loup flambé au fenouil. Une infusion de graines d'anis sucrée au miel facilite la digestion.

Les graines, brun-jaune, striées et duveteuses, constituent la partie la plus parfumée de la plante

Graines d'anis

L'anis moulu *perdant rapidement de son parfum, achetez-le en petite quantité ou préparez la poudre vous-même en pilant les graines dans un mortier*

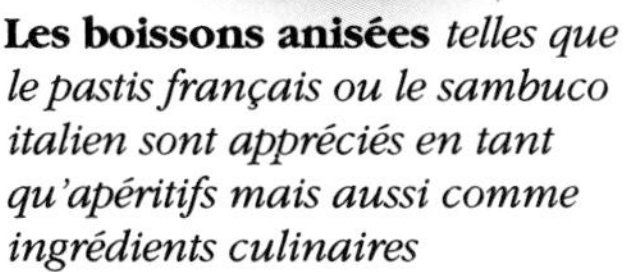

Les boissons anisées *telles que le pastis français ou le sambuco italien sont appréciés en tant qu'apéritifs mais aussi comme ingrédients culinaires*

DES MARIAGES RÉUSSIS

Confiseries, gâteaux, biscuits, pain, poisson et coquillages, sauce tomate, légumes, préparations sucrées et salées aux noix et aux fruits secs, notamment aux figues et aux marrons.

TRUCS ET CONSEILS
Achetez des *graines entières,* en petite quantité, pour les piler vous-même dans un mortier quand vous en avez besoin. Mettez les *jeunes feuilles,* mais quelques-unes seulement, dans les salades vertes, les légumes cuits, les soupes de poisson, les ragoûts et les salades de fruits.

LA RECETTE DU CHEF
BEIGNETS À L'ANIS

Pour 10 à 12 beignets

1 cuil. à soupe de sucre
1/4 de cuil. à café de sel
2 cuil. à soupe de graines d'anis
175 g de farine
1 gros œuf
Huile de friture
Du sucre pour l'enrobage

Dans une grande casserole, mélangez dans 25 cl d'eau le sucre, le sel et les graines d'anis, et portez à ébullition. Ajoutez la farine en une seule fois et remuez bien avec une cuiller en bois. Hors du feu, incorporez l'œuf et mélangez jusqu'à ce que la préparation soit homogène. Dans une grande friteuse, chauffez l'huile à 190 °C, en vérifiant éventuellement la température à l'aide d'un thermomètre à friture. Introduisez la pâte dans une poche à douille équipée d'un embout assez grand (ou utilisez un gros entonnoir), pressez-la en longs rubans que vous ferez frire jusqu'à ce qu'ils soient bien dorés. Égouttez-les sur du papier absorbant et découpez-les en morceaux de 7 cm de long. Enrobez-les de sucre pendant qu'ils sont encore chauds.

PRÉSENTATIONS
Frais : entier *Séché :* entier, concassé, en poudre *Traité :* entier, au sel ou au vinaigre

CONSERVATION
Frais : au réfrigérateur, dans un récipient hermétique.
Séché : blanc et noir, dans un récipient hermétique, au frais et à l'abri de la lumière.
Moulu : dans un récipient hermétique, à l'abri de la lumière. Mais, comme la plupart des épices, il se conserve moins bien sous cette forme qu'en grains.
Traité : en boîte ou en bocal, très longtemps.

POIVRE

Ingrédient culinaire inestimable, le poivre est considéré, à juste titre, comme le roi des épices. Ce fruit de la plante *Piper nigrum* tient une grande place dans toutes les cuisines du monde. L'Inde en est le principal producteur, mais il est aussi cultivé en Indonésie, en Malaisie et au Brésil. Sa production représente un quart du commerce mondial des épices et l'Amérique en est le plus gros importateur. Il est mentionné dès le IVe siècle avant J.-C., notamment en sanskrit, sous le nom de *pippali*. Il devint très tôt, comme le sel, une épice précieuse, et la forte demande des Romains de l'Antiquité lui conféra encore davantage de valeur. Les commerçants arabes en profitèrent, et parmi eux certains épiciers firent de très gros profits : ils le falsifiaient en y ajoutant des baies de genièvre, beaucoup moins coûteuses. Il fut même un temps où il valait son poids en or. Il a joué un rôle capital dans la recherche par les Européens des routes maritimes vers l'Est, et en cela, il est intervenu sur le cours de l'histoire. Pendant des siècles, cette quête du poivre a dominé le commerce des épices, et sans elle les empires coloniaux des temps modernes n'auraient peut-être jamais existé. Depuis, la petite baie au passé glorieux aurait pu tomber dans l'oubli mais, pour les cuisiniers, elle reste une épice indispensable.

TRUCS ET CONSEILS
Le *poivre moulu* perdant rapidement de son arôme, achetez-le en *grains* pour ne le moudre que lorsque vous en avez besoin. Ajoutez-le toujours en fin de cuisson pour lui garder un maximum de parfum. Pour les plats mijotés, enfermez les grains dans un sachet en mousseline, que vous retirerez facilement. Lorsque vous faites cuire à feu vif une viande enrobée de nombreux grains concassés, un steak au poivre par exemple, assurez-vous que la cuisine est bien ventilée, ou ouvrez largement la fenêtre car, comme le piment, il dégage des vapeurs qui irritent le nez, les yeux et les voies respiratoires.

Les grains de poivre noir *sont des baies cueillies à peine rouges et séchées*

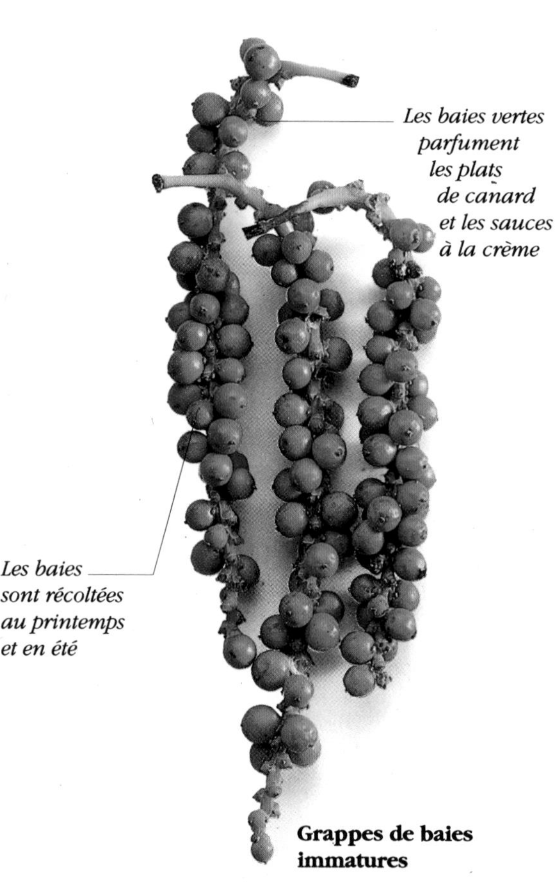

Les baies vertes parfument les plats de canard et les sauces à la crème

Les baies sont récoltées au printemps et en été

Grappes de baies immatures

Les grains de poivre blanc *sont des baies cueillies très mûres, débarrassées de leur coque par trempage dans l'eau, et séchées*

Poivre noir moulu

Poivre blanc moulu

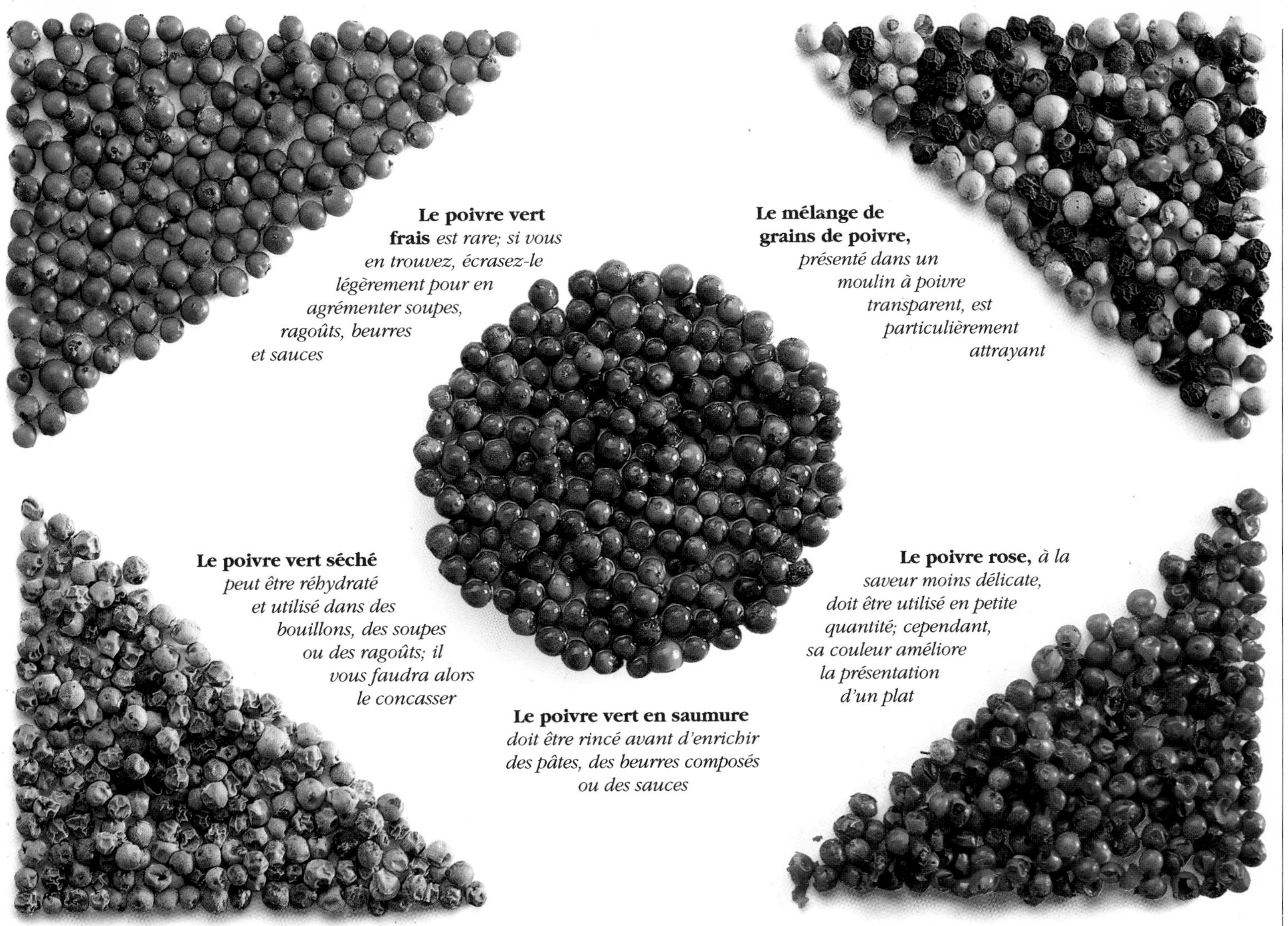

Le poivre vert frais *est rare; si vous en trouvez, écrasez-le légèrement pour en agrémenter soupes, ragoûts, beurres et sauces*

Le mélange de grains de poivre, *présenté dans un moulin à poivre transparent, est particulièrement attrayant*

Le poivre vert séché *peut être rébydraté et utilisé dans des bouillons, des soupes ou des ragoûts; il vous faudra alors le concasser*

Le poivre rose, *à la saveur moins délicate, doit être utilisé en petite quantité; cependant, sa couleur améliore la présentation d'un plat*

Le poivre vert en saumure *doit être rincé avant d'enrichir des pâtes, des beurres composés ou des sauces*

LES DIFFÉRENTS POIVRES

Le poivre est originaire des forêts équatoriales de l'Inde, et les baies provenant de la côte de Malabar sont les plus réputées. Cette plante grimpante vivace devient adulte au bout de 8 ans environ et, dans de bonnes conditions, elle peut donner des fruits pendant 20 ans. Le poivre vert est récolté avant maturité; il a un arôme doux et fruité, bien que légèrement épicé. Quand il a été séché au soleil, il prend le nom de poivre noir. Le poivre blanc est au contraire cueilli très mûr, quand il est devenu rouge. Il est ensuite mis à tremper dans l'eau salée et débarrassé de son enveloppe pour en sortir les baies blanches, qui seront séchées. Sa saveur est légèrement moins piquante que celle du poivre noir. Le poivre rouge mûri sur l'arbre est très rare hors de son pays d'origine. Quant au poivre rose, il se compose des fruits presque mûrs d'un arbre d'Amérique du Sud, *Schinus molle,* et, malgré son nom, ce n'est pas vraiment du poivre. Il a un léger goût de résine et les adeptes de la nouvelle cuisine l'apprécient pour son aspect; marié à des grains de poivre vert, noir et blanc, il offre un contraste étonnant; cependant, en trop grande quantité, il devient toxique.

FAGARA

Sans lien de parenté avec le poivre, le fagara est le fruit séché d'une variété chinoise de frêne épineux. Connues aussi sous le nom de poivre du Sichuan, ses baies ont un arôme épicé, avec une note boisée et un goût piquant. Elles sont, avec l'anis étoilé, le clou de girofle, le fenouil et la cannelle de Chine, un des ingrédients du mélange chinois appelé poudre de cinq-épices. Avant de les utiliser, grillez les grains dans une poêle sèche jusqu'à ce qu'ils fument, puis broyez-les.

SANSHO

Parfois appelé poivre japonais, le sansho n'est pas non plus un vrai poivre. Cette épice de table ne se trouve qu'en poudre, dont on parsème les plats cuits. Il entre également dans la composition du *shichimi,* un mélange japonais de sept épices qui comprend, outre le sansho, des algues, du piment, du zeste d'orange, des graines de pavot et des graines de sésame blanches et noires. Il parfume généralement les nouilles et les soupes.

POIVRE BLANC ET POIVRE NOIR

Les diverses sortes de poivre blanc et de poivre noir ont des parfums différents selon leur lieu d'origine. Le poivre noir de Singapour, qui pousse sur la presqu'île malaise, doit son goût particulier à la façon dont il est séché. Ses baies, assez grosses, sont étalées sur des tapis suspendus au-dessus d'un feu d'herbes se consumant lentement. La fumée qui s'en dégage sèche les grains en même temps qu'elle les parfume, produisant ainsi l'un des poivres les plus aromatiques. Les variétés d'Allepey et de Tellicherry, toutes deux cultivées sur la côte de Malabar, en Inde, ont une saveur franche et un peu moins forte que celle des autres poivres noirs. Le poivre blanc de Livourne, en Italie, produit en quantités limitées, est particulièrement délicat. Le poivre blanc décortiqué, de première qualité et au goût très raffiné, est préparé en Angleterre. Particulièrement grosses, ses baies odorantes sont importées, puis mises à tremper pour être débarrassées de leurs différentes enveloppes, comme le poivre blanc ordinaire, qui, lui, n'a qu'une enveloppe.

POIVRES ASIATIQUES
Les baies immatures du *Piper cubeba* — cubèbe ou poivre à queue —, sont originaires des îles indonésiennes, et plus spécialement de Java. Cette épice très répandue jusqu'au XVIIe siècle est de nos jours pratiquement introuvable en Occident. Destinée à l'origine à des fins médicinales, notamment pour traiter les problèmes respiratoires, elle était largement utilisée en Orient avant que les négociants arabes ne l'introduisent en Europe. Elle donne à la cuisine indonésienne un goût bien particulier, plus proche de celui du piment de la Jamaïque que du poivre ordinaire. Elle apporte au mélange d'épices nord-africain, le *ras el-hanout,* sa saveur caractéristique. Le poivre long, *Piper longum,* autre variété apparentée au poivre, est rare en Occident. Entiers, ses fruits immatures séchés relèvent les currys et les pickles préparés dans certaines régions d'Inde et d'Indonésie.

POIVRE MIGNONNETTE
Ce mélange de poivres blanc et noir grossièrement concassés est très utilisé dans la gastronomie française, tant en cuisine qu'en assaisonnement de table. Pour préparer cet heureux mariage de couleurs et de goûts très agréables, il suffit de piler en quantités égales des grains de poivre noir et blanc, dans un mortier de préférence. La mignonnette remplace le poivre noir ordinaire dans n'importe quel plat et notamment dans les courts-bouillons, mais elle est particulièrement agréable avec le steak au poivre. Moulue plus finement dans un moulin, elle se substitue à la poudre de poivre noir. En y ajoutant quelques grains de piment de la Jamaïque, on obtient un léger parfum de clou de girofle, de cannelle et de muscade. Le *poivre gris* vendu dans le commerce n'est autre que de la mignonnette en poudre.

Les grains de poivre blanc sont des baies mûres qui ont été mises à tremper après la récolte pour les débarrasser de leur enveloppe rouge; ils présentent l'avantage de ne pas colorer de points noirs les sauces délicates

Les grains de poivre noir sont des baies vertes immatures qui ont fermenté plusieurs jours avant le séchage; leur parfum est piquant et aromatique

LE POIVRE EN CUISINE

LA RECETTE DU CHEF
MÉLANGE BERBÈRE

Pour 30 g environ

10 piments rouges séchés
1/2 cuil. à café de poivre noir en grains
1/2 cuil. à café de gingembre moulu
5 clous de girofle
1/2 cuil. à café de graines de coriandre
1/4 de cuil. à café d'ajowan
8 grains de piment de la Jamaïque
6 gousses de cardamome verte, pour ne garder que les graines
1/2 cuil. à café de fenugrec
1/2 tuyau de cannelle

Mettez les piments dans une poêle chaude et laissez-les cuire de 2 à 3 minutes. Ajoutez les autres épices et, en remuant sans arrêt et en secouant la poêle pour qu'ils ne brûlent pas, faites-les griller de 3 à 4 minutes, jusqu'à ce qu'ils brunissent. Versez le tout dans un bol et laissez refroidir. Épépinez les piments (voir p. 69). Réduisez le mélange en une pâte fine et conservez-le, au maximum 4 mois, dans un récipient hermétique.

D'Orient en Occident, le poivre, qui réhausse et équilibre de nombreux plats, est apprécié pour son arôme chaud et son parfum épicé. Il donne de la vigueur aux viandes telles que le porc et le bœuf, relève la saveur délicate des œufs et met en valeur le goût subtil des fruits de mer. Le poivre en grains est aussi agréable à l'œil qu'au palais; un saucisson dont les tranches sont mouchetées de grains de poivre noir devient beaucoup plus appétissant, un pâté de foie un peu pâle gagne à se colorer de grains de poivre vert. Le Romain Apicius, auteur présumé d'un des premiers livres de cuisine, recommandait l'usage du poivre dans les aliments bouillis, un peu tristes, afin de les égayer, mais aussi dans certains plats sucrés, pour en corser le goût. De fait, il entre encore dans plusieurs préparations à base de fruits, notamment de poires et de fraises. Un peu de poivre vert parfumera une mayonnaise accompagnant des fruits de mer ou une salade d'œufs, et une sauce à base de crème servie avec une viande poêlée, magret de canard ou veau par exemple. Il figure également dans de nombreuses recettes de charcuterie. Le poivre blanc, plus brûlant que le noir, est cependant moins aromatique. Il sert surtout dans les sauces blanches ou les sauces à la crème, dans les plats d'œufs, dans les potages à la crème, les flans salés ou les mayonnaises, auxquels on souhaite donner un léger goût poivré sans les colorer de petits points noirs. Le poivre gagne toujours à être broyé dans un moulin.

Grains de poivre noir

Graines de coriandre

Cardamome

Piment de la Jamaïque

Mélange berbère

Gingembre

Piments

Ajowan

Cannelle

MOULIN À POIVRE
Non seulement le moulin à poivre est idéal pour conserver le poivre, mais c'est aussi le meilleur récipient pour le servir à table. Selon le plat ou la recette, vous le moudrez plus ou moins finement. Choisissez un moulin robuste équipé d'un solide mécanisme en métal; les moulins en plastique ne sont pas aussi efficaces ni aussi résistants. Utilisez le poivre seul ou mélangé à d'autres épices entières.

LA RECETTE DU CHEF
STEAK AU POIVRE

Pour 4 personnes

4 cuil. à café de grains de poivre vert en saumure rincés et égouttés
2 cuil. à café de grains de poivre noir concassés
4 tranches de filet de bœuf de 175 g environ chacune
50 g de beurre doux
Sel
2 cuil. à soupe de cognac
20 cl de crème fraîche épaisse

Réservez 1 cuil. à café de grains de poivre vert. Enduisez les deux faces des tranches de filet avec les 3 autres cuil. mélangées au poivre noir. Chauffez le beurre dans une poêle. Quand il mousse, mettez les steaks et laissez-les dorer d'un côté, de 2 à 3 minutes. Retournez-les et faites-les cuire de l'autre côté : ils doivent être à point. Mettez-les sur un plat, salez et gardez-les au chaud. Jetez la graisse restant dans la poêle. Versez-y le cognac et déglacez à feu vif, en décollant bien les sucs de cuisson à l'aide d'une cuiller en bois. Ajoutez la crème en remuant et portez à ébullition. Incorporez le poivre vert réservé et faites réduire et épaissir de 2 à 3 minutes. Disposez les steaks sur des assiettes individuelles, nappez de sauce et servez.

Présentations
Baies : entières, moulues

Conservation
Dans un récipient hermétique, à l'abri de la lumière. Les *baies entières* conservent tout leur goût pendant plusieurs mois, mais elles s'affadissent plus vite si elles sont *moulues*.

Trucs et conseils
Faites tremper 30 minutes 100 g de *graines* dans 35 cl d'eau. Passez-les à travers un chinois tapissé de mousseline et pressez-les pour en extraire tout le jus parfumé. Mettez-le dans le plat que vous réalisez, dans un assaisonnement ou dans une marinade.

Sumac

Avec ses feuilles qui prennent une belle teinte rouge à l'automne, le sumac est un arbuste très décoratif. Il pousse à l'état sauvage dans tout le Moyen-Orient, et les jardiniers occidentaux apprécient surtout son côté ornemental; en revanche, les cuisiniers du Liban, de Syrie, de Turquie et d'Iran utilisent largement les grappes de baies rouges qu'il porte. Celles-ci, d'un rouge brique profond quand elles sont séchées, entrent, entières ou moulues, dans la préparation de nombreux plats. Acidulées, elles relevaient déjà des mets romains, au même titre que le citron. Elles ont un goût agréablement aigre et piquant. Leur mélange avec du yaourt et des herbes donne une sauce légère et rafraîchissante. Les Libanais et les Syriens en saupoudrent le poisson; les Iraquiens et les Turcs les ajoutent aux salades; les Iraniens et les Géorgiens en assaisonnent les brochettes. Épice peu courante dans la cuisine européenne, le sumac est cependant vendu, sous forme de poudre, dans les épiceries orientales. Plusieurs membres de sa famille, qui poussent aux États-Unis et au Canada, sont toxiques. Parmi ceux-ci, le sumac vénéneux et le chêne rouge d'Amérique produisent une huile qui provoque de vives irritations de la peau.

Des mariages réussis

Fruits de mer, salades de légumes, farces, riz, légumineuses, volaille et viandes mélangées telles que boulettes, brochettes et ragoûts.

La recette du chef
Salade d'oignons

Pour 4 personnes

1 gros oignon doux de 250 g environ émincé
Sel
1 cuil. à café de sumac en poudre

Dans un bol, recouvrez l'oignon d'eau glacée et faites-le tremper 15 minutes. Égouttez-le soigneusement et séchez-le. Dans un saladier, mélangez bien l'oignon, le sel et le sumac. Laissez reposer 15 minutes. Servez immédiatement ou mettez au réfrigérateur jusqu'au moment de servir.

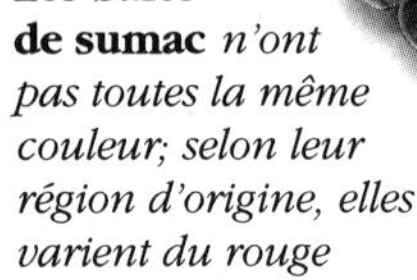

Les baies de sumac *n'ont pas toutes la même couleur; selon leur région d'origine, elles varient du rouge brique au brun ou au pourpre*

Les graines de sumac, *petites et brunes, se trouvent à l'intérieur des baies*

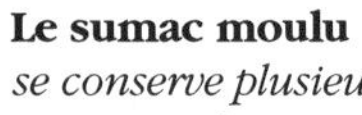

Le sumac moulu *se conserve plusieurs semaines dans un récipient hermétique*

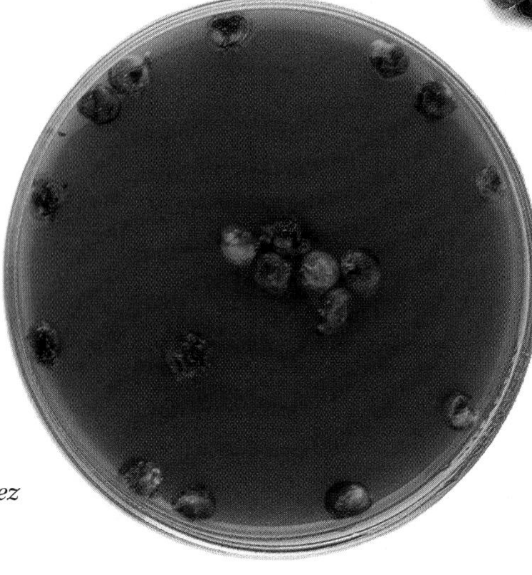

Baies trempées *Si les baies sont entières, ouvrez-les et faites-les tremper 20 minutes dans l'eau. Puis pressez-les pour en extraire tout le jus parfumé, que vous utiliserez comme liquide de cuisson.*

Le zahtar, *mélange d'épices du Moyen-Orient, se compose de sumac, de graines de sésame grillées et de thym moulu*

Ce mélange aromatique saupoudre agréablement les boulettes de viande ou les légumes; mélangé à de l'huile d'olive, il se badigeonne sur le pain avant cuisson

AUTRE NOM
Benne

PRÉSENTATIONS
Graines : entières, moulues

CONSERVATION
Dans un récipient hermétique, au frais et à l'abri de la lumière.

TRUCS ET CONSEILS
Vous rehausserez le goût un peu fade des *graines* en les faisant griller à sec avant de les utiliser. Décorez-en des plats parfumés à l'huile de sésame. Vous pouvez cuire à l'eau des légumes, des haricots verts par exemple, en les gardant très croquants; faites-les ensuite revenir dans un peu d'huile de sésame, et parsemez-les de graines grillées.

GRAINES DE SÉSAME

L'origine exacte du sésame prête à discussion. Pour certains, il viendrait d'Afrique, pour d'autres, d'Inde; en Chine, où il est connu et utilisé depuis deux mille ans environ, il est encore considéré comme une épice étrangère. Cette plante annuelle de haute taille porte des feuilles ovales vert clair, aux nervures profondes, et des fleurs blanches ou roses. Il en existe plusieurs variétés — blanche, brune ou noire —, dont les capsules, une fois mûres, éclatent et laissent échapper les graines. Pour pouvoir les commercialiser, il faut donc les récolter quand elles sont encore vertes et enfermées dans leur enveloppe. Bien que petites, elles sont très riches : elles contiennent en effet 50% d'une huile qui est extraite pour donner un corps gras de cuisson. Leur goût de noisette est apprécié dans plusieurs pays, et il aromatise des préparations aussi bien salées que sucrées.

Graines blanches

Graines brunes

Graines noires

Le tahina *est une pâte épaisse faite de graines de sésame moulues; généralement, il condimente les sauces qui accompagnent les brochettes et les galettes de pain moyen-orientales; il parfume aussi les préparations de légumes et de fruits*

Halva
Pâte sucrée à base de sésame.

Huile de sésame

DES MARIAGES RÉUSSIS

Pain, petits pains, gâteaux et biscuits, légumes, notamment les haricots verts, riz, viande, nouilles.

LA RECETTE DU CHEF
NOUILLES FRAÎCHES AU SÉSAME

Pour 4 personnes

3 cuil. à soupe de sauce soja
3 cuil. à soupe de vinaigre de riz
1 cuil. à café de sucre
3 cuil. à soupe de pâte de sésame asiatique
3 cuil. à soupe d'huile de sésame
1 cuil. à café d'huile pimentée, ou selon votre goût
1 cuil. à soupe de gingembre fraîchement râpé
Sel
500 g de nouilles orientales
3 ou 4 cuil. à soupe de graines de sésame grillées
Oignons nouveaux hachés, pour décorer le plat

Dans un grand bol, mélangez la sauce soja, le vinaigre et le sucre, et tournez pour faire fondre ce dernier. Ajoutez la pâte de sésame, l'huile de sésame, l'huile pimentée et le gingembre. Remuez bien. Dans une grande casserole, portez de l'eau à ébullition; salez-la et cuisez les nouilles jusqu'à ce qu'elles soient tendres mais encore fermes — al dente. (Le temps de cuisson dépend des nouilles que vous avez achetées; suivez les indications portées sur l'emballage.) Égouttez-les, ajoutez la sauce au sésame et mélangez délicatement. Servez frais ou tiède, saupoudré des graines de sésame grillées et des oignons nouveaux hachés.

Présentations
Sel gemme : gros, fin
Sel marin : gros, fin

Conservation
Pour éviter que le sel durcisse ou s'agglutine, conservez-le au sec; dans de bonnes conditions, il se garde très longtemps. Ne le laissez pas dans une salière ou une boîte à sel en argent, car le chlore qu'il contient provoque, au contact de ce métal, une coloration verte. Une boîte à sel traditionnelle qui le protège de la lumière est le meilleur récipient pour le maintenir au sec et pour l'avoir toujours à portée de main dans la cuisine.

Sel

Rares sont les recettes qui ne comportent pas de sel ! Cet ingrédient est tout aussi essentiel dans les plats quotidiens que dans les préparations les plus raffinées. Il joue un triple rôle : il assaisonne les plats, il conserve les aliments et il apporte à l'organisme du sodium et du chlore, nécessaires à l'équilibre nutritif et sanguin ainsi qu'à l'activité nerveuse et musculaire. Considéré depuis toujours comme un produit de valeur, le sel était autrefois généralement taxé par les gouvernements, qui trouvaient là une source de revenus importante. D'après l'Ancien Testament, cette denrée était présentée en offrande à Dieu et, chez les Romains, elle était si précieuse que les soldats recevaient une indemnité sous forme de sel; cette ration, *salarium* en latin, a d'ailleurs donné notre mot «salaire». Quant à son utilisation en cuisine, elle est assez controversée. Des recherches ont montré que, en trop grande quantité, le sel entraîne de l'hypertension, augmentant ainsi les risques d'attaques et de maladies cardiaques. S'il est difficile de contrôler le taux de sel dans les produits industriels, on peut en revanche ne l'ajouter qu'en petite quantité aux ingrédients frais.

Trucs et conseils
N'assaisonnez un plat passé au four à micro-ondes qu'après l'en avoir sorti, car, soumis à ce mode de cuisson, le sel durcit la viande et «brûle» les légumes.

Glutamate de sodium
Le glutamate de sodium est le sel de l'acide glutamique, un aminoacide présent dans les champignons. Le glutamate de sodium n'a pas de saveur propre, mais il met en valeur celle des autres ingrédients. Extrait, à l'origine, des algues et du gluten de blé, il fut d'abord découvert en Orient, où il rehausse encore très souvent l'arôme des plats. Même s'il n'a pas de goût, certaines personnes y sont sensibles et détectent sa présence, car il provoque chez elles des sensations désagréables de pression derrière les yeux et le front. Les plus fortes concentrations naturelles d'acide glutamique dans l'organisme se trouvent en effet dans les tissus nerveux, et ces symptômes sont sans doute dus à un taux temporairement trop élevé d'acide. Mais cette hypothèse n'a pas encore été confirmée. Ce qui n'empêche pas les Japonais, les Chinois et les Vietnamiens de l'utiliser très largement dans leur cuisine.

Gros sel

Sel fin

Le sel noir *apporte son riche parfum à de nombreux plats du nord de l'Inde*

Glutamate de sodium

SEL GEMME
Le chlorure de sodium est présent dans le sol de la Terre depuis sa formation. Le sel gemme s'étend ainsi en couches importantes dans les dépôts souterrains. Une fois extrait des mines ou des salines, il est concassé, broyé ou tamisé en fonction de la taille des cristaux que l'on veut obtenir. Les uns affirment que, sous sa forme la plus fine, il est plus parfumé que le sel de mer, que les autres considèrent au contraire comme supérieur; il ne s'agit en fait que d'une question de goût. Le gros sel, qu'il soit de terre ou de mer, s'emploie aussi bien à la cuisine qu'à la salle à manger, où on le sert généralement dans un moulin. Le sel de table, le plus largement utilisé, n'est autre que du sel gemme très finement moulu. Pour qu'il absorbe moins l'humidité de l'air, il est souvent additionné de carbonate de magnésium ou d'autres agents chimiques, dont certains cuisiniers disent qu'ils lui enlèvent de son parfum. En Amérique du Nord, l'appellation «sel gemme» s'applique à un sel congelant, non comestible, utilisé dans les chaînes de fabrication des crèmes glacées.

Le sel fin de table *est souvent traité pour ne pas absorber l'humidité de l'air*

Le sel gemme en cristaux *est extrait de dépôts contrôlés par les services sanitaires*

Le gros sel *est utilisé pour les salaisons; depuis très longtemps, on en frotte la viande et le poisson pour les conserver*

Le sel de mer fin *se dissout rapidement et convient mieux pour le service de table*

Le sel de mer anglais, *très parfumé, doit être utilisé en petite quantité*

Le sel de mer français *doit sa couleur aux minéraux présents dans l'océan*

SEL MARIN
Tous les dépôts salins du globe sont d'origine marine; les mines de sel se trouvent en fait dans des zones autrefois inondées et depuis asséchées. Le sel de mer est obtenu soit dans des marais salants, par évaporation naturelle de l'eau au soleil et au vent, soit dans des salines, par chauffage artificiel de l'eau. À la différence du sel gemme, il ne contient que 34% de chlorure de sodium, mais il est riche en oligo-éléments. Il en existe plusieurs sortes. En Angleterre, il provient essentiellement de Maldon, dans l'Essex; il a un goût très «salé» et se présente sous forme de paillettes. En Bretagne, le gros sel de mer séché dans les marais salants et non raffiné a une couleur grise caractéristique; de saveur délicate, il est particulièrement riche et sert autant en cuisine qu'à table. La *fleur de sel,* produite dans les marais salants de Guérande, est très rare; elle ne se forme, dit-on, que lorsque le vent souffle de l'est. Elle est récoltée manuellement, de juin à septembre, à l'aide des traditionnelles pelles en bois.

CHASSER L'AMERTUME
Avant de cuisiner des légumes tels que les concombres ou les aubergines, il est souvent conseillé de les saler, afin de leur faire rendre leur jus amer : on les fait *dégorger*. Cependant, certains cuisiniers s'y refusent, convaincus que cette opération altère leur saveur naturelle. Laissez-vous donc guider par la qualité des légumes et votre goût personnel. Si vous choisissez de le faire, émincez-les dans une passoire et saupoudrez-les de sel. Laissez-les dégorger 30 minutes, jusqu'à ce qu'ils aient perdu leur eau. Rincez-les soigneusement et séchez-les si vous devez les faire revenir dans un corps gras.

LE SEL EN CUISINE

La saveur «salée» est une des quatre — avec le sucré, l'acide et l'amer — que l'homme, grâce à ses papilles gustatives, peut discerner. Mais si le sel est sans aucun doute l'ingrédient le plus courant en cuisine, il est aussi souvent très mal utilisé; trop ou trop peu, et voilà un plat gâché. Tout le monde se souvient sans doute d'avoir un jour mangé un «bloc de sel» ! Il est indispensable de savoir que le sel n'a pas de saveur propre, mais qu'il relève celle des ingrédients qu'il assaisonne; s'ils en manquent, ils seront fades. Le sel est en quelque sorte un faire-valoir des autres parfums. Son utilisation doit cependant obéir à certaines règles. Ainsi, il augmente le temps nécessaire pour porter de l'eau à ébullition; il vaut donc mieux l'ajouter quand elle bout. Il a aussi une action sur les aliments. Il fait notamment ressortir l'humidité qu'ils contiennent; si donc vous salez une viande rouge avant de la cuire, elle perdra tout son jus parfumé. Cet inconvénient peut cependant devenir un avantage. Par exemple, une pincée saupoudrée sur des oignons qui rissolent leur fait dégorger leur eau; celle-ci fait alors légèrement baisser la température et ils peuvent fondre plus facilement sans brunir. Enfin, il ne faut jamais oublier que certains ingrédients, tels que le fromage, la poitrine fumée ou le jambon, sont déjà salés, parfois même largement. Le dosage du sel est en cuisine un important atout, qui s'acquiert après une longue expérience.

TRUCS ET CONSEILS
- Le sel développe l'arôme des préparations sucrées; mettez-en toujours une pincée dans les pâtes à gâteaux.
- Le sel, qui équilibre l'action de la levure, est indispensable à la fabrication du pain. Vous devez donc suivre scrupuleusement les recettes, car les ingrédients sont dosés avec précision et, si vous confectionnez des pains peu ou pas salés, la quantité de levure variera nécessairement.
- Quand vous préparez des meringues, ajoutez une pincée de sel aux blancs d'œufs; il détend en effet leurs protéines, permettant ainsi de les monter en neige ferme.
- Mettez toujours du sel dans l'eau de cuisson des légumes pour rehausser leur goût naturel sans qu'il soit nécessaire d'en rajouter à table. Il empêche aussi les sels minéraux nutritifs présents dans les légumes de se dissoudre dans le liquide.

LE SEL, AGENT DE CUISSON

Le saumon mariné à l'aneth suédois, préparé au sel sec, est facile à réaliser. Vous le servirez avec du pain de seigle ou complet, accompagné d'une mayonnaise parfumée à l'aneth frais ciselé ou d'une sauce moutarde à l'aneth (voir p. 63).

Choisissez un saumon très frais et assurez-vous que vous pourrez le laisser au réfrigérateur le temps nécessaire. Un saumon insuffisamment salé est couvert de cristaux de sel, se décolore et prend une consistance filandreuse.

1 Dans un mortier, pilez 6 cuil. à soupe de sel, 6 cuil. à soupe de sucre et 2 cuil. à soupe de grains de poivre noir.

2 Saupoudrez uniformément de la moitié du mélange un des filets d'un saumon de 1 kg. Recouvrez d'une couche d'aneth frais ciselé.

3 Étendez sur l'aneth le reste du mélange salé et posez le second filet, peau vers l'extérieur.

4 Enveloppez le poisson dans du film alimentaire et placez dessus des poids pour bien le presser. Mettez-le au réfrigérateur de 24 à 36 heures.

LA RECETTE DU CHEF
Morue salée aux œufs

Pour 6 personnes

250 g de filets de morue salée
2 cuil. à soupe de fécule de maïs
50 cl de lait
75 g de beurre
1 oignon moyen râpé
2 tomates moyennes pelées, épépinées et concassées
2 cuil. à soupe de câpres égouttées
Sel
Poivre noir du moulin
Beurre doux pour chemiser les ramequins
6 œufs
Parmesan fraîchement râpé

La veille, laissez dessaler la morue 12 heures au moins, en changeant l'eau plusieurs fois. Égouttez et rincez les filets. Mettez-les dans une casserole et couvrez-les d'eau froide. Portez à ébullition, couvrez et laissez frémir très doucement 10 minutes, jusqu'à ce qu'ils s'émiettent sous une fourchette. Égouttez-les, ôtez les arêtes et la peau, et réservez. Dans un bol, délayez la fécule dans un peu de lait. Versez le reste du lait et mettez dans une casserole. Incorporez 15 g de beurre et laissez cuire à feu moyen, en remuant, jusqu'à ce que le mélange ait épaissi. Dans une autre casserole, chauffez les 60 g de beurre restants. Faites-y fondre l'oignon 3 minutes. Ajoutez les tomates et poursuivez la cuisson jusqu'à épaississement. En remuant, versez-y la préparation au lait et les câpres, puis la morue et éventuellement un peu de sel. Poivrez abondamment. Préchauffez le four à 200 °C. Beurrez 6 ramequins et cassez un œuf dans chacun d'eux. Versez la garniture de morue sur les œufs et saupoudrez de parmesan. Enfournez pour 8 minutes environ, jusqu'à ce que l'œuf soit cuit et le dessus doré. Servez aussitôt avec des croûtons.

Le sel dans les conserves

Anchois salés **Citrons en conserve**

Avant que les cuisines ne soient équipées de réfrigérateurs, le sel était un des meilleurs ingrédients de conservation des aliments. Les Romains de l'Antiquité l'employaient pour garder un certain temps les olives, les fruits de mer et le fromage; bien que moins répandu, cet usage persiste de nos jours. Le sel agit en effet sur les bactéries présentes dans les produits naturels. En chassant une partie de l'eau qu'ils contiennent, il diminue l'humidité qui favorise le développement de ces micro-organismes. Généralement, il ralentit leur prolifération; dans certains cas, il l'interrompt complètement. On ajoute parfois au sel une petite quantité de salpêtre — nitrate de potassium. Ce puissant bactéricide permet de mieux conserver la viande et le poisson.

LA RECETTE DU CHEF
Citrons à la marocaine

Pour 10 à 12 citrons

1,5 kg de citrons non traités
175 g de gros sel

Coupez les citrons en quartiers, mais sans entailler leur base; ils ne doivent pas se détacher. Saupoudrez toute leur pulpe de sel. Mettez-les dans un bocal hermétique stérilisé, en les pressant bien vers le fond. Conservez-les 1 mois environ, au frais et à l'abri de la lumière. Le zeste et la pulpe se dégustent ensemble, entiers ou hachés, avec du riz au gras, de la viande ou du poisson. Le jus parfume agréablement les céréales ou les salades de légumes.

Trucs et conseils
Quand vous avez l'intention de faire réduire une sauce ou un liquide de cuisson, n'y mettez pas trop de sel au départ car il ne s'évapore pas, et se concentrerait. Ne salez pas la viande avant de la cuire, elle perdrait son jus, mais vous pouvez le faire pour des filets de poisson que vous laissez quelques heures au réfrigérateur.

Salage au sel sec et saumure

Le salage au sel sec consiste à frotter la surface d'un aliment avec du gros sel pour le conserver. La saumure, solution saline dans laquelle on plonge les ingrédients, se pratique surtout pour les gros morceaux de viande ou de poisson. Les deux procédés sont tout aussi efficaces, mais la saumure convient mieux aux pièces volumineuses dans lesquelles le sel sec ne pénétrerait pas suffisamment pour enrayer le développement bactérien. Dans ce cas, on injecte généralement la saumure soit dans les muscles, soit dans les veines.

Choucroute
Très appréciée en Alsace et en Allemagne, la choucroute est un des meilleurs exemples de légume conservé en saumure.

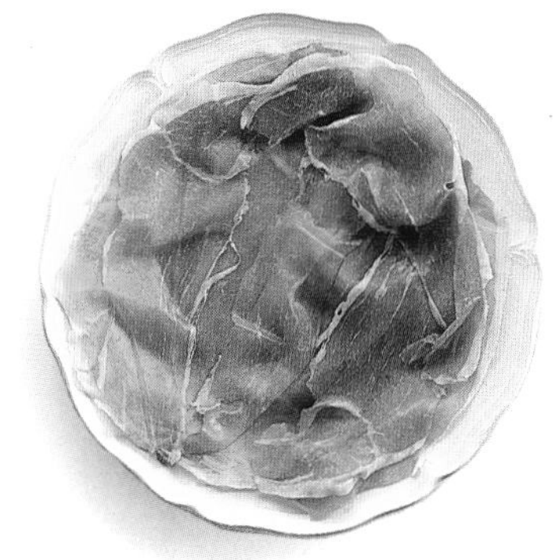

Jambon de Parme
Ce jambon cru, sans doute le meilleur, est frotté de sel sec avant de maturer de 8 à 10 mois en saloir.

Des mariages réussis

Sel de céleri : sur des œufs de caille durs ou des crudités; mélangé à une soupe juste avant de servir ou saupoudré pour la décorer; incorporé à un fromage doux qui deviendra une garniture.
Sel d'ail : saupoudré sur du pain à l'ail ou sur des pâtes; dans des sandwichs à la viande; incorporé à du beurre ramolli pour tartiner du pain; mélangé, avec des herbes fraîches ciselées, à du fromage blanc pour y tremper des bâtonnets de céleri ou des feuilles d'endive servis à l'apéritif.
Gomashio : saupoudré sur des légumes crus, sur du riz ou sur des beignets, ou mélangé à des pommes de terre nouvelles cuites à l'eau.
Sel épicé chinois : servi à table dans des petits bols pour en saupoudrer les plats en remplacement du sel ordinaire, ou pour y tremper des légumes sautés comme en Asie, ou des algues.

Sels aux herbes et aux épices

Il est toujours utile d'avoir à portée de main un assortiment de sels aromatisés. Il existe dans le commerce de nombreux mélanges, vendus sous l'appellation de sel ou d'assaisonnement. La proportion de sel qu'ils contiennent est variable, parfois même nulle; lisez bien leur étiquette avant de les utiliser. Si vous les préparez vous-même, ces sels aux herbes et aux épices donneront une nouvelle dimension à une recette classique ou relèveront un plat très simple. Le sel de céleri est bien connu pour condimenter le jus de tomate, mais les sels parfumés apportent leur arôme de bien d'autres façons : frottés sur une viande ou un poisson à rôtir ou à griller, incorporés à des légumes ou à des sauces, saupoudrés sur des chips maison ou mélangés à un fromage doux qui garnira des canapés. Ils se préparent facilement avec du sel fin de table. Ils sont également très appréciés en Asie. Le *gomashio* est un mélange japonais de graines de sésame noires et de sel. Pour le préparer, réunissez 3 fois plus de graines de sésame que de gros sel. Grillez les graines dans une poêle sèche, laissez-les refroidir et pilez-les dans un mortier avec le sel. En Chine, une préparation comparable se compose de parts égales de graines de fagara grillées à sec (voir p. 95) et de gros sel, mélangés et pilés ensemble.

Sel de céleri

Le sel d'ail *s'achète tout prêt ou se prépare en pilant dans un mortier une gousse d'ail avec quelques cuillerées à soupe de sel*

Sels aromatisés
Ceux que l'on prépare soi-même aromatisent agréablement la viande, la volaille et le poisson à griller.

Sel aux herbes

LA RECETTE DU CHEF

Sel aux épices

Pour 500 g environ

500 g de sel marin
2 cuil. à soupe de graines de cumin
2 cuil. à soupe de poivre noir en grains
1 cuil. à soupe de graines de coriandre
1 cuil. à café de clous de girofle

Sel aux herbes

Pour 500 g environ

500 g de sel marin
4 feuilles de laurier
2 cuil. à soupe de thym séché
2 cuil. à soupe de romarin séché
1 cuil. à café d'origan séché

1 *Mettez tous les ingrédients dans un mortier et pilez-les jusqu'à ce que le mélange soit homogène.*

2 *Conservez les sels dans des pots hermétiques.*

TAMARIN

AUTRE NOM
Datte indienne

PRÉSENTATIONS
Pulpe : fraîche, séchée, en tranches séchées, en pâte, en concentré

CONSERVATION
Au frais ou au réfrigérateur, dans un sachet en plastique.

TRUCS ET CONSEILS
Le *concentré de tamarin* est une pâte sombre et collante sans graines ni morceaux de gousses fibreuses. Achetez-le de préférence sous cette forme car, pour la plupart des recettes, une toute petite quantité suffit. Vous pouvez aussi faire tremper la *pulpe fraîche* dans de l'eau; ce liquide s'utilise un peu aigre comme du vinaigre ou du jus de citron. Versez 10 cl d'eau chaude sur 6 gousses pelées et laissez infuser 30 minutes. Filtrez, couvrez et mettez au frais. Ne le conservez pas plus d'une semaine.

On ne connaît pas exactement l'origine du tamarinier. Cet arbre viendrait d'Afrique de l'Est tropicale ou du sud de l'Asie. Il est cultivé en Inde depuis des siècles et fut probablement introduit en Europe au XVe siècle. Au XVIIe siècle, les conquistadores espagnols l'importèrent aux Antilles et au Mexique, et il est resté un des ingrédients de base des cuisines des îles et du continent sud-américains. Ce grand arbre à feuilles persistantes, ovales et vert pâle, porte des grappes de fleurs jaunes veinées de rouge qui donnent des gousses brun foncé. Le tamarin a une saveur à la fois acidulée et sucrée, et un arôme agréable. Sa légère acidité rehausse agréablement le goût du poisson et de la volaille. Bien qu'il soit surtout utilisé en cuisine, ses feuilles sont cependant traitées pour donner de la teinture jaune et rouge. Il entre aussi dans la composition de nombreux produits d'épicerie, notamment dans la Worcestershire sauce.

DES MARIAGES RÉUSSIS

Currys indiens, boissons fruitées, légumes mijotés, desserts, confitures et gelées, soupes aigres, chutneys, riz, lentilles, fruits de mer, notamment les crevettes, viande et poulet.

LA RECETTE DU CHEF
EAU DE TAMARIN

Pour 3 litres

125 g de concentré de tamarin
3 litres d'eau froide
Sucre

Dans un grand pichet, mélangez le concentré de tamarin et l'eau, et laissez reposer 4 heures au frais, jusqu'à ce que la pulpe ait ramolli. Remuez de temps en temps. Passez à travers une passoire fine et sucrez selon votre goût. Servez frais. Vous pouvez également réduire la quantité d'eau et servir cette boisson sur des glaçons.

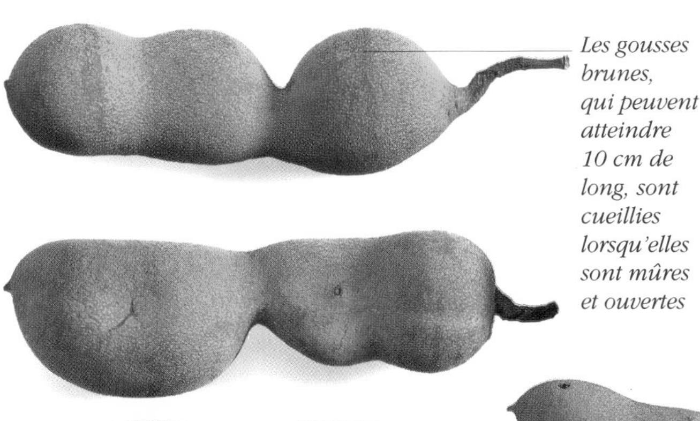

Les gousses brunes, qui peuvent atteindre 10 cm de long, sont cueillies lorsqu'elles sont mûres et ouvertes

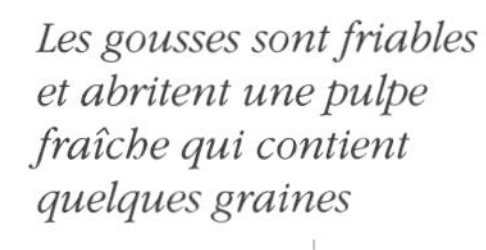

Les gousses sont friables et abritent une pulpe fraîche qui contient quelques graines

Gousses de tamarin

Graines de tamarin

Pâte de tamarin

Concentré de tamarin

AUTRE NOM
Methi

PRÉSENTATIONS
Graines : fraîches germées, séchées, entières, pilées
Feuilles : fraîches, séchées

CONSERVATION
Dans un récipient hermétique, au frais et à l'abri de la lumière.

TRUCS ET CONSEILS
L'arôme du fenugrec est tel que toute la plante dégage une odeur épicée. Cependant, les *graines* crues ont un goût désagréable et sont vraiment amères; avant de les utiliser, il vaut mieux les griller légèrement dans une lourde poêle sèche. Elles prendront alors une douce saveur.

FENUGREC

Le nom latin de cette plante annuelle robuste signifie «foin grec». Originaire de l'ouest de l'Asie, le fenugrec est cependant cultivé depuis très longtemps dans tout le bassin méditerranéen. Cette épice, indissociable de la cuisine indienne, fut d'abord utilisée en Occident à des fins médicinales et pour nourrir le bétail. Les Égyptiens de l'Antiquité préparaient avec ses graines pilées un onguent dont ils s'enduisaient le corps pour faire tomber la fièvre. En cuisine, il est conseillé de griller les graines afin d'éliminer leur goût amer, mais pas trop cependant, car elles prendraient alors une saveur désagréable. Le fenugrec en poudre, ingrédient essentiel de la poudre de curry, aromatise aussi les pickles. Dans certaines régions d'Afrique, les graines, mises à tremper, se consomment ensuite en légumes. Germées, elles agrémentent les salades vertes, auxquelles elles donnent du croquant et une saveur légèrement âcre.

Jaune brun, creusées d'un sillon sur une de leurs faces, elles sont lisses et dures

Graines de fenugrec

Fenugrec en poudre

Fenugrec pilé

Les graines sont difficiles à moudre; il est plus facile de les piler dans un mortier

Les feuilles fraîches *servent peu en cuisine mais, en bourgeons, elles peuvent agrémenter des salades ou se manger en légumes*

DES MARIAGES RÉUSSIS

Graines : tous les currys indiens, pains égyptiens et éthiopiens, mélange d'épices berbère, ragoûts et enrobage de mets frits.
Graines germées : salades.
Feuilles séchées : bouillies, en légumes.

LA RECETTE DU CHEF
POMMES DE TERRE AU FENUGREC

Pour 4 personnes

500 g de pommes de terre nouvelles
Sel
75 g de beurre doux
175 g de feuilles fraîches de fenugrec ciselées, ou 2 cuil. à soupe de feuilles séchées
1/2 cuil. à café de poudre de curry
1/2 cuil. à café de poudre de mangue (facultatif)
Poivre noir du moulin

Cuisez les pommes de terre dans l'eau salée de 15 à 20 minutes. Égouttez-les et séchez-les. Chauffez le beurre dans une grande casserole, ajoutez les pommes de terre et le fenugrec, et laissez-les rissoler à feu doux de 5 à 10 minutes. Saupoudrez de poudre de curry et éventuellement de poudre de mangue, et poursuivez la cuisson encore 5 minutes; remuez souvent pour que les pommes de terre dorent de tous les côtés. Assaisonnez.

Les feuilles séchées, *appelées* methi, *sont souvent mélangées à des tubercules*

Vanille

Présentations
Fraîche : gousses entières
Traitée : poudre, essence, extrait

Conservation
Gousses entières : dans un bocal en verre hermétique, au frais et à l'abri de la lumière.
Essence et extrait : de préférence au frais et à l'abri de la lumière, ou dans le réfrigérateur.

La vanille, originaire du Sud mexicain, est le fruit d'une orchidée grimpante. Quand les Espagnols conquirent le Mexique, les Aztèques parfumaient déjà de vanille le chocolat chaud, coutume qui s'est depuis répandue dans le monde entier. Ce sont eux qui mirent au point la technique qui consiste à tremper les gousses dans de l'eau bouillante puis à les faire sécher, cela à plusieurs reprises, afin que les cristaux blancs de vanilline, la substance qui leur donne leur goût, remontent à la surface. La vanille naturelle demeure chère, et il en existe dans le commerce de nombreux substituts synthétiques, qui se reconnaissent à leur saveur moins subtile et à leur arrière-goût peu agréable. La meilleure variété vient de l'État de Veracruz, au Mexique. Elle est aussi cultivée à Madagascar, en Amérique centrale, à Porto Rico, à la Réunion et dans d'autres régions au climat favorable.

Les gousses *brun très foncé sont longues, étroites, ridées, cireuses et flexibles*

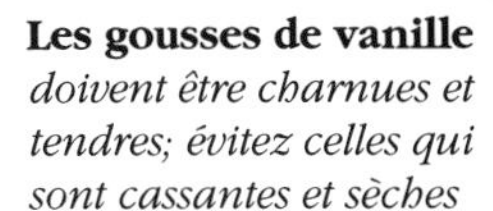

La pulpe dégage un arôme riche, velouté, au parfum de tabac

Les gousses de vanille *doivent être charnues et tendres; évitez celles qui sont cassantes et sèches*

Trucs et conseils
Malgré son prix élevé, préférez la vanille en *gousses entières,* plus parfumées, qui vous serviront longtemps. Commencez par ouvrir la gousse pour en sortir les graines, qui entreront dans la composition d'un plat, puis laissez-la sécher plusieurs jours. Mettez-la ensuite dans un bocal de sucre en poudre bien fermé. Quand vous vous en servez, rajoutez toujours du sucre frais afin que celui-ci s'imprègne à son tour de l'arôme délicat de la vanille, et glissez-y de temps en temps une nouvelle gousse. Vous pouvez aussi fendre les gousses, en extraire les graines et les plonger dans un bol de lait bouillant. Sucrez à volonté et laissez reposer 15 minutes. Ce liquide vous permettra de parfumer un gâteau de riz ou tout autre plat à base de lait.

Sucre à la vanille

L'essence de vanille, *très concentrée, s'utilise en petite quantité*

Des mariages réussis

Chocolat, café, entremets, crèmes, crèmes glacées, desserts aux fruits; plats salés, notamment à base de veau ou de homard, mais en petite quantité.

LA RECETTE DU CHEF
Granola à la vanille

Pour 1 kg environ

250 g de flocons d'avoine
250 g de flocons d'orge
125 g d'amandes effilées
60 g de farine complète
125 g d'abricots secs ciselés
1 gousse de vanille fendue
15 cl de miel
15 cl d'huile de tournesol

Préchauffez le four à 190 °C. Mélangez les flocons d'avoine et d'orge, les amandes, la farine et les abricots. Enlevez les graines de la gousse de vanille et incorporez-les au miel, à l'huile et à 15 cl d'eau. Ajoutez les ingrédients secs. Versez dans un moule et enfournez pour 30 à 45 minutes, en remuant souvent. Laissez refroidir. Placez dans un récipient hermétique et ajoutez la gousse de vanille. Attendez 1 semaine avant de servir.

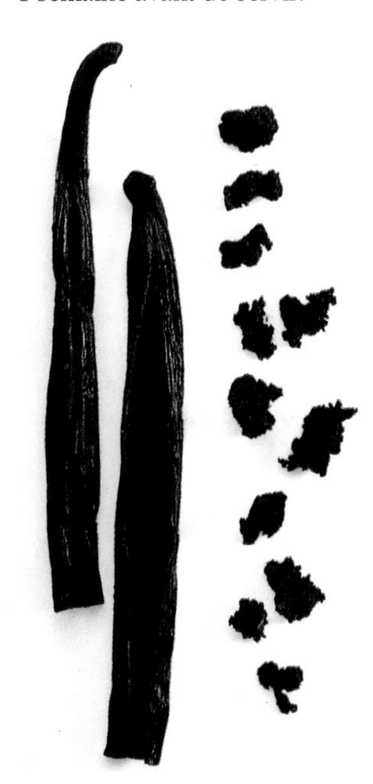

Gousses fendues et graines

Autre nom
Poudre zinziberine

Présentations
Frais : entier
Séché : coupé, moulu
Traité : confit dans du sirop, au vinaigre

Conservation
Frais : plusieurs semaines au réfrigérateur, dans du papier absorbant doublé d'un sachet en plastique.
Séché : dans un récipient hermétique, au frais et à l'abri de la lumière.
Au vinaigre : dans son bocal, au réfrigérateur.
En conserve : dans son bocal, au frais et à l'abri de la lumière.

Gingembre

Le gingembre, tubercule d'une jolie plante à fleurs, est très largement utilisé dans les cuisines asiatiques, au même titre que le sel. Bien qu'il soit cultivé en Asie tropicale depuis plus de trois mille ans, son origine exacte demeure inconnue. On le connaissait au Moyen-Orient et dans le sud de l'Europe bien avant l'époque des Romains. Les Portugais l'introduisirent en Afrique, les Espagnols aux Antilles. Au XVIe siècle, ces derniers contrôlaient un florissant commerce de gingembre entre la Jamaïque et le continent européen. D'une franche saveur fraîche et épicée, le gingembre est apprécié dans les plats tant sucrés que salés, mais ce sont les Orientaux qui exploitent au mieux toutes ses possibilités. Il se présente sous plusieurs formes : frais, séché, au vinaigre, confit, cristallisé. Les Chinois le préfèrent frais, tant pour son goût que pour sa texture. Haché, pilé ou coupé en julienne, il assaisonne d'innombrables plats de viande, de poisson et de légumes. Le gingembre en conserve, plus rosé, appelé *gari* au Japon, est le condiment traditionnel des *sushis*. Les Japonais se servent d'ailleurs d'un instrument spécial, l'*oroshigane,* pour le râper.

Des mariages réussis

Currys, sauce soja, ragoûts de viande et de volaille, chutneys et pickles, légumes, soupes, plats de poisson et de fromage, fruits en compote et au four, gâteaux, entremets, biscuits, pains sucrés, boissons et vin chaud.

Trucs et conseils
Ayez toujours du *gingembre frais* au réfrigérateur et achetez une râpe fine spéciale (en vente dans les épiceries japonaises). Râpez-le et gardez le jus pour parfumer un plat de poisson ou de coquillages. Ajoutez-le aux soupes, aux marinades et aux ragoûts, notamment de bœuf, juste avant de servir.

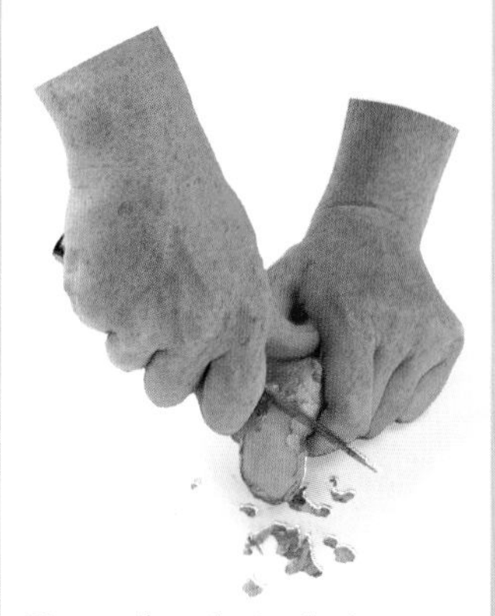

Gingembre frais râpé
À l'aide d'un couteau bien aiguisé, enlevez la peau rugueuse du gingembre avant de le râper.

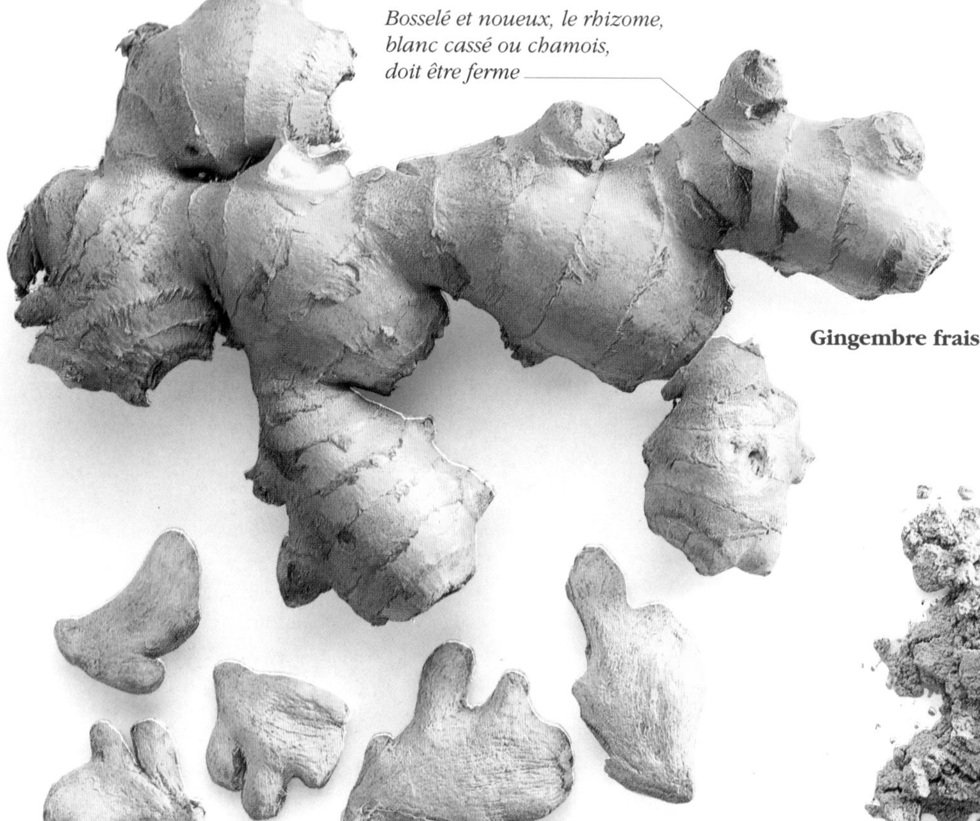

Bosselé et noueux, le rhizome, blanc cassé ou chamois, doit être ferme

Gingembre frais

Gingembre séché

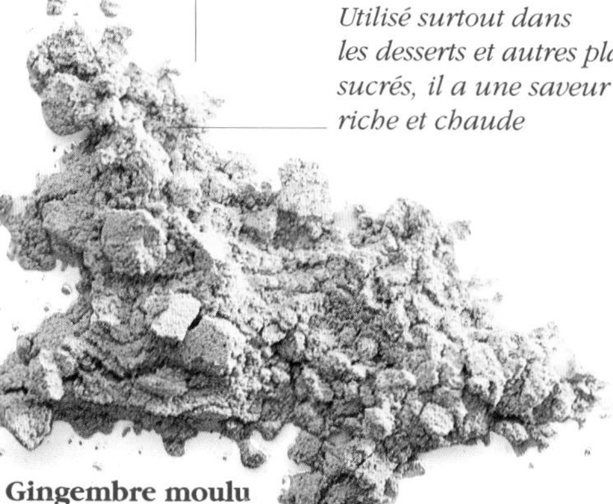

Utilisé surtout dans les desserts et autres plats sucrés, il a une saveur riche et chaude

Gingembre moulu

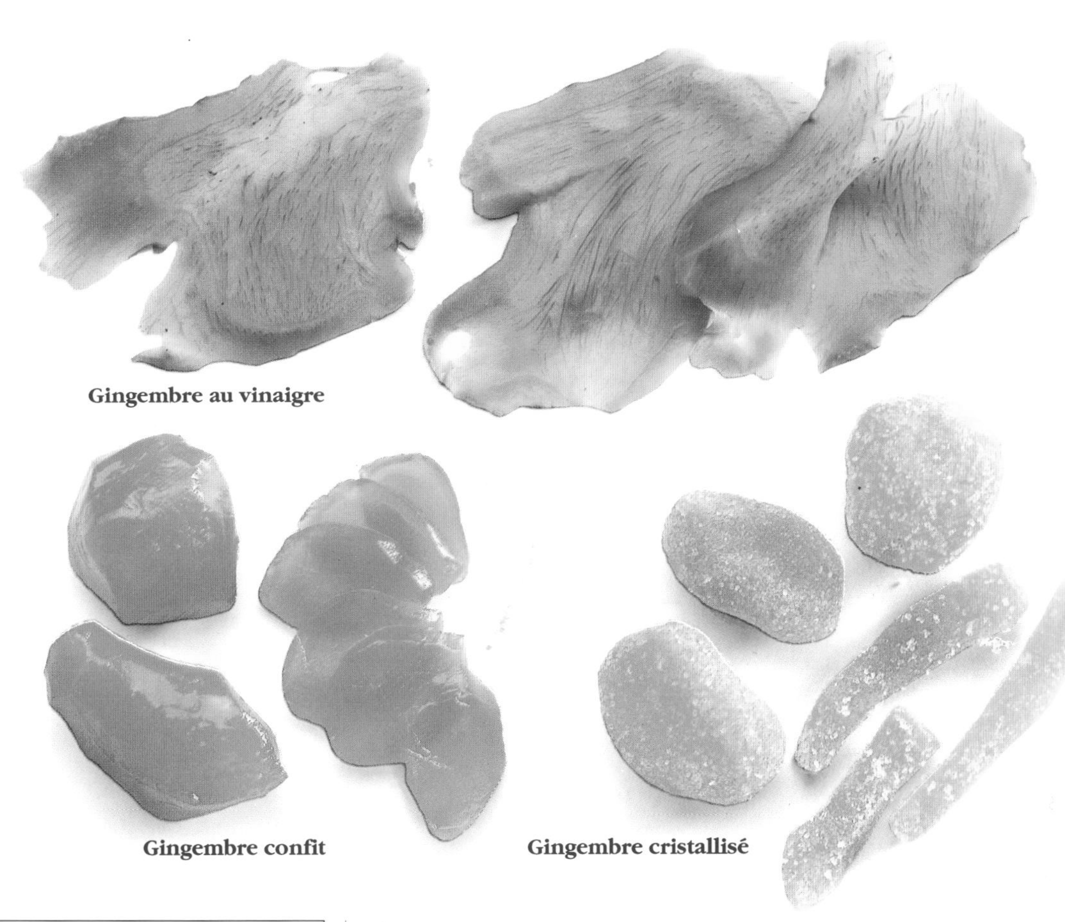

Gingembre au vinaigre

Gingembre confit

Gingembre cristallisé

LA RECETTE DU CHEF
BISCUITS AU GINGEMBRE

Pour 30 à 40 biscuits

150 g de miel
100 g de cassonade
30 g de beurre doux
350 à 400 g de farine tamisée
2 cuil. à café de gingembre moulu
1 pincée de cannelle moulue
1 pincée de clous de girofle moulus
1 pincée de cardamome moulue
1 jaune d'œuf
1 cuil. à café de bicarbonate de soude

Dans une casserole, mélangez à feu doux le miel, le sucre et le beurre. Laissez refroidir. Préchauffez le four à 160 °C. Mettez dans un bol les deux tiers de la farine, les épices, le jaune d'œuf et la préparation au miel, et mélangez bien le tout. Délayez le bicarbonate de soude dans 1 cuil. à soupe d'eau tiède et ajoutez-le au mélange. Incorporez éventuellement le reste de farine. Abaissez-la sur une épaisseur de 1 cm et découpez-y des motifs. Placez-les sur une plaque à pâtisserie huilée et enfournez pour 10 à 12 minutes. Laissez refroidir.

GINGEMBRE CRISTALLISÉ
Pelez 500 g de gingembre frais et coupez-le en fines tranches. Dans une casserole, couvrez-le d'eau et laissez frémir 30 minutes, jusqu'à ce qu'il soit tendre. Égouttez-le. Pesez-le et remettez-le dans la casserole avec son poids de sucre et 3 cuil. à soupe d'eau. Portez à ébullition en remuant souvent jusqu'à ce qu'il soit translucide et qu'il ait perdu son eau. Laissez cuire à feu doux en remuant sans arrêt, pour l'assécher complètement. Enrobez-le de sucre. Il se conservera 3 mois dans un récipient hermétique.

LE GINGEMBRE EN CUISINE

Le gingembre intervient sous diverses formes dans la gastronomie occidentale. Il apporte une note fraîche aux fruits de mer, relève la saveur des mets un peu lourds, et allège les viandes grasses comme le canard et le porc. Dans les marinades, il se marie bien avec les agrumes, l'ail, la sauce soja et les oignons. Pour bien choisir des rhizomes frais, il faut s'assurer que leur chair est lourde et ferme. Leur longueur est un signe de maturité; ils sont alors plus forts, avec davantage de fibres. Celles-ci ne sont pas gênantes si on râpe le gingembre, mais elles le deviennent si on le coupe en tranches. Au frais, il se conserve environ une semaine, et au réfrigérateur, emballé dans du papier absorbant doublé d'un sachet en plastique, plusieurs semaines. Le gingembre séché et moulu n'a pas la même saveur que le frais, et ne peut donc pas le remplacer dans une recette; en revanche, il convient mieux aux plats sucrés tels que pain, biscuits et entremets. Il s'allie aussi délicieusement avec la rhubarbe et les pommes cuites au four.

Bonhomme en pain d'épice

CUISINES
DE TOUS LES
PAYS

MOYEN-ORIENT

Le Moyen-Orient a été au cours des siècles le creuset de nombreuses civilisations, et sa cuisine s'est enrichie de multiples saveurs. Aujourd'hui, elle mêle les légumes et les fruits tout frais et des ragoûts où ont longuement mijoté du mouton, du yaourt, des haricots et des épices, dont on déguste la sauce avec du riz ou des galettes de pain plates et ovales, une des spécialités de la région. Une promenade au crépuscule dans une ville de ces contrées éveille tout autant la curiosité par les arômes des viandes qui grillent que par les parfums des étals dans les souks ou sur les places de marché.

Dans la plupart des pays qui constituent le Moyen-Orient — Égypte, Syrie, Iran, Iraq, Liban, Jordanie, Arabie Saoudite, Yémen, Koweït et Israël —, les modes passagères n'ont jamais influencé l'art culinaire. Le respect des valeurs ancestrales, très enraciné, se manifeste jusque dans les recettes dont la naissance remonte souvent à plusieurs siècles, à l'époque où elles furent apportées par les princes persans, les agriculteurs palestiniens ou les nomades bédouins, qui quittaient pour un temps le désert.

INGRÉDIENTS TRADITIONNELS

Ail*
Aneth*
Aubergines
Basilic*
Boulghour
Cannelle*
Cannelle de Chine*
Cardamome*
Carvi*
Citrons*
Clous de girofle*
Coriandre*
Cumin*
Curcuma*
Eau de fleur d'oranger*
Fenouil*
Fenugrec*
Figues
Gingembre*
Graines de sésame*
Grenades
Malsouqa (pâte à briks)
Marjolaine*
Menthe*
Miel*
Olives*
Persil*
Pignons
Piment de la Jamaïque*
Piments*
Pois chiches
Romarin*
Safran*
Sumac*
Tahina*
Thym*
Yaourt*
Zahitar*
Zhug

*Voir index

INFLUENCES

C'est dans le Croissant fertile, formé par l'Iraq, la côte orientale de la Méditerranée et l'Égypte, que les hommes, jusque-là chasseurs, deviennent agriculteurs il y a quelque douze mille ans. Ils récoltent bientôt du blé, de l'orge, des pistaches, des grenades et des figues, tandis que les troupeaux de moutons et de chèvres prospèrent. Le Moyen-Orient influence ainsi les habitudes alimentaires du reste du monde, mais lui, en revanche, reste fermé. La plupart des traditions culinaires sont ici venues de pays ou d'empires qui se trouvent, ou se trouvaient, au sein même de la région.

Vers 700 avant J.-C., les Arabes envahissent l'actuelle Arabie Saoudite, apportant avec eux l'enseignement de Mohammed et les modes de vie du désert, où le lait de chèvre ou de brebis remplace l'eau, et les noix et les dattes, les fruits et les légumes frais. Au cours du Xe siècle, quand Bagdad devient le centre administratif et culturel de cet empire, une cuisine plus élaborée voit le jour. Elle déterminera toute la gastronomie du Moyen-Orient, qui comprend aussi bien des préparations arabes simples que des créations persanes plus élaborées, que les commerçants arabes transportaient aux quatre coins de ces territoires toujours plus étendus.

Quatre siècles plus tard, les fastueux sultans de l'Empire turc ottoman ajoutent de nouvelles touches à cette palette déjà très variée. Ils introduisent les riches pâtisseries, comme le baklava et le kadaif, généralement arrosés de miel ou de sirop de sucre, ou le café épais et sirupeux, qui est encore très populaire. On le prépare à partir des grains d'un café très fort, le moka (du nom du port yéménite d'Al Mokha, d'où il était exporté), on le parfume à la cardamome et, dans toute la région, on le boit dans de petites tasses, mais en grande quantité.

SAVEURS DOMINANTES

Si les Indiens sont les plus grands consommateurs d'épices au monde, les Moyen-Orientaux les suivent de près. Ils utilisent notamment l'anis, le carvi, les clous de girofle, la coriandre, le cumin, le gingembre, la noix muscade, les graines de sésame et le piment. Tous les marchés locaux embaument en outre les senteurs des herbes aromatiques : basilic, coriandre, aneth, fenouil, marjolaine, menthe, persil, romarin, sauge et thym. Cependant, chaque peuple a créé ses propres assaisonnements. Ainsi, les Jordaniens apprécient beaucoup le *zahitar,* un mélange en poudre de marjolaine, de thym, de graines de sésame grillées et de baies de sumac. Les Yéménites, eux, corsent souvent leurs soupes et leurs ragoûts avec du *zhug,* une pâte piquante faite de cardamome, de cumin, d'ail et de piments moulus.

Le *tahina,* à base d'huile et de graines de sésame pilées avec du jus de citron, est le condiment privilégié de nombreux plats et sauces à crudités. Les fruits à coque sont partout présents; les amandes sont très prisées en Iran et sur la côte est de la Méditerranée, et les noix et les noisettes en Iraq. Les olives et l'huile d'olive figurent en bonne place dans toutes les maisons, de même que les pots de légumes marinés, appelés *torshi*.

La fumée du charbon de bois parfume les viandes, les volailles et les poissons. La plupart des desserts et des confiseries sont sucrés au miel, et souvent délicatement aromatisés à l'eau de fleur d'oranger et à l'eau de rose.

AUTRES INGRÉDIENTS

L'influence des religions musulmane et juive, qui interdisent la consommation de porc, a donné à la viande de mouton une énorme importance. Elle est souvent coupée en cubes, enfilés ensuite sur des brochettes et grillés sur du charbon de bois (kebabs), ou émincée avec des herbes et des épices et façonnée en boulettes *(keftedes)*. Dans le *tchelo kebab,* spécialité iranienne, les brochettes d'agneau sont servies sur un lit de riz croquant, couronné d'un bon morceau de beurre et d'un jaune d'œuf cru. La chèvre et le chameau se rencontrent aussi fréquemment, tandis que le poulet et la dinde sont très largement cuisinés en Israël.

Alors qu'un repas sans viande est tout à fait envisageable, un repas sans pain est inimaginable. La plupart des pains arabes sont faits avec de la pâte à base de farine de blé, légèrement levée et repliée en forme de disque plat et creux, constituant une poche que l'on peut fourrer. Le blé germé et concassé, le boulghour, accompagne le pain ou le remplace. Le riz, d'origine indienne et introduit par les Perses, joue le même rôle; aromatisé à la cardamome, aux clous de girofle, au cumin et à la cannelle de Chine, il est toujours une spécialité iranienne *(polo)*.

Les aubergines enrichissent souvent les ragoûts et les farces de riz, de viande et de noix; parfois, elles sont simplement tranchées, salées et frites. Les courgettes, les gombos, les olives, les concombres, les tomates et les feuilles de vigne les suivent de près. Le *foul medames,* à base de fèves brunes, assaisonné d'ail, d'oignon, de jus de citron et de cumin, est le plat national des Égyptiens, qui le dégustent aussi bien dans les grands restaurants que dans les auberges, et même au petit déjeuner.

La pollution de la Méditerranée touche les poissons; mais on grille encore au charbon de bois des mulets, des espadons et des sardines, après les avoir fait mariner dans un mélange d'huile d'olive, de jus de citron et d'oignon. Le *gefilte fish* — filets de poisson blanc hachés avec des œufs, de la chapelure et des oignons — est un plat très apprécié des Israéliens.

REPAS

Au Moyen-Orient, dès le matin, une intense activité règne devant les boulangeries : chacun vient chercher du pain tout chaud pour son petit déjeuner, qu'il prendra avec des œufs, des fruits et des légumes frais, du miel, des noix et du yaourt.

On boit du café tout au long de la journée, à la maison, au bureau ou à l'atelier, dans les restaurants ou les cafés, qui disposent aussi des narguilés, grandes pipes où la fumée passe à travers de l'eau parfumée. Le thé noir, servi avec de gros morceaux de sucre, ne se trouve qu'en Iran.

Le déjeuner se compose d'un assortiment de petits plats, appelés mézés,accompagné de pain pitta et composé d'*hoummos,* de yaourt, de croquettes, de taboulé, de salades de légumes variés, de feuilles de vigne farcies, de tarama et de diverses sauces.

Le repas du soir est généralement le plus important de la journée. Selon la tradition, il s'organise en deux services : les hommes dînent les premiers, les femmes et les enfants seulement après.

Avant de manger, chacun se lave les mains dans un bassin remplis d'eau savonneuse. Les mets sont servis dans un grand plat commun, et la coutume veut que l'on prenne les bouchées avec les doigts — de préférence le pouce, l'index et le majeur. Quand ils ont terminé, les convives, pour montrer leur satisfaction, se reculent et se lèchent les doigts. Les pâtisseries orientales ou les gâteaux ne sont servis que lorsque l'on reçoit.

La tradition arabe de l'hospitalité prévaut dans tout le Moyen-Orient. Il est inimaginable qu'un hôte ne propose pas à ses invités de se resservir, ou qu'un invité n'offre pas un quelconque présent à son hôte.

De nombreuses habitudes alimentaires sont dictées par la religion. Ainsi, le Coran proscrit l'alcool; cependant, le Liban produit quelques bons vins, tout comme l'Égypte et Israël.

PLATS TYPIQUES

Taboulé
Salade de boulghour, tomates, oignons et persil haché, avec jus de citron et huile d'olive

Hoummos bi tahina
Purée de pois chiches mélangée avec du tahina

Moutabal
Purée d'aubergines fumées avec du tahina

Felafel (Israël)
Boulettes de pois chiches hachés frites, servies dans un pain pitta

Foul medames
Fèves brunes relevées de citron, de cumin, d'oignon et d'ail

Kibbi (Syrie et Liban)
Viande hachée, boulghour et oignons, généralement frits dans un bain d'huile

Mouloureja (Égypte)
Soupe consistante aux herbes enrichie de chair de poulet ou de lapin

Sambousek (Liban)
Pâte feuilletée très fine fourrée de viande, d'oignons et de piments

Kibbi Mabroûma (Syrie)
Rouleaux de viande hachée fourrés aux pignons et cuits au four

Samak Machwî (Iraq)
Poisson grillé et sauce à la tomate et au curry

Khouzi (Arabie saoudite)
Agneau entier rôti

Faisanjan (Iran)
Canard ou poulet et sauce aux noix et au jus de grenade

Khoreche (Iran)
Agneau et sauce épaisse douce-amère

Kadaïf
Gâteau fourré au miel liquide et aux noix concassées

Maamoul (Syrie et Liban)
Pâtisserie fourrée aux noix et aux dattes

GRÈCE ET TURQUIE

Plus de 1 100 km séparent les maisons blanchies à la chaux et le ciel bleu des îles grecques des étendues nues et des villes fortifiées de l'est de la Turquie. Lorsqu'on accomplit ce voyage, on traverse bien sûr la mer Égée, mais on passe aussi d'une terre chrétienne à une terre musulmane, et de l'Europe à l'Asie. Des différences séculaires séparent les deux nations, et pourtant leurs cuisines se ressemblent. Car elles ont en commun un climat chaud, souvent aride, qui rend la terre caillouteuse très difficile à labourer. Ici, pas de grasses prairies, mais des versants de collines secs, parfois brûlés de soleil, couverts d'oliviers résistants et noueux et de pâturages à chèvres. La gastronomie est à l'image du paysage : des menus robustes — pain, tomates, olives et aubergines —, enrichis de viandes grillées et, en Turquie, d'épices subtiles. Quelques plats européens ont conquis la Grèce, et l'influence russe est sensible en Turquie, mais, dans l'ensemble, la cuisine s'inspire davantage de celle de l'Est.

INGRÉDIENTS TRADITIONNELS

Ail*
Aneth*
Aubergines
Boulghour
Cannelle*
Citrons*
Cumin*
Eau de rose*
Épinards
Fenouil*
Feta
Feuilles de vigne*
Figues
Graines de tournesol
Haricots blancs
Huile d'olive*
Marjolaine*
Menthe*
Miel*
Mouton
Oignons*
Olives*
Origan*
Pain pitta
Pastèque
Pâte feuilletée (pâte à briks)
Persil*
Pignons
Piment de la Jamaïque*
Piments*
Pistaches*
Pois chiches
Poivrons
Poulet
Poulpes
Raisins*
Riz
Safran*
Sardines
Tomates*
Yaourt*

* Voir index

INFLUENCES

Depuis la lointaine époque du Vᵉ siècle avant J.-C., les Grecs ont la réputation de savoir apprêter le moindre produit dont ils disposent et d'exceller dans les domaines artistique, politique et littéraire. Ainsi, les auteurs grecs Philoxène et Archestrate rédigent à cette époque des traités complets de gastronomie. Grâce à eux, et à d'autres, nous savons que le pain, le fromage de chèvre, le vin, les olives, les haricots, le poisson, les fruits, le miel et les pignons constituaient l'alimentation de base des anciens Athéniens. Cinq siècles plus tard, alors que la puissance grecque a décliné, les nobles romains s'enorgueillissent d'avoir à leur service un cuisinier grec.

La plus forte influence extérieure dans ce domaine sera celle des envahisseurs turcs qui déferlent au XVᵉ siècle. Auparavant, les occupants vénitiens ont introduit dans la région les pâtes; les Turcs, eux, apportent une cuisine nettement plus épicée et plus parfumée, elle-même largement influencée par la gastronomie persane, mais comportant aussi de nombreux plats imaginés par les cuisiniers de la cour de la Constantinople ottomane (l'actuelle Istanbul). Ces riches préparations, à base de tomates, d'huile d'olive, d'aubergines et de viande, sont suivies de pâtisseries très sucrées qui portent des noms évocateurs, «seins de femme» ou «nombril de dame».

Pendant près de quatre siècles, les sultans ottomans vont gouverner la Grèce et, au cours de cette période, les cuisines des deux pays s'interpénètrent étroitement.

SAVEURS DOMINANTES

L'huile d'olive verte et fruitée est au cœur même des cuisines grecque et turque. Elle sert d'assaisonnement, de marinade, d'aromate, et même de combustible de cuisson.

L'ail apporte son parfum des deux côtés de la mer Égée; marié à l'huile d'olive, il donne la sauce grecque *skortalia* et son équivalent turc, le *tarator* (enrichi de noix), qui accompagnent les poissons et les légumes cuits.

La saveur du citron se retrouve elle aussi constamment; son acidité compense la richesse de l'huile d'olive dans deux savoureuses préparations typiquement régionales et qui portent le même nom en grec et en turc : l'*hoummos* (huile d'olive, pâte de sésame, purée de pois chiches et jus de citron) et le tarama (œufs de cabillaud fumés maniés à l'huile d'olive et au jus de citron).

En Grèce, le jus de citron joue un rôle capital dans l'assaisonnement des salades; associé à des œufs, il constitue le principal ingrédient de l'*avgolamono,* un consommé qui aromatise les œufs et les ragoûts, et son zeste agrémente les plats de poisson et de légumes.

Les herbes comme l'aneth, la menthe, le persil, la marjolaine et l'origan poussent à profusion en Grèce, au climat moins sec, tandis que les épices sont spécifiquement turques. Les plus largement utilisées sont le piment de la Jamaïque, la cannelle et le cumin, qui relèvent le goût de la viande hachée dont on fait les keftédès. Ceux-ci, comme de nombreux plats turcs, ont une saveur particulière, à la fois relevée et sucrée.

AUTRES INGRÉDIENTS

La consommation de viande dépend de facteurs à la fois culturels et géographiques. En Turquie musulmane, par exemple, le porc est interdit pour des raisons religieuses; en Grèce chrétienne orthodoxe, il n'est souvent consommé que les jours de fête. L'absence de verts pâturages rend très difficile son élevage, tout comme celui du bœuf. La viande de mouton a ainsi pris la toute première place.

Les deux pays sont largement bordés par la mer, et leurs eaux accueillent de grandes quantités de poissons et de fruits de mer. Les crevettes, la langouste, le rouget et le thon sont souvent simplement grillés, arrosés d'un filet d'huile d'olive et de jus de citron; les calmars et les poulpes sont cuits à l'étouffée dans une sauce au vin rouge et à la tomate ou frits en beignets dans un bain d'huile, tout comme la blanchaille et les seiches.

Les légumes les plus courants sont les aubergines, les tomates, les oignons, les haricots blancs, les olives et les feuilles de vigne. Les aubergines charnues, pourpre noir, aiment l'huile d'olive et s'en gorgent largement; elles sont cuisinées à l'étouffée ou en ragoût, frites dans un bain d'huile ou encore farcies de tomate, poivron, oignon et ail, comme dans le célèbre *imam bayildi,* qui signifie «prêtre pâmé» (du plaisir d'en avoir mangé, selon la tradition).

Le pain pitta plat, ovale et légèrement levé est la base de l'alimentation dans les deux pays, et il se déguste habituellement chaud. En Turquie, le *simit* en est une variante populaire : des graines de sésame enrobent cet anneau croquant de pain blanc.

La pâte à briks feuilletée, transparente, sert, en Grèce et en Turquie, à confectionner le baklava, une pâtisserie fourrée aux noix et aux épices et arrosée de miel ou de sirop de sucre. Elle permet aussi de préparer les *börek* turcs, des beignets remplis de fromage de brebis fondu, d'épinards ou de viande hachée.

Le riz permet surtout de farcir les légumes, mais il est aussi la base des pilafs turcs — des plats dans lequel il cuit avec d'autres ingrédients : poulet, agneau émincé, poivrons verts, tomates, ou même simples grains de blé grillés. Dans le sud-est de la Turquie, le blé concassé (boulghour) remplace le riz.

On trouve partout des yaourts au lait de chèvre ou de brebis. Mélangés à l'épais miel grec, ils deviennent des desserts très appréciés; battus avec de l'eau glacée et du sel, ils donnent la rafraîchissante boisson turque appelée *ayran.* L'autre grand produit laitier, le fromage, se mange souvent fondu, mais plus fréquemment sous sa forme solide en Grèce; aucune salade grecque ne serait complète sans morceaux de feta, le fromage de chèvre.

REPAS

Les Grecs prennent généralement trois repas par jour : d'abord un petit déjeuner léger avec du pain, du fromage de chèvre, des olives et des tomates, puis le déjeuner, le repas principal, et une légère collation le soir.

Les Turcs, pour leur part, mangent quatre fois dans la journée, avec deux repas principaux (le petit déjeuner et le dîner) et deux collations plus légères (à midi et avant de se coucher).

Les uns et les autres prennent ces collations autour d'un assortiment d'amuse-gueule (mézés), très simples ou plus élaborés : cubes de fromage de chèvre salé, tranches de tomates arrosées d'huile d'olive et grosses olives noires, ou sauces à crudités, légumes farcis, haricots gorgés d'huile et boulettes de viande épicées. Les Turcs servent très souvent une soupe (*chorba* de viande ou de légumes) au début des repas principaux, et même au petit déjeuner.

Un café turc fort (appelé café grec... en Grèce) termine toujours le repas. Les Grecs proposent souvent à leurs invités des fruits confits ou quelques cuillerées de confiture sucrée allongée d'eau, sans oublier le baklava et le *kadaïf,* de riches pâtisseries fourrées et ruisselantes de miel.

La tradition de l'hospitalité reste très vivace tant chez les Grecs que chez les Turcs. Dans les zones rurales reculées, les voyageurs sont toujours invités à dîner, mais souvent aussi priés de passer la nuit dans une famille du village. Un refus représente alors une injure grave.

Dans les maisons turques où l'on respecte les coutumes, on mange avec les doigts, mais en se servant des seuls pouces, index et majeur; les convives peuvent s'essuyer régulièrement les mains dans des linges humides et parfumés.

Dans les restaurants des deux pays, on prend son repas sans se presser, et les clients sont habituellement invités à faire un tour à la cuisine avant de faire leur choix.

PLATS TYPIQUES

Mézés
Assortiment d'amuse-gueule chauds et froids

Hoummos
Purée de pois chiches relevée d'huile d'olive et de citron

Tarama
Œufs de cabillaud fumés battus à l'huile d'olive et au citron

Tzatziki (Grèce)
Caçik (Turquie)
Yaourt avec concombre, menthe et ail

Börek (Turquie)
Beignet farci d'épinards, de fromage fondu ou de viande hachée

Kuruu fasulye (Turquie)
Haricots cuits en sauce tomate

Skortalia (Grèce)
Tarator (Turquie)
Pâte crémeuse à l'ail

Avgolemono (Grèce)
Consommé au poulet ou au lapin, épaissi au riz et parfumé au jus de citron

Imam Bayildi (Turquie)
Aubergines farcies d'oignons, de tomates et d'ail

Kleftiko (Grèce)
Jambon à l'os épicé rôti

Moussaka (Grèce)
Gratin de légumes cuits et de mouton haché nappé d'une sauce légère au fromage

Poulet Güveç (Turquie)
Poulet cuit avec poivrons verts, oignons et tomates

Karides (Turquie)
Crevettes roses en sauce tomate avec de la feta

Pilaf (Turquie)
Riz cuit avec viande, légumes ou grains de blé

Halva (Turquie)
Fondant dur biscuité aux noix

Rahat loukoum (Turquie)
Confiserie orientale

EUROPE

L'Europe pourrait être surnommée la crèmerie du monde. Aucun autre continent ne produit en effet autant de lait, de beurre et de fromages. Produits laitiers, oignons, pain et pommes de terre sont d'ailleurs les piliers de la cuisine européenne; celle-ci s'enrichit en outre des nombreux poissons et viandes d'une région qui jouit largement d'un climat tempéré. Ici, tout repas s'organise autour d'un plat principal, que ce soit un gigot d'agneau rôti, un ragoût de bœuf ou une marmite de fruits de mer; les entrées et les desserts ne tiennent qu'une place secondaire. Cependant, la diversité gastronomique est telle que le service de trois plats reste fréquent, et que l'on dresse toujours une table avec fourchettes, couteaux et cuillers. Malgré les échanges, les guerres et les migrations qui ont périodiquement modifié les frontières physiques et politiques de l'Europe, ses différents peuples ont su préserver leur langue, leur culture — et leur cuisine.

INGRÉDIENTS TRADITIONNELS

Abats
Ail*
Aneth*
Asperges
Betteraves
Beurre*
Cannelle*
Carvi*
Cerises
Champignons*
Chocolat*
Choux
Crème fraîche*
Estragon*
Gibier
Harengs
Huile d'olive*
Lapin
Laurier*
Moutarde*
Noix muscade*
Oignons*
Pâtes
Persil*
Poissons fumés
Poissons salés
Poivrons
Pommes de terre
Saucisses
Sauge*
Thym*
Tomates*
Vin
Vinaigre*
Yaourt*

* Voir index

EUROPE DU SUD

Baignés par une mer intérieure commune, les pays de l'Europe du Sud — midi de la France, Italie, Espagne et Portugal — ont de tout temps bénéficié d'intenses échanges commerciaux et humains. Pendant des siècles, les marchands ont sillonné les eaux méditerranéennes, depuis le temps des Phéniciens, des Grecs, des Romains, des Vénitiens et de tant d'autres jusqu'à nos jours. Pourtant, bien qu'elles se fondent souvent sur les mêmes ingrédients, les cuisines nationales ont conservé leur spécificité. Les pâtes restent typiquement italiennes, le jambon et le xérès espagnols, les saucisses épicées et le porto portugais, les herbes aromatiques et le vin français.

Dans ces régions au littoral très étendu, poissons et fruits de mer tiennent une place de choix. En revanche, les bovins souffrent des fortes chaleurs de l'été et ne se satisfont pas des maigres pâturages; ils sont donc supplantés par les porcs et les volailles.

Ici, l'huile d'olive est reine ; elle s'associe au vinaigre dans les salades, elle dore les sardines argentées, elle mijote avec viande et tomates; partout, elle apporte aux mets son goût fruité et délicat.

Pour les parfumer légèrement ou les relever fortement, l'huile d'olive se marie très souvent à l'ail. Celui-ci — broyé dans une mayonnaise à l'huile d'olive — est ainsi le principal ingrédient de l'aïoli français qui, en Espagne, devient *alioli* — additionné en outre d'herbes. Les Italiens apprécient les pâtes simplement arrosées d'huile d'olive et d'ail *(aglio e olio),* et les Portugais aromatisent d'ail écrasé leur *açorda de alhos,* une soupe au pain trempé d'un peu d'huile d'olive.

De nombreuses recettes méditerranéennes ne sauraient se passer des effluves capiteux des alcools : les cuisiniers français et italiens ont toujours une bouteille de vin à portée de main, tandis que les Espagnols et les Portugais préfèrent le xérès ou le madère.

Les herbes aromatiques comptent beaucoup dans les cuisines française et italienne, notamment le basilic, l'estragon, le persil, la sauge, le thym, la marjolaine et les feuilles de laurier. Du basilic frais écrasé avec de l'ail, de l'huile d'olive et éventuellement du parmesan et des pignons donne une pâte épaisse très parfumée appelée *pesto* en Italie, où elle condimente les pâtes, et pistou en France, où elle relève une soupe de légumes et de vermicelle (soupe au pistou).

En Espagne, le persil joue un rôle plus important que partout ailleurs dans la région; il constitue notamment, avec l'huile d'olive, l'ail et les échalotes, la base de la *salsa verde,* une sauce verte piquante qui accompagne les viandes bouillies et les poissons. Les Portugais, eux, ont une prédilection pour les feuilles fraîches de coriandre.

Le safran entre dans plusieurs préparations méditerranéennes. En fins filaments ou plus fréquemment en poudre, il est présent aussi bien dans la bouillabaise française (la «soupe d'or», disait Curnonsky) que dans le *risotto alla milanese* italien ou dans la paella espagnole, les parfumant délicatement et les colorant de jaune. Les autres épices sont davantage utilisées par les Espagnols et les Portugais, qui apprécient le paprika, les piments, la cannelle, la noix muscade et les clous de girofle.

Dans toute la région, on prépare avec la chair de porc d'excellentes charcuteries, et notamment du jambon cru. Celui-ci est

Ail rose

d'abord salé à sec, puis suspendu à l'air libre pendant plusieurs mois; il est toujours servi en tranches très fines. Les meilleurs sont sans doute, en Italie, le jambon de Parme, en France, le jambon de Bayonne (légèrement fumé), en Espagne, le *ramon serrano* et, au Portugal, le *presunto*. Quant aux variétés de saucisses, elles sont innombrables.

Les eaux marines qui bordent les pays méditerranéens se montrent très généreuses. Rougets, anchois, sardines, bars, colins, soles, lottes, calmars, seiches, homards, langoustes, coquilles Saint-Jacques, moules, palourdes, crevettes..., la liste est longue. Et les ragoûts de poissons sont nombreux : *caldeirada* (Portugal), *zarzuela de pescado* (Espagne), *brodetto* (Italie) et bouillabaisse (France).

Le poisson devient aussi souvent accompagnement. Ainsi, une mayonnaise au thon et aux anchois nappe de fines tranches froides de veau bouilli dans le *vitello tonnato* italien; une purée d'anchois à l'huile d'olive et à l'ail écrasé donne une sauce relevée appelée anchoïade en France et *bagna cauda* en Italie.

Tous les marchés méditerranéens séduisent par les couleurs et les odeurs de leurs délicieux légumes. Les tomates glissent partout leurs taches de rouge; elles ont donné naissance au très célèbre gaspacho espagnol. Les oignons ne leur cèdent en rien. Hachés et légèrement sautés dans l'huile d'olive, ils sont *refogado* en Espagne et *sofrito* au Portugal, et entrent dans la composition de plusieurs ragoûts et sauces.

Aucun Européen du Sud ne prendrait un repas sans pain; avec ou sans levain, celui-ci se présente sous des formes aussi variées que celles de la croustillante baguette française ou de la *ciabotta* italienne, parfumée à l'huile d'olive. Le riz tient lui aussi une grande place, surtout en Espagne et en Italie. Les grains ronds de l'espèce cultivée en Piémont et en Lombardie, dorés avec des oignons hachés et longuement cuits dans du bouillon frémissant, se transforment en un succulent risotto. Les paellas espagnoles, basées sur le même principe, sont plus garnies. Les Portugais cuisinent eux aussi de multiples plats de riz.

L'Italie s'enorgueillit de ses 200 sortes de pâtes, véritable plat national. Préparées avec de la semoule de blé, elles adoptent toutes les formes : longs cylindres fins et pleins (spaghettis), rubans plats (tagliatelles), tubes courbes (rigatonis), entre autres. Des sauces tout aussi variées les relèvent : *bolognese* (viande hachée, oignons, tomates, vin et herbes), *carbonara* (œufs, crème fraîche et poitrine fumée) ou *alla vongole* (tomates, oignons et coques ou palourdes). Quant à la très célèbre pizza, elle s'est répandue dans le monde entier.

Grands producteurs de fromages, les Français ont su s'en faire des alliés en cuisine. Les Italiens sont particulièrement fiers de leur parmesan, au goût subtil et puissant, qu'ils râpent volontiers sur les pâtes, et de leur mozzarella, à pâte élastique, encore fabriquée dans le Latium et en Campanie avec du lait de bufflonne, ailleurs avec du lait de vache, qui entre souvent dans la composition des pizzas... préparées à l'étranger. Les Espagnols apprécient beaucoup leur *manchego,* fromage ferme fabriqué avec du lait de brebis, tout comme le *queijo de serra* des Portugais.

Pour clore le repas, les Italiens sont très friands de *zabaglione,* des jaunes d'œufs battus avec du vin blanc sec ou doux tel le marsala; en France, cet entremets porte le nom de sabayon. Les flans (crèmes parfumées au caramel et cuites au four) sont probablement un des desserts les plus populaires en Espagne.

Olives françaises

PLATS TYPIQUES

Tortilla (Espagne)
Omelette garnie

Caldo verde (Portugal)
Soupe au chou et aux pommes de terre

Vitello tonnato (Italie)
Veau froid sauce au thon

Mejillones en salsa verde
Moules sauce verte au persil

Riñónes al Jerez (Espagne)
Rognons au xérès

Lomo alla naranja (Espagne)
Filet de porc à l'orange

Osso buco (Italie)
Jarret de veau aux tomates

Calamares en su tinta (Espagne)
Calmars à l'encre

Brandade de morue (France)
Purée de morue salée émulsionnée à l'huile d'olive avec croûtons aillés

Risotto alla milanese (Italie)
Riz au bouillon safrané

Arroz de bacalhau com coentros (Portugal)
Morue salée à la coriandre

Chaufana a moda de Bairrada (Portugal)
Chevreau ou agneau au vin

Daube de bœuf provençale (France)
Ragoût de bœuf mijoté avec du vin, des herbes et de l'ail

Granite all'arancia (Italie)
Granité à l'orange

Tiramisu (Italie)
Biscuit au marsala fourré de mascarpone

Flan de huevos (Espagne)
Crème sucrée aux œufs cuite au four

Clafoutis aux cerises (France)
Gâteau de pâte à crêpes fourré de cerises noires

Arroz doce (Portugal)
Riz au lait

ÎLES BRITANNIQUES

Au cours des siècles, la Grande-Bretagne s'est enrichie de nombreuses influences culinaires. Les Romains furent parmi les premiers envahisseurs. Leur pain de fête, le *siminellus,* a pour actuel héritier le gâteau de Pâques (à la pâte d'amandes et aux fruits secs). Plus tard, les Vikings apportèrent avec eux le goût pour les poissons marinés et fumés, et les Normands l'attrait pour les produits laitiers. Les Britanniques ont en outre été de grands voyageurs, et ils en ont gardé une prédilection pour les épices et les condiments. Le souvenir de la présence anglaise aux Indes est encore vivace; il se manifeste dans les chutneys et les pickles, ou dans le *kedgeree* du *breakfast* (riz, poisson, œufs et épices), inspiré du *khichri* indien, et dans le *mulligatawny* (consommé de légumes et de poulet épicé). La cuisine paysanne reste traditionnelle, avec des plats uniques comme le ragoût du Lancashire (agneau), le *came* gallois (bacon et bœuf ou agneau) et l'*Irish stew* (mouton). La graisse de bœuf entre dans la composition de plusieurs plats (ragoût de bœuf et boulettes de pâte) ou relève le goût des puddings salés (au bœuf et au rognon) ou sucrés (aux raisins secs ou *poly poly*). Les rôtis sont très britanniques, surtout quand ils sont servis avec des pommes de terre au four et du *Yorkshire pudding* (pâte cuite au four dans de la graisse de bœuf). La variété des sauces est grande : au raifort pour le bœuf, à la menthe pour l'agneau, aux pommes pour le porc. Les habitants de ces îles ont toujours consommé les fruits de la mer, que ce soit dans le célèbre *fish and chips* ou dans des plats régionaux comme le *Cornish stragazey pie* (tourte aux pilchards). Le thé de l'après-midi est une institution, avec ses petits pains (scones, *crumpets* et muffins) tartinés de confiture maison et parfois de crème, et ses gâteaux tels que la Backewell tart, les Eccles cakes, le pain d'épice et les crêpes épaisses.

EUROPE DU NORD

Contrairement aux régions plus méridionales, de nombreuses nations d'Europe du Nord ont été en grande partie épargnées par les vagues d'invasions. Sans doute leurs peuples se sont-ils envahis les uns les autres, mais ils ont su conserver leurs traditions, à la différence des Italiens (dominés par les Byzantins) et des Espagnols (occupés par les Maures d'Afrique du Nord), dont la cuisine a été sensiblement influencée par ces étrangers.

Dans toute cette région, la gastronomie adopte deux axes principaux. Le premier, propre à l'Europe continentale — nord de la France, Belgique, Pays-Bas, Allemagne, Autriche et Suisse —, est orienté sur la viande, et fait davantage de place au goût des ingrédients qu'aux saveurs qui les parfument. Le second, plus particulier à la Scandinavie, se fonde davantage sur le poisson, plus léger, en insistant cependant tout autant sur la fraîcheur et la qualité des produits de base.

En Europe du Nord continentale, en effet, la douceur relative du climat et la fertilité des terres permettent d'élever aussi bien des bœufs et des vaches laitières que des moutons et des porcs. De tout temps, leur chair a été d'une qualité suffisante pour qu'il soit inutile de l'agrémenter d'herbes et d'épices. La conservation des viandes après l'abattage a posé davantage de problèmes; les techniques utilisées — salage, marinage et fumage — ont imprimé leur marque dans l'art culinaire.

Après ceux du sel et du poivre, le goût dominant est celui de la moutarde, un mélange de graines de moutarde broyées, de vinaigre, d'eau et de sel, éventuellement aromatisé d'herbes et d'épices. Très appréciée par les Allemands, qui la préfèrent encore additionnée de raifort *(Meerrettich),* elle accompagne leurs nombreuses charcuteries et celles de leurs voisins. Dans le nord de la France, les herbes tiennent une place importante; le célèbre bouquet garni parfume de nombreux bouillons et ragoûts. L'estragon est le partenaire idéal du poulet, et il aromatise plusieurs moutardes et vinaigres français.

Les Européens du Nord basent largement leurs menus sur le bœuf, le lapin et le poulet; le canard, l'agneau et le gibier à plume sont plus spécialement cuisinés en France et en Allemagne. Cette dernière est en outre la patrie du porc : jarret bouilli et filet fumé; côtelettes épaisses grillées à la moutarde; jambon entier servi avec du chou. Le jambon *(Schinken)* et le lard fumés *(Speck)* y sont aussi très largement consommés. Le jambon de Westphalie, fumé à froid, se déguste avec des tranches de pain beurré et un verre de Steinlagen (liqueur parfumée au genièvre). Le bacon se mange tel quel ou agrémente des ragoûts ou des plats de fèves, de légumes frais, de pommes et de poires. Les variétés de *Würste* (saucisses) sont innombrables. Les plus connues sont la *Leberwurst* (au foie), la *Mettewurst* de Brunswick (au porc fumé), la blanche *Weiswurst* de Munich (au veau, au bœuf et aux herbes) et la fameuse saucisse de Francfort, servie avec un petit pain rond et de la moutarde. Les Autrichiens, les Belges, les Hollandais et les Suisses aiment tout autant les saucisses. Les Français, eux, ont une préférence pour les pâtés et les rillettes.

Le bœuf est partout la base de nombreuses recettes. Le *Tafelspitz,* spécialité autrichienne et allemande de bœuf bouilli très attendri, se sert avec du raifort frais râpé. Le *Wlamse Karbonaden* est un plat flamand où le bœuf a mijoté dans un riche bouillon à la bière. Le veau est une des fiertés des cuisiniers autrichiens, qui excellent à préparer le célèbre *Wiener Schnitzel,* ou escalope viennoise, finement tranchée, panée puis poêlée.

Si les poissons sont nombreux en mer du Nord et dans l'Atlantique (cabillauds, harengs, maquereaux), les fruits de mer abondent sur les côtes bretonne et normande. Les Français préparent les moules à la marinière, en les faisant ouvrir rapidement avec du vin blanc et des échalotes; les Belges les mangent avec des frites. En outre, les rivières de la région sont peuplées de carpes, de brochets et de truites.

Le pain tient une très grande place en Europe du Nord continentale et adopte toutes les couleurs et toutes les saveurs, depuis le pain de seigle allemand brun sombre *(Pumpernickel)* jusqu'aux baguettes françaises bien blanches. Le riz est admirablement représenté dans la cuisine néerlandaise par un plat hérité des anciennes colonies indonésiennes des Pays-Bas, le *Rijsstafel,* une ribambelle de viandes, de poissons, d'œufs, de légumes très épicés, tous servis avec du riz.

Dans toute la région, les pommes de terre sont reines. Coupées en bâtonnets et plongées dans un bain d'huile, elles deviennent frites en Belgique et en France; tranchées en fines rondelles, arrosées de lait et de crème, enrichies de fromage et cuites au four, elles donnent le délicieux gratin français; émincées, modelées en galettes et passées à la poêle, elles se métamorphosent en *Rösti* en Allemagne et en Suisse.

Saumon mariné scandinave

Les pommes fruits entrent dans la réalisation de recettes savoureuses telles que le *Himmel und Erde* (ciel et terre) allemand, une purée de pommes et de pommes de terre couronnée d'une saucisse grillée. Quant aux pommes de Normandie, elles ont donné naissance à de très nombreux desserts.

Différents autres gâteaux et friandises fourrés aux fruits sont proposés dans les pâtisseries d'Europe du Nord. En Allemagne, le *Scharzwälder Kirshtorte* (le gâteau Forêt-Noire), riche mélange de génoise au chocolat et de cerises, s'orne de crème fouettée et de volutes de chocolat. L'Autriche est célèbre pour ses *Torte* (gâteaux) comme la *Sachertorte* (sorte de gâteau de Savoie fourré ou recouvert de marmelade d'abricots et nappé d'un glaçage au chocolat) et le *Strudel,* pâtisserie très fine fourrée d'un appareil aux fruits épicé. La notoriété des chocolats belges et suisses n'est plus à faire, pas plus que celle des biscuits épicés, des gâteaux et des petits pains hollandais. Les plus connus sont sans doute les spéculos, biscuits parfumés d'un mélange d'épices douces moulues et d'amandes.

Les produits laitiers jouent un rôle capital dans toutes les cuisines d'Europe du Nord. De nombreuses recettes, sucrées ou non, ne sauraient se passer de lait ou de beurre (essentiellement produits en France et aux Pays-Bas). On compte dans la région plusieurs centaines de fromages différents. La France est mondialement connue pour les siens, onctueux et affinés; ailleurs, ils sont souvent plus secs : gouda et édam (Pays-Bas), gruyère et emmenthal (Suisse). Une des spécialités des Alpes françaises et suisses, la fondue, se déguste autour d'un caquelon de fromage bouillant, parfumé au kirsch et au vin blanc, dans lequel on trempe des dés de pain.

Plus au nord, en Scandinavie, les menus se fondent surtout sur le poisson. Là-bas, en effet, les longs hivers très froids transforment les pâturages des vaches laitières en champs de neige. On cuisine donc le maquereau, le carrelet, le cabillaud, l'églefin et le flétan pêchés en mer, et la carpe, la truite et le brochet attrapés en rivière. Le saumon est souvent finement tranché et mariné à cru dans un mélange de sel, d'aneth et d'épices pour donner le *gravad lax*. Les harengs font presque quotidiennement partie des repas; ils sont fumés, salés ou marinés, et mangés tels quels ou en salade. En Finlande, ils se marient à la viande dans le *vorshmack* (hachis de mouton et de harengs salés). D'autres plats finnois sont particulièrement riches : le *karjalanpaisti* est un ragoût de mouton, de porc et de veau; la viande de renne est fumée, séchée ou rôtie et servie avec des canneberges.

Les Scandinaves apprécient beaucoup les produits laitiers. La crème aigre saupoudrée de sucre fait traditionnellement partie du petit déjeuner norvégien et elle entre dans de nombreuses autres recettes régionales à base de poisson et de légumes. Le lait et le lait caillé sont de véritables boissons nationales. Les fromages les plus connus de la région sont le *samsoë* et le *danablu* (bleu danois).

Les pommes de terre se retrouvent aussi partout, notamment au Danemark, où elles sont cuites et écrasées en purée, préparées en salade, tranchées et frites, ou cuites à l'eau dans leur peau puis pelées et roulées dans du caramel qui leur donne du croquant.

Des baies de toutes sortes poussent en Scandinavie, notamment des cormes et des framboises; on en fait des soupes, des compotes et des desserts tels les *jartentorte* suédoises (tartes aux framboises). Le Danemark est célèbre pour ses pâtisseries fourrées aux fruits et ses riches gâteaux aux pommes et aux raisins fourrés de crème épicée et saupoudrés de noix hachées et de cannelle.

PLATS TYPIQUES

Waterzoi (Belgique)
Soupe de poisson au vin blanc

Köttbullar (Suède)
Boulettes de viande

Königsberger Klopse (Allemagne)
Boulettes de viande sauce aux câpres

Leberknodel (Allemagne)
Gâteau de foie, de bacon et de pommes de terre

Sole normande
Sole, huîtres et moules sauce au vin blanc et à la crème

Kalakukko (Finlande)
Pain de seigle recouvert de poisson et de porc et rôti

Dillkött (Suède)
Veau sauce à l'aneth

Karjalanpaisti (Finlande)
Ragoût de veau, porc et mouton

Rösti (Allemagne)
Galette de pommes de terre frite avec du beurre et des oignons

Poulet à la normande (France)
Poulet sauce au cidre et au calvados, accompagné de pommes fruits poêlées

Frikadeller (Danemark)
Boulettes de veau et porc

Rote Grutze (Allemagne)
Terrine de fruits rouges à la fécule de maïs servie avec du lait ou une crème anglaise

Sachertorte (Autriche)
Biscuit au chocolat fourré de confiture d'abricots et glacé au chocolat

Stekta Applen med Sirap (Suède)
Pommes au four nappées de sirop doré

Œufs à la neige (France)
Blancs d'œuf pochés posés sur une crème anglaise

Rødgrod med Fløde (Danemark)
Fruits d'été à la crème

RUSSIE

Avec ses régions aux climats très divers, du cercle arctique aux zones subtropicales, et de cultures variées, de l'Europe à l'Asie centrale, la Russie s'est enrichie de nombreuses traditions culinaires. Du nord, les Suédois ont apporté les harengs fumés et la crème aigre *(smetana)*. Du Moyen-Orient sont arrivés les aubergines et le mouton. D'Allemagne sont venus le chou salé et les mélanges viande-fruits. Les tubercules comestibles constituent la base des soupes russes. Le chou, les carottes, les panais et les pommes de terre entrent dans la composition du *chtchi,* une soupe à la choucroute; le *rassolnik* est un potage d'oseille, de concombre, d'oignon et de céleri; le rouge et épais borchtch allie les betteraves, les pommes de terre, les carottes, les oignons et le chou, et souvent du bœuf. Les pains sont de tous les repas : le pain blanc au levain à pâte aigre *(balabouchki),* le pain de seigle très foncé *(krouchenik)* et bien d'autres, parfumés à l'oignon, au fromage ou aux graines de sésame. Le gruau de sarrasin, qui se présente comme une semoule de couscous, *(kasha),* enrichit aussi les ragoûts. Le délicat saumon en croûte (koulibiac) se prépare aujourd'hui partout, au contraire des très nombreuses pâtisseries dont les recettes n'ont guère quitté la Russie. Elles sont pourtant toutes délicieuses : le *krondiel* (brioche très sucrée), le *goznaki* (gâteau aux noix et au miel) et le *kulitch,* une brioche parfumée avec de la cannelle, de la muscade, de la cardamome et des fruits confits, qui accompagne le *paskha* (gâteau de Pâques au fromage blanc). Le repas principal est toujours le déjeuner, qui se compose de zakouski (une ribambelle de hors-d'œuvre), d'une soupe, d'un plat principal, et de fruits ou de pâtisseries. On boit de la vodka, nature ou parfumée (poivre, citron ou graines de carvi) ou du kwas, une «bière» souvent aromatisée aux fruits.

EUROPE DE L'EST

Pendant des siècles, les pays d'Europe de l'Est ont fait partie de plus vastes empires : romain, austro-hongrois, ottoman et russe. Les armées de très nombreux souverains ont arpenté les plaines de Hongrie, de Pologne, de Tchécoslovaquie, et les collines et les vallées de Yougoslavie, de Roumanie et de Bulgarie.

Tous ces conquérants ont laissé leur marque sur la gastronomie de ces pays. Aujourd'hui, les pâtisseries turques sont très appréciées dans les régions que les Ottomans ont occupées, et les gâteaux viennois et les strudels dans celles qui furent un jour sous la domination des Habsbourg d'Autriche.

Mais bien qu'ils aient dans ce domaine subi l'influence de leurs vainqueurs, les Européens de l'Est sont restés particulièrement fidèles à leurs plats traditionnels et à leurs techniques culinaires.

Ainsi, on retrouve partout chez eux les brochettes de saucisses épicées. Sur la côte adriatique, elles portent le nom de *cevalcici* et sont faites de bœuf, d'agneau ou de porc. En Bulgarie, les *kebabche* associent le veau et le porc, et en Roumanie, les *mititei* (plus connus sous le nom abrégé de *mici*) sont préparés avec du bœuf.

La longévité légendaire des montagnards des Balkans tiendrait, selon la tradition, à leur alimentation à base de yaourt. Celui-ci entre dans la composition de divers plats de la région, tout comme la crème aigre. Dans le *hortobagyi,* une spécialité hongroise, des crêpes sont fourrées de viande hachée, d'oignons et de paprika, et décorées de crème aigre. Les Polonais servent une sauce épaisse à la crème aigre avec les harengs salés *(sledzie w smietanie),* et partout, de nombreuses préparations de bœuf épicé aux légumes seraient icomplètes si elles étaient servies sans crème aigre.

Assortiment de pains

Le salage et le fumage représentent encore les meilleures techniques pour parfumer et pour conserver. Ainsi, le chou émincé se garde tout l'hiver dans des tonnelets d'eau salée, et les longues saucisses *kabanosy* des Polonais sont fumées au bois de genévrier.

L'ail relève le goût de nombreux salamis et viandes froides, mais aussi celui du *tarator,* une soupe froide bulgare, dans laquelle il se marie au yaourt, au concombre et aux noix hachées. L'aneth, l'oseille et le fenouil apportent leurs arômes différents aux soupes et aux ragoûts. Le paprika, piment doux rouge séché et réduit en poudre, est indissociable des recettes hongroises, et il donne sa saveur au plat national, le célèbre goulache, ragoût de bœuf, d'oignons, de pommes de terre et de tomates.

Les disettes ont pendant des siècles frappé cette partie du monde; aussi les Européens de l'Est excellent-ils depuis longtemps à imaginer des plats ne comportant que très peu de viande. Dans toute la région, les soupes et les ragoûts de légumes ne se comptent plus. Le *kapusniak,* la classique soupe polonaise, associe le chou, le céleri et le lard. Le *lcho* hongrois est un copieux ragoût de légumes, composé en général de poivrons, de haricots, d'aubergines et éventuellement d'un morceau de viande.

Le porc, suivi par le bœuf, est l'animal le plus consommé, notamment par les Tchèques et les Slovaques, qui ont pour spécialités le porc rôti *(veprova penece),* les paires de saucisses grillées *(klobasa)* et le somptueux jambon de Prague, souvent cuit au four dans une épaisse croûte de pâte à pain. L'agneau et le cochon de lait, servis entiers, sont réservés aux grandes occasions; le poulet se rencontre plus fréquemment. Les gens de la campagne ont un avantage certain sur les citadins; ils chassent du gibier : les sangliers des plaines polonaises et les chevreuils, les lièvres et les cailles des montagnes de la Transylvanie roumaine.

Mis à part les harengs de la Baltique, les Européens de l'Est doivent se contenter de poissons d'eau douce — la truite, la carpe et le célèbre *fogas* (ou fogoche, voisin du sandre, à la chair très fine) du lac Balaton.

De tous les légumes, le chou est le plus populaire. Il sert d'ingrédient dans les soupes et les ragoûts et de «croûte» pour une farce de riz, de viande et de choucroute, qui porte différents noms : *töltött kaposzta* (Hongrie), *sarmi* (Bulgarie) et *sarmale* (Roumanie); en d'autres termes, le chou farci, bien connu dans plusieurs régions du monde.

Des pains épais et riches accompagnent tous les repas. Les Roumains confectionnent le *mamaliga,* variante consistante de la *polenta* italienne. Les Bulgares dégustent divers pains faits avec du beurre, du fromage et du yaourt, qu'ils trempent parfois avant chaque bouchée dans une poudre épicée, qui ressemble au thym, appelée *kubritsa.* Les farinages (boulettes de pâte) — *knedliky* en Tchécoslovaquie, *csipetke* en Hongrie — accompagnent de nombreux plats.

Le sarrasin, céréale floconneuse au léger goût de savon, est particulièrement apprécié en Pologne. Les Hongrois préparent le *tarhonya,* petits grains de pâte bouillis puis cuits avec du saindoux et des oignons hachés.

Les pâtes se dégustent partout sur la côte dalmate (le risotto en est une des spécialités), et le *lazanki* polonais peut revendiquer une étroite parenté avec les lasagnes, introduits au XVIe siècle par la jeune épouse italienne du souverain.

Tous les pays de cette région proposent un large éventail de pâtisseries, notamment la Pologne. Ici, les créations les plus savoureuses comprennent les *paczki,* beignets fourrés à la confiture de pétales de rose, les *favorki* frits — biscuits de carnaval ou «fagots» — (farine, crème et rhum), et les petits *mazurki* rectangulaires (pâte sablée fourrée de pâte d'amandes et de chocolat), sans oublier les moelleux *babka* (sortes de baba, entre la brioche et le kouglof), dont le plus célèbre, le *babka wielkanocka* aux raisins secs, se mange à Pâques.

REPAS

En Europe continentale, le petit déjeuner se compose souvent de tout un assortiment de viandes froides, de fromages et de pains. En Belgique, en Autriche, aux Pays-Bas, en Suisse et en Allemagne, on boit du café ou du chocolat chauds. Les deux principaux repas de la journée se ressemblent beaucoup, mais le dîner est généralement le plus important.

Au Danemark, en Finlande et en Suède, le petit déjeuner est léger : habituellement pain frais et café. En Norvège où, en été, le jour se lève très tôt, il devient parfois très copieux : poisson, viande froide, pain frais, gaufres chaudes, fromage et œufs, accompagnés de chocolat chaud, de lait ou de café. Le déjeuner se compose souvent d'une soupe de légumes chaude et de canapés, appelés *smorrebrod* au Danemark et *voilcipa* en Finlande. Le dîner comporte lui aussi une soupe et un plat principal. Les habitants de tous ces pays ont adapté à leur goût le fameux *smörgasbord* suédois, un buffet de plats chauds et froids — harengs, viandes froides, pâtés, salades, fromages et vol-au-vent à la viande. Il est servi aussi bien dans les restaurants qu'à la maison, à midi que le soir.

En Espagne et au Portugal, le petit déjeuner se prend rapidement, avec du café ou du chocolat et une pâtisserie ou un simple toast. Les Espagnols mangent généralement un en-cas *(marienda)* après la sieste, entre 17 h 30 et 19 h, en attendant le dîner, qui ne commence souvent qu'à 23 h. Les Portugais prennent leur repas du soir beaucoup plus tôt (entre 19 et 20 h); dans ces pays de la péninsule Ibérique, les deux repas principaux se ressemblent.

En Italie et dans le sud de la France, le pain beurré et le café fort démarrent la journée; on privilégie ensuite, en fonction des circonstances, le déjeuner ou le dîner, qui se terminent souvent par un fruit, précédé en France d'un fromage. Le déjeuner du dimanche est typiquement français : les familles se rassemblent autour d'une table joliment dressée et y passent souvent une bonne partie de l'après-midi, discutant autour de nombreux plats suivis souvent par une salade, des fromages, un dessert, du café et parfois un alcool, cognac ou armagnac.

En Europe de l'Est, la tradition n'interdit pas de boire dès le matin un verre de vodka ou d'alcool de fruit avant de s'aventurer dans le froid très vif de l'hiver. On ne dédaigne pas non plus un bol de soupe fumante *(chorba)* plein à ras bord de chou, de haricots et de petits morceaux de viande. Les citadins se montrent plus frugaux — généralement fromage, pain, œufs durs et charcuterie — mais, à la mi-journée, comme à la campagne, ils s'arrêtent volontiers pour profiter du principal repas chaud de la journée. Le dîner n'est souvent qu'une version froide du déjeuner, que réchauffe cependant un des nombreux alcools forts de la région.

PLATS TYPIQUES

Tarator (Bulgarie)
Soupe au yaourt froide parfumée à l'ail et aux noix

Caviar (Russie et Pologne)
Œufs d'esturgeon salés

Rassolnik (Russie)
Soupe à l'oseille et au concombre

Crni rizoto (côte dalmate)
Risotto à l'encre de calmar

Hortobagyi (Hongrie)
Crêpe à la viande hachée, à l'oignon et au paprika

Sledzie w Smietanie (Pologne)
Harengs salés à la crème aigre

Szeged halaszle (Hongrie)
Soupe de poissons façon goulache

Pui (Roumanie)
Poulet farci avec bacon, saucisses, légumes et ail

Pirozhki (Russie)
Pâtisseries chaudes

Blinis (Russie)
Petites crêpes de sarrasin, souvent servies avec le caviar

Fogas (Hongrie)
Fogoche à la mayonnaise

Koulibiac (Russie)
Saumon en croûte

Cholent (Pologne et Russie)
Bœuf au four avec oignons, farine de sarrasin et pommes de terre

Mamaliga (Roumanie)
Pain à la farine de maïs

Lazanki (Pologne)
Gratin de rubans de pâte et de couches de jambon, champignons et chou

Paczki (Pologne)
Beignets légers fourrés à la confiture de pétales de rose

Sharlotka (Russie)
Charlotte glacée nappée de purée de fruits et de crème anglaise

AFRIQUE DU NORD

Comme leurs voisins du Moyen-Orient, les habitants d'Afrique du Nord apprécient une cuisine riche de longs siècles de pratique et de traditions venues de milliers de kilomètres à la ronde. Ils ont hérité du penchant persan à marier la viande et les fruits et de la passion des Turcs pour les sucreries. Aujourd'hui encore, les cuisiniers font rôtir l'agneau comme le faisaient les nomades du désert d'Arabie il y a des centaines d'années.

Mais, tout en assimilant des influences culinaires étrangères, ils ont aussi su développer leur propre gastronomie, très personnelle. Ils peuvent relever le goût d'un plat avec vingt-cinq épices différentes, ou une seule; une des grandes spécialités marocaines, la pastilla — une tourte feuilletée au pigeon — ne compte pas moins de cinquante couches soigneusement superposées de pâte très fine et de farce délicatement épicée; un autre, le couscous, garde l'empreinte de la simplicité paysanne. Cette cuisine marie de façon très spécifique des plats principaux riches et très parfumés et de délicats desserts aux noix et aux dattes. Comme la terre où elle s'épanouit, elle allie la somptuosité et la rusticité, la fertilité et la sécheresse.

INGRÉDIENTS TRADITIONNELS

Ail*
Amandes*
Aubergines
Blé
Boutons de rose
Cannelle*
Cannelle de Chine*
Cardamome*
Charmoula
Citrons confits
Clous de girofle*
Coriandre*
Couscous
Cubèbe*
Cumin*
Curcuma*
Dattes
Fenugrec*
Gingembre*
Graines de sésame*
Harissa*
La kama
Menthe*
Miel*
Noix muscade*
Oignons*
Olives*
Oranges*
Persil*
Pignons
Piments*
Pois chiches
Raisins
Raisins secs
Ras-el-hanout*

* Voir index

INFLUENCES

Il y a deux mille ans, les terres que recouvrent aujourd'hui le Maroc, l'Algérie, la Tunisie et la Libye ne constituent qu'une seule région, que nous appelons aujourd'hui globalement Maghreb. C'est le territoire des Berbères qui, depuis des siècles, mènent une vie nomade dans ces paysages vastes et arides.

Largement bordé par la mer, le Maghreb peut être facilement envahi ou colonisé par des navigateurs. Les premiers à débarquer en nombre sont les commerçants phéniciens du nord-ouest de la Syrie, au Ier millénaire avant J.-C. Entreprenant de longs voyages en mer, ils ont besoin de viande facile à la fois à conserver et à stocker; ils trouvent la solution avec la saucisse sèche. Elle sera l'ancêtre direct de la merguez épicée d'Afrique du Nord. Plus tard, les Phéniciens introduisent le blé dur qui donne la semoule, dont les ingénieux Berbères feront le couscous aux merguez, base de l'alimentation dans toute la région.

Au VIIe siècle après J.-C., les armées arabes apportent d'une part les épices, de l'autre l'enseignement du prophète Mohammed. Sept siècles plus tard, les Turcs ottomans, grands amateurs de yaourt et de sucreries, font connaître de nombreuses pâtisseries aux Maghrébins, qui les ont depuis élevées à un haut degré de raffinement.

Au XVIIIe siècle, les marchands et les colonisateurs européens s'installent à leur tour, profitant de la fin de la domination ottomane. Les Italiens laisseront en héritage leurs pâtes, les Français leur langue, et les Britanniques leur thé; les populations locales le mélangeront à leur traditionnelle boisson à la menthe, donnant ainsi naissance au *chai bi naa'naa,* le thé à la menthe, qui se boit partout, à toute heure de la journée.

SAVEURS DOMINANTES

Les différents peuples du Maghreb ne sont pas sensibles aux mêmes saveurs. Les Marocains aiment les arômes riches et fleuris (notamment celui du safran), les Algériens préfèrent des mets moins épicés, et les Tunisiens trouvent leurs plats fades sans piment ou gingembre.

Chaque cuisinier exprime ses propres préférences dans la large gamme d'épices qu'il choisit pour préparer son *ras-el-hanout,* très personnel. Ce mélange, dont le nom signifie «haut de la boutique», réunit quelque vingt-cinq épices et aromates, aussi divers que la cardamome, la cannelle de Chine, le macis, le piment, les clous de girofle, le cumin, le fenugrec, la noix muscade, la lavande et les roses séchées.

La *charmoula* est une épaisse purée aigre-douce à base d'oignon, d'ail, de coriandre, de piments, de paprika, de sel, de poivre et de safran, qui accompagne les viandes grillées et les poissons marinés et frits. *La kama* est un mélange marocain, plus doux et plus aromatique : il associe le poivre noir, le curcuma, le gingembre, le cumin et la noix muscade et parfume les soupes et les ragoûts. L'harissa tunisien, une sauce très pimentée (voir p. 71), relève souvent le couscous; le *tabil,* lui aussi tunisien, est une pâte à base de piment enrichie d'ail, de coriandre fraîche et de graines de carvi.

AUTRES INGRÉDIENTS

Comme dans la plupart des régions musulmanes, les viandes d'agneau et de mouton tiennent la première place et figurent dans de nombreux plats régionaux. Les merguez se composent de mouton

Ras-el-hanout

grossièrement haché, d'ail et de *ras-el-hanout.* Le méchoui est du mouton rôti à la broche, et le *choua,* de l'agneau cuit à la vapeur avec du cumin.

Le lièvre et la chèvre sont aussi très fréquents, et la volaille est au cœur de nombreux plats, dont les tajines, des ragoûts longuement mijotés, parfois avec des fruits (dattes et prunes) et du miel. Ils tirent leur nom du plat creux dans lequel ils cuisent : en terre vernissée, parfois décorée, il est coiffé d'un petit couvercle conique qui ressemble à un chapeau de sorcière.

Le blé, bien plus que le riz, est la céréale de base à travers toute la région. Les Maghrébins mangent des disques plats de pain légèrement levé; la *kesra,* parfumée au sésame et à l'anis, est particulièrement savoureuse.

Le célèbre couscous, préparé selon la tradition avec de la semoule de blé très fine, est encore, en de nombreux endroits, l'objet d'un rituel précis où alternent la cuisson à la vapeur et le moulage à la main.

Les boulangers locaux excellent dans l'art de confectionner une pâte feuilletée très fine, presque transparente, appelée *malsouqa* en Tunisie, et que nous connaissons mieux sous le nom de pâte à bricks. Elle permet de réaliser non seulement la pastilla, mais aussi ces délicates pâtisseries brunes, rousses et dorées qui s'empilent sous les lumières fluorescentes des innombrables pâtisseries nord-africaines.

Dans les régions du Maghreb où les pluies sont suffisantes, les légumes abondent, notamment les courgettes, les poivrons, les fèves, les carottes, les navets, les aubergines, le céleri, les poireaux et les pois chiches. Ils aromatisent toujours le bouillon qui arrose le couscous et dans lequel ont mijoté la volaille ou l'agneau pour s'imprégner subtilement de toutes leurs saveurs.

REPAS

De nombreux Maghrébins commencent la journée par une soupe de légumes et de viande ou de poisson — *harira* au Maroc, *chorba* en Algérie et *brudu* en Tunisie.

Avant le repas, les convives sacrifient au rituel du lavement des mains dans l'eau d'un bassin qui circule tout autour de la table. Pour les grandes occasions, le repas peut commencer par une pastilla, se poursuivre par un tajine de poulet et culminer avec un couscous. Celui-ci se prépare dans une couscoussière, composée de deux parties. La viande et les légumes mijotent en bas, tandis que la vapeur de cuisson monte vers le haut où se trouve la semoule. Quand elle est cuite, on la dispose en monticule sur un plat et on creuse au centre un puits où l'on verse la viande et les légumes cuits; l'harissa est servi à côté. Au Maroc, chacun mange le couscous avec les doigts, en modelant de petites boulettes de «graine» et en l'arrosant avec le bouillon. Le dessert se compose de pâtisseries, de fruits, d'un entremets de semoule sucré et d'un thé à la menthe.

PLATS TYPIQUES

Harira (Maroc)
Soupe à l'agneau et aux lentilles

Merguez
Saucisses épicées

Brik (Tunisie)
Crêpe très fine farcie d'un œuf et de viande ou de thon et légèrement frite dans l'huile

Chakchouka (Tunisie)
Ragoût de pommes de terre et d'oignons souvent couronné d'un œuf battu

Couscous
Semoule de blé servie avec viande et légumes, et leur bouillon

Djej M'Ahmar
Poulet farci au couscous

Salade meshwiya (Tunisie)
Salade de thon, œufs et légumes

Pastilla (Maroc)
Feuilletage au pigeon émincé

Djej tajine (Maroc)
Poulet cuit à l'étouffée avec pruneaux et miel

Arnhab chermoula (Maroc)
Lièvre mariné rôti

Zaytun méchoui (Tunisie)
Boulettes de bœuf parsemées d'olives

Dolma gara
Courgettes farcies

Tajine malsouka
Ragoût de viande, haricots et œuf au safran et à la cannelle, enrobé dans une crêpe très fine

Limon makboos
Citrons confits

Mahancha (Maroc)
Fines pâtisseries fourrées aux amandes

Righaif (Maroc)
Crêpes au miel et aux graines de sésame

Ghoriba (Tunisie)
Pâtisseries rondes et légères

Chai bi naa'naa
Thé à la menthe

AFRIQUE

Le continent africain regroupe un large éventail de nationalités, de cultures et de religions. Quant à son climat, il reflète toute la gamme météorologique : alors que le désert du Kalahari, au sud, peut rester des années sans recevoir une goutte de pluie, le mont Cameroun, à l'ouest, se classe à la deuxième place mondiale pour les précipitations. La cuisine traduit cette diversité.

À côté de ces différences, il existe pourtant un point commun : presque tous les sols sont pauvres et de nombreuses régions sont sujettes à d'effroyables sécheresses. Et même quand la nourriture de base est suffisante, les ustensiles demeurent primitifs. Les Africains ont donc dû faire preuve de beaucoup d'imagination. Du Sahara au Cap, les plats sont à la fois corsés et nourrissants, permettant ainsi de compenser un peu la dureté des conditions de vie.

INGRÉDIENTS TRADITIONNELS

Ail*
Arachides*
Atokiko (noyau de mangue pilé)
Aubergines
Avocats
Bananes
Cannelle*
Cardamome*
Citrons*
Clous de girofle*
Coriandre*
Curry*
Dattes
Egusi (graines de melon)
Fenugrec*
Gari
Gingembre*
Gombos
Huile de palme*
Ignames
Maïs*
Mangue
Manioc
Millet
Noix de coco*
Noix muscade*
Papayes
Patates douces
Piments*
Plantains
Pois niebé
Sève de marais (poisson séché)*
Riz
Sorgho
Tomates*

*Voir index

INFLUENCES

Un millénaire avant J.-C., les puissants royaumes africains troquent déjà de l'or, des esclaves et de l'ivoire contre les produits arrivant de Grèce, du Moyen-Orient, d'Inde et de Chine. De tous leurs partenaires commerciaux, ce sont les marchands arabes qui laisseront l'empreinte la plus forte. Venues du nord, leurs caravanes de chameaux cheminent alors à travers le Sahara, transportant du sel, des épices et des aromates. Venus de l'est, leurs bateaux apportent de la menthe, du safran, de la coriandre, des clous de girofle et de la cannelle. Mais les Arabes ne se contentent pas de faire du négoce. Ils introduisent également sur le continent leur religion, l'islam, et de nos jours le ramadan est observé par de nombreux musulmans africains.

Ce n'est qu'au XVe siècle que les navigateurs portugais mettent l'Afrique sub-saharienne en contact direct avec l'Europe, déchargeant des cales de leurs bateaux agrumes, piments rouges, maïs, ananas, tomates. Aujourd'hui, leurs anciennes colonies d'Angola et du Mozambique ont conservé l'empreinte de la cuisine lusitanienne, qui se retrouve dans les pains croustillants du petit déjeuner et dans des plats tels que le chevreau au madère.

À l'époque coloniale, les Portugais ne sont pas les seuls à se tailler un empire en Afrique. Et partout où un État européen envoie des colons, ceux-ci apportent leurs traditions culinaires. En Afrique occidentale, les Français ont fait apprécier les escargots. Au Kenya, les Anglais ont introduit les fraises, les framboises, les asperges. L'Afrique du Sud, elle, a hérité le goût des Hollandais pour les sucreries : noix de coco, patates douces et flans crémeux à la cannelle y abondent, ainsi que les *koeksusters,* tresses de pâte frites nappées de mélasse.

Les Européens font bientôt venir des travailleurs étrangers qui apportent à leur tour leur contribution aux cuisines locales. Dans toute l'Afrique de l'Est et du Sud, le riz pilaf, les currys et les samosas sont le legs des Indes anglaises. Les navires de commerce hollandais laisseront derrière eux des esclaves malais qui marqueront la gastronomie. Ainsi, le *sosatie,* spécialité sud-africaine de mouton mariné et grillé en brochettes, servi avec une sauce épicée, tire directement son nom du mot malais *sesate,* qui signifie «viande à la broche».

SAVEURS DOMINANTES

Les piments règnent sans partage sur la cuisine africaine. Les plus répandus sont le «gros piment», très charnu, et le pili-pili, particulièrement fort.

Presque tous les plats s'accompagnent d'une sauce souvent brûlante. Le piment associé à du gingembre, du poivre noir, de la cardamome, de l'ajowan et d'autres épices se retrouve dans une préparation éthiopienne qui emporterait la bouche des Occidentaux, le mélange berbère (voir p. 97).

Mais toutes les saveurs africaines ne sont pas aussi agressives. L'huile de palme, par exemple, joue un rôle prédominant dans les cuisines d'Afrique occidentale, apportant à chaque préparation dans laquelle elle entre un parfum prononcé et une teinte rouge cuivré. Le riz *joloff,* originaire de Sierra Leone, est ainsi devenu un plat de fête cuisiné dans tout l'Ouest africain. Il se compose de poulet mariné dans du citron et accompagné de riz, baignant dans sa sauce de piments, de tomates et d'huile de palme, qui colore le riz d'orange foncé. Il se sert garni d'une couronne d'oignons et de tomates.

Cependant, l'huile la plus utilisée provient des arachides, riches en protéines diversifiées. Sur tout le continent, on croque des arachides grillées tout au long de la journée et on en enrichit les plats.

Chaque pays ou presque a sa propre version de ragoût aux arachides, très souvent à base de poulet — *massi mafé* à l'ouest. Des petites boules de pâte de cacahuètes pilées, qui ont l'avantage d'être très nourrissantes, se grignotent en casse-croûte.

Dans les régions tropicales, la noix de coco prédomine. Sa chair, râpée dans les ragoûts, en enrichit la saveur; frite en lamelles, elle se déguste à tout moment. Son lait permet de cuire le riz, les haricots, les patates douces et d'autres légumes.

AUTRES INGRÉDIENTS

Les féculents et les céréales tiennent une place essentielle dans la gastronomie de tout le continent africain. Qu'il s'agisse de graines, de légumineuses ou de racines, ces aliments de base sont très énergétiques et leur goût relativement neutre équilibre la force des assaisonnements brûlants très courants.

Ils se répartissent par zones climatiques. Dans l'ouest et le centre de l'Afrique, bien arrosés, le riz règne en maître. Partout ailleurs, le maïs, le millet — résistant à la sécheresse — et le sorgho jouent un rôle de premier plan. En Afrique du Sud, par exemple, le maïs est pilé dans une sorte de mortier ou cuit sous forme de pain, le *kakou,* souvent appelé sur le continent «pain de brousse». En Éthiopie, la farine de millet se mange en galettes, l'*ingera,* aussi indispensable aux repas quotidiens que la baguette l'est en France.

Toutes ces céréales se consomment aussi en boulettes cuites à la vapeur dans des feuilles de bananier.

Les racines — manioc, igname et patates douces — figurent à tous les menus. Bien que d'origine étrangère, elles font aujourd'hui partie intégrante de la cuisine africaine. Elles sont bouillies ou réduites en purée, coupées en morceaux et ajoutées aux ragoûts, ou adoucies avec du sucre, saupoudrées de cannelle et cuites, ou encore broyées avec de l'huile de palme pour donner un «pain» orange foncé.

Les plantains — petites bananes à cuire — sont aussi partout présents. Cuits au four, frits, bouillis, réduits en purée ou fermentés, ils entrent dans la composition de nombreux plats salés ou sucrés.

Les cuisines africaines sont uniques et surprennent parfois. Où pourrait-on, ailleurs qu'ici, faire une omelette pour 12 personnes avec un seul œuf — celui de l'autruche pèse environ 1,5 kg ? Où manger à la cuiller un ragoût de serpent ? Où hésiter devant un menu de restaurant entre des larves séchées et des sauterelles frites ?

REPAS

Le repas africain type se compose d'un plat unique, généralement un ragoût consistant — pauvre en viande mais riche en huile, débordant de légumes et regorgeant d'épices —, accompagné de boulettes de féculents. Les desserts se présentent sous leur forme la plus naturelle : ananas, grenades, fruits de la passion ou mangues, entre autres.

Au Sénégal, Noël embaume le parfum citronné du *yassa,* un plat de poulet, de mouton ou de poisson mariné dans du jus de citron, relevé d'ail, de clous de girofle, de piments et de beaucoup d'oignons émincés, frit dans l'huile d'arachide et nappé de sa marinade. Il est servi avec une garniture de riz sur un grand plat, autour duquel les convives s'asseyent pour le manger avec les doigts.

Dans les rares lieux où l'influence européenne prévaut encore, les repas rythment une journée à l'européenne : petit déjeuner, déjeuner et dîner. Mais les saveurs de l'Afrique sont bien là.

Un petit déjeuner sud-africain typique commence souvent avec une papaye fraîche pour se poursuivre avec des œufs au bacon; le barbecue du déjeuner comprendra aussi bien des brochettes de gibier sauvage ou des saucisses *(beoerewors)* de bœuf épicé que de simples hamburgers; le dîner se composera éventuellement de *boboti :* du bœuf haché, épicé, mélangé à des oignons et à des amandes effilées, et cuit au four avec des œufs battus.

PLATS TYPIQUES

Egusi (Nigeria)
Soupe à base de graines de melon, d'épinards, de crevettes séchées et d'huile de palme

Tatale (Ghana)
Gâteau au plantain

Nkui (Cameroun)
Soupe aux gombos et aux boulettes de maïs

Akkras (Afrique occidentale)
Beignets aux pois niebé

Dovi (Zimbabwe)
Ragoût de poulet aux arachides

Doro wen (Éthiopie)
Poulet aux œufs durs et sauce au piment

Matoke ngege (Ouganda)
Ragoût de poisson au plantain

Paleva (Sierra Leone)
Ragoût de bœuf aux graines de melon

Ndizi na nyama (Tanzanie)
Ragoût de viande au plantain et à la noix de coco

Boboti (Afrique du Sud)
Bœuf haché aux oignons et aux amandes, cuit au four avec des œufs

Pondu (Zaïre)
Feuille de manioc avec huile de palme, aubergines et poisson séché

Dioumbre (Côte d'Ivoire)
Ragoût de mouton aromatisé aux gombos, au jus de tamarin et à l'huile de palme

Sosatie (Zimbabwe et Afrique du Sud)
Brochettes de mouton mariné

Foutou (Afrique occidentale)
Purée de manioc et de plantain présentée en petits pains ou en grande galette

Ugali (Afrique orientale)
Entremets froid de farine de maïs

Bassi salté (Sénégal)
Couscous de mil

ANTILLES

Postées dans le golfe du Mexique, au large du Venezuela, comme d'insouciantes sentinelles, les très nombreuses îles qui constituent les Antilles offrent une cuisine riche et créative. Amérindienne à l'origine, elle s'est enrichie d'influences européennes avec les colons espagnols, anglais, hollandais, français, africaines avec les esclaves noirs déportés, et asiatiques.

Ici, les habitants profitent d'une nature étonnamment généreuse, qui leur offre en abondance des fruits et des légumes tropicaux, des poissons de mer et des poissons d'eau douce. Chaque peuple a sa propre spécialité : poisson salé et arilles de graines de blighia à la Jamaïque, *colombo* à la Martinique, *jug-jug* à la Barbade, *asapao* à Porto Rico, *stoba* à Curaçao, pour ne mentionner que celles-là, accommodées de différentes façons selon les régions. La cuisine est donc à l'image des îles elles-mêmes, variée et colorée.

INGRÉDIENTS TRADITIONNELS

Arrow-root
Bananes
Blighia
Calalou
Calebasses
Cannelle*
Champignons*
Chayote
Citrons verts*
Clous de girofle*
Coriandre*
Curry*
Fruit à pain
Gingembre*
Gombos
Haricots
Jus de manioc
Mangues
Manioc
Mélasse*
Noix de coco*
Noix muscade*
Patates douces
Piment de la Jamaïque*
Piments*
Plantains
Pois d'Angola
Potirons
Rocou*
Safran*
Tamarin*
Thym*
Vanille*

*Voir index

INFLUENCES

En 1492, le Génois Christophe Colomb aborde le superbe archipel qui s'étend entre les deux Amériques. Persuadé d'avoir touché le continent indien dont il cherchait la route par l'ouest, il revendique au nom des souverains espagnols toutes les terres qu'il découvre.

Ces îles sont alors habitées par deux peuples indiens, les Arawaks et les Caraïbes, qui vivent de pêche et d'agriculture. Leurs aliments de base sont des tubercules, comme le manioc et les patates douces, et elles le sont toujours. Lorsque les colons espagnols déferlent sur les «Indes occidentales», ils apportent avec eux les bananes, les mangues et les noix de coco qu'ils ont appris à connaître en Afrique. La canne à sucre, quant à elle, s'adapte parfaitement au climat, et les grandes plantations se développent. Bientôt, la France, la Grande-Bretagne et les Pays-Bas rivalisent avec l'Espagne pour s'emparer d'une part du gâteau caraïbe.

Les îles changent de maître au gré des politiques européennes et, aujourd'hui, la cuisine de chacune d'entre elles témoigne de ces anciens conflits.

Le talent français et les saveurs antillaises se fondent dans la gastronomie martiniquaise et guadeloupéenne. La présence hollandaise se manifeste dans le *keshy yena coe cabaron* de Curaçao, un édam évidé et farci de crevettes roses. Et le *jug-jug,* un plat de Noël traditionnel de la Barbade, composé de bœuf haché, de porc, de pois d'Angola et de millet, ressemble à s'y méprendre au *haggis* ou panse de brebis farcie, le célèbre plat «national» écossais.

Ce sont cependant les saveurs africaines qui prédominent dans la cuisine antillaise. Les gombos, les ignames, les pois d'Angola, les plantains, les choux caraïbes ou *taro,* cultivés pour leur gros rhizome, ou les choux d'Asheen, leurs cousins, dont les feuilles portent le nom de *calalou,* sont omniprésents et servent de base à de très nombreuses recettes, souvent comparables, mais que chacun revendique comme siennes.

Au cours des siècles, cette diversité culinaire s'est encore enrichie de l'apport des nouveaux émigrants : juifs fuyant l'Inquisition espagnole, Britanniques quittant l'Amérique du Nord devenue indépendante, marchands venus du Liban et de la Syrie et, après l'abolition de l'esclavage, ouvriers agricoles originaires d'Inde et de Chine.

SAVEURS DOMINANTES

Le piment, sous tous ses aspects, règne ici sans partage. Chaque île, voire chaque famille, a sa propre version de la sauce pimentée, que les tomates rougissent ou que le safran indien dore. Elle peut se composer simplement d'oignons et de piments, ou s'enrichir de nombreuses épices et essences.

D'autres goûts sont plus doux au palais. Ainsi, le rocou local (voir p. 60) a toujours été apprécié pour sa saveur délicate et la belle couleur rouge qu'il donne aux aliments.

Le piment de la Jamaïque, tiré des petites baies rondes du myrte-piment, est un

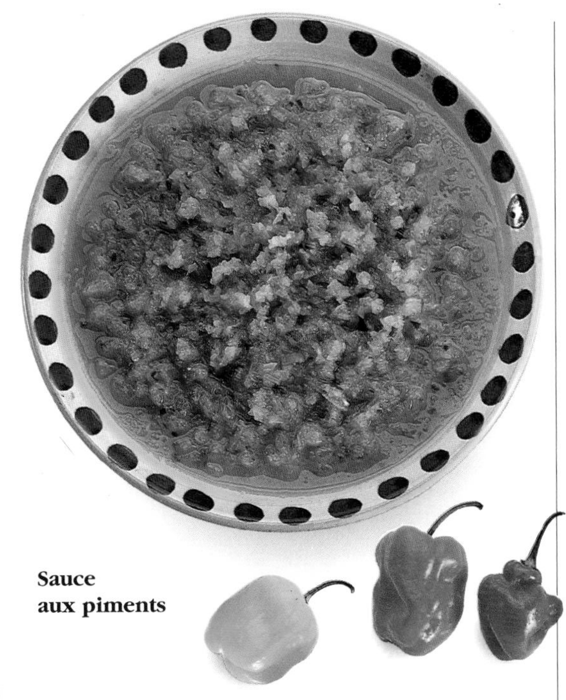

Sauce aux piments

ingrédient précieux, tout comme le lait de coco. Le *cassareep,* une spécialité des Antilles, est le jus du manioc amer. On lave d'abord sa racine pour la débarrasser de son suc vénéneux, puis on la râpe et on chauffe le jus avec du sucre, de la cannelle et des clous de girofle pour le faire épaissir. Les poudres de curry, communes à toute la région, triomphent à Trinidad.

Et, sur les îles de langue anglaise, de nombreux plats sont marinés dans un mélange typique qui réunit de la ciboulette hachée, de l'origan, des feuilles de céleri, de l'oignon râpé, de l'ail broyé, de la purée de piments, des clous de girofle pilés et du jus de citron vert. Cette préparation enrobe généreusement les viandes, les volailles et les poissons qui seront grillés ou cuits en ragoût.

AUTRES INGRÉDIENTS

Les Antillais étant des insulaires, il n'est pas étonnant qu'ils cuisinent largement les fruits de la mer : scares (perroquets de mer), exocets (poissons volants), lutjanidés, crabes de terre, grosses crevettes, conques, «coulirous» (maquereaux). La liste serait sans fin, tout comme le sont les préparations. Tous ces poissons et coquillages sont marinés dans du jus de citron vert avant d'être grillés en brochettes, rôtis au four avec de l'ail et des herbes aromatiques, mijotés dans une sauce au tamarin et à la noix de coco, frits et assaisonnés de gingembre écrasé, d'ail et de thym, cuits longuement avec du potiron, apprêtés avec des mangues vertes et des pommes de terre ou encore, comme la morue, effeuillés sur du riz et des tomates.

Les plats farcis sont particulièrement populaires : le fruit à pain est fourré de poisson de mer, la papaye verte de viande épicée, le potiron de crevettes roses, les feuilles de plantanier remplies de légumes et cuites à la vapeur. La banane s'utilise verte, mûre ou blette, dans des plats sucrés ou salés, bouillie, réduite en purée, cuite au four, frite, coupée en morceaux, ou se sert tout simplement nature. La feuille de bananier, bien qu'elle ne soit pas comestible, dégage un délicieux parfum lorsqu'elle enveloppe maïs ou morceaux de viande; à la Barbade, on l'appelle *conkie,* et à la Jamaïque *tie-a-leaf.*

Les féculents, tels l'igname, le manioc et la patate douce, s'accommodent eux aussi de multiples façons, et même en gâteaux, en entremets et en tourtes, parfumés au rhum, à la mélasse, à la noix de coco, aux raisins, à la noix muscade ou à la cannelle.

REPAS

Les Antillais commencent la journée par des galettes de manioc frites dans du beurre, mais souvent aussi par des plats plus consistants. Le petit déjeuner jamaïcain se compose de poisson de mer et d'arilles de graines de blighia. Sur les autres îles de langue anglaise, il consiste en une sorte de pâté : boudin, hure, langue et pieds de porc marinés dans du citron vert. Aux Antilles françaises, le «pâté en pot», très proche, réunit panse, tête, pieds et foie de mouton cuits avec des légumes.

Le plat familial, souvent unique, se compose de légumes et de viande ou de poisson cuisinés dans une sauce épicée et servis avec des boulettes de maïs. Il s'accompagne aussi parfois de *foo-foo* (bananes pilées) ou de pain de maïs chaud et beurré. Une recette classique comprend du manioc ou des ignames bouillis, du *foo-foo,* du riz et des pois, du maïs et des gombos, ou des galettes frites et des aubergines épicées, de la bouillie de potiron ou un ragoût de gombos. En dessert, outre les fruits tropicaux, on déguste des marmelades, des blancs-mangers, des flans et des beignets.

PLATS TYPIQUES

Acras de morue (Guadeloupe)
Beignets de morue salée aux piments

Janga (Jamaïque)
Langouste en court-bouillon avec des piments

Crabes farcis (Martinique)
Crabes farcis aux piments, lait de coco et jus de citron vert

Conkies (Barbade)
Feuilles de bananier farcies à la purée de plantain

Calalou
Soupe aux feuilles de chou caraïbe, légumes, lard, lait de coco et épices

Keshi yena coe carni (Curaçao)
Édam farci à la viande de bœuf

Pepperpot
Ragoût de viande aux piments et au jus de manioc amer

Daube de lambis aux haricots rouges (Guadeloupe)
Ragoût de gros coquillages

Fowl down-in-rice (Barbade)
Poulet au riz

Colombo de poulet (Martinique et Guadeloupe)
Curry antillais de poulet

Berehein na forno (Saint-Martin)
Aubergines à la crème de coco

Coo-Coo (Barbade)
Entremets de maïs aux gombos

Bakes (Trinidad)
Galettes salées frites

Bullas (Jamaïque)
Biscuits au gingembre et au sucre roux

Boija (Sainte-Croix)
Pain de maïs sucré à la noix de coco

Gâteau de patates (Haïti)
Gâteau de patates douces

AMÉRIQUE DU SUD

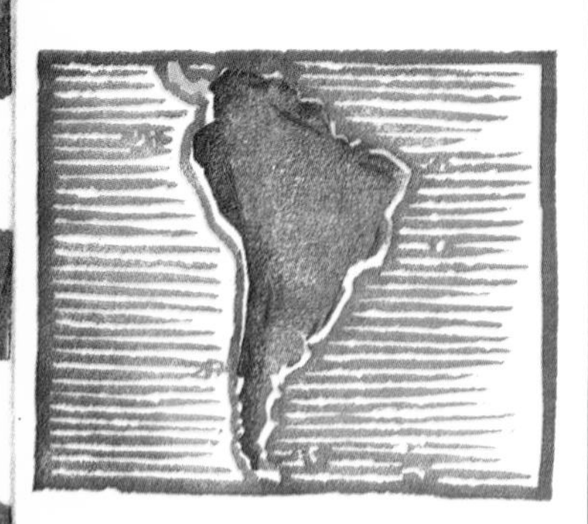

Les conquistadores espagnols qui débarquent en Amérique du Sud au XVIe siècle ne trouveront jamais l'El Dorado, la légendaire contrée regorgeant d'or. Mais ils découvriront une profusion de produits exotiques qui bouleverseront leurs habitudes alimentaires et élargiront considérablement l'éventail des ingrédients alors connus.

Ainsi sont nées des cuisines qui associent les ressources du Nouveau Monde et les talents de l'Ancien. Le Brésil rassemble les saveurs africaines, portugaises et indiennes guarani. Dans les États andins du Pérou et de l'Équateur dominent les cultures locales, piments et pommes de terre. Les riches pâturages argentins accueillent d'immenses troupeaux de bœufs, et les eaux bordant la côte chilienne regorgent de poissons et de fruits de mer.

INGRÉDIENTS TRADITIONNELS

Amandes*
Ananas
Arachides*
Bananes
Canne à sucre
Cannelle*
Clous de girofle*
Cobayes
Cœurs de palmier
Coriandre*
Erizos (oursins géants)
Fruits de mer
Gombos*
Haricots de Lima
Haricots noirs
Maïs*
Mangues*
Manioc
Morue salée
Moutarde*
Noix*
Noix de cajou*
Noix de coco*
Noix du Brésil*
Noix muscade*
Olives*
Oranges*
Papayes
Patates douces
Persil*
Pignons
Piments*
Plantains
Pois chiches
Pois niebé
Potirons
Riz
Rocou*
Tomates*

*Voir index

INFLUENCES

Bien avant que les Romains ne construisent leurs fameux aqueducs, des peuples, dans les Andes, ont endigué les torrents descendant des montagnes dans des canaux d'irrigation parfois longs de 2 km, pour relier les vallées séparées de leur empire.

Ces remarquables agriculteurs fournissent alors les marchés de leurs imposantes cités de pierre en produits innombrables. Mais les civilisations du sud de l'Amérique se sont épanouies dans un isolement complet, sans échanges commerciaux, et leur cuisine est par conséquent restée très différente de toutes les autres.

Ainsi les fermiers des contreforts des Andes ont-ils été les premiers à cultiver la pomme de terre, et à l'apprêter de façon originale. Des millénaires avant l'invention de la lyophilisation, ils savent piler ces tubercules, faire geler la nuit cette «purée» pour la laisser dégeler le jour suivant, et ainsi de suite jusqu'à ce qu'elle devienne une masse déshydratée dure comme de la pierre. Ils peuvent ainsi la conserver longtemps et la réduire ensuite en farine quand ils en ont besoin.

Pour les conquérants européens, la pomme de terre ne sera pas la seule surprise; ils découvrent le maïs doux, les piments, les tomates, les haricots et les cobayes. En contrepartie, les Portugais et les Espagnols introduisent du bétail, qui fournit de la viande, notamment de bœuf, du beurre, du fromage et du lait, et aussi le blé, le riz et la canne à sucre. Ils ajoutent à ces nouveautés les traditions culinaires des Arabes qui les ont occupés pendant huit siècles. Leurs gâteaux de riz aux pruneaux, leurs crèmes parfumées, leurs œufs battus au sucre et les desserts portugais séduisent aussitôt les habitants du Brésil...

Les esclaves noirs venus d'Afrique imposent de nouveaux piments, mais aussi les gombos, l'huile de palme, le gingembre et les graines de melon.

À la fin du XIXe et au début du XXe siècle, lorsqu'une vague de colons, notamment italiens, allemands et slaves, déferlent sur l'Amérique du Sud, d'autres habitudes culinaires arrivent à leur tour.

La gastronomie de cette partie du continent est ainsi devenue extrêmement variée, mais elle demeure unique par sa luxuriante richesse.

SAVEURS DOMINANTES

Bien que de nombreux peuples se soient installés en Amérique du Sud au cours des siècles, les anciennes saveurs indigènes prédominent toujours, même si certains ingrédients sont arrivés de l'Ancien Monde : le riz, qui a été adopté avec enthousiasme, le persil et les feuilles de coriandre, les herbes aromatiques les plus appréciées.

La cuisine péruvienne use généreusement des piments, tant dans les plats que dans les sauces. Dans ce pays, tout marché offre, aujourd'hui encore, des montagnes de piments de toutes teintes, formes, tailles et saveurs.

Un autre ingrédient typiquement péruvien est le maïs, originaire du pays, qui s'habille de différentes couleurs, dont le bleu-violet. Lorsqu'il est préparé à l'eau, il prend un aspect magnifique et dégage un parfum fleuri proche de celui du citron. Le liquide de cuisson est une base idéale pour des desserts, épaissis avec de la farine de maïs ou gélifiés.

Dans le Nord, les cuisiniers font infuser des graines de rocou dans les huiles pour imprimer une saveur délicate aux préparations de viande et de volaille et les teinter d'orange.

En Colombie, de nombreux plats sont préparés au lait de coco. Les sauces sont épaissies avec des noix et la viande est souvent cuisinée avec les fruits tropicaux du pays. Les fruits à coque se rencontrent aussi couramment au Brésil, et pas seulement les «noix du Brésil», mais aussi les cacahuètes, dont la présence sur ce continent prouve qu'avant d'être séparées par la dérive des continents, l'Amérique du Sud et l'Afrique occidentale étaient réunies.

La gastronomie brésilienne se caractérise aussi par la couleur orange vif de l'huile de palme — un apport africain — et par l'utilisation variée du manioc. Alimentation de base des Indiens Guaranis, la racine de manioc est pilée en farine, puis grillée et saupoudrée sur les plats, comme le serait du parmesan, ce qui leur donne un goût de noisette.

AUTRES INGRÉDIENTS

L'ingrédient le plus répandu dans la cuisine sud-américaine, après le maïs, est sans doute la pomme de terre. À l'époque où les Espagnols envahissent le Pérou, les Incas cultivent déjà plus d'une centaine de variétés de ces tubercules, blanches, jaunes, noires ou encore pourpres, de tailles et de goûts très différents. Un des plus célèbres plats péruviens est le *causa a la chiclayana;* il se compose de pommes de terre servies avec une sauce aux noix pilées, au fromage, aux piments, aux oignons et à l'ail, et s'accompagne de tranches d'épis de maïs, de poisson frit ou de crevettes, d'œufs durs, de manioc et d'olives noires.

Mais l'Amérique du Sud offre bien d'autres ressources. Le long des côtes, et surtout de la côte pacifique, les crustacés abondent : ormeaux, coquilles Saint-Jacques, conques, homards et palourdes. Au Chili, où la soupe de congre demeure une grande spécialité, l'*erizos al matico* est aussi un plat très apprécié : des oursins géants sont cuisinés avec des oignons hachés, du jus de citron et des aromates. Il se sert en entrée, mais il est assez nourrissant pour constituer un plat principal.

De l'autre côté des Andes, l'Argentine est le royaume du bœuf. Le *matambre* (littéralement «coupe-faim») se compose de fines tranches de bœuf marinées farcies d'un mélange d'épinards, de carottes et d'œufs durs, rôties et bouillies, et servies froides en entrée. Les Uruguayens préparent le même plat mais avec des épinards seulement. À l'intérieur des terres, le bœuf haché enrichit le *so'oyosopy,* une épaisse soupe paraguayenne aux poivrons doux et aux piments.

REPAS

Le petit déjeuner sud-américain se compose principalement de fruits et de jus de fruits, de petits pains, de thé, de café ou de chocolat. Le déjeuner commence souvent par des *empanadas,* amuse-gueule qui se grignotent avant la soupe. Il se poursuit par le plat principal, à base de poisson, de viande ou de volaille, accompagné de légumes et de riz ou de pommes de terre. Il s'achève par des fruits et du café. Le dîner n'est guère différent, bien qu'il comporte parfois un plat de poisson.

Chaque pays a bien sûr ses propres spécialités. Ainsi, alors que les salades se mangent partout en hors-d'œuvre, les Équatoriens leur préfèrent des légumes cuisinés — ils ont l'avantage de pouvoir les cuire plus vite car, à l'altitude où ils vivent, l'eau bout à moins de 100 °C.

Dans les pays andins (Pérou, Venezuela, Colombie, Équateur et Chili), la cuisine est différente selon que l'on est en montagne ou en plaine. Ainsi, en Colombie, un plat typique des basses terres est le *sabalo guisado con coco* (des filets d'alose cuits dans du lait de coco), alors qu'une des spécialités des hautes terres est l'*ajiaco de pollo bogotano,* un ragoût pimenté de poulet qui associe deux variétés de pommes de terre, du maïs frais et des avocats. Dans les hauteurs équatoriennes, des galettes de pommes de terre, *llapingachos,* sont servies avec des tomates, des tranches d'avocat et de la laitue. Sur la côte, ces mêmes galettes frites dans l'huile et assaisonnées avec du rocou accompagnent des plantains frits.

Les Allemands ont appris aux Américains du Sud l'art de brasser des bières de premier choix; les Français leur ont fait connaître les vins. Le café se boit partout; il est servi généralement très serré dans une tasse à moka avec un nuage de lait chaud.

PLATS TYPIQUES

Empanadas salteñas (Bolivie)
Petites tourtes à la viande

Aguacates rellenos (Équateur)
Avocats garnis de jambon haché, d'œufs durs et de mayonnaise

Ajiaco de pollo bogotano (Colombie)
Ragoût de poulet, de pommes de terre et de maïs frais

Llapingachos (Équateur)
Galettes de pommes de terre colorées au rocou, servies avec des plantains frits et une sauce aux cacahuètes

Aji de gallina (Pérou)
Poulet sauce pimentée

Sopa paraguaya (Paraguay)
Pain de maïs aux deux fromages

Feijoada completa (Brésil)
Marmite de viande demi-sel et de haricots noirs, servie avec des tranches d'orange, du chou vert émincé, du manioc grillé, du riz, et une sauce au piment

Pabellon caraqueño (Venezuela)
Fines tranches de bœuf servies avec du riz, des haricots noirs et des plantains

Carbonada criolla (Argentine)
Ragoût de bœuf cuit dans une écorce de courge et accompagné de pêches et de poires

Pudim de bacalhau com ovos (Brésil)
Morue à la sauce tomate sur lit d'œufs au four

Pichones con salsa de camarones (Pérou)
Pigeons et sauce aux crevettes

Porotos granados (Chili)
Haricots au maïs et au potiron

Budin de yuca (Guatemala)
Soufflé au manioc

Torta de zapallo (Équateur)
Gâteau sucré au potiron avec du fromage cuit

Manjar blanco (Chili)
Blanc-manger

MEXIQUE

La gastronomie mexicaine est née du mariage étroit entre plats indigènes et espagnols. Les Aztèques et les Mayas y apportèrent leur contribution avec le maïs doux, les piments et les tomates, et les Espagnols avec les sucreries, les marinades et les sauces.

Cette cuisine paysanne et nourrissante, qui met en valeur les très nombreux légumes du pays, est dominée par la *tortilla,* une galette ronde de farine de maïs sans levain, traditionnellement cuite sur une pierre, la *metata.* Les saveurs ne sont pas pour autant dénuées de délicatesse ou de variété; on répertorie ainsi une cinquantaine d'espèces de haricots et plus de cent quarante sortes de piments, la grande spécialité de la région.

INGRÉDIENTS TRADITIONNELS

Acitron (cactus confit)
Avocats
Cannelle*
Champignons*
Chayote
Chocolat*
Citrons*
Citrons verts*
Épazote (herbe aromatique)
Feuilles de bananier*
Figues de Barbarie
Fleurs de courge
Gaines d'épis de maïs*
Goyaves
Graines de potiron
Graines de tournesol
Haricots
Jicama (tubercule comestible)
Maïs concassé
Maïs doux
Masa harina
Noix de coco*
Nopales (cactus *opuntia*)
Oignons*
Origan*
Papayes
Pignons
Piment de la Jamaïque*
Piments*
Plantains
Potiron
Rocou*
Tamarin*
Tomates*
Tomatillos
Topinambours
Tortillas
Vanille*

*Voir index

INFLUENCES

Comme leurs voisins sud-américains, les Mexicains ont une tradition culinaire bien antérieure à l'arrivée des Espagnols. Ainsi, les Aztèques sont les premiers à cultiver le maïs doux et l'avocat; bientôt, ils se nourrissent entre autres de dinde, de canard de Barbarie, de venaison, de cailles, de pigeons et de très nombreux poissons et crustacés; et ils connaissent déjà le cacao, dont ils aromatisent certains plats salés.

Toutes ces richesses, mais aussi les pommes de terre, les piments, les courges, les tomates et les haricots constituent leur alimentation de base quand les conquistadores espagnols déferlent au XVIe siècle sur leur pays et ruinent leur civilisation.

Les nouveaux venus apportent avec eux des produits européens et d'autres, plus exotiques, notamment le riz, qu'ils ont découvert aux Indes. Les agrumes, particulièrement appréciés, sont à l'origine du *ceviche* préparé par les populations côtières : un poisson mariné dans du jus de citron jusqu'à ce qu'il soit cuit par l'acidité (voir p. 174).

Avec le porc, les Mexicains découvrent la graisse, et avec elle un nouveau mode de cuisson. Désormais, ils peuvent faire frire ou rôtir des aliments que, autrefois, ils cuisaient simplement à la vapeur dans des feuilles de bananier ou de maïs.

Le pays retrouvera son indépendance au XIXe siècle, mais sa cuisine conservera sa touche coloniale.

Les États-Unis sont tout proches, et cette proximité n'a pas toujours, loin de là, été bénéfique pour les Mexicains. Ainsi, leurs voisins se sont-ils emparés au milieu du XIXe siècle de plusieurs de leurs territoires — Texas, haute Californie, Nouveau-Mexique. Dans le domaine culinaire, ils ne leur ont offert aucun ingrédient nouveau, mais ils leur ont communiqué leur esprit inventif. Ce sont les Norte Americanos qui donneront le nom de *burritos,* «petits ânes», aux tortillas fourrées de toutes les farces imaginables, et auront aussi l'idée de les faire frire, les transformant ainsi en *tacos.*

En revanche, contrairement à une idée reçue, ils ne leur ont pas légué le chewing gum, qui est en fait fabriqué avec du *chicle,* confectionné avec le latex du sapotillier.

SAVEURS DOMINANTES

Les piments, les oignons et les graines de potiron figurent parmi les ingrédients les plus utilisés par les Mexicains, suivis de près par l'aigre *tomatillo* vert (à base de peaux de tomates mûres mais vertes)..., qu'ils sont les seuls à apprécier.

Leurs plats ne sont pas nécessairement épicés et, souvent, les piments n'entrent que dans la composition des sauces, qui sont alors servies à part. Leur variété est d'ailleurs telle qu'elle permet toute une gamme de saveurs. Les *poblanos,* assez gros, vert foncé et parfumés, sont parmi les plus répandus; dans le *chiles rellenos,* ils sont farcis avec du fromage ou de la viande épicée et frits dans une pâte dorée.

La *salsa cruda* et la *salsa verde,* deux des assaisonnements les plus populaires, mélangent les piments et les tomates. Dans la première, ils s'accompagnent d'oignons. Dans la seconde, le *tomatillo* vert remplace les tomates. Une troisième sauce, le *guacamole,* est une purée d'avocats aromatisée, selon le goût de chacun, avec des tomates, des piments, des oignons, de l'ail ou des feuilles de coriandre. Il se sert en accompagnement de plusieurs plats, ou se déguste simplement avec une tortilla chaude.

Les feuilles de coriandre — rarement les graines — sont très appréciées. Elles parfument de nombreuses préparations, tout comme l'*epazote* local, une herbe aromatique piquante indispensable à la cuisson des haricots noirs. Le rocou, qui apporte une coloration jaune ou orange, est largement utilisé dans la région du Yucatán; le jus de citron et les citrons verts doux donnent la touche finale à diverses recettes.

Le chocolat est peut-être l'élément le plus étonnant de la cuisine mexicaine, et il signe l'originalité du plat national, le *mole poblano,* un ragoût de dinde mijoté dans une sauce d'une grande complexité, relevée de tomates, d'épices et de cacao, et épaissie avec des noix et des graines.

AUTRES INGRÉDIENTS

Il n'est pas surprenant que le Mexique, berceau du maïs, en soit aussi le domaine. Ses grains entiers permettent de préparer une soupe copieuse, le *pozole*. Réduit en une farine grossière *(masa harina),* il se marie à de la viande ou à des légumes pour farcir les *tamales,* qui cuisent dans des gaines d'épi de maïs ou des feuilles de bananier. Et, finement pilé, il se transforme en tortillas, indissociables de l'alimentation quotidienne de tous les Mexicains.

Cependant, ce sont les fruits tropicaux et les légumes frais qui créent les spécificités régionales. Car, à tout moment de l'année, il en pousse toujours quelque part, des avocats aux papayes en passant par les figues de Barbarie et les ananas.

Au chapitre des viandes figurent surtout le bœuf, le porc et la volaille. Ils sont généralement servis en ragoût ou grillés comme dans la *carne asada a la Tampigueña,* que proposent immanquablement tous les restaurants du pays : de fines tranches de bœuf accompagnées de haricots, de tortillas, de *salsa,* de *guacamole,* de fromage et de rondelles d'oignons frais. Le porc, particulièrement tendre et goûteux, entre dans de nombreuses préparations traditionnelles, comme le chorizo, une saucisse sèche au piment rouge, qui entre dans la composition des farces et des ragoûts.

Les Mexicains apprécient beaucoup les fruits de mer, ce qui n'a rien d'étonnant quand on sait que le pays est bordé par 9 000 km de côtes aux eaux très poissonneuses. On raconte que l'empereur aztèque Moctezuma recevait chaque jour du poisson frais grâce à ses coureurs aux pieds nus qui ralliaient le golfe du Mexique à la capitale, Tenochtitlán. Aujourd'hui, les marchés regorgent de produits de la mer (lutjanidé, mérou et crustacés) et de poissons d'eau douce (poisson-chat, truite et perche). Les crevettes géantes, le requin et la raie se servent généralement grillés avec du poivre et de l'ail.

REPAS

La journée mexicaine commence avec le *desayuno,* un premier petit déjeuner, composé de café ou, plus rarement, de chocolat, et de pains sucrés et de pâtisseries héritées de l'Espagne.

Un second petit déjeuner, pris entre 10 heures et midi, consiste en un plat plus substantiel, comme les *huevos rancheros* — des œufs sur le plat — accompagnés de *frijoles refritos* (purée de haricots frits) et d'une sauce au piment frais.

La *comida* se prend, à la convenance de chacun, entre 14 heures et 16 heures. Elle commence généralement par un consommé, suivi d'une *sopa seca,* une «soupe sèche», en fait à base de riz ou de pâtes. Le plat principal se compose de poisson, de viande ou de volaille, servis avec une salade ou des légumes. Vient ensuite un petit bol de haricots baignant dans leur liquide de cuisson très parfumé. Des tortillas ou des *bolillos* frais, l'équivalent mexicain de nos petits pains, accompagnent toujours ce repas, qui s'achève sur un fruit, frais ou cuit, ou un flan au caramel.

Plus tard dans la soirée, au cours de la *merienda,* plus légère, on servira du pain, de la confiture, des *tamales,* et parfois du jambon bouilli en tranches.

Lors des grands événements, naissance ou mariage, le repas devient la *ceña,* un dîner tardif généralement pris au restaurant, qui réunit toute la famille.

PLATS TYPIQUES

Sopa de lima
Soupe de citron vert

Guacamole
Purée d'avocats relevée d'oignons hachés, de piments, de coriandre fraîche et de tomates concassées

Pozole verde
Soupe au maïs concassé enrichie de poulet, de porc et de graines de potiron pilées

Esquites
Grains de maïs doux avec des oignons, des champignons et des poivrons

Calabacitas
Courgettes cuisinées avec des oignons, de l'ail, des tomates et des piments

Hongos guisados
Champignons préparés avec de l'ail, de l'épazote haché, des piments et du jus de citron vert

Ensalada de jicama
Salade de jicama aux oranges assaisonnée de citron vert, de coriandre et de piment

Quesadillas fritas
Galettes de maïs fourrées au fromage

Frijoles charros
Haricots mijotés avec du porc fumé et des piments rôtis

Mole poblano de guajolote
Ragoût de dinde en sauce à la tomate relevée de divers piments, de cannelle et de cacao amer

Pescado adobado en hojas de maíz
Poisson mariné au piment et cuit dans une gaine d'épi de maïs

Pescado a la veracruzana
Poisson cuit avec des tomates, des câpres, des olives et des piments

Tamales de dulce
Chaussons sucrés fourrés de fruits confits

Flan
Crème à la vanille et sauce au caramel

AMÉRIQUE DU NORD

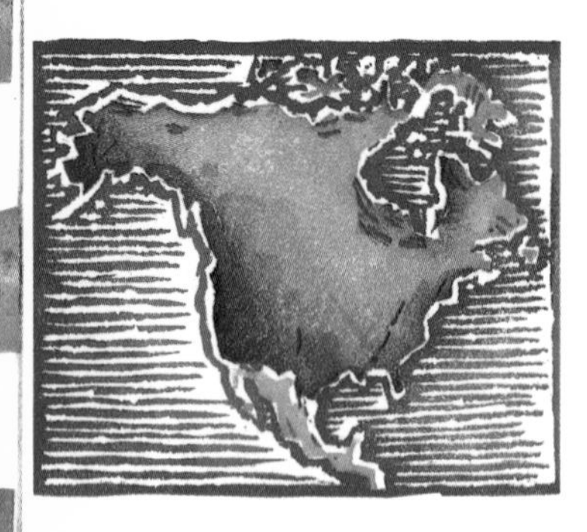

L'Amérique du Nord s'étend sur une immense superficie qui bénéficie de grandes richesses naturelles : les vastes champs de blé de ses plaines ne lui ont-ils pas valu d'être baptisée le grenier à blé du monde ? Les États-Unis et le Canada s'enorgueillissent d'avoir la plus importante activité d'élevage de la planète, et leurs lacs, leurs rivières et leurs milliers de kilomètres de côtes offrent une réserve unique de poissons et de fruits de mer. Le climat nord-américain, très varié, permet d'exploiter de nombreux produits : luxuriants agrumes de Floride, sirop d'érable des forêts nordiques, maïs et blé des États du Middle West et du Canada, poissons et crustacés de trois océans.

Cette diversité a entretenu la vaste palette des styles culinaires apportés, génération après génération, par les immigrants. Depuis la découverte de l'Amérique du Nord, des hommes et des femmes de presque tous les pays du monde sont venus s'y installer, contribuant tous, par leur culture et leurs traditions, à la naissance d'une civilisation. Les recettes qu'ils apportaient avec eux se modifiaient en fonction des ingrédients locaux; c'est ainsi que naquit peu à peu une cuisine unique. Et, comme toutes choses dans le Nouveau Monde, elle continue d'être en perpétuelle évolution.

INGRÉDIENTS TRADITIONNELS

Airelles
Aneth*
Avocats
Bœuf
Cacahuètes
Cannelle*
Courges
Crabes des neiges
Crème aigre*
Cumin*
Dindon
Écrevisses
Gingembre*
Gombos
Haricots beurre
Haricots de Lima
Haricots à œil noir
Huîtres
Ketchup*
Maïs doux*
Mélasse*
Myrtilles
Noix de pecan*
Pain au levain
Palourdes
Patates douces
Pépites de chocolat*
Piments*
Poissons-chats
Pommes
Potiron
Poudre de sassafras*
Riz sauvage
Rock Cornish Hens
(petites volailles résultant d'un croisement entre poulet et gibier)
Salsa*
Salsepareille*
Sirop d'érable*

*Voir index

STYLES RÉGIONAUX

La Nouvelle-Angleterre et le Nord-Est Lorsque les premiers colons britanniques débarquent sur la côte est, ils découvrent une population indigène très habile à exploiter les ressources alimentaires que lui offrent les animaux et les plantes. Écureuils, cerfs et ours arpentent les forêts; dindons sauvages, pigeons et cailles abondent; d'innombrables poissons et fruits de mer peuplent les lacs et l'océan, et les courges, le maïs et les baies n'attendent que d'être récoltés.

Ces pionniers adoptent donc le maïs, et le substituent à la farine de blé dans la préparation de leurs pains et de leurs gâteaux, qu'ils parfument bientôt au sirop d'érable. Aujourd'hui encore, celui-ci arrose les crêpes et les gaufres et glace le jambon cuit au four. Ces robustes colons de la Nouvelle-Angleterre introduisent un autre plat très apprécié : les haricots au four.

Avec eux se répand la mode des *pies* (tourtes), salés — tout gonflés de viande, de poisson ou de volaille — ou sucrés — farcis des baies et des fruits qui poussent si abondamment. Toutes les maîtresses de maison sachant faire *l'apple pie,* il devient donc, et reste, un dessert traditionnel.

Dans les années 1750, de nombreux émigrants allemands s'installent sur les terres agricoles de Pennsylvanie. Connus aujourd'hui sous le nom de Pennsylvania Dutch (une déformation de l'allemand *Deutsch*), ils apportent leur goût pour les saucisses et le jambon, et leur connaissance des techniques de conservation.

Eux aussi d'origine germanique, les gâteaux à la levure de bière accompagnent toujours le café et, pour les jours de fête, on prépare encore les *Stöllen* (pains briochés aux fruits confits) et les *Lebkuchen* (pains d'épice).

Le centre du continent Au XIXe et au XXe siècle ont émigré, dans les grandes villes surtout, de larges populations de juifs de l'Europe de l'Est, d'Irlandais, d'Italiens, d'Ukrainiens et de Hongrois qui, tous, ont contribué à enrichir la cuisine locale. Sont venus s'ajouter, au cours de la dernière décennie, des Orientaux — venus d'Extrême-Orient et du Sud-Est asiatique — dont les cuisines, grâce aux nombreux restaurants qu'ils ouvrent, n'ont pas tardé à gagner la faveur populaire.

De nombreux Scandinaves s'établissent dans la région qui deviendra le Midwest, où l'on retrouve leur traditionnel *smörgasbord* (assortiment de nombreux plats chauds et froids) et les repas comportant plusieurs préparations à base de produits laitiers. Ici, la cuisine reflète la vocation agricole de la région avec une nourriture simple et substantielle et une vaste gamme de pâtisseries issues de la tradition de l'Europe de l'Est, comme les *pyroghy* (quenelles de pommes de terre enrobées de pâte) et la *paska,* le gâteau typique de Pâques.

Le Sud Les colonies de Virginie bénéficient d'un climat doux, et leurs nouveaux habitants apprécient la vie très agréable qu'ils y mènent et font preuve d'une généreuse hospitalité. Une spécialité de longue date, le jambon de Smithfield, est encore préparé dans la petite ville du même nom selon la recette exacte des anciens colons, qui lui donne son arôme très particulier de fumée d'hickory (noyer).

Les Espagnols introduisent dans de nombreuses régions du Sud du bétail sur pied, notamment des porcins, et très rapidement, le porc prend une place importante dans la gastronomie locale. Le bacon, le jambon et les saucisses font encore partie du petit déjeuner traditionnel du Sud; ils sont servis avec du maïs (séché et moulu, puis cuit en bouillie comme un porridge) et des pommes de terre sautées ou râpées puis frites. Le jarret de porc au chou frisé demeure un classique, tout comme le jambon dans son jus.

Les traditions culinaires françaises, espagnoles et africaines touchent en même temps les États plus méridionaux du Mississippi et de Louisiane et donnent naissance à la gastronomie créole. Elle a pour centre la Nouvelle-Orléans et a quelque chose de la sophistication de cette ville : elle est souvent originale et très parfumée. Les plats créoles les plus populaires comprennent le *calas,* un petit déjeuner de boulettes de riz frites, salées et sucrées, et les bisques, des soupes riches et épaisses de fruits de mer.

Les recettes cajuns trouvent également leur origine dans la cuisine française. Elles sont apportées vers les bayous de Louisiane par les Acadiens, ces colons français chassés de Nouvelle-Écosse au milieu du XVIIIe siècle. Elles se sont enrichies des influences espagnoles, africaines et indigènes, et elles sont souvent très épicées. Le *jambalaya* (un plat alliant riz, poulet, saucisse, jambon, crevettes grises et écrevisses, et relevé de piments ou de piment de Cayenne) et le *gumbo* (une soupe ou un ragoût très fort, enrichis de gombos et de plusieurs variétés de viandes, de fruits de mer et de légumes) en sont deux exemples traditionnels.

Le Sud-Ouest Dès leur arrivée, de nombreux immigrants partent vers l'ouest, attirés par la perspective de posséder leur terre, et les vastes plaines sont occupées par les fermiers et les éleveurs de bœufs et de moutons.

Le Texas et les États désertiques voisins de l'Arizona et du Nouveau-Mexique inventent alors une cuisine qualifiée de tex-mex, qui se caractérise par des saveurs épicées de piment et une influence certaine du sud de la frontière. Cette région est la patrie du très populaire *chili con carne,* qui s'est depuis répandu à travers tout le pays pour s'adapter aux goûts locaux. On apprécie aussi beaucoup d'une côte à l'autre les *tacos,* les croustillantes tortillas (crêpes de maïs) farcies de viande émincée épicée et de salade, et les *burritos* (tortillas de blé fourrées d'un mélange de haricots, de viande, de volaille ou de légumes et de fromage et d'une sauce très épicée).
De nombreux plats tex-mex sont largement aromatisés de coriandre fraîche. La *salsa,* hachis épicé de tomates fraîches, est une autre spécialité adoptée du Mexique voisin, tout comme la sauce à l'avocat, le *guacamole.*

La côte ouest L'ensoleillement pratiquement constant de la Californie et une généreuse irrigation permettent des cultures intensives de légumes et de fruits frais. Les artichauts, les avocats, les agrumes, les dattes et les melons s'épanouissent dans le sud de l'État, et les vignobles du nord donnent de bons vins. San Francisco accueille une communauté chinoise florissante, descendant des ouvriers qui construisirent le chemin de fer, et le canard de Pékin est autant chez lui ici qu'en Asie.

Dans le Nord-Ouest pacifique, les saumons, les palourdes, les crabes et les huîtres abondent et sont parmi les meilleurs du pays. L'Oregon produit des pommes et des poires, et l'État de Washington, des pêches; la région est d'ailleurs célèbre pour ses *pies* aux fruits. La côte de l'État de Washington, peuplée par des Anglais, a pour spécialités le *steak and kidney pie* et le *Christmas pudding.*

Muffins aux myrtilles

PLATS TYPIQUES

BLT
Sandwich au bacon, à la laitue et à la tomate

Chowder
Soupe copieuse de poissons ou de fruits de mer

Huîtres Rockfeller
Huîtres au four recouvertes d'épinards, de bacon et de fromage

Hash browns
Gâteaux frits de pommes de terre râpées

Muffins
Petits pains sucrés sans levure

Ailes de poulet Buffalo
Ailes de poulet enrobées d'une sauce au piment et grillées

Œufs Benedict
Muffins anglais couronnés d'œufs pochés, de bacon et de sauce hollandaise

Reuben sandwich
Sandwich de pain de seigle à la viande fumée accompagné d'une salade de chou

Salade César
Salade romaine assaisonnée d'une sauce piquante et de parmesan

Cioppino
Ragoût de fruits de mer de Californie

Hangtown fry
Œufs frits, huîtres et bacon

Surf n'turf
Queue de homard et filet mignon

Blé d'Inde
Épi de maïs bouilli et servi chaud avec beurre, sel et poivre

Poudings aux fruits
Fruits variés cuits à l'étouffée sous une pâte épaisse

Devil's food cake
Gâteau glacé au chocolat fourré d'un fondant au chocolat

MAÏS, MAÏS

Le maïs doux a toujours été consommé en Amérique du Nord, bien avant l'arrivée des Européens. Les Indiens utilisaient cette céréale locale comme ingrédient de base, et on retrouve nombre de leurs recettes dans les plats modernes.

Cornmeal Les colons préféraient cette semoule blanche ou jaune à la farine de blé, plus chère.

Cornbread Ce pain savoureux à texture de gâteau entre souvent dans la préparation des farces pour la dinde. Quand il cuit dans un moule métallique en forme d'épi de maïs, il porte le nom de pain de maïs.

Corn chowder Cette soupe à base de lait s'enrichit de porc salé, de pommes de terre et de maïs en grains.

Corn fritters Ces galettes sont passées dans une pâte à crêpe légère et frites à la poêle.

Hush puppies Ces boulettes de pâte de farine de maïs frites dans un bain d'huile sont très populaires dans le Sud.

Indian pudding Ce dessert à la farine de maïs, au lait et à la mélasse était appelé *hasty pudding* par les colons, un nom qui lui est resté dans certaines régions.

Grits Ce maïs moulu séché, très apprécié dans le Sud, se sert le matin avec du beurre et du sucre.

Spoon bread Cette farine de maïs se cuit au four comme une crème.

Tortillas Ce pain sans levain plat et fin préparé avec de la farine de maïs est essentiel dans la cuisine tex-mex.

Gril traditionnel pour pain de maïs
Les pains de maïs sont des petits rouleaux de farine de maïs cuits dans ce plat qui leur redonne une forme d'épi.

AUTRES INGRÉDIENTS

Il ne faut pas sous-estimer l'influence de la race bovine à longues cornes sur les habitudes alimentaires américaines. À l'époque des pionniers, ces animaux robustes, capables de supporter les voyages en convoi sur de très longues distances, produisent de la viande fraîche, et il n'est plus nécessaire de la mettre en conserve ou de la saler. En outre, la construction du chemin de fer ouvre à cette production de vastes débouchés, et des *steak houses* s'ouvrent dans toutes les villes. Jusqu'à la fin des années 1980, lorsque l'opinion publique se focalisera sur la nocivité des graisses animales, le bœuf dominera l'alimentation sur le continent.

Pour relever le goût de ce bœuf, le ketchup à la tomate et la moutarde deviennent les deux condiments essentiels. La moutarde la plus appréciée est plus douce qu'en Europe, et plus lisse que la moutarde à l'ancienne.

Le pain au levain a été une spécialité des premiers pionniers, notamment des chercheurs d'or qui quittent alors San Francisco pour l'Alaska; ne pouvant pas emporter de levure, ils doivent trouver un produit de remplacement. Pour préparer la pâte, ils mélangent de la farine, de l'eau et du sucre et laissent reposer la préparation jusqu'à ce qu'elle commence à fermenter et à dégager une odeur aigre; ils l'utilisent ensuite pour faire lever la pâte à pain. Né par nécessité, ce pain est aujourd'hui devenu une gourmandise et, dans le Grand Nord et en Alaska, une vingtaine de pains différents sont préparés à partir de ce mélange fermenté.

Un autre pain s'est répandu dans toute l'Amérique du Nord : le traditionnel bagel juif. Ce petit pain au lait rond est creusé en son centre d'un trou parfois recouvert de graines de pavot, d'oignon ou d'ail. Il se déguste souvent avec du saumon fumé et du fromage à la crème, ou se garnit comme un sandwich.

Les écrevisses, qui faisaient déjà partie des menus indigènes, restent une spécialité de la Louisiane; dans cet État, elles se préparent en tourtes, en gumbos et en ragoûts, ou sont simplement bouillies.

À la fin du XVIIIe siècle, le capitaine James Cook décrit de curieux fruits locaux, les myrtilles. Ces baies sont aujourd'hui cultivées dans toutes les régions du nord des États-Unis et du sud du Canada, et très largement consommées, nature avec de la crème, cuisinées et nappées sur des gaufres et des crêpes, ou cuites dans des *pies* et des muffins.

La gastronomie américaine a été fortement influencée par les immigrants allemands. L'épais bifteck haché servi dans un petit pain tire son nom de la ville de Hambourg, et les hot dogs sont les héritiers des saucisses de Francfort. Les conserves de fruits et de légumes, qui trouvent leur origine chez les

Pennsylvania Dutch, se déplacent vers l'ouest et le nord en même temps que les premiers pionniers, tout comme leurs beurres aux fruits et leurs tourtes au poulet bouilli. Nombre de ces recettes font encore partie de la cuisine américaine, notamment le *scrapple,* pain fait de farine de maïs et de morceaux de porc, coupé en tranches, qui sont ensuite frites et servies au petit déjeuner. On dit aussi que le trou des très populaires beignets est une habitude héritée de ces immigrants.

Un autre plat adopté avec enthousiasme par les Américains de toutes les régions et de tous les milieux sociaux est la pizza. Cette galette de pâte à pain levée garnie de différents fromages, légumes, viandes et assaisonnements est maintenant un des plus populaires de tous les plats d'Amérique.

Les immigrants italiens qui ouvrent des pizzerias à New York au début du XXe siècle utilisent des fours de boulanger en briques, et ils sont encore indispensables pour préparer une vraie pizza.

Les Américains du Nord ont aussi mis au point une palette de desserts assez remarquable. D'un bout à l'autre du pays, le *cheesecake* est présent sous toutes ses formes : froid, cru, cuit, parfumé, fourré aux fruits ou nappé de crème. Ce gâteau sucré très populaire, à la croûte faite de crackers écrasés, cuit toujours, comme le veut la tradition, dans un moule profond.

Les crèmes glacées se dégustent à toute heure, dans un bol, en cornet, entre des gaufrettes, sur des gaufres, des crêpes ou des gâteaux, dans les sodas et le café, dans et sur les tourtes, ou même passées au four sous de la meringue. Elles tiennent toujours la première place parmi les desserts.

REPAS

Les Nord-Américains peuvent tout aussi bien s'attabler devant un repas copieux que grignoter toute la journée de petits casse-croûte. Mais que ce soit à la maison ou au restaurant, les parts sont généreuses et l'hospitalité est une tradition bien ancrée.

Le petit déjeuner comporte souvent du jus d'orange frais, des céréales et des toasts, ou des crêpes ou des gaufres servies avec des saucisses, du sirop d'érable et du beurre, le tout arrosé de café plutôt que de thé, comme tout au long de la journée.

Le déjeuner, souvent très léger, se compose habituellement de salades et de sandwichs achetés ou préparés chez soi pour les emporter à l'école ou sur le lieu de travail.

Le dîner se prend relativement tôt dans la soirée, entre 18 et 19 heures, et consiste généralement en un plat principal et un dessert. Un pain de viande, une purée de pommes de terre et des carottes à l'eau, suivis d'une glace, représentent un menu classique. Différents petits pains, que l'on beurre ou que l'on trempe dans la sauce, accompagnent parfois les plats de viande. À la maison, on boit volontiers du lait, du jus de fruits, des boissons non alcoolisées ou du café. Bien que le vin soit généralement réservé aux jours de fête, les Américains du Nord, influencés par une production vinicole de bonne qualité, l'apprécient de plus en plus.

Le brunch (contraction de *breakfast* et de *lunch*) fait office à la fois de petit déjeuner et de déjeuner. Il est maintenant proposé par de nombreux hôtels et restaurants, surtout en fin de semaine. S'attabler devant un brunch en lisant le journal du matin est devenu, pour bien des gens, un rituel dominical. Ce repas se compose de tranches de viande, de bagels et de saumon fumé, de crêpes et d'œufs Benedict, accompagnés de café, de jus d'orange ou même de cocktails.

À leurs moments de loisirs, les Américains aiment manger en plein air. Quand le temps le permet, ils organisent des pique-niques des *clambakes* sur la plage ou des *tailgate parties,* des barbecues ou des repas champêtres servis sur la plate-forme arrière d'une fourgonnette.

Les Nord-Américains aiment bien sortir, et les chaînes de fast-food se retrouvent dans toutes les grandes artères. Elles offrent un choix important de plats : hamburgers, pizzas, morceaux de poulet, spécialités mexicaines, côtelettes accompagnées le plus souvent de frites, milk-shakes ou autres boissons non alcoolisées.

Une autre nouveauté est le «drive-thru». Sans avoir besoin de descendre de son véhicule, chacun peut commander son repas à un endroit et passer le prendre un peu plus loin.

Le quatrième jeudi du mois de novembre est le jour de Thanksgiving, la fête familiale la plus importante du calendrier américain, qui célèbre l'anniversaire de la première moisson faite un an après le débarquement des Pilgrim Fathers. Le menu se compose d'un dindon rôti farci de pain de maïs ou d'huîtres, d'une sauce faite avec les abattis et le jus de la volaille, d'une sauce aux airelles, de patates douces glacées et d'une tourte au potiron et aux noix de pecan.

LA TRADITION QUÉBÉCOISE

Au Québec, la cuisine quotidienne ressemble à celle du reste de l'Amérique puisque les ingrédients sont les mêmes. Le *pâté chinois* bien québécois, par exemple, est un *Shepherd's pie* britannique agrémenté de *blé d'Inde*. Néanmoins, on a conservé certains plats traditionnels qui font foi des origines bretonnes et normandes des premiers colons et de l'influence des Amérindiens qui leur apprirent à tirer parti des denrées indigènes. Parmi ces plats, on trouve la *tourtière,* une tourte bien française, mais dont le nom lui vient de la tourte, une espèce d'oiseau apparentée au pigeon, qui était à l'époque des premiers colons si abondante que ceux-ci pouvaient l'abattre à coups de bâton; tant et si bien que l'espèce a fini par s'éteindre.

Il y a aussi les *cretons,* qui ressemblent aux rillettes, le *ragoût de boulettes,* à base de jarret de porc, la *cipâte* ou *cipaille,* composée de couches de pâte farcies de gibier, de volaille et de porc, et la *cipâte aux bleuets,* faite avec une baie sauvage qui s'apparente à la myrtille. Depuis quelques décennies, le Québec a opté pour une cuisine plus légère et plus raffinée, qui s'inspire de ses origines françaises tout en mettant en valeur des produits du pays : la pomme, le cidre, le bleuet et le sirop d'érable. Fidèles aux traditions de chasse et de pêche, les Québécois se régalent de perdrix, de sarcelle, de chevreuil ou d'orignal, et des nombreux poissons de mer, comme le saumon et la morue, et de lac comme la *ouananiche,* un saumon d'eau douce, la truite, le doré ou le petit poisson des cheneaux, aussi nommé poulamon, une petite morue que l'on pêche l'hiver, sous la glace. Le Québec est aussi grand producteur de fromages, dont le plus célèbre est le fromage d'Oka que fabriquent les moines trappistes.

INDE

Depuis des temps immémoriaux, l'Inde est réputée pour ses épices, et sa cuisine pour sa grande variété, pour ses mélanges aromatiques subtils et ses assaisonnements délicats, très nombreux, qui parfument les viandes, les légumes et les légumineuses. Le simple mot «curry» est loin de donner la véritable dimension de l'éventail des plats indiens, qui reflètent les diversités géographique, culturelle et spirituelle qu'offre ce vaste pays. En revanche, le soin et la recherche avec lesquels les mets sont préparés et cuits se retrouvent partout, comme l'importance accordée à la qualité et au goût. Du nord, aux plats riches à base de viande, jusqu'au sud, où le régime plus sobre se fonde sur les légumineuses, la gastronomie est un art de vivre, qui s'entoure de nombreux rituels sociaux et religieux.

INGRÉDIENTS TRADITIONNELS

Amandes*
Amchoor (poudre de mangue)
Asa-fœtida*
Babeurre*
Cannelle*
Cardamome*
Citrons verts*
Coriandre*
Cumin*
Curcuma*
Farine de pois chiches
Fenugrec*
Feuilles de curry
Garam masala*
Ghee*
Gingembre*
Graines de fenouil*
Graines de moutarde*
Graines de sésame*
Haricots mungos
Lentilles
Mangues
Nigelle*
Noix de coco*
Oignons*
Panch phoran*
Piments*
Pistaches*
Pois cassés
Poisson séché
Riz basmati
Safran*
Tamarin*
Tomates*
Yaourt*

*Voir index

STYLES RÉGIONAUX

Inde du Nord Sa cuisine nous est plus familière que les autres, car c'est elle que l'on retrouve dans tous les restaurants indiens du monde. Elle a été profondément influencée par les Grands Moghols, conquérants musulmans de l'Inde. Leur empire, fondé en 1526 par Baber, durera jusqu'en 1857. À partir de Delhi, siège du gouvernement, leurs habitudes culinaires se sont répandues pour être adoptées, puis adaptées par l'ensemble de la région.

Elles trouvent leur origine au Moyen-Orient, comme en témoigne le *pullaos* persan, mélange de riz et de viande parfumé au safran, ou les brochettes de viande grillée, parfois hachée avec des épices en poudre ou avec des lentilles *(shami)*. Le *biryani,* autre plat moghol réputé et très ancien, qui se prépare lors des grandes fêtes, est une marmite de viande tendre et de riz parfumés avec du safran et d'autres épices.

Autres héritages, le *murgh masala,* un poulet farci mariné dans du yaourt aux épices, puis rôti; et parmi les douceurs, le *zafrani chawal* (riz sucré au safran et aux noix), et le *gajar halwa* (halva aux carottes). Lucknow, ville royale et un des grands centres moghols, a été célèbre pour le faste de sa Cour. De somptueux banquets s'y tenaient, et les cuisiniers trouvaient là l'occasion de rivaliser et s'efforçaient de se surpasser pour étonner les invités par leurs créations.

Dans le nord de l'Inde, sous influence musulmane, la viande tient une place très importante, même si, pour la nombreuse population hindoue, la vache est un animal sacré que l'on n'imaginerait pas manger. Avec l'agneau et le poulet, la chèvre prédomine dans toutes les régions et s'apprête de multiples façons.

Spécialité de l'État du Pendjab mais aussi du Pakistan, le tandoori, essentiellement à base de poulet, est très apprécié : la viande, longuement marinée dans du yaourt aromatisé de nombreuses épices, cuit sur un lit de braises dans le traditionnel four en terre cuite, le tandour. La chair, croustillante et piquante à l'extérieur, est alors moelleuse et parfumée à l'intérieur.

Les *kormas,* viandes cuites dans de riches sauces au yaourt et aux fruits ou aux noix et au safran, et les *koftas,* boulettes de viande épicée servies seules ou avec une sauce, ne sont pas moins délicieux.

Si, dans le sud du pays, l'huile est un ingrédient fréquent, dans les contrées plus fraîches du Nord, on lui préfère le *ghee* (beurre clarifié). Les saveurs épicées y sont aussi sensiblement moins fortes, notamment avec le *garam masala* (voir p. 79), qui, contrairement aux mélanges brûlants typiques du Sud, est un assaisonnement classique destiné à réchauffer le corps.

Les blés des grands champs du Pendjab donnent la farine qui sert à confectionner le *roti* — élément essentiel d'un repas dans le Nord. Le plus courant est le *chapati,* une petite crêpe à pâte non levée cuite à la poêle avec du beurre de lait de bufflonne. Boursouflé et croustillant, il sert de pain, notamment pour déguster les riches sauces, et se farcit parfois d'épinards hachés. Mais il ne faut pas oublier le *naan* — galette épaisse à pâte levée cuite le long des parois du tandour — et le croustillant *paratha,* un pain frit qui se découpe en tranches fines et se farcit souvent avec des légumes ou de la *kheema,* la viande hachée.

Inde du Sud Du Bengale, à l'est, au Gujerat, à l'ouest, et au Tamil Nadu, à l'extrême sud de la péninsule, l'Inde méridionale dispose d'un répertoire gastronomique très vaste. Les céréales et les légumineuses, toujours habilement mêlées aux épices, sont au cœur de cette cuisine à prédominance végétarienne, même si quelques exceptions sont, à juste titre, célèbres.

À Goa, ancienne colonie portugaise, les plats ont subi une forte influence européenne et demeurent basés sur la viande, mêlant avec exotisme l'Orient et l'Occident. Les saveurs de la noix de coco, du tamarin, des piments, de la cannelle, des feuilles de curry et des cacahuètes demeurent indiscutablement celles du Sud.

Les piments, le gingembre, l'ail et la noix de coco sont utilisés dans toute la région, mais différemment selon les coutumes et la géographie.

Très progressivement, les styles culinaires évoluent du nord au sud. L'huile remplace peu à peu le *ghee,* et la vapeur devient un mode de cuisson courant, permettant de préparer des amuse-gueule tels que les *dhoklas* (petits gâteaux de farine de lentilles du Gujerat) ou les *idlis* (délicieux gâteaux de riz fermentés du Kerala).

Le riz, tel le basmati parfumé qui pousse dans le Nord sur les contreforts de l'Himalaya, accompagne tous les plats. Il n'est jamais consommé nature, mais s'imprègne des sauces des nombreux currys épicés de légumes et des légumineuses.

Le *dhal,* lui aussi partout présent, est un mélange de légumineuses et d'épices et constitue, dans cette région à prédominance végétarienne, une source indispensable de protéines. Il se prépare essentiellement à base de petites lentilles roses *(aigur dhal),* de doliques *(ibobia dhal)* et de haricots mungos *(moong dhal).* Avec des plats comme le *sambar* (lentilles et légumes) ou le *rasam* (lentilles à l'ail), que l'on prépare quotidiennement en les assaisonnant de différentes façons afin de les varier, les lentilles se retrouvent partout.

Le *dhansak,* mélange de viande et de lentilles, est servi avec du riz brun; les *dosas* sont des crêpes de lentilles et de riz. Les Indiens du Sud ajoutent souvent à ces préparations, afin de leur donner un goût de noisette, quelques pois cassés grillés ou frits.

Dans cette région chaude, les mets très épicés ont l'avantage de favoriser la transpiration, diminuant ainsi la sensation de chaleur. L'exemple le plus connu en est sans doute le brûlant *vindaloo,* originaire de Goa, qui associe de la viande et des épices macérées dans du vin et du vinaigre.

Ici, le climat donne naissance à de magnifiques fruits exotiques. Les bananes rouges se dégustent en entrée et le jus de mangues pressées, mélangé à du lait et à des noix, donne une boisson onctueuse et rafraîchissante. Les feuilles du bananier, très largement cultivé, servent aussi… d'assiettes.

Dans les États les plus méridionaux, la boisson la plus répandu est le café fraîchement grillé et moulu, alors que, plus au nord, on lui préfère les thés cultivés sur place, notamment celui d'Assam.

Chaque région utilise des ingrédients différents. Dans le Gujerat, par exemple, le babeurre tient une place très importante, tout comme le gingembre, les piments et la noix de coco. Dans le Maharashtra, région essentiellement agricole bordée de longues côtes, le poisson est largement consommé; il est généralement aromatisé avec les noix de coco produites dans les nombreuses palmeraies de cet État.

C'est dans les eaux environnant la ville de Bombay que vit l'harpodon, ou *bommaloe macchli,* dont on fait un condiment très populaire. Une fois pêché, ce poisson est découpé en filets et mis à sécher sur des claies. On peut alors l'ajouter aux currys, le mettre en conserve dans du vinaigre, ou encore le servir en amuse-gueule à l'apéritif.

Dans la région côtière fertile dont fait partie l'État du Kerala, la plupart des plats de poisson sont préparés à la noix de coco. Celle-ci, abondamment cultivée sur place, donne une huile très utilisée dans la cuisine locale.

Poudre de curry

PLATS TYPIQUES

Bhajia
Légumes ou poisson frits dans une pâte de farines de riz et de pois chiches

Samosas
Beignets triangulaires fourrés à la viande ou aux légumes épicés

Pakoras
Beignets de légumes

Poppadums
Gaufrettes frites et croustillante. à base de pois casses

Poryial
Chou-fleur aux piments et aux graines de moutarde

Koftas
Boulettes de viande épicées

Mattar paneer
Pois et fromage frit

Dosas
Crêpes de riz fourrées aux pommes de terre épicées

Roghan josh
Agneau braisé dans une sauce au yaourt relevée de piments et de safran

Murgh tikka masala
Morceaux de poulet marinés dans du yaourt épicé, et cuits dans un four en terre

Tandoori murgh
Poulet enrobé d'épices et cuit dans un four en terre

Tarka dhal
Lentilles vertes épicées

Lassi
Boisson au yaourt sucrée ou salée

Kacchi biryani
Riz pilaf à la viande et aux épices

Naan
Pain au levain cuit dans un four en terre

Kulfi
Crème glacée enrichie de cardamome et de noix

CHUTNEYS

Rares sont les plats indiens que n'accompagnent pas les traditionnels chutneys aux fruits ou aux légumes. Contrairement à ceux d'Occident, ceux-ci, qu'ils soient doux ou très forts, ne sont pas cuits mais ressemblent plutôt à des salades et sont remarquables de fraîcheur.

Chutney au sésame *Ce mélange de graines de sésame, de feuilles de coriandre, de menthe, de piments et de tamarin est généralement servi au petit déjeuner.*

Chutney à la tomate *Ce chutney aigre-doux se compose de tomates parfumées au gingembre, aux piments et, souvent, au mélange d'épices* panch phoran *(voir p. 88).*

Chutney à la noix de coco *Il se compose de pois chiches parfumés à la noix de coco fraîchement râpée et d'épices moulues, et se consomme dans le Sud.*

Raita *Cette préparation au yaourt et, généralement, au concombre, adoucit les currys épicés.*

Condiment au gingembre *Ce mélange épicé, très courant, qui réunit du gingembre, de l'ail, des piments verts et de la noix de coco aurait des propriétés digestives.*

Chutney à la mangue *Ce chutney sucré et fruité rehausse la saveur des plats de viande.*

Chutney à la coriandre *Ce chutney très populaire se prépare quotidiennement dans tous les foyers. Il associe la coriandre fraîche, l'huile, les graines de moutarde et l'asa-fœtida. En petite quantité, il accompagne certains plats ou se déguste en entrée.*

Pickles de citrons verts *Ces délicieux pickles de citrons verts, marinés et attendris pendant plusieurs jours dans des épices et de l'huile, sont très relevés.*

Condiment à l'oignon *Des oignons crus coupés en fines tranches sont mélangés à du jus de citron et à du paprika.*

SAVEURS DOMINANTES

La plupart des plats indiens sont assaisonnés d'épices mélangées, entières ou fraîchement moulues. Les combinaisons peuvent varier à l'infini et, tout en respectant le principe de base qui veut qu'aucune saveur ne domine les autres, chaque cuisinier prépare ce mélange — le masala — selon son goût personnel.

Toute une philosophie s'attache à l'utilisation des épices; elle s'est transmise de génération en génération, et tous les cuisiniers indiens l'appliquent, inconsciemment ou consciemment. Elle va bien au-delà du goût qu'ils souhaitent donner à leurs plats, aussi important soit-il. Car les épices ont des propriétés médicinales. L'ail, par exemple, est bon pour la circulation du sang; le curcuma est un antiseptique dont on saupoudre souvent le poisson avant de le frire. L'asa-fœtida, résine au parfum très âcre provenant du rhizome d'une espèce de fenouil, facilite la digestion; on la mélange donc volontiers aux légumineuses, généralement lourdes en raison de leur grand pouvoir énergétique. Le gingembre, qui a lui aussi des propriétés digestives, est souvent associé à des lentilles et à d'autres légumineuses.

Garam masala signifie «mélange chaud d'épices». Habituellement très aromatique, il se compose d'épices qui sont réputées pour réchauffer le corps, et il est par conséquent plus spécifique des régions fraîches.

Certains masalas sont humides, d'autres secs. Ces derniers, plus typiques du Nord, se composent pour la plupart de feuilles de laurier, de cardamome, de cannelle, de gingembre, de macis et de noix muscade, tous considérés comme des épices chaudes. Ils se servent mélangés à du *ghee* ou saupoudrés sur un mets juste avant de servir, afin de lui donner un arôme et un goût frais. Les masalas humides du Sud, souvent nettement plus forts, parfois brûlants, renferment des piments frais pilés, du gingembre ou des oignons qui, tous, font transpirer.

Le *panch phoran* du Bengale est un autre mélange classique d'épices entières — cumin, fenouil, nigelle, fenugrec et graines de *radhuni* (ou moutarde noire) — qui parfume les lentilles et les plats végétariens. Associant de l'huile et des épices fortes, notamment les piments et les graines de cumin, le *tarka* parfume les simples *dhals.*

Dans toute l'Inde, le cumin, noir ou blanc,

Tamarin

est l'une des épices les plus utilisées. Mais il ne faut pas sous-estimer l'importance des graines de coriandre qui, moulues, entrent dans la composition des plats de viande et de légumes; de la poudre de mangue, préparée à partir du fruit séché, et qui apporte sa saveur piquante et légèrement amère; des gousses de tamarin, également aigre, dont on fait macérer la pulpe dans de l'eau chaude; ainsi que des feuilles de curry provenant de l'arbre du même nom qui pousse dans de nombreux jardins du Sud.

Dans tout le pays, le safran et le curcuma sont très appréciés. Ce dernier a un goût prononcé et donne aux aliments une couleur jaune caractéristique. Le safran, cette épice dorée provenant des étamines séchées d'une variété de crocus qui pousse au Cachemire, est beaucoup plus précieux; il imprègne généralement les plats de riz d'une couleur et d'un parfum subtils.

Mais les Indiens apprécient aussi les assaisonnements frais. Les piments verts forts apportent leur touche piquante et épicée bien particulière, tandis que les feuilles fraîches et parfumées de la coriandre aromatisent et décorent tout à la fois. En Inde du Sud, la noix de coco râpée et le lait de coco rehaussent souvent d'une délicate saveur sucrée les ragoûts de poisson et de légumes, ainsi que les salades.

Outre les épices, d'autres ingrédients, qui varient d'un lieu à l'autre, influencent les goûts. De nombreuses huiles parfument les recettes régionales. En Inde du Sud, l'huile d'arachide, au goût de noisette, est très utilisée. Dans les régions côtières, où les cocotiers sont nombreux, on lui préfère l'huile de coprah et le lait de coco, à la saveur méridionale typique. Au Bengale, arrosé par de nombreux fleuves, on consomme beaucoup de poisson; ici, l'huile de moutarde prédomine. Au Cachemire, l'huile de sésame tient la première place. Le *ghee,* un beurre clarifié jusqu'à ne plus contenir aucun élément solide du lait, remplace largement l'huile pour donner aux préparations du Sud son goût particulier de noisette.

Presque partout sur le sous-continent, on prépare quotidiennement un yaourt épais et crémeux au lait de bufflonne *(dahi),* ingrédient de base de la salade *raïta,* à la menthe et au concombre, qui accompagne les plats principaux. Le yaourt enrichit les sauces et atténue la force des épices, il donne aussi un mélange crémeux dans lequel sont cuisinés les *kormas* de viande ou de poisson. Le dahi entre également dans la composition du *lassi,* une boisson rafraîchissante sucrée ou salée. Certains assaisonnements se réduisent à du sel et à du poivre noir *(lassi namkeen),* d'autres comprennent aussi de l'eau de rose, du sucre et des fruits.

Le *chenna* est une sorte de fromage doux fait à la maison, qui entre dans la composition de plats sucrés tels le *rasgulla* et le *sandesh,* ou salés, comme le *mattar paneer* (pois et fromage frit). Pour le préparer, on fait bouillir du lait additionné de vinaigre et d'eau, puis on le passe à travers un linge très fin.

Ce fromage est l'ingrédient de base de nombreuses autres sucreries particulièrement réputées au Bengale, au même titre que les pistaches, les amandes, les raisins et la noix de coco. Le mélange de riz et de lait — dans le *zafrani chawal* et dans un gâteau de riz très semblable à celui que l'on mange en Europe — additionné de yaourt, de safran et de sucre, donne un dessert crémeux. Outre le sucre, les gousses de cardamome et l'eau de rose parfument délicatement les confiseries.

La plupart des sucreries s'achètent sur les étals des marchés. Vendues depuis toujours dans les bazars, elles tiennent une place importante lors des fêtes. Préparés à base de lait sucré puis agrémentés de noix de coco, d'amandes ou de pistaches, des *halwas* de toutes sortes sont vendus dans de nombreuses boutiques tenues par des confiseurs professionnels, les *halwais.*

REPAS

Traditionnellement, les Indiens n'utilisent ni couteau ni fourchette : la coutume veut qu'ils prennent les aliments avec la main droite, en s'aidant du riz ou du pain, qui sont servis à tous les repas. Dans le Nord, ils n'utilisent que le bout de leurs doigts, tandis que les habitants du Sud, moins précautionneux, se servent de toute la main. Mais il est formellement interdit de manger avec la main gauche, considérée comme impure.

Le repas de tous les jours consiste en un plat de riz (ou de pain dans le Nord), un plat de lentilles, un légume, une viande et un chutney. Ils ne se succèdent pas selon un ordre établi, et même le dessert, quand il y en a un, est servi en même temps que les autres plats. Les mets sont présentés dans des petites assiettes posées sur le *thali,* un plateau rond en métal placé devant chaque convive. Les femmes servent les invités et les hommes de la famille, qui s'asseyent sur un petit tapis à même le sol.

Dans le Sud, on a coutume de remplacer le *thali* par des feuilles de bananier. Celles-ci ont aussi une valeur symbolique lors de certaines cérémonies, les mariages notamment, où l'on sert comme condiment une rondelle de citron vert salée et posée sur une jeune feuille bananier encore tendre.

Les coutumes religieuses ont également imposé certaines traditions. Le riz, qui accompagne tous les repas, fait l'objet d'un rite purificateur qui remonte à 1500 avant J.-C., période védique de l'hindouisme en Inde du Sud. Lors d'une cérémonie, le riz est toujours mélangé à du *ghee.* Il reste l'ingrédient le plus important de tout repas et accompagne chaque plat. Les Indiens très religieux n'autoriseraient jamais leurs invités à entrer dans la cuisine, ce qui serait un acte impur. Pour la même raison, ils ne vont pas au restaurant. D'autres règles imposent aux hommes et aux femmes de manger dans des pièces séparées et interdisent les boissons alcoolisées.

SUCRERIES

Préparées par des spécialistes — les *halwais* —, les sucreries indiennes se mangent dans l'après-midi ou dans la soirée, souvent accompagnées d'une friandise salée. Elles sont également présentes lors de fêtes religieuses et des autres grandes occasions.

Burfi *Cette confiserie au miel est comparable au fondant qui s'émiette; on l'appelle d'ailleurs parfois fondant indien. Le* burfi *nature est brun clair; parfumé aux pistaches et vert vif, il devient le* pista; *aromatisé aux amandes, et alors brun foncé, il se transforme en* badam.

Halwa *Ce parent éloigné de l'halva du Moyen-Orient se prépare avec des noix ou des légumes. Le* halwa habschi *contient des pistaches, des noix de cajou et des amandes, et le* halwa gajar, *de couleur orange, des carottes.*

Jalebi *Ces minces tresses de pâte, oranges et croustillantes, sont plongées dans la friture puis dans un sirop parfumé au safran.*

Laddu *Ces boulettes jaune vif se composent d'amandes moulues, de pistaches et de farine de pois chiches.*

Sindhi halwa *Cette plaquette à base de graines de sésame qui se découpe en carrés ou en losanges présente deux couleurs : la partie verte est parfumée aux pistaches, la jaune aux amandes.*

Assortiment de sucreries

JAPON

Nette, légère, naturelle et raffinée, telle est la cuisine japonaise définie par le mot *sappari,* cuisine réputée pour le soin apporté à sa préparation et à sa présentation. Le plaisir visuel faisant partie du plaisir gastronomique, l'aspect est aussi soigné que le goût. Si l'équilibre et l'harmonie sont de la plus haute importance, l'accent est mis sur la présentation, mais sans tomber dans l'excès.

Même si un repas japonais est censé être beau, il doit garder une certaine modestie. La règle principale est donc de respecter les saveurs vraies, sans fard. Ainsi, un cuisinier japonais essaie toujours de faire ressortir les qualités naturelles d'un ingrédient, avec la conviction qu'il faut mettre en relief chaque saveur séparément. Aujourd'hui, ces traditions gastronomiques coexistent avec la cuisine occidentale. Les restaurants fast-food sont fréquentés couramment, mais à la maison, les Japonais préparent les mêmes repas qu'autrefois.

INGRÉDIENTS TRADITIONNELS

Ail*
Algues*
Aubergines
Bardane
Bonite séchée*
Champignons matsu take
Champignons parfumés*
Châtaignes*
Chou chinois
Cresson
Daikon*
Dashi
Feuilles de chrysanthème
Fruits de mer
Gingembre*
Graines de sésame*
Haricots rouges
Kakis
Mélange aux sept-épices*
Mirin
Miso*
Moutarde séchée*
Noix de gingko
Nouilles de froment
Nouilles de sarrasin
Patates douces
Pâte de poisson
Pousses de bambou
Prunes
Racine de lotus
Riz brun
Saké
Sansho*
Sauce soja*
Shiitake*
Taro
Tofu
Vinaigre de riz*
Wasabi*

*Voir index

INFLUENCES

Les invasions et le colonialisme sont les deux facteurs principaux qui influencent le mode d'alimentation d'une nation, et le Japon n'a eu à subir que très peu de ces deux phénomènes. Cependant, durant le VIe siècle, le Japon s'est imprégné de nombreuses idées venues de Chine. Outre le thé, boisson nationale incontestée, le système de gouvernement impérialiste et le bouddhisme sont les deux contributions chinoises les plus marquantes.

Tous les ports du Japon ayant été fermés aux étrangers de 1600 à 1868, les Européens eurent peu d'occasions de faire des échanges gastronomiques, à l'exception du tempura, ce célèbre plat de beignets de fruits de mer ou de légumes, qui y fut introduit au XVIe siècle par des missionnaires portugais.

Ce sont les moines bouddhistes zen qui ont modelé la cuisine japonaise. Un repas devrait comprendre au total cinq plats, préparés selon les cinq modes de cuisson différents : cru, mijoté, à la vapeur, grillé et frit. Il doit également se composer des cinq saveurs : amère, salée, sucrée, épicée et acide, le rouge, le vert, le jaune, le noir et le blanc étant les cinq couleurs requises.

Le respect de la nature est inhérent à la fois au bouddhisme zen et au shinto, religion propre au Japon; le rythme des saisons est donc de la plus haute importance. Les mets délicats de printemps offrent en avril le riz de fleurs de cerisier et en mai, le *sinsha* vert et parfumé, le «thé nouveau». Septembre, mois associé à la Lune, est la période des plats lumineux, tels que l'ormeau cuit à la vapeur sur du concombre, ou les pousses de bambou mijotées. En hiver, la mandarine, symbole du Soleil, est le cadeau du jour de l'an.

Son sol volcanique ayant des ressources naturelles limitées, le Japon a donc basé son alimentation sur des cultures telles que le riz et le soja, ainsi que sur les algues et le poisson fournis en abondance par l'océan.

SAVEURS DOMINANTES

De toutes les cuisines asiatiques, celle du Japon est la plus dépourvue d'épices. On utilise maintenant le poivre, mais ce n'est pas un ingrédient traditionnel, contrairement au *wasabi* (voir p. 166), au *sansho* (voir p. 95) et au piment séché, principaux condiments employés, mais avec modération. Les baies de sansho ont un goût comparable à celui des grains de poivre noir, et le wasabi est plus connu sous forme de pâte verte brûlante qui accompagne le sushi. Les feuilles de *kinome* proviennent de l'arbre qui porte les baies de sansho. Elles ont un parfum mentholé et servent surtout à décorer les plats.

Saveur typique de la cuisine japonaise, le *dashi* est un bouillon de base préparé à partir de *konbu,* des algues, et de bonite séchée. Il entre dans la confection des potages, des plats mijotés, et dans celle de nombreuses préparations de sauces froides ou chaudes, de marinades et d'assaisonnements. On le trouve au Japon, sous le nom de *dashi-no-moto,* en petits paquets de poudre soluble, tout comme les bouillons instantanés en Europe.

Outre le thé, les Chinois léguèrent aux Japonais la sauce soja. La version japonaise, appelée *shoyu* et contenant plus de froment, est moins salée et un peu plus sucrée que la chinoise. Le *tamari* est une sauce soja sans froment, riche et de qualité supérieure, très rare. En Occident, on vend dans certaines épiceries un liquide foncé appelé tamari, mais qui n'en est pas forcément.

Les graines de sésame, blanches et noires, sont un produit essentiel, mais elles sont beaucoup plus utilisées comme condiment que comme ingrédient ajouté à la cuisson. Le *gomashio* est un mélange de sel et de graines de sésame noir servi à table afin d'en saupoudrer les plats de riz et de légumes crus. L'huile de sésame prête sa douce saveur aux meilleures huiles pour tempura.

Pour sucrer les marinades et les sauces, les cuisiniers nippons préfèrent leur vin de riz doux, le *mirin,* au sucre lui-même.

AUTRES INGRÉDIENTS

Leur terre se prêtant mal à l'agriculture et à l'élevage, les Japonais font bon usage des produits disponibles en abondance : le soja, le riz, les algues et le poisson.

Le *miso* (voir p. 188) est une pâte de soja fermentée. Mélangé au dashi, il devient un potage, le *misoshiru,* que les Japonais consomment à tout momemnt et même plusieurs fois par jour. Le tofu, pâte de haricots de soja, peut être mijoté, cuit à la vapeur, grillé ou frit. Dans le sushi, se trouvent réunis plusieurs ingrédients essentiels. C'est un rouleau d'algues *(nori)* contenant du riz parfumé au vinaigre japonais sucré, et farci de poisson cru. Le varech et le *wakame* (voir p. 220), deux autres variétés d'algues très présentes dans la cuisine nipponne, sont utilisés dans les salades et les potages, ou comme papillotes.

Sushi

Le bœuf *kobe* et le *matsuzaka* sont également renommés au Japon. Les bovins sont nourris à la bière, puis massés afin de répartir la graisse uniformément. Cette viande est réservée aux grandes occasions, alors que les fruits de mer constituent le régime quotidien. Les poissons à chair sombre et huileuse sont très prisés, à condition d'être frais. Le thon, le maquereau et le saumon sont appréciés, ainsi que le calmar et le poulpe. Le *fugu,* ou diodon, dont le foie contient du poison, est pourtant considéré comme un mets délicat. Mal préparé, il peut être mortel, et seuls les restaurants dont le chef possède un brevet spécial peuvent le servir.

Les Japonais sont également de grands consommateurs de nouilles. Dans le sud, on préfère les nouilles de blé, *udon,* et dans toutes les régions situées au nord de Tokyo, celles de sarrasin, ou *soba.*

REPAS

Le petit déjeuner comprend habituellement du riz avec des algues séchées et une soupe au *miso;* celui-ci est mélangé à l'aide de baguettes et le bouillon se boit à petites gorgées dans le bol. La plupart du temps, le déjeuner, léger, se compose d'un simple bol de nouilles, ou d'une boîte *bento.* Il s'agit d'une boîte à plusieurs compartiments contenant un assortiment de plats froids; quand elle n'est pas distribuée sur le lieu de travail, on peut l'acheter en chemin.

Le dîner est le principal repas de la journée. Il consiste traditionnellement en une salade, un plat mijoté et un autre frit, grillé ou cuit à la vapeur. Tous les plats sont disposés en même temps sur une table basse, et chacun se sert.

Les repas de cérémonie commencent généralement par des amuse-gueule acccompagnés de saké, vin de riz fermenté, servi dans des petites tasses en céramique. Puis, le repas lui-même se compose de différents plats qui mêlent les couleurs, les saveurs, les textures et les modes de cuisson. Un bol de riz, quelques pickles et du thé vert mettent un point final au repas.

PLATS TYPIQUES

Nimono
Poisson ou légumes mijotés dans du bouillon à la sauce soja, servis comme accompagnement

Umeboshi
Pickles relevés et salés d'abricots ou de prunes à peine mûrs

Dengaku
Brochettes d'ingrédients enrobés de miso sucré

Kamaboko
Gâteaux de pâte de poisson

Misoshiru
Soupe de miso au tofu

Natto
Soja fermenté, souvent servi avec des œufs de caille crus et de la sauce soja

Sushi
Riz vinaigré avec des légumes et du poisson cru, enveloppés d'algues (nori)

Sashimi
Assortiment de poissons crus

Oden
Ragoût avec gâteaux de poisson, pommes de terre, carottes et algues

Tempura
Beignets de fruits de mer et de légumes

Teppanyaki
Tranches de bœuf et de poisson cuites à table sur une plaque chauffante

Tonkatsu
Filets de porc panés et frits servis avec de la sauce soja sucrée

Kushi yakitori
Brochettes de poulet, de légumes ou de fruits de mer arrosées de sauce soja

Sukiyaki
Fondue de bœuf et de légumes coupés en lamelles

O-cha
Thé vert servi à la fin du repas

Corée

Bordée à l'est par la mer du Japon et à l'ouest par la mer Jaune, la péninsule montagneuse de Corée a de tous temps été éclipsée par la Chine et le Japon. Durant des siècles, les invasions militaires et culturelles ont influencé sa gastronomie, essentiellement régie par les principes chinois. Mais un bon chef coréen, aujourd'hui, est aussi expert en spécialités japonaises, tels le *teriyaki* et le *sushi*.

La Corée possède pourtant une gastronomie ancestrale. Le *kimchi,* plat national composé de divers ingrédients conservés au vinaigre, est à ce point prisé que Séoul a consacré un musée à ses 160 variantes.

De Séoul aussi vient une longue tradition de préparations élaborées et très décorées qui ont trouvé leur origine dans les cours royales. Mais cette sophistication ne doit pas faire oublier les saveurs franches et le goût des produits naturels qui caractérisent les recettes familiales.

Ingrédients traditionnels

Abalone
Agar-agar*
Ail*
Algues*
Aubergines
Champignons*
Châtaignes*
Chou chinois
Ciboule*
Cresson de fontaine
Feuilles de coriandre*
Germes de soja
Gingembre*
Ginseng
Graines de sésame*
Haricots adzuki
Haricots mungos
Huile de sésame*
Miso
Noix de gingko
Nouilles
Orge
Patates douces
Piments*
Poisson au vinaigre
Riz
Sauce soja*
Tofu
Vinaigre de riz*
Vin de riz

*Voir index

Influences

Au cours des millénaires, presque tous les peuples orientaux ont envahi la Corée. Les Chinois s'y installent très tôt et, dès le Ier siècle avant notre ère, établissent des commanderies le long de la péninsule; peu après, le royaume coréen de Silla s'intitule lui-même, avec quelque fierté, «Petite Chine». Au XIIIe siècle après J.-C., quelques années après la mort de Gengis Khan, les hordes mongoles déferlent sur le pays. Et, jusqu'à la Seconde Guerre mondiale, les seigneurs de la guerre japonais représenteront pour la Corée une menace constante.

Pourtant, chacune de ces invasions enrichit la cuisine coréenne. Les Chinois et les Japonais lui ont légué le principe des cinq parfums (doux, acide, piquant, salé et amer) et l'habitude de consacrer davantage de temps à la préparation d'un plat qu'à sa cuisson. Quant au *sot,* il est l'héritier direct de la poêle à friture chinoise, le célèbre wok. Les terribles Mongols eux-mêmes ont laissé leur empreinte; le gril de table, toujours en usage, a la forme d'une coiffure de cavalier des steppes.

Quand le bouddhisme venu de Chine se répand, au Ve siècle après J.-C., les Coréens refusent d'adopter les principes végétariens. Ils sont demeurés fidèles à la viande rouge grillée. Et, plus leur rang social est élevé, plus ils veillent au respect de leurs traditions culinaires.

Il y a un siècle encore, le *shinsollo,* composé de crustacés, de poulet, de viande, d'œufs, de légumes et de noix, cuisinés séparément avant d'être réunis dans un bouillon relevé de condiments, était un plat réservé à la famille royale.

C'est sans doute la géographie qui a le plus marqué la cuisine coréenne. Les eaux qui bordent la péninsule abondent en crustacés et en algues comestibles; les plaines plates du Sud sont parfaitement adaptées à la culture du riz, et les montagnes qui couvrent la plus grande partie du pays fournissent de grandes variétés de légumes, d'herbes et de racines. En outre, la rudesse des hivers que connaît le pays a encouragé ses habitants à sécher les produits ou à les mettre en conserve afin de les consommer pendant les mois où sévit un froid rigoureux.

Saveurs dominantes

La cuisine coréenne utilise largement quelques ingrédients simples : l'ail, le gingembre, les ciboules, les graines de sésame grillées et l'huile de sésame, mais aussi la sauce soja, le *miso,* le vinaigre de riz et les piments, grande spécialité du Sud. Le populaire *kochujang* est une pâte noire et épaisse à base de haricots de soja fermentés et de piments, qui se consomme chaude. Préparée au printemps, elle est ensuite mise dans de grands récipients en pierre pour être disponible durant toute l'année.

Le *kimchi,* des légumes épicés conservés au vinaigre, accompagne tous les repas, du petit déjeuner au dîner, et entre dans la composition des soupes, des fritures rapides et des ragoûts.

Il en existe de multiples versions à base de feuilles de chou chinois, de radis, de concombre, de navet chinois, d'oignon, de piment, d'ail et de gingembre. Chaque famille coréenne le prépare à l'automne, en laissant fermenter les ingrédients dans une grande cuve, où leur saveur se corse au fil des semaines.

Le ginseng est très apprécié dans les plats de tous les jours, autant pour son goût, voisin de celui du fenouil, que pour ses vertus médicinales reconnues. Sa racine se consomme avec du miel ou se râpe comme condiment.

Certains restaurants sont spécialisés dans la préparation du *samgyae tang,* du poulet cuit à la vapeur et farci de riz gluant et de ginseng. Ce plat est connu pour ses propriétés revigorantes.

Une saveur particulière à la Corée vient du gingko; cet arbre âgé de millions d'années est le plus vieux du monde. Ses noix douces et jaunes enrichissent de nombreux plats de fête.

AUTRES INGRÉDIENTS

La base de l'alimentation est bien sûr le riz, généralement gluant et à grains moyens. La consommation annuelle par habitant compte parmi les plus élevées du monde.

Symbole de longévité, les nouilles se retrouvent aussi partout. Elles trônent sur les étals dans les rues des villes, et souvent, le repas de midi se compose d'un simple bol de nouilles. Elles se partagent la faveur des Coréens avec les vermicelles à la farine de blé ou de sarrasin, ainsi qu'avec des nouilles presque transparentes préparées avec des patates douces et des haricots mungos.

L'orge grillée entre dans la composition de la boisson nationale, le *poricha,* un thé qui se boit chaud, tiède ou froid. Les haricots mungos font partie de plusieurs recettes, et notamment du *pindaettok,* une crêpe épaisse de haricots pilés recouverte de légumes et de viande, que les Occidentaux appellent souvent «pizza coréenne».

Les kilomètres d'eaux côtières sont riches en poissons et en fruits de mer. Mais les Coréens considèrent qu'un repas sans viande, dont ils sont grands amateurs, n'en est pas vraiment un, et ils n'utilisent guère les produits de la mer que pour parfumer les plats de viande. Le porc et le poulet figurent dans diverses préparations, comme le *yukhoe,* mais le bœuf reste l'ingrédient essentiel de la variante coréenne du steak tartare et du *pulgogi,* des tranches de viande marinée cuites à table.

REPAS

Les Coréens prennent leurs repas à la manière chinoise, sur une table basse où tous les plats sont servis en même temps et se dégustent avec des baguettes et des cuillers. Le petit déjeuner et le déjeuner, tous deux accompagnés de l'incontournable *kimchi,* restent généralement légers, au contraire du dîner, plus substantiel.

Les repas coréens sont très variés. Un simple dîner de famille ne comprend pas moins d'une vingtaine de bols accueillant chacun une préparation appétissante. L'un d'eux au moins contiendra du *kimchi.* Une soupe ou un *namul,* salade de légumes crus ou cuits à la vapeur, sont aussi toujours présents. Jamais aucun goût particulier ne prédomine. Chaque saveur est équilibrée par une autre pour respecter l'harmonie gustative, et on retrouve là l'influence japonaise.

Dans ces conditions, il n'est pas étonnant que les Coréens ignorent pratiquement les desserts en tant que tels, et, lorsqu'ils servent un plat sucré, celui-ci se compose généralement de fruits frais. Plus souvent, le dîner se termine par un *poricha,* parfois aromatisé d'un peu de ginseng, ou par un verre de liqueur de patate douce appelé *soju.*

Les Coréens aiment organiser des fêtes, par exemple à l'occasion du premier anniversaire d'un enfant ou des soixante et un ans d'un adulte : la tradition veut en effet que la durée moyenne d'une vie soit de soixante ans, aussi le dépassement de ce seuil est-il toujours un événement qui mérite d'être célébré par un grand banquet.

Dans le *kujolpan,* ou Neuf Célestes Variétés, neuf garnitures différentes sont disposées dans les compartiments séparés d'un grand plateau en laque noire. Elles réunissent par exemple des légumes râpés, des tranches de viande et des morceaux d'omelette, et entourent une pile de fines crêpes. Chaque convive les garnit d'un ou de plusieurs ingrédients, puis il les roule et les plonge dans une sauce sucrée aux graines de sésame pilées et grillées, aux ciboules hachées, au vinaigre de riz et à la sauce soja.

PLATS TYPIQUES

Kongkuk
Soupe aux germes de soja

Twoenjang-Tchigae
Soupe à la pâte de haricots de soja

Kimchi
Légumes au vinaigre

Ttok
Gâteaux de riz et sauce aux piments

Kimbap
Riz vinaigré avec légumes et œufs roulés dans des feuilles d'algues nori

Miyokguk
Soupe aux algues

Minarinamul
Salade de cresson cuite à la vapeur et servie avec une sauce au soja et à l'huile de sésame

Kajinamul
Salade d'aubergines cuites à la vapeur

Kulwigim
Huîtres frites

Pajon
Crêpe aux ciboules

Tubu-tchigae
Ragoût de tofu à l'ail, au gingembre et aux légumes

Chongol
Tranches de bœuf, rondelles de légumes et tofu cuits à feu doux à table dans un grand pot de bouillon

Pibimbap
Plat unique de riz avec du bœuf, des légumes et un œuf cru

Naengmyon
Nouilles de sarrasin dans du bouillon, servies froides

Pulgogi
Tranches de bœuf marinées et grillées

Kalbi-tchim
Côtes de porc découvertes braisées dans une sauce soja épicée

CHINE

La cuisine chinoise est un carrefour où se rencontrent la gastronomie, la médecine et la religion. Les Chinois ont de tous temps considéré que leur alimentation était une source de bien-être tant spirituel que physique. La qualité des ingrédients est ainsi pour eux de la plus haute importance : les légumes doivent être juste cueillis, la viande fraîchement tuée. L'harmonie des saveurs et des textures est indispensable, tant pour chaque plat pris séparément que pour les plats entre eux.

Cette préoccupation prend racine dans le taoïsme, une des grandes religions chinoises, qui enseigne que le monde repose sur deux principes complémentaires : le yin (négatif) et le yang (positif). Le taoïsme prône également qu'il faut vivre des ressources naturelles du pays, aussi les repas se fondent-ils davantage sur les légumes que sur la viande. En effet, seuls 7% du territoire chinois sont cultivables, ce qui ne suffit guère à assurer la subsistance des hommes, et encore moins celle des animaux. Les agriculteurs s'efforcent d'obtenir plusieurs récoltes par an et font pousser des plantes comme le soja, qui fournit à la fois des germes, des haricots, de l'huile et de la sauce. La viande a ainsi toujours été un symbole de prospérité et de sécurité, et le caractère chinois signifiant «maison» représente un porc sous un toit.

INGRÉDIENTS TRADITIONNELS

Agneau
Ail*
Algues*
Anis étoilé*
Bar
Bœuf
Canard
Cannelle*
Châtaignes d'eau
Chou chinois
Ciboule*
Cinq-épices*
Coquilles Saint-Jacques
Coriandre*
Crevettes roses
Fagara*
Germes de soja
Gingembre*
Graines de sésame*
Haricots adzuki
Homard
Litchi
Melon d'hiver
Miso*
Nouilles
Piments*
Porc
Poulet
Pousses de bambou
Racine de lotus
Riz
Sauce aux haricots (noirs et bruns)
Sauce aux huîtres*
Sauce hoisin*
Sauce au soja*
Sucre candi*
Tofu
Vin de riz

*Voir index

STYLES RÉGIONAUX

L'immensité de la Chine et la diversité de ses sols et de ses climats ont contribué à la naissance de styles culinaires différents selon les régions. La cuisine cantonaise est la mieux connue des Occidentaux; de très nombreux Chinois du Sud sont venus s'installer à l'étranger au siècle dernier et y ont ouvert des restaurants.

Les recettes de Pékin ou du Nord se sont largement répandues dans tout le pays et comprennent des plats mongols. L'Est et l'Ouest, eux, sont respectivement influencés par les traditions de Shanghai et du Sichuan.

Cantonais Le style cantonais est originaire de la région située au sud-est de Canton (Guangzhou), mais c'est à Hongkong qu'il s'exprime le mieux. Sur toute la région règne un climat subtropical, avec de fortes précipitations de mai à septembre. Aussi le delta du Zhu Jiang, la «rivière des Perles», abonde-t-il en légumes verts et en fruits tropicaux (litchis, pêches, oranges, bananes). Les eaux côtières et les nombreuses criques rocheuses regorgent de poissons et de crustacés (crabes, coquilles Saint-Jacques, palourdes, langoustes et homards). La récolte de riz se fait trois fois dans l'année, mais d'autres cultures prospèrent (blé, patates douces, taro). Des fermes d'aquaculture et des unités d'élevage intensif de porcs et de volailles ont été mises en place.

Ici, les cuisiniers disposent d'une abondance de produits naturels inégalée dans le reste du pays, et leurs préparations sont donc les plus légères, mais aussi parfois, quand elles manquent de qualité, les plus fades. Comme partout ailleurs, ils s'attachent davantage à privilégier la saveur propre de chaque ingrédient qu'à la fondre avec les autres.

Les herbes et les épices (coriandre, gingembre, ail, piments, clous de girofle, zeste de mandarine, graines de sésame et anis étoilé) sont peu nombreuses et toujours employées en petite quantité.

La poudre de cinq-épices (voir p. 86) est souvent présente. Dans le Sud-Est, on utilise beaucoup d'ingrédients séchés, et notamment les champignons (voir p. 161) et le poisson (voir p. 189), ainsi que les sauces et les pâtes de soja. La sauce aux haricots noirs, liquide et salée, est particulièrement populaire; elle se prépare à partir de graines de soja noires écrasées en purée et mélangées avec de l'ail et de l'anis étoilé.

Le mode de cuisson demeure traditionnellement la friture. Le célèbre wok chinois est conçu pour focaliser la chaleur en son centre, ce qui diminue considérablement le temps de cuisson. Il lui suffit de peu d'huile, dont la haute température saisit très vite les aliments, économisant d'autant le combustible. Cette technique obéit cependant à certains impératifs. Les ingrédients doivent être coupés en morceaux égaux, afin que tous cuisent à la même vitesse. Les cuisiniers utilisent des couperets larges et lourds, qu'ils manient si bien qu'ils coupent des lamelles de ciboule aussi fines que des fils de soie.

La cuisson à la vapeur est fréquente dans le Sud-Est, notamment pour les poissons. Dans une des spécialités de la région, un bar entier est placé dans un panier en bambou posé au-dessus d'un récipient d'eau bouillante, puis badigeonné d'une huile aromatisée au gingembre et aux ciboules; leur saveur corsée imprègne la chair délicate du poisson, tout comme la vapeur d'une sauce aux haricots noirs parfume les coquilles Saint-Jacques.

Les Chinois du Sud-Est se flattent de savoir mélanger des goûts tout à fait opposés en leur conservant pourtant toute leur particularité. Les conserves au vinaigre associent ainsi le sel et le sucre, tandis que la sauce à l'aigre-doux qui accompagne le porc cantonais marie des oignons et du poivre vert avec des ananas et des cerises. Le canard rôti est farci de ciboules et de pâte de haricots de soja, puis glacé avec un mélange de miel et de vinaigre.

Pékinois Née autour Pékin (Beijing), la consistante cuisine pékinoise se retrouve dans tout le nord du pays, région accidentée bordée par des déserts de sable et la steppe mongole rocailleuse qui la sépare de la Russie. Un climat continental rude y règne tout au long de l'année, passant d'une intense chaleur en été à un froid extrême en hiver, tandis qu'au printemps Pékin est la proie de violentes tempêtes de sable.

Les légumes à feuilles sont assez peu nombreux, au contraire du concombre, du céleri et du chou blanc de T'ien-tsin. Quant au riz, le climat ne lui est guère favorable. En revanche, on cultive le blé, le maïs, le millet, les arachides, le soja, et on mange des petits pains au lait et des nouilles confectionnées avec de la farine de blé, des œufs et de l'eau et cuits à la vapeur. Ces dernières sont un symbole de longévité. On en fait des gâteaux pour les anniversaires, et ceux qui les reçoivent doivent en manger le plus possible pour espérer vivre longtemps. Pendant les mois d'hiver, les habitants de Beijing et des provinces du Nord luttent contre le froid en mangeant des boulettes de pâte sautées et bouillies *(chiao-tzu)* farcies de crevettes et de porc.

Dans le Nord, les mulsumans sont assez nombreux et la consommation de porc y est moins importante qu'ailleurs en Chine. Le bœuf n'a jamais été très populaire, les fermiers chinois l'ayant toujours apprécié davantage pour sa force que pour sa viande. Dès lors, l'agneau prédomine et est au centre de la traditionnelle fondue mongole. La viande est d'abord coupée en lamelles presque transparentes : un cuisinier expérimenté doit savoir tailler dix tranches au moins dans un morceau de 500 g. Les convives les prennent alors avec des baguettes et les plongent dans une marmite en cuivre remplie d'eau bouillante, qui ressemble au caquelon de nos fondues. Les fines tranches cuisent en quelques secondes et se dégustent avec des poireaux crus finement émincés, ou des ciboules et des feuilles de coriandre. Elles s'accompagnent d'une sauce aux haricots de soja et à la pâte de sésame. Quand l'eau bouillante est devenue du bouillon d'agneau, on y fait cuire des nouilles et du chou.

Une des grands spécialités de la Chine du Nord, le canard de Pékin, est un plat plus fin, qui se prépare avec des volatiles spécialement engraissés. Le canard est aspergé d'eau bouillante puis badigeonné de miel. Il est ensuite suspendu dans un endroit bien aéré pendant vingt-quatre heures, afin que sa peau s'assèche jusqu'à ressembler à du parchemin. Rôti sur une broche placée au centre d'un four, il devient croustillant et d'un beau rouge foncé et brillant. La peau et la chair sont alors découpées en lamelles et servies avec de petites crêpes très fines.

Soupe cantonaise wonton

PLATS TYPIQUES

Coquilles Saint-Jacques à la vapeur
Servies dans une sauce aux haricots noirs ou avec des ciboules et du gingembre

Poulet pang pang
Morceaux de poulet pochés, bâtonnets de concombre et sauce épicée

Canard de Pékin
Canard rôti croustillant servi avec des crêpes, des ciboules, du concombre et une sauce hoisin

Tofu ma po
Tofu avec des oignons, de l'ail, des piments, du gingembre et du porc émincé

Canard huit-joyaux
Canard avec des noix, des dattes, des châtaignes d'eau, des graines de lotus, des raisins, des échalotes et du riz gluant

Bar à la vapeur
Bar servi avec du gingembre et des ciboules, ou dans une sauce aux haricots noirs

Têtes de lions de Yangzhou
Boulettes de viande cuites à la vapeur et chou servi dans un bouillon

Fondue mongole
Agneau cuit rapidement dans du bouillon avec des légumes

Porc bouilli à la racine de lotus
Porc et racines de lotus émincés

Poulet ivre
Poulet frotté de sel et mariné dans de l'alcool, servi froid

Riz aux huit-trésors
Entremets de riz gluant cuit à la vapeur avec des noix, des graines de lotus et des fruits confits

Poulet velours
Poulet finement haché, légèrement frit ou cuit à la vapeur, servi sans sauce

Fourmis sur des arbres
Hachis de porc servi avec des nouilles transparentes

INGRÉDIENTS SÉCHÉS
Les ingrédients séchés jouent un très grand rôle en Chine. Ils ajoutent aux plats de la saveur, du corps et de la couleur.

Abalone

Escargot de mer Précuit et émincé, il doit tremper plusieurs jours avant d'être consommé.

Agar-agar Cette gélatine d'algues épaissit les plats sucrés aussi bien que salés.

Nids d'hirondelle Ces fragments séchés très coûteux des nids que les hirondelles fabriquent avec leur salive après avoir mangé des algues sont délayés dans un célèbre potage.

Saucisses séchées à l'air Elles sont préparées avec du porc ou du canard.

Méduse séchée

Champigons séchés Ils s'utilisent essentiellement pour enrichir les plats, bien que les délicats champignons parfumés se dégustent volontiers nature dès qu'ils sont réhydratés.

Champignons parfumés

Huîtres séchées Elles salent certaines préparations.

Dattes rouges séchées Elles sucrent divers plats.

Coquilles Saint-Jacques séchées

Crevettes séchées

Fleurs de lys Ce légume jaune séché est légèrement sucré.

Ailerons de requin Les nageoires et extrémités de la queue du requin donnent un goût unique à un potage chinois réputé.

Celles-ci sont nappées de sauce *hoisin* (souvent appelée par confusion en Occident sauce barbecue) et farcies d'un ou deux petits morceaux de canard, de quelques tranches de ciboule et de bâtonnets de concombre.

Le poisson poché à la sauce au vin est aussi typiquement pékinois. Des morceaux de poisson enrobés d'une fine pâte à beignets sont très rapidement frits, puis pochés dans une sauce faite à base de vin, de bouillon, de ciboules et de gingembre. Le chou mariné de T'ien-tsin — qui ressemble à la salade romaine — est également un plat typique de cette région. À la fin d'un repas, les crêpes fourrées d'une pâte rouge et sucrée faite à partir de haricots adzuki sont particulièrement appréciées.

Sichuan Le Sichuan et le Hunan voisin se caractérisent par des montagnes élevées et des rivières profondément encaissées — elles étaient autrefois le refuge de nombreux pandas géants. Les étés y sont pluvieux et humides, et les hivers beaucoup plus doux qu'à Pékin, situé à quelque 1 600 km au nord-est. Riz, blé, huile de colza, maïs, pousses de bambou et agrumes y sont cultivés toute l'année. Les piments et le fagara, qui n'est pas un poivre mais le fruit séché d'un frêne épineux (voir p. 95), donnent aux plats locaux leur goût épicé caractéristique.

Les saveurs typiques de la région se retrouvent dans la sauce aux haricots jaunes salés, préparée à partir de graines de soja jaunes marinées au vinaigre, ainsi que dans la pâte de haricots aux piments, mélange piquant et chaud d'ail, de piments séchés, de haricots noirs fermentés et de diverses épices.

Aux yeux et au palais des Occidentaux, les recettes du Sichuan apparaissent très relevées mais les cuisiniers s'attachent en fait à faire de chaque bouchée une subtile composition de saveurs.

Ils utilisent d'abord les piments pour stimuler les papilles gustatives, puis ils font appel aux ingrédients salés, sucrés et vinaigrés pour créer une série de goûts différents. Les salaisons, les conserves au vinaigre et les marinades jouent donc un rôle capital.

Dans la plupart des foyers du Sichuan, on utilise tout au long de l'année une marinade au goût amer, faite de graines vertes de moutarde en saumure relevée de piments et d'ail pour parfumer systématiquement les plats mijotés, les ragoûts et les fritures rapides. Ainsi, le porc au chou du Sichuan est d'abord bouilli, puis frit très rapidement, avant de cuire à la vapeur avec du chou mariné, du gingembre, des piments, des ciboules, des haricots de soja noirs et du sucre candi.

«Fourmis sur des arbres» est un plat très goûteux au nom imagé, qui associe des nouilles transparentes (faites à partir d'une purée de haricots mungos), sans grand caractère, et du porc haché qui a mariné dans du vin, de la farine et de la sauce soja, avant de frire dans une sauce aillée. Il tire son nom d'une tradition qui veut que les morceaux de porc haché soient autant de fourmis grimpant sur un arbre-nouilles.

Le sens de l'humour des habitants de la région transparaît aussi dans le nom de «poissons parfumés», qu'ils donnent à certains plats de viande ou de légumes à partir du moment où ils sont aromatisés avec un condiment qui accompagne traditionnellement le poisson : un mélange très parfumé de pâte de piment, d'ail, de gingembre et de ciboules.

Un des plats les plus sophistiqués, qui porte le nom de canard fumé, met en œuvre quatre modes de cuisson. Il commence par mariner avec des grains de poivre, de la sauge, du gingembre et du sucre. Il est ensuite poché dans un bouillon, puis fumé sur un mélange de feuilles de thé, de sucre, de feuilles de laurier et de poudre de cinq-épices avant d'être haché et frit.

Dans le Sichuan et le Hunan, les volailles sont largement cuisinées, notamment le poulet *Kung pao* (chaud, aigre-doux, préparé avec des piments, du gingembre et des cacahuètes) et le poulet *pang pang* (blancs pochés, émincés, râpés et servis froids avec des concombres nappés au dernier moment d'une préparation à base de pâte de sésame, de sauce soja, de vinaigre et d'huile de piment).

Shanghai La cuisine de la Chine de l'Est est moins connue, peut-être parce qu'elle est moins typique. Cette région centrée sur Shanghai et sur le delta du Yangzi-Yang compte de nombreux étangs et elle est riche en blé, en riz, en poissons et en crustacés. Les crabes de Shanghaï sont connus pour la qualité délicate de leur chair, et la carpe argentée du lac de Hangzhou est considérée comme le poisson d'eau douce le plus savoureux de Chine.

Les cuisiniers sont réputés pour la façon dont ils font cuire la viande, la volaille et le poisson : ils commencent la cuisson lentement et à feu doux, dans un mélange de sauce soja noire et épaisse et de vin de riz, puis ils poussent le feu nettement plus fort pour faire réduire et épaissir la sauce.

REPAS

Un repas familial typique se compose d'une soupe, d'un plat de riz et de quatre plats de viande, poisson ou légumes. La soupe se consomme toujours avant les autres plats, bien qu'ils soient tous servis en même temps.

La table est ronde et les mets disposés au centre, de façon que les convives y aient facilement accès. Le couvert consiste en un petit bol avec une soucoupe pour y déposer les os et une paire de baguettes en bois ou en plastique. Celles-ci, maniées par des mains expertes, méritent bien leur surnom de *faai jee*, «agiles petits garçons».

On dispose dans le bol un lit de riz sur lequel on dépose, à l'aide des baguettes, des morceaux prélevés dans les plats principaux. Les règles de savoir-vivre exigent de toujours poser les aliments sur le riz avant de les manger.

Il faut lever son bol au niveau de la lèvre inférieure et porter avec les baguettes de petites portions à sa bouche. Renverser du riz porte malheur, et on dit souvent aux enfants qui refusent de terminer celui qui leur a été servi que chaque grain qu'ils laisseront marquera le visage de la personne qu'ils épouseront.

Chaque foyer a son propre dieu de la cuisine, qui, au cours de la dernière semaine de l'année, est convoqué au ciel pour faire son rapport sur le comportement de chaque membre de la maisonnée. En son absence, la famille tente de l'influencer dans son jugement en disposant tout un assortiment de sucreries gluantes sur son portrait, généralement accroché au-dessus du poële. Le retour sur terre du dieu de la cuisine marque le commencement de la nouvelle année chinoise (début février); il est célébré par des pétards et des petits gâteaux fourrés de haricots noirs de soja *(jien duy)*.

Lors des repas familiaux, le dessert consiste généralement en un fruit accompagné d'une tasse de thé, qui se sert avec une théière dont l'eau a frémi toute la journée; un couvercle garde le thé chaud. Dès leur plus jeune âge, les enfants apprennent comment, à l'aide d'une seule main, porter la tasse à leurs lèvres, retirer le couvercle, boire une gorgée de thé et replacer le couvercle. Le thé se boit sans sucre ni lait. En revanche, on apprécie particulièrement le thé au jasmin, une infusion verte parfumée aux pétales de jasmin, l'*oolong* du Fujian, au goût de châtaigne prononcé, et le *lapsang souchong,* aux larges feuilles mêlées de pointes blanches.

Nombre de thés chinois sont réputés pour leurs propriétés médicinales, et notamment laxatives. Les mêmes vertus sont reconnues à une soupe claire au riz gluant traditionnellement consommée au petit déjeuner, et que l'on enrichit de tous les ingrédients disponibles : graines de soja, œufs en conserve, fruits ou légumes au vinaigre, poisson séché ou châtaignes d'eau.

Lors des banquets, les plats sont servis les uns après les autres; d'abord du thé, des noix et des fruits, puis de petites friandises froides (chou ou champignons marinés), suivies des préparations chaudes (une friture, une soupe, un canard de Pékin...), et enfin d'un poisson entier. Les toasts sont portés avec de la bière chinoise et un alcool blanc, le *mei kuei lui,* qui est fabriqué à partir de sorgho et de pétales de rose.

Des principes stricts régissent les dîners, notamment en ce qui concerne le plan de table. L'hôte et l'hôtesse sont toujours assis dos à la porte, et la place d'honneur est au contraire souvent réservée au convive le plus âgé et lui fait face. Les autres invités se placent en fonction de leur position sociale après un véritable ballet qui se déroule dans la plus exquise politesse et qui a pour but de voir les personnages les moins importants se retrouver aux côtés des maîtres de maison.

DIM SUM

Dim sum signifie «pour plaire au cœur» et définit les petits plats que les Chinois consomment abondamment au milieu de la journée. Inventés à l'origine par les propriétaires des maisons de thé sous la dynastie Sung (960-1279), ces amuse-gueule sont parfois longs et délicats à préparer. Les spécialistes de ces bouchées monopolisent généralement la cuisine du restaurant, ne la libérant que le soir, quand les *dim sum* ne sont pas au menu.

Har gow *Tranches de crevettes enrobées dans une très fine pellicule de pâte à la fécule de blé.*

Crevettes roses en papillote *Mélange frit de crevettes émincées, de graisse de porc, de jambon et de pousses de bambou, enveloppé dans des feuilles de riz.*

Siu mai *Mélange de porc haché, de crevettes, de champignons, de ciboules, de pousses de bambou, de carottes et de gingembre, enveloppé dans des petits paquets en pâte à la fécule de blé.*

Cha shao *Porc laqué de Canton mariné dans une sauce soja parfumée de vin de riz, de miel, de sucre et d'ail.*

Cha shao bao *Boulette de pâte dense de la taille d'une balle de tennis, farcie de porc laqué.*

Un assortiment de dim sum

VIÊT-NAM

Sillonné de rivières et couvert de rizières vertes et fertiles, le Viêt-nam connaît des climats variés, du tropical au tempéré. On y trouve à la fois une végétation naturelle luxuriante et de belles exploitations agricoles efficacement gérées. La cuisine du pays est dominée par la couleur verte; mais les herbes et les légumes locaux n'étouffent jamais la délicatesse des plats typiquement chinois, pas plus qu'ils ne se laissent dominer par la force des épices indiennes. Ici, la gastronomie sait associer douceur et vigueur.

INGRÉDIENTS TRADITIONNELS

Ail*
Alcool de riz*
Aneth*
Anguille
Anis étoilé*
Basilic*
Cacahuètes
Canard
Champignons*
Ciboules
Citron vert*
Coriandre*
Crevettes
Cuisses de grenouille
Daikon*
Échalotes*
Feuilles de bananier*
Feuilles de curry
Feuilles de riz
Galanga*
Germes de haricots
Graine d'anis*
Graines de sésame*
Huile de sésame*
Lemon-grass*
Méduse
Menthe*
Noix de coco*
Nouilles
Nuoc-mâm
(sauce de poisson)*
Papayes
Piments*
Poudre de cinq-épices*
Pousses de bambou
Riz
Sauce aux haricots
de soja noirs
Sucre de palme
Tamarin*

*Voir index

INFLUENCES

Un millier d'années d'occupation chinoise, durant le Ier millénaire après J.-C., ont imprimé sur le pays des marques toujours visibles. Elles se retrouvent aussi bien dans les techniques culinaires (friture rapide ou cuisson à la vapeur) que dans les ustensiles (bol et baguettes) ou même les ingrédients (sauce soja et nouilles). Dans un domaine moins prosaïque, les cuisiniers vietnamiens ont également hérité des Chinois l'art de marier, dans un même plat, des saveurs et des textures opposées. Cette influence se fait surtout sentir dans le nord du pays, dont la population est encore en grande partie chinoise, et où la finesse des mets est inégalable.

Les Français ont longtemps été négociants dans cette partie du monde, puis colons. Ils y ont laissé en héritage la croustillante baguette, des légumes européens, comme les asperges et les haricots verts, le pâté, et même les cuisses de grenouille. Leur influence est très sensible dans les villes du Sud, où les restaurants servent des haricots verts avec de l'ail et du piment écrasés ou des cuisses de grenouille au piment et au lemon-grass.

SAVEURS DOMINANTES

Les parfums des herbes telles que l'aneth, le lemon-grass, la coriandre, la menthe ou le basilic font la différence entre la cuisine du Viêt-nam et celle de ses voisins du Sud-Est asiatique. L'aneth duveteux accompagne le *canh chua cà,* soupe piquante et aigre composée de poisson à chair blanche, de sauce de poisson, de piment et de jus de citron. Il figure également dans le *cha ca :* du poisson mariné dans un mélange relevé de jus de citron, de tamarin, de curcuma, de pâte de crevettes et de galanga, et ensuite grillé au feu de bois, réchauffé à table dans la sauce de poisson, et servi enrobé d'aneth et de ciboules.

Le lemon-grass *(xa)* apporte son arôme citronné aux salades, aux soupes et aux plats de viande et de poisson, tel le *ga xao xa* (poulet frit rapidement au lemon-grass) ou le *thit bo xao xa ot* (bœuf grillé au lemon-grass). Les Vietnamiens couvrent souvent le poisson ou la viande, cuits ou marinés, de feuilles de menthe, de coriandre et de basilic, puis de légumes coupés très fins. Ils les empilent aussi en couches épaisses, sur des galettes de riz ou sur des feuilles de laitue, qu'ils roulent en petits cylindres et qu'ils trempent dans différentes sauces salées, sucrées ou aigres.

La plupart de celles-ci comportent du *nuoc mâm,* ou sauce de poisson. On la prépare en laissant fermenter pendant plusieurs mois en plein soleil des couches de poisson et de sel dans de gros tonneaux en bois. On obtient ainsi un liquide transparent ambre foncé, au goût de poisson très prononcé, que l'on peut encore relever en y ajoutant du jus de citron ou de citron vert, du vinaigre de vin, des piments brûlants, de l'ail et du sucre. Ce *nuoc cham* très fort est aussi bien condiment de table qu'aromate pour les soupes, les mets frits ou les plats de viandes et de légumes.

Les cuisiniers vietnamiens utilisent beaucoup les cacahuètes; grillées et écrasées, elles décorent les plats; mélangées à du *nuoc mâm,* de l'ail, du piment, du jus de citron vert et du lait de coco, elles donnent une sauce satay onctueuse et délicieuse, appelée *dau phong rang.* Celle-ci accompagne traditionnellement l'anguille frite au lemon-grass, mais aussi de nombreux plats de viande et de poisson. L'huile de sésame donne un goût de noisette aux sauces à base de haricots noirs (haricots noirs, sauce de poisson, sucre, vinaigre, piment, bouillon, huile et graines de sésame), tandis que les graines apportent du croquant aux fines tranches de bœuf grillées au feu de bois. Les ciboules se consomment crues ou peu cuites, et relèvent au dernier moment les soupes, les rouleaux de printemps ou les mets frits rapidement. Quant aux échalotes, elles entrent dans la préparation des plats mijotés ou servent de décoration sous forme de flocons frits et croustillants.

AUTRES INGRÉDIENTS

Le riz est très souvent présent dans un repas vietnamien, et sous diverses formes. Simplement cuit à l'eau, il donne de la consistance aux soupes, aux ragoûts et aux currys. Façonné en nouilles fines, il est frit ou cuit à la vapeur. En poudre, il permet de préparer des crêpes minces qui sont cuites à la vapeur, puis farcies de garnitures diverses. L'une des plus appréciées, le *banh cuon,* comporte du porc et des légumes cuits surmontés d'échalotes frites et croustillantes, et il se déguste après avoir été trempé dans une sauce épicée et sucrée. Enfin, la farine de riz est l'ingrédient de base des galettes fines et transparentes avec lesquelles on confectionne les *cha gio* (rouleaux de printemps).

Le riz gluant est aussi très populaire. Il entre dans la composition de nombreux desserts; l'un d'entre eux se prépare en faisant cuire à la vapeur dans des feuilles de bananier du riz gluant baignant dans du lait de coco.

Le porc, apprécié dans l'ensemble du pays, se marie souvent aux fruits de mer : associé à du crabe, il garnit les crêpes et les rouleaux de printemps; mélangé à des nouilles et à des crevettes séchées, il donne le *mi-quang,* une soupe servie presque partout.

Qu'il soit rôti avec de la poudre de cinq-épices *(ngu vi huong)* ou frit rapidement avec des tiges parfumées de lemon-grass, le poulet est toujours délicieux. Le bœuf est le principal ingrédient du *pho,* la soupe nationale à la viande et aux nouilles. Elle se compose de petits morceaux de bœuf cru, mélangés à de la menthe, des ciboules et des feuilles de coriandre, et disposés sur un lit de nouilles; ils sont ensuite couverts d'un bouillon de viande relevé et parfumé au gingembre et à l'anis étoilé, très chaud, qui cuit légèrement la viande crue. Chacun y ajoute différents assaisonnements, piquants (piment rouge), salés (sauce de poisson) ou aigres (jus de citron vert), mélangés de multiples façons.

La variété des légumes — laitue, radis blanc, pommes de terre, asperges, brocolis, carottes, artichauts, concombre, chou-fleur, courgettes ou aubergines — dépend des régions. Ils se consomment crus ou frits très rapidement afin d'en préserver la couleur, la saveur et la texture. Généralement, ils sont cuits avec un peu de porc et de fruits de mer, qui les parfument très légèrement.

Au Viêt-nam, et notamment dans le Sud, plus humide, les fruits poussent en abondance et se dégustent nature. Les plus répandus sont les oranges, les noix de coco, les litchis, les caramboles, les mangues, les bananes, les anones, les pomelos, les goyaves et les pastèques; ils permettent de préparer de somptueuses salades de fruits.

REPAS

Le petit déjeuner consiste en un bol de *pho* bouillant, préparé à la maison ou acheté chez un vendeur des rues. Seule une minorité de Vietnamiens prennent du café ou du thé avec du pain beurré, à l'occidentale.

Le déjeuner se compose de riz, d'un bouillon et d'un choix de plats légers de viande, de poisson et de légumes, servis avec tout un assortiment de sauces et d'assaisonnements. Le dîner n'est guère différent, mais comme il est le principal repas de la journée, il comprend un plus grand nombre de préparations.

Le repas du dimanche est, en général, très élaboré. On y sert des coquilles Saint-Jacques et des algues en petits morceaux, frites et croustillantes, des boulettes de porc grillées avec une sauce sucrée aux cacahuètes, ou encore le traditionnel *ta pi' lu.* Chacun dispose d'une grande assiette d'ingrédients crus — poulet, bœuf, crevettes, calmar et légumes frais — qu'il fait cuire dans une marmite de bouillon aromatique qui mijote sur la table. Ensuite, un thé délicatement parfumé au jasmin apporte une note apaisante.

Les repas se prennent autour d'une table basse appelée divan; les convives s'assoient par terre. Le dîner se termine généralement par des fruits plutôt que par un dessert. Et quand on sert du vin à table, c'est à coup sûr de l'alcool de riz.

PLATS TYPIQUES

Pho
Soupe au bœuf (ou au poulet) et aux nouilles de riz

Canh thit nau cua
Soupe de crabe et de porc

Cha gio
Rouleaux de printemps

Banh tom
Pâté de crevettes servi sur des toasts

Canh chua ca
Soupe de poisson épicée

Ga xao xa ot
Poulet au lemon-grass

Ca hap
Bar à la vapeur

Ca loc hap
Poisson à la vapeur au lait de coco et au gingembre

Goi dua heo
Salade de porc, calmar et cacahuètes

Thit ga chien gung
Poulet sauté au gingembre

Cha ca
Lotte à l'aneth

Suon chien
Côtelettes au barbecue

Kho
Poisson ou viande cuits dans une sauce au poisson et au lemon-grass

Ca tim nuong
Aubergines au citron vert

Bau xao
Courgettes aux crevettes et au porc

Banh chuoi
Galette de banane

Chuoi va thom chien gion
Beignets de pommes et d'ananas

Chuoi dua
Bananes au lait de coco

Hoa qua tuoi
Salade de fruits glacés

Dau xanh vung
Boulettes de haricots mungos aux graines de sésame

THAÏLANDE

Les cuisiniers thaïlandais ont à leur disposition une grande diversité de saveurs, du doux au brûlant, de l'aigre au sirupeux, et de couleurs, du vert des feuilles au rouge des épices. Leur pays jouit d'un climat ni trop humide ni trop sec; sur son sol paissent de nombreux troupeaux et les légumes poussent en abondance, tandis que les mers et les rivières regorgent de poissons et de fruits de mer. Confiants en la richesse de ces produits, ils ont pu se tourner vers leurs voisins pour s'inspirer de leur gastronomie. Ils ont ainsi adopté les épices indiennes, les techniques de cuisson chinoises, et le fruit le plus remarquable du Pacifique, la noix de coco. Ils l'ont fait toutefois progressivement, sans jamais laisser les influences extérieures les submerger, mais en les adaptant à leurs traditions afin de préserver leur originalité culinaire. Ainsi, un plat de poisson cuit simplement à la vapeur en Chine est aromatisé chez les Thaïlandais de lemon-grass; un curry indien parfumé avec deux épices en contient ici beaucoup plus, mais aussi des herbes, de la sauce de poisson et du lait de coco. Cependant, le véritable talent des cuisiniers de ce pays ne réside pas dans le nombre d'ingrédients qu'ils réunissent, mais dans la façon dont ils les utilisent.

INGRÉDIENTS TRADITIONNELS

Ail*
Anis étoilé*
Basilic*
Bœuf (nua)
Cacahuètes
Champignons*
Ciboules
Citrons verts*
Coriandre*
Crème de haricots
Crevettes
Cumin*
Curcuma*
Échalotes*
Galanga*
Gingembre*
Graines de sésame*
Kapee (pâte de crevettes)
Krachai
Lemon-grass*
Limes
Maïs doux
Menthe*
Noix de coco*
Nouilles
Pâte de crevettes
Pâte de curry*
Piments*
Porc
Poulet (kai)
Riz
Sauce d'huîtres*
Sauce aux piments* (sriracha)
Sauce de poisson*
Sauce soja*
Sucre*
Sucre de palme
Tamarin*
Taro

*Voir index

INFLUENCES

Géographiquement, la Thaïlande est nettement plus proche de la Chine que de l'Inde; cependant, sa gastronomie s'est incontestablement davantage inspirée de celle de cette dernière. Sans doute a-t-elle emprunté le wok à la première, de même que la friture rapide et la cuisson à la vapeur; en revanche, elle a refusé d'épaissir les sauces avec de la farine de maïs, et les plats frits ont toujours été ici plus légers et plus fins.

De même, en adaptant les currys indiens, les Thaïlandais leur ont apporté trois spécialités. Tout d'abord, ils les préparent sous forme de pâte, à partir d'herbes et d'épices trempées et pilées, alors qu'en Inde, elles sont séchées et donnent généralement des poudres; ensuite, ils découpent les principaux ingrédients (viande, poisson ou encore légumes) en fines lamelles plutôt qu'en gros morceaux; enfin, ils ont remplacé les produits laitiers, tel le beurre clarifié, par du lait de coco, liquide épais qu'ils obtiennent en faisant tremper la pulpe de la noix de coco dans de l'eau avant de la filtrer (voir p. 179).

Assez curieusement, ce sont les Européens qui ont contribué à faire connaître aux Thaïlandais l'ingrédient qui caractérise aujourd'hui le mieux leur gastronomie : le piment.

Les négociants portugais auraient introduit cette épice brûlante dans les régions orientales, et aussi, peut-être pour l'équilibrer, les douces crèmes aux œufs, dessert à l'origine de la crème à la noix de coco, le *sung kha ya,* qui sont aujourd'hui très populaire dans tout le pays.

SAVEURS DOMINANTES

Parmi les variétés de piments les plus fortes existant dans le monde, dix poussent en Thaïlande. Le plus brûlant d'entre eux est le petit piment moucheté; sa taille minuscule (1 cm de long) dissimule sa prodigieuse capacité à enflammer la bouche. Les piments s'utilisent de multiples façons. Associés au *nam pla* (sauce de poisson fine et salée), au *kapee* (pâte de crevettes), à de l'ail, de la coriandre et du jus de citron, ils donnent le *nam prik,* liquide qui sert, dans tout le pays, de condiment, de sauce, d'accompagnement et d'assaisonnement. Le *prik nam som* (piments marinés dans de l'alcool de riz) et le *prik pon* (poudre de piment rouge) se retrouvent aussi très fréquemment.

L'ail thaïlandais, aux gousses plus petites et à la peau plus rose que son cousin occidental, relève de nombreux plats; en outre, frit et croustillant, il sert de décoration et, mariné dans de l'alcool de riz avec du sel et du sucre, il devient le *kratiem dong* (ail mariné).

La saveur acide du tamarin et celles du jus de lime et des feuilles de lemon-grass, ajoutées à celles, plus chaudes, des trois sortes de gingembre thaïlandais — rhizome de gingembre, grand galanga et *krachai* — imprègnent l'ensemble des préparations thaïlandaises d'un parfum tenace. Les cuisiniers y ajoutent volontiers du lait de coco, afin de compenser les goûts piquants par celui, crémeux et sucré, qui caractérise la gastronomie nationale. Ce mariage se retrouve dans de nombreux mets à base de pâte de curry, rouge ou vert, tels que *kiaw wan goong* (curry vert de crevettes) et *kaeng pet kai* (curry rouge de poulet). La pâte de curry, dont la couleur dépend du piment qu'elle renferme, se compose généralement (voir p. 81) de piment (rouge ou vert), de lemon-grass, d'échalotes, d'ail, de galanga, de coriandre, de cumin, de poivre blanc, de pâte de crevettes et de feuilles ou de zeste de lime.

La coriandre et les feuilles de menthe servent aussi bien d'ingrédients que de décoration. Le basilic apporte son parfum subtil aux aliments frits, aux currys et aux soupes, et, coupé en petits morceaux, il agrémente des salades.

AUTRES INGRÉDIENTS

En Thaïlande, une invitation à un repas se dit *kin khao*, «venez manger le riz». Celui-ci se présente sous deux formes : le riz à grains longs ou parfumé, très consommé dans le Sud, et le riz gluant à grains plus courts, très apprécié dans le Nord, mais qui, partout, est à la base de nombreux desserts. Le dernier est plus liant et plus malléable.

Dans tout le pays, on confectionne également différents plats de nouilles de riz, et notamment le très populaire *pad thai :* saisies à feu vif, elles sont servies avec des crevettes séchées, des cacahuètes grillées, du jus de citron, de la sauce de poisson, des germes de haricots, des ciboules, du piment, des navets en conserve, des feuilles de coriandre et du sucre. Bouillies, elles épaississent des soupes, dont le *suki gai,* qui se compose de poulet, de sauces de soja et de poisson, de sucre, d'œufs, de crème de haricots rouges, d'ail mariné, de bouillon, de piment en poudre, de jus de citron, de céleri et de légumes verts chinois. Frites et croustillantes, relevées d'ail, d'échalotes, de piment et de porc, elles sont le composant principal du célèbre *mee krop.*

La Thaïlande regorge d'une grande variété de poissons. On les hache pour en faire des boulettes, on les intègre à des farces, on les prépare au curry ou à la vapeur avec des prunes marinées et de l'ail. Le homard grillé au piment et à l'ail illustre l'heureuse union entre la finesse d'un crustacé et la puissance de l'épice.

Le porc, souvent associé à des fruits de mer dans des plats comme le *bu ja* (crabe cuit à la vapeur avec de l'ail, de la coriandre et du piment), est omniprésent. Le poulet et le bœuf se retrouvent aussi bien dans des plats de légumes frits rapidement que dans des currys, tel le *kaeng mussaman :* ce mélange de bœuf, de lait de coco, de sauce de poisson, de tamarin, de pommes de terre, de cacahuètes et d'oignons est relevé d'une pâte de curry *mussaman,* très particulière puisqu'elle contient de la cannelle, des clous de girofle, de l'anis étoilé et de la cardamome.

REPAS

En Thaïlande, la journée commence par une bouillie de riz accompagnée de radis marinés ou d'autres légumes en conserve, parfois améliorée de porc haché et de piments. Le déjeuner s'achète auprès des innombrables marchands ambulants qui arpentent les rues de toute ville thaïlandaise, et qui vont même le porter à domicile dans les villages les plus reculés.

Ce repas de midi, en général à base de nouilles, se compose d'une soupe aux nouilles enrichie de morceaux de poulet, de haricots verts et de germes de haricots, ou d'un plat de nouilles grillées agrémenté de quelques morceaux de viande et de légumes, et relevé de plusieurs sauces à base de sucre, de sauce de poisson, de cacahuètes fraîches grillées et de piments secs écrasés.

Le dîner est plus copieux et réunit divers plats toujours servis en même temps. Le dessert, occasionnel, comprend souvent une préparation sucrée et assez liquide, parfumée la plupart du temps avec une crème à la noix de coco, et une autre, solide, faite quant à elle de pâte de haricots sucrée. Les fruits sont plus appréciés pour leur délicieuse fraîcheur.

La présentation a une grande importance. Les tomates sont découpées en forme de roses, les carottes en pétales de lotus, les ciboules en lys, et le gingembre reproduit très fidèlement, dans leurs moindres détails, de minuscules crabes.

PLATS TYPIQUES

Poh piah tod
Rouleaux de printemps

Kha nom jeen
Boulettes thaïlandaises

Suki kai
Soupe au poulet, aux légumes et à la crème de haricots

Yam nua saweo
Concombre farci au bœuf

Tom yum kung
Soupe de crevettes piquante et aigre

Pad thai
Nouilles frites garnies de viande et de légumes émincés

Tod mum pla
Gâteaux de poisson

Hoy op
Moules cuites à la vapeur avec du basilic et du lemon-grass

Laab nua
Salade de bœuf haché épicé

Kaeng pet dang mhoo
Curry rouge de porc

Kiaw wan goong
Curry vert de crevettes

Yam talay
Salade de poisson piquante et aigre

Satay
Brochettes de viande grillées

Homok talay
Bouillabaisse de fruits de mer à la noix de coco

Mee krop
Nouilles sucrées croustillantes

Khanom maw gaeng
Crème cuite au four

Ta-kho
Lait de coco et riz gluant

Kruay khaek
Banane frite

Met kanoon
Dessert sucré aux haricots mungos

PACIFIQUE SUD

L'action combinée de la pluie, de la chaleur et du fort taux d'humidité fait des pays du Pacifique Sud de véritables serres pour les produits alimentaires. Les arbres croulent sous les fruits tropicaux, les plantes surgissent du sol, couvertes de feuilles, et les pousses de riz ondoient par milliers dans les champs gorgés d'eau.

L'eau est partout, dans les rizières, les rivières ou la mer. Les poissons et les fruits de mer abondent : ils sont bouillis dans du lait de coco, mijotés dans du vinaigre, frits dans de la sauce soja ou de poisson, ou arrosés de sauces ou de condiments au goût brûlant. Les cuisiniers savent adapter leurs recettes pour mettre en valeur la particularité des ingrédients dont ils disposent. Qu'elles soient d'origine locale ou qu'elles aient été importées par les générations successives de marins, les herbes et les épices constituent un véritable trésor et ont fait naître une gamme incomparable d'assaisonnements.

INGRÉDIENTS TRADITIONNELS

Ail*
Ananas
Bananes
Basilic*
Cacahuètes*
Cannelle*
Citrons verts*
Coriandre*
Cumin*
Curcuma*
Fenouil*
Feuilles de bananier*
Feuilles de pandanus
Galanga*
Gingembre*
Igname
Jaque
Kalamansi
Ketjap
Laurier*
Lemon-grass*
Litchis
Mangues
Noix de Bancoul
Noix de coco*
Noix muscade*
Nouilles
Papayes
Patates douces
Pâte de crevettes (blachan/trasi)*
Pâte de soja (miso)*
Piments*
Poisson séché*
Sauce de poisson (patis)*
Sauce hoisin*
Sauce soja*
Sucre de palme
Tamarin*

*Voir index

MALAISIE

Les Malais vivent sur la longue péninsule tropicale qui borde le détroit de Malacca, couloir océanique naturel entre la mer de Chine méridionale et l'océan Indien. Le littoral en pente douce offre des accostages faciles, et dès le XVe siècle avant J.-C., les négociants venus de Chine, d'Inde et du Moyen-Orient sont arrivés nombreux dans le port florissant de Malacca (aujourd'hui Melaka).

De tous les étrangers qui touchèrent ces terres, ce sont les Arabes et les Indiens qui, avec la religion musulmane, ont laissé l'empreinte la plus durable. Mais ils ont aussi exercé une profonde influence dans le domaine gastronomique.

Ici, les épices indiennes, tels le cumin et le curcuma, sont très fréquents dans les currys; le *satay,* plat national de brochettes de viande, prend ses racines au Moyen-Orient; et les mets d'origine chinoise, notamment les rouleaux de printemps et le *char siu* (porc arrosé de miel), font partie d'une longue tradition culinaire.

L'influence chinoise est particulièrement sensible à Singapour, l'État insulaire situé à l'extrémité méridionale de la péninsule malaise. En effet, dans les années 1820, des milliers de Chinois s'y sont retrouvés pour travailler à la construction de la capitale. De leur union avec des femmes indigènes est né le peuple bien distinct des Nonyas, ou Chinois des Détroits, qui savent combiner dans leurs plats le souci chinois de préserver les textures et les équilibres, et le penchant malais pour les piments et les currys.

Le lait de coco, ou *lemak,* est au cœur de la cuisine nonya, mais il s'est répandu dans tout le pays. Il ne s'agit pas du liquide que renferme la noix de coco mais du mélange de la pulpe fraîche ou séchée et râpée avec de l'eau chaude, qui est ensuite tamisé. Le *lemak* est le principal ingrédient liquide des currys malais, mais surtout du plat national, le *laksa lemak* (soupe à la noix de coco), un délicieux potage composé de crevettes roses, de lemon-grass *(serai),* de pâté de haricots, d'ail, d'oignons, de feuilles de curry et de noix de bancoul, appelées *buah keras,* qui ressemblent aux fruits du noisetier d'Australie. Le lait de coco joue également un rôle important dans les desserts, tel le *serikaya,* crème aux œufs à la noix de coco.

En petits morceaux ou séchée, la chair de la noix de coco entre souvent dans la composition des *sambals,* ces petites assiettes de pâte humide ou sèche qui sert couramment de condiment ou de complément d'assaisonnement. Ils se composent de piment et de crevettes, de noix de coco et d'oignon, ou encore d'ananas et de concombre.

Souvent, les sambals sont parfumés au *blachan,* mélange de crevettes fermentées, broyées avec du sel. Cette pâte à l'odeur très prononcée dégage, à la cuisson, une saveur profonde mais sans goût de poisson excessif. L'*ikan bilis* est un autre assaisonnement très courant : on le prépare en émiettant de minuscules poissons séchés dans des soupes ou dans des sauces. Les sauces soja et hoisin accompagnent plutôt les mets d'origine chinoise.

Des herbes et des épices fortes s'utilisent en grande quantité, et notamment le lemon-grass, la coriandre, l'ail, le cumin, le piment, le curcuma, les feuilles de curry, le gingembre et son proche parent à odeur de pin plus prononcée, le galanga.

Le goût sucré est apporté par le sucre brun de palme *(gula melaka),* l'acide par la lime, le citron et la gousse de tamarin écrasée *(asam).* Quant aux feuilles longues et minces du pandanus, elles apportent aux préparations un fumet de noisette et une belle couleur verte.

Les Malais étant en majorité musulmans ou hindous, la consommation de bœuf et de porc est limitée, à l'inverse de ce qui se constate en Chine; en revanche, toute la population apprécie le poulet. La Malaisie regorge de poissons et de fruits de mer, notamment de crevettes, de maquereaux, de brèmes de mer et de lutjanidés.

Les cacahuètes donnent à la sauce du traditionnel satay sa saveur et sa consistance. Les autres légumes prédominants sont l'aubergine, les germes de haricots, la calebasse et le chou chinois; quant aux fruits, ils comprennent notamment le ramboutan, le litchi, la banane, l'ananas, la lime et la carambole.

Les nouilles *(mee)* sont très populaires, mais c'est le riz qui constitue la base de l'alimentation quotidienne : riz à grains longs, celui que nous connaissons en Occident, et riz gluant, noir ou blanc, plus collant. Il se fait très souvent cuire à l'intérieur d'un récipient en feuilles de palmier ou de bananier tressées, qui lui apportent une saveur délicate.

Satay et sauce aux cacahuètes

INDONÉSIE

L'Indonésie est un vaste puzzle composé de quelque 13 000 îles, dont les plus grandes sont Java, Sumatra et Bali.

Entre le VIIe et le XIIe siècle, nombreuses d'entre elles subissent la domination de l'empire hindo-bouddhiste Srivijaya, d'Insulinde. Mais lorsque celui-ci décline, les insulaires commencent à adopter l'islam, religion qu'ont introduite les marins musulmans et qu'ils répandent peu à peu le long de leurs routes commerciales. Aujourd'hui, bien que les hindous restent nombreux, les musulmans prédominent largement (90% à Bali).

L'Indonésie partage de nombreuses traditions culinaires avec sa voisine la Malaisie, et les cacahuètes y règnent aussi en maîtres. Elles sont la base de la sauce locale qui assaisonne le satay, ainsi que de celle qui accompagne le *gado gado,* le plat national, une salade froide de légumes cuits, servie avec des biscuits aux crevettes *(krupuk udang),* et des petits croquants amers, appelés *emping,* et préparés à partir des noyaux grillés du fruit de l'arbre géant, le *melinjo.*

Le lait de coco, ou *santen,* est indispensable à de nombreuses préparations telles que *l'ayam opur* (poulet cuit dans du lait de coco) et le bœuf *rendang,* où la viande mijote dans ce même liquide relevé d'épices. Dans certains plats, le *santen* constitue une sauce épaisse, alors que dans d'autres (notamment le *rendang*), il cuit jusqu'à être complètement absorbé par les autres ingrédients.

Les sauces et les pâtes jouent un grand rôle. Le *ketjap* (qui a donné son nom au ketchup) est la sauce soja indonésienne; le *ketjap manis* est doux, épais et sirupeux, le *ketjap asin,* plus léger et plus salé.

Tous deux sont des ingrédients des sambals — mélanges relevés d'herbes et d'épices moulues qui servent à la fois d'assaisonnement et de condiment de table. Le *sambal ketjap,* par exemple, comporte des flocons de piments, de l'ail, du *ketjap manis* et du jus de lime; le *sambal goreng,* mélange très riche, se compose, quant à lui, de lait de coco, de feuilles de laurier, de feuilles de lime, d'ail, de cumin, de piment rouge, de galanga ou *laos* (*lenkuas* en Malaisie) et de *trasi,* cette pâte de poisson fermentée et salée, qui est l'équivalent indonésien du *blachan* malais (voir p. 189).

PLATS TYPIQUES

Acar/achara
Condiment aux légumes marinés

Nasi goreng (Indonésie)
Riz frit mélangé

Char kway teo (Malaisie)
Nouilles sautées à la viande et aux crevettes

Martabak (Indonésie)
Crêpes à la viande hachée

Char siu (Malaisie et Indonésie)
Porc rôti, laqué de miel à la chinoise

Dinuguan (Philippines)
Ragoût de porc cuit dans son sang

Ikan lemak (Malaisie)
Poisson à l'aigre-doux

Guinataan (Philippines)
Plats préparés au lait de coco

Gado gado (Indonésie)
Salade froide de légumes avec sauce aux cacahuètes et biscuits secs

Porc gulai (Malaisie)
Plat de porc nonya cuit dans du lait de coco

Poulet relleno (Philippines)
Poulet farci

Rendang (Indonésie)
Curry de bœuf épicé au lait de coco

Kari-kari (Philippines)
Ragoût de bœuf ou de queue de bœuf et sauce aux cacahuètes

Nasi kuning (Indonésie)
Plat de fête de riz jaune

Lechon (Philippines)
Porc entier rôti

Tahu telur (Malaisie)
Omelette à la crème de haricots

Sinigang (Philippines)
Bouillon aigre aux tomates et aux fruits acides

Lemper (Indonésie)
Morceaux de poulet enveloppés de riz gluant

PLATS TYPIQUES

Lontong (Malaisie et Indonésie)
Riz froid pressé et cuit dans des feuilles de bananier

Singapore laksa
Soupe de fruits de mer avec des vermicelles de riz

Pancit (Philippines)
Nouilles cuites dans de l'ail et des oignons, avec des crevettes et du porc

Ayam opur (Indonésie)
Poulet cuit dans du lait de coco

Adobado (Philippines)
Ragoût de porc et/ou de poulet préparé à la façon adobo — dans une sauce soja au vinaigre et à l'ail

Laksa lemak (Malaisie)
Soupe au lait de coco avec des crevettes

Satay (Malaisie et Indonésie)
Brochettes de bœuf, de poulet ou de tortue servies avec une sauce aux cacahuètes

Paksiw na bangus (Philippines)
Poisson bouilli dans du vinaigre et du sel

Gudeg (Indonésie)
Poulet au jaque

Chah kangkung (Indonésie)
Chou frit rapidement

Kilawin (Philippines)
Poisson cru «cuit» dans du vinaigre et du jus de citron

Gula melaka (Malaisie)
Entremets à la noix de coco, au sagou et à la mélasse

Halo-halo (Philippines)
Mélange de fruits secs et confits avec de la glace pilée et de la crème glacée

Serikaya (Malaisie et Indonésie)
Crème à la noix de coco

Banana-cue (Philippines)
Bananes roulées dans la cassonade et grillées

Les herbes et les épices les plus courantes sont le lemon-grass, le cumin, la coriandre, la poudre *laos* (galanga séché et moulu), les piments et le curcuma qui colore en jaune le riz des jours de fête, le *nasi kuning*.

L'Indonésie, avec ses milliers d'îles, regorge de poissons. La mer offre des lutjanidés rouges, des bars, des brèmes de mer et des chanos, mais aussi des crevettes de toutes tailles, ainsi que des moules et des calmars. Parmi les poissons d'eau douce, l'un des plus prisés pour sa chair blanche est le *gurami*.

Comme en Malaisie, la population musulmane, nombreuse, ne consomme pas de porc. Seuls les habitants de Bali, en majorité hindous, lui accordent une place importante. L'agneau est réservé aux grandes occasions, alors que le bœuf (ou *karbau*) est plus fréquent, bien que les hindous le refusent, eux aussi pour des raisons religieuses.

Sous ce climat tropical, les fruits poussent à profusion, notamment la papaye, l'ananas, le mangoustan et différentes variétés de banane; ils ont des tailles très différentes, depuis la petite pomme rose *(jambu air)* croquante, de la taille d'une balle de golf, jusqu'au fruit géant du jaquier *(nangka)*. Celui-ci, énorme, contient, sous une peau épaisse hérissée de pointes caoutchouteuses, une chair jaune et fibreuse. Le jaque est l'un des ingrédients de base du *gudeg*, un plat traditionnel.

Dans l'ensemble, les Indonésiens consomment les mêmes légumes que les Malais : chou chinois, concombre, germes de haricots et *kacang panjang*, des haricots verts qui peuvent atteindre 1 m de long.

PHILIPPINES

Les trois cent quarante ans passés sous l'autorité espagnole, de 1550 à 1890, ont laissé aux Philippines leur nom (celui du roi Philippe II d'Espagne), mais aussi tout un héritage gastronomique typiquement espagnol.

Les petits amuse-gueule salés qui constituent le buffet *merienda* sont les *tapas* du Pacifique Sud; l'*arroz valenciana* n'est autre qu'une forme de paella. Quant au chorizo, cette saucisse épicée, il vient directement d'Espagne, alors que d'autres ingrédients sont arrivés de territoires espagnols du Nouveau Monde; le maïs, l'avocat, la tomate, la pomme de terre et le café sont tous parvenus jusqu'à cet autre bout du monde grâce aux Mexicains qui, très longtemps, ont administré cette région pour le compte de l'Espagne.

L'autre grand apport culinaire est dû aux négociants chinois qui, dès le Xe siècle, font du commerce dans cette région. Les rouleaux de printemps et les *lomi* (nouilles collantes à la viande et aux fruits de mer), étaient déjà bien implantés aux Philippines avant que le premier galion espagnol n'y aborde.

La plupart des plats philippins ont un goût pénétrant et piquant. Le jus du *kalamansi,* un agrume très acide, à mi-chemin entre la lime et le citron, y est très souvent présent. Le vinaigre joue également un rôle primordial dans deux préparations très fréquentes, le *paksiw,* viande ou poisson longuement mijoté dans du vinaigre et du sel; et le *kilawin,* du poisson «cuit à cru» dans du vinaigre et du jus de *kalamansi,* comme l'est le *ceviche* en Amérique du Sud. Le vinaigre mélangé à de l'ail et de la sauce soja entre dans la composition de l'*adobado,* un ragoût de porc ou de poulet au goût relevé.

Les soupes et les ragoûts, de nombreux hors-d'œuvre et des condiments regroupés sous le nom de *sawsawan,* sont souvent aromatisés avec du *bagoong,* une pâte de poisson épaisse et salée, et une sauce plus fine et plus légère qui en dérive, le *patis* (sauce de poisson). Le mélange en proportions variables de ces deux préparations avec de l'ail, des piments rouges broyés, du vinaigre, des oignons et du jus piquant de tamarin ou de *kalamansi* donne des assaisonnements allant de l'aromatique au brûlant.

Le lait de coco est ici aussi très fréquent. Il est à la base de tous les *guinataan,* mélanges de poulet, de porc et de légumes qui mijotent jusqu'à ce qu'ils aient absorbé tout le liquide. Le terme de *guinataan* désigne également des mets sucrés, notamment celui qui se compose d'ignames, de tapioca, de banane et de jaque, cuits dans du lait de coco.

Les épices ne manquent pas — clou de girofle, cannelle, gingembre, anis étoilé, curcuma et noix muscade —, les herbes non plus — romarin, laurier, basilic et aneth. Quant aux piments, broyés, séchés, coupés en tranches ou frits, ils font également de nombreuses apparitions dans la cuisine philippine.

Dans un pays constitué de plus de 7 000 îles, le poisson tient une place de choix dans l'alimentation. L'anchois, le bar, l'espadon et le chanos comptent parmi les plus courants, aux côtés du pastenague et de l'abalone.

Contrairement à leurs voisins d'Asie du Sud-Est, la plupart des Philippins ne sont pas musulmans mais chrétiens, et ils consomment donc du porc, comme en témoigne le fameux *dinuguan,* ragoût épicé de porc cuit dans son sang. Le *lechon* — cochon entier rôti — est réservé aux fêtes : l'invité d'honneur ouvre la cérémonie du repas en arrachant une des oreilles cuites. Le poulet et le bœuf sont eux aussi appréciés, ainsi que les abats.

Le riz, à grains longs ou gluant, est ici la céréale de base. Une variété propre à la région, le *pirurutung,* de couleur pourpre et donc très décoratif, ne sert qu'à la préparation des desserts tel le *puton bumbong,* cuit dans des tiges de bambou et servi avec du sucre et du beurre. Les Philippins excellent d'ailleurs à confectionner des desserts à base de riz, parmi lesquels le populaire *pinipig,* petit gâteau individuel fait de riz gluant grillé et de *champorado,* du riz collant parfumé au chocolat.

Les légumes les plus appréciés sont la calebasse, le chou chinois, l'oignon, le navet blanc, le cœur de palmier et le *kangkong,* une plante feuillue des marais. Les étals des marchés regorgent de bananes, de goyaves, d'ananas, de mangues, de kalamansis, de jaques, de pastèques et de *durian,* fruits volumineux couverts de nombreuses épines, à l'odeur franchement désagréable mais au goût excellent.

REPAS

En Malaisie, le petit déjeuner est consistant. Il se compose habituellement de petits pains cuits à la vapeur ou de *nasi lemak,* une bouillie d'avoine au lait de coco parfois saupoudrée de poisson séché *(ikan bilis),* accompagnés aussi bien d'un œuf dur au sambal que d'un poisson entier au curry. Le déjeuner, plus léger, se résume souvent à quelques boulettes chinoises ou à du riz agrémenté de viande ou de légumes, et d'un peu de thé de Chine parfumé.

Le dîner, nettement plus substantiel, peut comporter, outre un plat de riz, jusqu'à cinq préparations différentes de poisson, de légumes ou de viande, servies avec des sambals. Les mets sont généralement disposés au centre de la table, où chacun se sert. Les feuilles de bananier servent de «plats» pour le riz ou d'assiettes pour le dîner, ou maintiennent les aliments au chaud.

Dans les grandes occasions, les Malais préparent une sorte de fondue. Dans une marmite placée au-dessus d'un feu de bois, ils font chauffer du bouillon. Les convives y plongent des morceaux de viande, de fruits de mer, de légumes et de poisson, qu'ils dégustent quand ils sont cuits selon leur goût.

Les repas indonésiens ne sont guère différents. Un petit déjeuner classique se compose d'une bouillie de riz *(bubur ayam)* mélangée à des morceaux d'omelette et à des miettes de poisson séché *(goreng teri).* Un autre plat souvent servi en début de journée est le *nasi goreng,* signifiant «riz frit», que l'on agrémente de tous les ingrédients disponibles.

Le déjeuner consiste en un plat de riz ou de nouilles avec de la viande ou des légumes, ou parfois en un satay de poulet ou de bœuf acheté auprès d'un marchand ambulant. Le dîner se prend à partir de 18 h 30, mais sans horaire réellement fixe. Lors des grandes occasions, le menu comprend traditionnellement un *nasi gerar* (le *rijstaffel* hollandais ou «table de riz») : autour d'un grand plat est servi tout un assortiment de riz épicé, de soupes, de poissons, de viandes, de légumes et de sambals, choisis de façon à offrir tout l'éventail des saveurs (épicé, doux, sucré, acide) et des textures (croquante, tendre, croustillante et molle). Ici aussi, chacun se sert et mange soit avec une fourchette, soit avec les doigts de la main droite; la gauche est en effet considérée comme impure. Avant de commencer, on se souhaite un bon appétit, *selamat makan.*

Les Philippins commencent également la journée par du riz, souvent frit avec une pointe d'ail, et servi avec du poisson salé et séché. Au déjeuner, ils se contentent d'un *pancit* (des nouilles avec du porc et des crevettes) ou d'un *lumpia,* le rouleau de printemps local. En fin d'après-midi intervient la *merienda,* collation regroupant différents petits plats salés, souvent si nombreux qu'ils constituent un repas complet.

Comme en Malaisie et en Indonésie, les hôtes se servent eux-mêmes autour d'un plat commun, mais ici ils utilisent beaucoup plus souvent des couverts que leurs doigts.

Dans ces trois pays, les ustensiles de cuisine se ressemblent. Le wok, en métal ou en terre cuite, est présent dans toutes les maisons. Il porte le nom de *kwali* en Malaisie, de *wajan* en Indonésie et de *carajay* aux Philippines.

Dans les deux premières nations à forte tendance musulmane, on ne sert jamais d'alcool aux repas, et aux Philippines, pourtant de religion chrétienne, rarement. On boit plutôt du thé, du café, du jus de fruit et du lait de coco glacé.

AUSTRALIE ET NOUVELLE-ZÉLANDE

L'Australie et la Nouvelle-Zélande, toutes deux colonies britanniques pendant plus de deux cents ans, allient les plats robustes de la cuisine anglaise à ceux, plus légers, de tradition orientale. Parmi les premiers figurent le gâteau de Lamington (gâteau mousseline enrobé d'une épaisse couche de chocolat) et l'Adelaide Floater, une tourte enrobée d'une purée de pois et nappée de sauce tomate. Les seconds empruntent au Sud-Est asiatique des parfums tels que ceux du lemon-grass, de la coriandre et du gingembre, pour en aromatiser les produits locaux. La viande grillée — agneau de Nouvelle-Zélande et bœuf d'Australie — tient une place importante. Une recette néo-zélandaise classique consiste à faire rôtir entier un agneau âgé de un an. Les Australiens ont également leur plat de fête, baptisé «oie coloniale», une épaule d'agneau roulée et farcie. Un mode de cuisson très populaire est le barbecue, connu depuis très longtemps par les aborigènes. Ils dégustaient autrefois, dans certaines régions, du potage à la queue de kangourou, animal aujourd'hui protégé. Les Néo-Zélandais, eux, apprécient le gibier. Toutefois, ce sont les fruits de mer, souvent énormes, qui connaissent la plus grande faveur : huîtres, langoustes, crevettes, lutjanidés et saint-pierre.... Le nord de l'Australie, situé en zone tropicale, est le refuge du savoureux crabe du Queensland, d'une superbe couleur bleu azur, ainsi que du *noceratodus,* qui se développe dans les estuaires. Partout, les légumes verts sont très abondants, de même que les fruits typiques des régions tropicales et tempérées : pommes, poires, pêches, kiwis, anones, jaques et fruits de la passion. Ces derniers entrent d'ailleurs dans la composition du célèbre dessert meringué à la glace à la vanille créé en Australie, la *pavlova.*

LÉGUMES ET FRUITS PARFUMÉS

CHAMPIGNONS

Sauvages, cultivés ou traités, les champignons, toujours délicieux, entrent dans de nombreuses préparations culinaires. Dépourvues de chlorophylle, ces plantes thallophytes ne portent pas de fleurs. L'arôme fort et savoureux des champignons tient à l'acide glutamique qu'ils contiennent. Ils se cuisinent de très nombreuses façons : à la poêle, en cocotte, au four, au four à micro-ondes; consommés crus, ils sont agréablement frais. Dans le monde entier, les gastronomes apprécient leur subtilité parfumée.

CHAMPIGNONS DE COUCHE

Vous trouverez toute l'année des champignons de couche, autrefois produits en carrières, aujourd'hui très souvent sur des sacs de compost. Ils se mangent en salade, comme légume, farcis ou en accompagnement.

Champignons blancs Ces petits champignons d'un blanc laiteux sont récoltés avant leur maturité. Si leur parfum ne s'est pas encore épanoui, ils ont en revanche une consistance fraîche et croquante; crus, ils agrémentent bien les salades composées assaisonnées de vinaigrette.

Champignons de Paris Plus mûrs lorsqu'ils sont commercialisés, ces champignons ont un chapeau plus ou moins déployé. Les plus fermés, qui ressemblent beaucoup aux blancs, ont un goût un peu plus prononcé. Les plus ouverts présentent des lamelles brunes bien apparentes et ont une saveur pleinement développée. Ils sont délicieux farcis d'un riche mélange d'herbes et rôtis au four.

Champignons plats Récoltés au stade le plus avancé de leur maturité, les champignons plats dégagent un puissant parfum. Leur chapeau fripé et leurs lamelles foncées très marquées sont moins attrayants, mais ils apportent à tous les plats en sauce leur saveur exceptionnelle.

Champignons bistre Cette variété se distingue par son chapeau brun soutenu; crus ou cuits, ils gardent leur arôme délicat.

Autres champignons cultivés Certains champignons qui poussaient autrefois à l'état sauvage sont aujourd'hui cultivés à grande échelle et se trouvent facilement dans le commerce.

Les pleurotes en coquille, à la chair croquante et savoureuse, agrémentent bien les sautés. Leur haute teneur en eau réclame de les cuire peu de temps pour que celle-ci n'allonge pas trop le plat.

Les shiitake, à l'origine récoltés au Japon, sont aujourd'hui largement cultivés en Europe et en Amérique du Nord. Leur arôme puissant permet de les laisser mijoter longtemps.

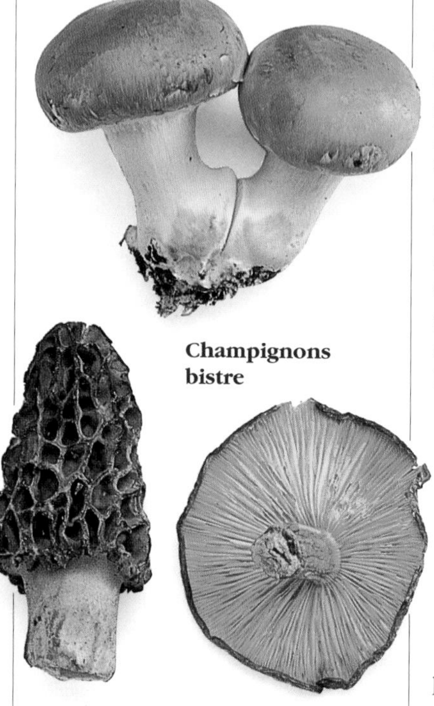

Champignons bistre

Morille fraîche

Shiitake séché

Les champignons de couche *commercialisés à plusieurs stades de maturité sont en vente toute l'année*

Champignons de Paris

Champignons blancs

Champignon plat

CHAMPIGNONS SAUVAGES

Dans de nombreux pays, la cueillette des champignons est un des passe-temps favoris des promeneurs au printemps et à l'automne, d'autant plus que la nature les leur offre généreusement. Cependant, de nombreux champignons sauvages sont vénéneux, et il ne faut jamais en ramasser dans les bois ou dans les prés une variété que l'on ne connaît pas parfaitement, à moins de la montrer à un spécialiste avant de la consommer.

Les champignons sauvages décrits ci-dessous, tout à fait comestibles, comptent parmi les meilleurs.

Cèpes Baptisés bolets en français et *porcini* en italien, ils bénéficient à la fois d'une texture agréable et d'un arôme pénétrant que la cuisson accentue encore.

Chanterelles ou girolles D'une belle couleur jaune orangé, elles ont un goût accentué, légèrement poivré. Elles accompagnent bien une viande ou une omelette, à condition de les faire sauter à feu moyen, car une trop forte chaleur les durcit.

Les cèpes ou bolets, *vigoureux et charnus, ont un parfum puissant*

Les chanterelles *ou girolles, jaune orangé, mais de taille très variable, se reconnaissent à leur forme de cornet*

Les shiitake *peuvent se manger crus, mais la cuisson rehausse leur goût et améliore leur consistance*

Shiitake

Pleurotes en coquille

Les pleurotes en coquille *perdent leur goût s'ils sont trop cuits*

Trompettes de la mort ou cornes-d'abondance Ces champignons gris, plus ou moins foncés, sont très savoureux. Ils se reconnaissent facilement sur les marchés à leur pied en forme d'entonnoir. Associés à d'autres variétés, ils prennent tout leur relief.

Morilles Très réputées en Europe, elles l'emporteraient, selon certains gastronomes, sur les truffes. Leur chapeau conique ressemble à une éponge creusée d'alvéoles. Il en existe deux types : les plus foncées sont les plus appréciées; les plus blondes sont un peu moins savoureuses.

Truffes Reine des champignons sauvages, la truffe a une saveur inégalable. Son prix, qui varie d'une année sur l'autre, demeure toujours très élevé. Les truffes sauvages poussent sous terre, au voisinage de certains arbres, notamment des chênes. Leur récolte se fait à la fin de l'automne et en hiver à l'aide d'un animal truffier (porc ou chien). Les truffes noires, qui ressemblent à des morceaux de charbon, sont sans aucun doute les meilleures. Les truffes italiennes, moins goûteuses, sont cependant délicatement parfumées.

LES CHAMPIGNONS EN CUISINE

La réalisation d'un bon plat de champignons commence par le marché. Achetez-les de préférence en vrac car les sacs en plastique les font transpirer et les détrempent. Seuls les champignons de couche se conservent relativement bien : environ 3 jours dans le bac à légumes du réfrigérateur. Quant aux champignons sauvages, ils sont toujours meilleurs quand ils sont préparés juste après la cueillette.

CHOIX ET CONSERVATION

Les champignons ridés ou mous ont été récoltés il y a trop longtemps. Les plus frais se reconnaissent à leur chapeau lisse, ferme et élastique au toucher, sans trace d'humidité.

Achetez-les de préférence en petite quantité, quand vous en avez besoin. Si vous voulez cependant les conserver, ne les lavez pas mais emballez-les dans un sac en papier perforé pour que l'air circule autour et mettez-les au réfrigérateur.

CUISSON

Les champignons étant très poreux, il vaut mieux ne pas les laver. Seuls les champignons de couche supportent un léger rinçage mais, si vous les destinez à une salade, grattez simplement les pieds et essuyez les chapeaux avec du papier absorbant; ils ne dégorgeront pas d'eau et resteront croquants. Il est inutile de les éplucher, sauf s'ils ont un aspect un peu fripé, d'autant plus que leur peau a du goût. Ne plongez jamais les champignons sauvages dans l'eau. Ôtez la partie fibreuse du pied et retirez les impuretés avec un pinceau ou une brosse douce.

LA RECETTE DU CHEF
DUXELLES

Pour 500 g environ

1 petit oignon ou une échalote finement hachés
4 cuil. à soupe de beurre doux
500 g de champignons finement hachés
2 gousses d'ail finement hachées
Sel
Poivre noir du moulin
2 cuil. à soupe de persil haché

Dans une poêle, chauffez le beurre et faites-y fondre l'oignon. Ajoutez les champignons, l'ail, sel et poivre selon votre goût. Laissez mijoter 20 minutes environ en remuant de temps en temps, jusqu'à ce que tout le liquide soit évaporé. Saupoudrez le persil et mélangez. Servez la duxelles avec du riz, une viande rôtie ou utilisez-la en farce.

La plupart des champignons gagnent en saveur à la cuisson; cependant, les champignons de couche sont délicieux en salade. Accompagnez les plus blancs d'huile d'olive et de jus de citron, de petits morceaux de parmesan ou d'herbes fraîches, comme le cerfeuil ou la ciboulette.

Dans de nombreux pays européens, il est de tradition à l'automne de servir en entrée un mélange de champignons sautés au beurre. Toutes les espèces sauvages conviennent. Chauffez du beurre ou de l'huile dans une grande poêle, et mettez-y les champignons. Faites sauter à feu vif jusqu'à ce qu'ils soient tendres. Si vous le souhaitez, ajoutez de l'ail ou des échalotes hachés, mais en petite quantité.

Une brosse très souple est idéale pour nettoyer les champignons

PRÉPARATION DES CHAMPIGNONS

Émincer
Tenez le champignon par le pied et coupez le chapeau en fines tranches. Gardez les plus petites pour un pot-au-feu.

Tailler en julienne
Émincez le champignon. Empilez les tranches et coupez-les en fins bâtonnets dans le sens de la longueur.

Hacher
Découpez des bâtonnets, comme pour la julienne. Avec un petit couteau d'office, hachez-les plus ou moins finement.

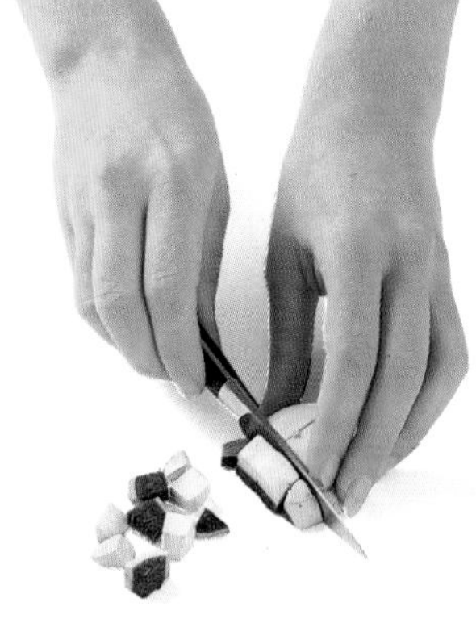

Détailler en dés
Détaillez les champignons en tranches épaisses. Coupez dans l'autre sens des tranches de même épaisseur.

CHAMPIGNONS SÉCHÉS

Les champignons frais ont un parfum incomparable, mais nombreux sont ceux qui supportent bien le séchage. Le goût des morilles et des cèpes séchés, par exemple, est plus prononcé que celui des frais. Il est toujours agréable d'en avoir un sachet à portée de main : une petite quantité suffit pour relever la saveur de nombreux plats ou pour compléter des champignons frais déjà cuits.

Les morilles séchées *sont chères mais elles se réhydratent parfaitement; 30 g suffisent à parfumer une préparation pour 5 à 6 personnes*

Les champignons parfumés d'Asie *nécessitent plusieurs trempages dans l'eau chaude*

Les shiitake, *un peu durs lorsqu'ils sont réhydratés, conviennent très bien pour les ragoûts et pour les sauces qui mijotent longtemps*

Les cèpes séchés *sont souvent d'origine italienne; ils ont été calibrés, coupés en tranches et déshydratés avant d'être empaquetés*

Dans certaines recettes, généralement des ragoûts ou d'autres plats à cuisson lente, les champignons séchés se substituent parfaitement aux frais. Dans ce cas, prévoyez-en huit fois moins.

Morilles Ce sont les champignons séchés les plus chers, mais il n'en faut que très peu pour parfumer un mets. Lorsque vous les réhydratez (voir encadré à droite), remuez-les de temps en temps pour décoller les éventuelles impuretés incrustées sous les chapeaux. Les morilles séchées agrémentent agréablement les sauces et les plats de riz mais elles conviennent encore mieux à toutes les préparations à base de crème fraîche, de beurre et d'œufs. Une sauce aux morilles bien crémée accompagne souvent le poulet, et quelques morilles séchées, réhydratées et sautées au beurre rehaussent délicatement les œufs brouillés.

Cèpes En raison de leur texture spongieuse, de nombreux cuisiniers les préfèrent séchés. Ils font merveille dans les risottos et dans les pâtes. La poudre de cèpe, en vente dans les épiceries fines, parfume bien la plupart des plats mijotés, avec ou sans champignons.

Shiitake Séchés, ils ont un léger parfum fumé; réhydratés, ils sont parfois un peu coriaces. Il est donc conseillé de les hacher finement avant de les ajouter aux potages, aux sauces ou aux ragoûts.

Champignons parfumés d'Asie Très appréciés en Asie, où ils sont largement cultivés, ils ont peu de saveur mais leur texture gélatineuse, proche de celle des algues, convient bien dans les soupes chinoises et les fritures rapides, notamment.

RÉHYDRATER DES CHAMPIGNONS SÉCHÉS

Généralement, vous pouvez remplacer des champignons frais par des champignons séchés et réhydratés. Pour estimer le temps de cuisson, sachez qu'ils sont parfois assez durs et qu'ils doivent mijoter longtemps.

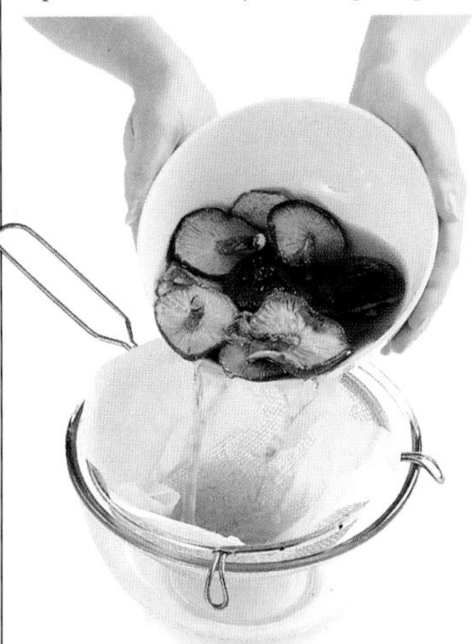

1 Recouvrez les champignons d'eau chaude et laissez-les tremper de 15 à 30 minutes. Égouttez-les. Le liquide de trempage parfumera le plat.

2 Mettez-les à sécher sur du papier absorbant et épongez-les avec un autre morceau de papier absorbant. Ils doivent perdre un maximum d'eau, car elle affadirait le plat.

OIGNONS

Haché menu, émincé ou entier, l'oignon est une plante très savoureuse qui entre dans de nombreuses préparations culinaires. Originaire d'Asie, il est apprécié des gastronomes depuis des milliers d'années. Dans l'Antiquité, les Égyptiens le dégustaient cru, tandis que les Grecs l'appréciaient pour ses vertus curatives supposées. Depuis le Moyen Âge, il est un ingrédient de base de toutes les cuisines européennes. Il en existe des centaines de variétés, qui se distinguent essentiellement par leur couleur et l'époque de leur commercialisation. Leur saveur dépend de la latitude sous laquelle ils ont poussé : plus le climat est doux, plus ils sont sucrés. Piquants et croquants lorsqu'ils sont crus, ils s'adoucissent et s'attendrissent à la cuisson.

VARIÉTÉS D'OIGNONS

Oignons jaune paille des Vertus Ces oignons au goût prononcé constituent la variété la plus répandue, puisqu'ils représentent 75% de la production mondiale. Ils se conservent longtemps et relèvent les plats à cuisson lente, comme les ragoûts, les potages et les sauces. Si vous en mettez dans un pot-au-feu, laissez-leur leur pelure parcheminée, qui donnera au bouillon une teinte dorée.

Oignons doux Les plus appréciés sont les oignons d'Espagne et ceux des Bermudes. Ils sont tout aussi délicieux farcis et cuits au four que panés et frits. Mélangés à des champignons émincés, sautés et parsemés d'herbes, ils accompagnent agréablement les grillades et les viandes poêlées. Mijotés dans du vin parfumé d'épices, ils se servent souvent autour d'un rôti préparé à l'étouffée.

Oignons rouges Également connus sous le nom d'oignons d'Italie, ronds ou oblongs, ils ont une saveur agréablement sucrée. Ils se mangent généralement crus, pour le plaisir de leur belle couleur, que la cuisson leur fait perdre, mais cependant pas leur goût. Une mince tranche d'oignon rouge, mariné dans du vinaigre avec du sel, du poivre et des épices, transforme un sandwich.

Petits oignons blancs Ces oignons miniatures sont récoltés avant d'avoir atteint 2,5 cm de diamètre. Leur peau diaphane est souvent difficile à ôter (voir encadré p. 163). Ils se conservent parfaitement dans le vinaigre mais ils sont aussi délicieux glacés et servis en légume, ou entiers dans un potage ou un ragoût.

Les oignons jaune paille des Vertus, *à la saveur forte, se trouvent toute l'année et se conservent bien*

Les oignons nouveaux *doivent avoir un bulbe ferme et une tige verte et très saine*

Les petits oignons blancs *sont récoltés dès que leur bulbe est formé*

Échalotes

Les oignons rouges *ont un goût sucré; crus et coupés en tranches fines, ils décorent les plats de leur couleur fraîche et brillante*

Les oignons secs *ont une pelure parcheminée*

Échalotes De la même famille que les oignons et l'ail (Liliacées), les échalotes sont plus douces que les premiers, moins âcres que le second. Elles relèvent de nombreuses spécialités gastronomiques françaises, comme la sauce béarnaise et la sauce Bercy. Toutes les préparations dans lesquelles entre du vinaigre de vin gagneront en subtilité si celui-ci a été parfumé pendant 2 semaines au moins par une tête d'échalote. Rissolées entières dans le plat de cuisson, les échalotes accompagnent bien les rôtis et les volailles. Hachées très finement (voir encadré p. 163), elles aromatiseront un vinaigre de vin servi avec des fruits de mer crus, des huîtres et des moules notamment.
Oignons nouveaux Ces plantes aromatiques longues et fines sont tout simplement des bulbes d'oignons jaune paille des Vertus cueillis avant maturité. Doux et sucrés, ils s'utilisent crus et finement hachés dans les salades, les potages et les fritures. Lorsqu'ils sont un peu plus mûrs, ils supportent une cuisson rapide. Les oignons gallois, ou oignons japonais, ont un petit bulbe à six tiges et ressemblent aux oignons nouveaux. Ils peuvent cuire plus longtemps; leur saveur rappelle celle des poireaux.

CHOIX ET CONSERVATION

La plupart des oignons s'achètent secs, dans la pelure parcheminée qui se forme après la récolte, lors du séchage; elle maintient leur humidité et les protège de la lumière. Ils se conservent bien dans un endroit frais, sec et aéré. Pour les garder longtemps, il faut les choisir fermes, avec une peau sèche et craquante. Ne les achetez pas s'ils commencent à germer ou s'ils vous semblent creux; ils se gâteraient vite ou sont peut-être déjà pourris. Un oignon sec entamé peut être enveloppé dans du film alimentaire et mis au réfrigérateur, mais son goût s'affadit en 24 heures. Frais, non lavé et protégé dans un sachet en plastique, il se conservera 5 jours environ au froid. Achetez donc de préférence les oignons au fur et à mesure de vos besoins.

PRÉPARATION

Évitez de peler et de couper les oignons à l'avance car ils perdent rapidement leur saveur. Il vaut mieux avoir une planche à découper spécialement destinée à hacher les oignons et l'ail : leur odeur forte imprègne facilement les aliments plus délicats.
Éplucher Pelez l'oignon et ôtez-en le sommet, sans entailler la base. Coupez-le en deux.
Hacher Posez la tranche de chaque moitié sur une planche à découper. À l'aide d'un couteau bien aiguisé, émincez le bulbe horizontalement en partant du sommet, mais sans entailler la base. Coupez-le ensuite verticalement, toujours sans entailler la base. Enfin, hachez-le.
Émincer Posez la tranche de chaque moitié sur une planche à découper et coupez-la verticalement en demi-lunes plus ou moins fines.
Couper en rondelles Ôtez le sommet de l'oignon, sans entailler la base. Coupez-le en deux. Posez la tranche de chaque moitié sur une planche à découper. Maintenez-la fermement avec les doigts et détaillez-la de haut en bas en rondelles plus ou moins fines; séparez-les.

HACHER UNE ÉCHALOTE ET UN OIGNON

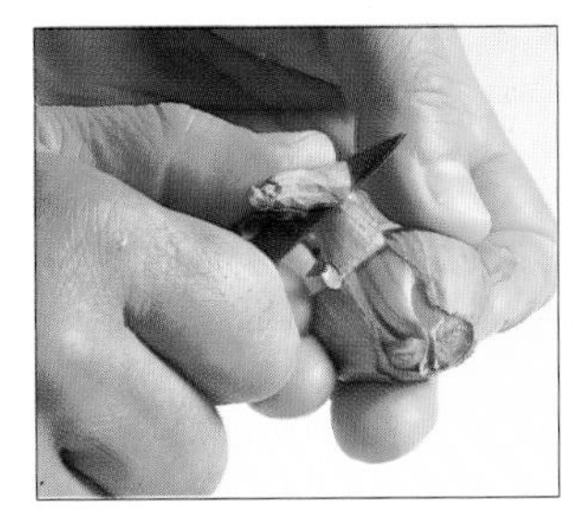

1 Ôtez la pelure à l'aide d'un couteau d'office et séparez éventuellement les bulbes en deux.

2 Posez la tranche de chaque moitié sur un plan de travail et émincez-la sans entailler la base.

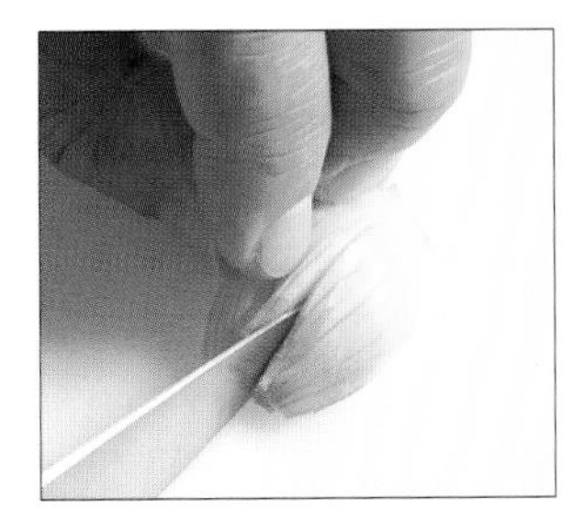

3 Tranchez ensuite verticalement, toujours sans entailler la base.

4 Maintenez le bulbe par la base et détaillez-le en petits dés. La base parfumera un bouillon.

ÉPLUCHAGE DES PETITS OIGNONS BLANCS

Les petits oignons sont souvent difficiles à peler. Mais, si vous les plongez dans de l'eau chaude, leur peau ramollira et se détachera alors aisément. Une fois pelés, ils peuvent être glacés et servis en légume ou ajoutés à des ragoûts. Mettez-les dans une petite casserole avec du beurre et laissez-les fondre à feu doux jusqu'à ce qu'ils soient dorés. Ajoutez du sel, une pincée de sucre et couvrez-les d'eau. Laissez-les mijoter jusqu'à ce qu'ils soient tendres.

Trempage
Mettez les oignons dans un grand récipient et recouvrez-les d'eau bouillante. Laissez-les tremper 2 minutes.

Épluchage
Égouttez les oignons. Dès qu'ils ont un peu refroidi, coupez la base des racines et enlevez la peau.

AIL

L'ail ne laisse personne indifférent; son odeur naturellement forte et très particulière lui vaut d'être aimé ou détesté. Appartenant à la famille des Liliacées, comme l'oignon, il est probablement originaire d'Asie centrale. Une tête — ou bulbe — d'ail est faite de plusieurs petites gousses — ou caïeux — protégées par une pelure fine et réunies dans une enveloppe commune. Il en pousse à travers le monde de très nombreuses variétés; elles se distinguent par leur teinte, leur taille et leur arôme. Les plus communes ont une pelure blanche, rose ou violette. L'ail tenait déjà une place de choix dans l'alimentation des ouvriers des pyramides, vers 4500 avant J.-C. L'ail est réputé pour ses propriétés médicinales et l'on croyait jadis qu'il libérait les possédés des esprits malins. Aujourd'hui, une chose est sûre : il demeure un ingrédient culinaire odorant indispensable.

CHOIX

L'ail se vend toute l'année, mais les meilleures têtes, renflées et succulentes, arrivent sur les marchés à la fin du printemps; elles font les délices des amateurs, qui les dégustent rôties dans leur peau, «en chemise». La qualité essentielle de l'ail que vous achèterez est sa fraîcheur : la tête doit être dure et ferme et ne présenter aucun germe. Les gousses blanches sont les plus parfumées; préférez-les toujours à celles qui sont grises, jaunes ou fibreuses. L'ail séché se présente sous trois formes : en flocons, en poudre ou en sel. Il existe également dans le commerce de la purée d'ail en tube ou en pot, qui a davantage de goût, mais il vaut toujours mieux utiliser de l'ail frais, car il est le seul à garder toute sa saveur et ses vertus curatives.

Poudre d'ail

Flocons d'ail

CONSERVATION

Le meilleur ail frais se vend au début de l'été et ne se conserve pas. Les lourdes tresses d'aulx sont très décoratives, mais elles servent peu en cuisine car les têtes sèchent avant qu'on n'ait eu le temps de les utiliser. Si vous laissez l'ail à l'abri de la lumière et dans un endroit frais, sec et bien aéré, vous le conserverez plusieurs mois.

L'AIL EN CUISINE

L'odeur de l'ail cru imprègne vite les plans de travail. Réservez donc une planche à découper aux odorantes Liliacées : oignons, échalotes, ail, etc. Vous pouvez aussi les envelopper dans du film alimentaire avant de les écraser, mais cette méthode ne permet pas de les hacher. Une presse à ail est parfois utile, mais elle présente l'inconvénient de lui donner un léger goût de métal. Le meilleur moyen consiste à le piler dans un mortier; parfaitement écrasées, les gousses dégagent alors tout leur parfum.

Le puissant arôme de l'ail, caractéristique de toutes les Liliacées, provient d'une huile que libère la gousse quand on la coupe; si vous la hachez, cet arôme se renforce; si vous l'écrasez, il sera encore plus prononcé.

Comme celle de l'oignon, la forte odeur de l'ail s'atténue à la cuisson. Les gousses s'utilisent entières, écrasées, émincées ou hachées; leur quantité est affaire de goût personnel, mais elles ont tendance à recouvrir le parfum subtil d'autres ingrédients.

Si vous devez faire sauter de l'ail, ne le laissez pas brûler, car il deviendrait amer. Si vous

Gousse d'ail rose

Tête d'ail rose

Les têtes d'ail frais doivent être fermes et compactes

Gousses d'ail blanc

Tête d'ail blanc

Presse à ail
Lavez et séchez soigneusement la presse après chaque utilisation pour qu'il n'y reste pas la moindre parcelle d'ail. Une brosse à dents réservée à cet usage vous sera très utile.

souhaitez relever une huile de cuisson, faites-y dorer légèrement une gousse, que vous ôterez avant de servir.

Des têtes d'ail entières, beurrées ou huilées, peuvent être rôties à côté d'une viande ou d'une volaille. Servez ensuite les gousses dans leur peau ou épluchez-les pour réduire leur pulpe en purée et l'incorporer à la sauce.

Si vous préparez plusieurs jours à l'avance un plat comportant de l'ail, cru ou cuit, retirez les germes verts qui se trouvent souvent au cœur des gousses : leur goût amer se renforce rapidement et imprégnerait les autres ingrédients. En revanche, vous pouvez garder les germes si vous servez le plat dans la journée.

L'ail le plus parfumé pousse dans les régions chaudes, et les cuisiniers du bassin méditerranéen, du Moyen-Orient et d'Extrême-Orient l'utilisent généreusement. Dans une célèbre recette du Midi, un poulet rôtit au milieu de quarante gousses d'ail, qui sont ensuite réduites en une purée qui garnira des croûtons. La volaille est imprégnée d'un délicieux et subtil parfum, la sauce est très légèrement sucrée, et la purée délicatement parfumée, car la cuisson a considérablement adouci l'ail.

Les Italiens ajoutent souvent une pointe d'ail aux épinards. Rien n'est plus simple ni plus délicieux. Piquez sur les dents d'une fourchette une gousse d'ail pelée et un peu écrasée; chauffez de l'huile d'olive dans une poêle et passez rapidement la gousse sur sa surface. Ajoutez les épinards et remuez-les avec la fourchette couronnée d'ail. Vous pouvez procéder de la même façon pour d'autres légumes, car le goût aillé que vous leur apportez ainsi reste discret.

Les Espagnols, eux, apprécient beaucoup la soupe à l'ail. Faites dorer des gousses d'ail dans de l'huile d'olive puis laissez-les mijoter dans une cocotte en terre avec des croûtons de pain grillé, une pincée de paprika et du bouillon de bœuf. Quand les gousses sont bien tendres, cassez un œuf dans chacun des bols de service et versez dessus la soupe chaude.

Les Tunisiens préparent un condiment appelé *tabil* en pilant un mélange d'ail, de poivre rouge, de piments rouges frais, de graines de carvi et de coriandre fraîche. Cette pâte rehausse leurs potages et leurs ragoûts.

L'ail au vinaigre est largement utilisé par les Chinois et les Thaïlandais. Ils font mariner des gousses entières pelées dans du vinaigre doux ou acide. Ils en relèvent ensuite les plats à base de nouilles; vous pouvez aussi les servir en accompagnement de viandes froides et de poulet rôti.

Les vrais amateurs savourent l'ail avec du pain. Écrasez de l'ail frais, mélangez-le à du beurre ramolli et salez. Étalez cette préparation sur une tranche de pain et faites dorer sous le gril. Si vous faites d'abord rôtir l'ail, la saveur du croûton sera moins puissante.

Préparation

Mettez la gousse d'ail sur le plan de travail. Posez le plat de la lame d'un couteau au sommet et appuyez avec la main; la peau de la gousse se déchire et vous l'enlèverez plus facilement. Vous pouvez aussi plonger la gousse 30 secondes dans l'eau bouillante. Séchez-la, laissez-la refroidir et pelez-la. Émincez-la ou hachez-la.

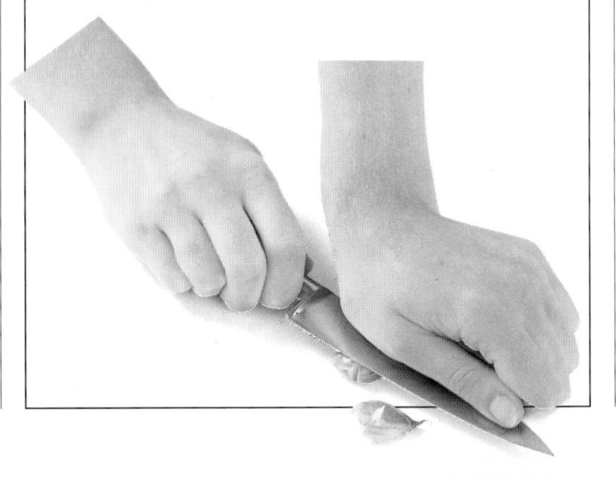

LA RECETTE DU CHEF

Conserve d'ail

Pour 60 à 70 gousses

6 ou 7 têtes d'ail
50 cl d'huile d'olive vierge extra
Quelques brins de thym frais
1 feuille de laurier

Préchauffez le four à 190 °C. Séparez les gousses d'ail sans les peler et mettez-les dans l'huile pour bien les enrober. Enveloppez-les soigneusement dans de l'aluminium ménager et enfournez pour 20 à 30 minutes. Assurez-vous alors qu'elles sont très tendres, puis mettez-les dans un bocal hermétique stérilisé. Recouvrez-les d'huile, ajoutez le thym et le laurier. Laissez-les au frais et à l'abri de la lumière 1 mois au moins.

Une pointe d'ail

Frottez le fond d'un caquelon à fondue avec une gousse d'ail légèrement écrasée afin de donner au plat que vous allez préparer un léger goût aillé. Vous pouvez aussi chemiser ainsi un plat allant au four ou un saladier en bois.

RAIFORT, WASABI ET DAIKON

Les racines au goût poivré apportent en cuisine leurs saveurs originales. Certaines, tels les radis, se mangent nature; d'autres sont râpées pour donner des sauces ou des condiments. Raifort et radis appartiennent à la même espèce, originaire d'Europe orientale. Le wasabi, une autre racine, est parfois appelé raifort japonais, bien que les deux végétaux n'aient aucun rapport. Hors du Japon, on ne le trouve que très rarement frais, mais les épiceries fines vendent de la poudre et de la pâte de wasabi. Ces racines qui stimulent le palais sont très appréciées en hors-d'œuvre.

Raifort Les feuilles de raifort jeunes et tendres permettent de préparer de bonnes salades. Quand vous achetez les racines, choisissez-les fraîches et fermes; celles qui sont verdâtres ou flétries, ou qui présentent des germes, sont probablement amères. Épluchez d'abord le raifort jusqu'à ce que la chair blanche apparaisse, mais pas davantage. Broyez-le plus ou moins finement dans un mixeur; il dégage en effet des vapeurs très fortes qui vous feraient pleurer si vous le râpiez à la main. Le raifort frais râpé perd très vite de son piquant, mais vous pouvez le congeler.

Les flocons de raifort séché se réhydratent facilement et s'utilisent alors comme du raifort frais. Vous trouverez plus couramment du raifort en sauce ou en assaisonnement.

Wasabi Cette racine a un arôme puissant et une saveur cuisante. Le *sashimi,* un plat japonais à base de poisson cru, est servi avec du wasabi râpé ou une sauce soja relevée de moutarde de raifort. Dans le *sushi,* la pâte de wasabi est un des aromates des boulettes de riz farcies de chair de poisson ou de crustacés. Elle agrémente de nombreux plats de poisson ou de viande.

Le raifort *doit être râpé au dernier moment; il se marie très bien avec la crème fraîche, la mayonnaise et le vinaigre*

Sauce au raifort

La racine du raifort *contient des huiles comparables à celles des graines de moutarde; elle a un goût puissant et brûlant*

Poudre de wasabi

Pâte de wasabi

PRÉPARATION DU WASABI

La pâte de wasabi que vous trouverez dans les épiceries orientales se conserve moins bien que la racine. Vous pouvez la préparer vous-même. Mélangez en quantités égales de la poudre de wasabi et de l'eau tiède, et remuez. Laissez le parfum se développer 10 minutes. Servez avec un *sushi* ou un *sashimi,* ou ajoutez-en une petite quantité dans les sauces barbecue ou dans les mayonnaises aromatisées.

Daikon Également connu sous le nom de mooli, ou radis du Japon, ce radis blanc d'hiver a un goût frais, légèrement poivré et amer. Sa texture croquante en fait un ingrédient idéal des salades, mais il est également délicieux cuit à la vapeur ou frit rapidement. Vous en trouverez toute l'année mais il est particulièrement savoureux en hiver. Choisissez-le bien ferme, un peu luisant, et utilisez-le dans les 8 jours car il se conserve relativement mal.

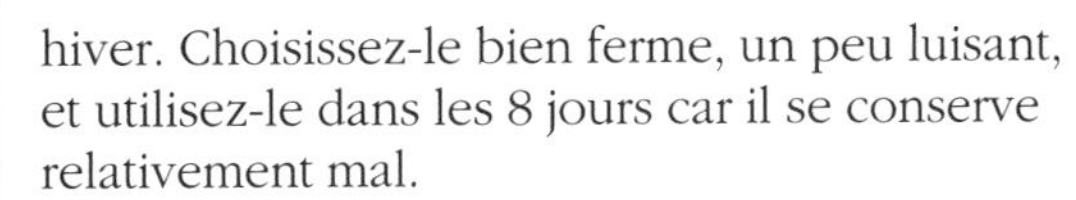

Au Japon où il est très commun, le daikon, râpé plus ou moins finement, relève les plats de poisson cru. Mélangé à du jus de citron ou à du vinaigre, il aromatise les poissons grillés. Coupé en tranches ou en motifs décoratifs, il se prête à de fines garnitures. Les Chinois l'incorporent à une sauce aigre-douce. Préparé au vinaigre, il porte le nom de *takuan* au Japon et de *kimchi* en Corée. Émincé, il agrémente les potages légers et les ragoûts; râpé, il se saupoudre sur les plats de légumes; et il a la propriété appréciable d'attendrir les poulpes.

Pelé et coupé en tranches fines, le daikon se marie agréablement avec d'autres légumes

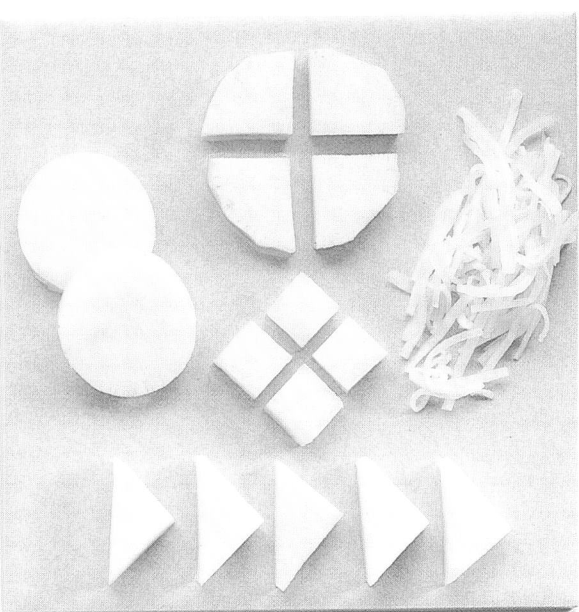

Motifs de daikon

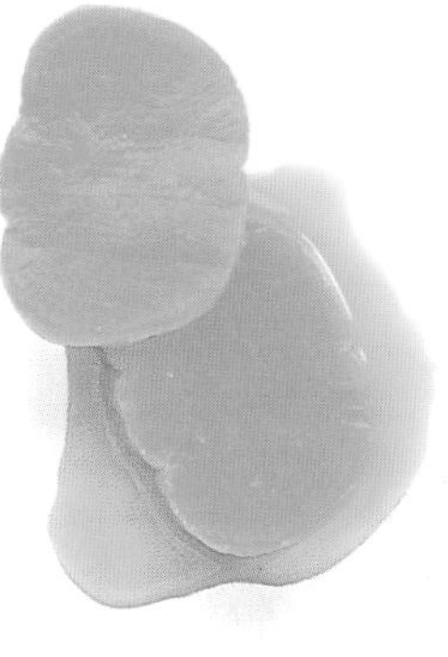

Daikon au vinaigre

Le daikon frais, *plus doux que les autres radis, est vendu dans les épiceries orientales*

LA RECETTE DU CHEF
SALADE DE RADIS ROSES, BLANCS ET NOIRS

Pour 4 personnes

1 cuil. à soupe de vinaigre de vin de riz
1/2 cuil. à café de sel
2 cuil. à soupe de crème fleurette
2 cuil. à café de miel liquide
Poivre noir du moulin
6 à 8 gros radis roses
1 daikon épluché d'environ 15 cm
1 petit radis noir
1 petit oignon rouge finement haché
2 oignons nouveaux finement tranchés
Laitue et ciboulette ciselées, pour la garniture

Mettez dans un bol le sel dans le vinaigre, et remuez jusqu'à ce qu'il ait fondu. Ajoutez la crème fleurette et le miel, et poivrez selon votre goût. Couvrez avec du film alimentaire et laissez reposer 2 à 3 heures au réfrigérateur. Coupez les radis rouges et le daikon en tranches très fines. Épluchez le radis noir, en réservant quelques pelures pour la décoration, et détaillez-le en fines rondelles. Mélangez les radis et les oignons, et assaisonnez en remuant. Servez sur un lit de laitue, parsemé de ciboulette hachée, en entrée exotique ou en accompagnement d'un plat oriental.

RADIS

Blanches, roses ou noires, les variétés de radis sont très nombreuses. Délicieux en salade ou à la croque-au-sel, le radis rose se sert aussi cuit. Frit, il prend une couleur aubergine et accompagne agréablement les rôtis. Originaire d'Europe orientale, le radis noir à la chair blanche et croquante fait de plus en plus d'adeptes en Occident. On le déguste cru pour mieux apprécier sa saveur piquante; il vaut mieux l'éplucher, sauf si on le coupe en tranches très fines.

Radis noir

Radis roses

OLIVES

Depuis le néolithique, l'olivier cultivé, *Olea europæa,* prospère dans tout le bassin méditerranéen et produit un des fruits les plus anciennement connus. Les olives, les feuilles d'olivier et l'huile d'olive sont mentionnés dans les écrits des anciens Grecs et Romains, tout comme dans la Bible, et de nombreux objets d'art de l'Égypte pharaonique portent la représentation de ce fruit. Bel arbre au feuillage argenté et persistant, l'olivier vit souvent plusieurs centaines d'années. N'ayant nul besoin d'un sol riche et fertile, il s'accommode très bien des terrains rocailleux et escarpés, impropres à d'autres cultures. Il fleurit au printemps et produit des fruits à noyau qui, selon le climat, se cueillent dès octobre et jusqu'en plein hiver. Les pays méditerranéens sont les premiers producteurs d'olives; l'Espagne et l'Italie assurent plus de 50% de la récolte, mais les oliviers se sont installés partout où règne le même climat. Ainsi, en Californie et au Mexique, les industries liées à l'olive sont nombreuses.

VARIÉTÉS D'OLIVES

La plupart des olives comestibles et des huiles d'olive proviennent du *Sativa,* le plus largement répandu, ou de l'oléastre, un arbre sauvage qui ne prospère vraiment que dans sa région d'origine, le bassin méditerranéen.

La différence entre olives vertes et olives noires tient à leur maturité. Les premières sont cueillies immatures, les secondes récoltées à maturité. Les fruits pris directement sur l'arbre ne sont pas comestibles; ils sont très amers et doivent être traités selon deux méthodes. Les olives vertes sont désamérisées dans une solution de soude caustique, rincées puis mises en saumure, tandis que les olives noires sont directement plongées dans la saumure.

Les olives sont généralement traitées entières, mais elles sont parfois auparavant «cassées», ce qui favorise l'élimination de leurs sucs amers. Des variétés telles que la *manzanilla* espagnole et la picholine française sont meilleures récoltées vertes, tandis que d'autres, comme la *calamata* grecque et la petite niçoise française, gagnent à rester sur l'arbre jusqu'à leur pleine maturité.

Les olives vertes *sont cueillies avant maturité*

Les olives noires, *bien mûres, sont immédiatement mises en saumure*

L'Espagne produit principalement des olives vertes, souvent dénoyautées et farcies de divers ingrédients : amandes, piments, anchois, câpres ou oignons.

L'Italie est la grande spécialiste des olives noires, telles la *liguaria,* acide, la *ponentine,* très douce, la *gaeta,* ridée, et la *lugano,* salée.

L'olive la plus appréciée en Californie s'appelle *sevillano;* entière ou cassée, elle est habituellement mise dans la saumure.

Les Marocains cultivent une olive violet mauve très savoureuse; ils la cueillent à demi mûre et la cassent avant de la traiter.

L'olive grecque la plus commune est la *calamata,* d'un violet profond. Les olives noires et charnues de Megara, dans l'Attique, se conservent dans la saumure.

Olives vertes françaises

Olives noires espagnoles

Olives vertes grecques

Olives noires italiennes

Olives noires françaises

Olives vertes espagnoles

Olives noires grecques

Olives vertes italiennes

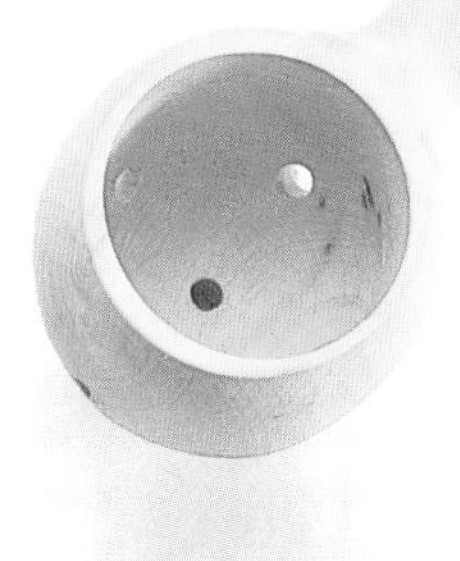

Cuiller à olive
Traditionnellement fabriquée en bois d'olivier, cette cuiller est perforée de quelques trous qui permettent d'égoutter l'huile ou la saumure des olives.

LES OLIVES EN CUISINE

Amuse-gueule classique à l'apéritif, les olives ont de multiples emplois en cuisine. Elles décorent des canapés ou des pizzas. Elles enrichissent des entrées comme la salade niçoise ou les salades mélangées à la grecque. En Italie, en France et en Afrique du Nord, elles accompagnent la volaille, mijotent avec les viandes en sauce ou farcissent des pains de campagne.

Liée avec un peu d'huile d'olive, la purée d'olive est un condiment délicieux où se concentre la saveur du fruit. Elle relève un ragoût, une jardinière de légumes, une sauce à la tomate, ou enrobe un rôti avant la cuisson. Légère et savoureuse, chaude ou froide, elle agrémente toutes les pâtes. La traditionnelle tapenade provençale, une purée d'olives noires rehaussée de câpres et d'anchois, se déguste sur des tranches de pain grillé et s'accompagne de rosé de Provence bien frais.

OLIVES AUX AROMATES

Les olives en saumure seront plus savoureuses si vous les gardez ensuite dans de l'huile d'olive. Commencez par les rincer pour éliminer toute trace de saumure, puis essuyez-les. Mettez-les dans un bocal stérilisé et recouvrez-les entièrement d'huile d'olive.

Pour renforcer le parfum de celle-ci, ajoutez-y des épices ou des herbes, que vous introduirez dans le bocal en même temps que les olives. Vous pouvez aussi l'additionner d'un peu de vin rouge ou de vinaigre balsamique, et même placer auparavant entre les olives quelques lamelles de zeste de citron, une gousse d'ail écrasée, un peu d'origan séché, quelques grains de poivre concassés. Laissez macérer au moins 1 semaine. Toutes les combinaisons d'aromates et d'épices sont possibles; cependant, pour préserver la saveur des olives, mariez-les avec des ingrédients de leur région : écorce de citron et graines de coriandre avec les olives grecques, herbes de Provence avec les olives françaises (voir encadré p. 51), ail, poivre noir et anchois avec les olives espagnoles.

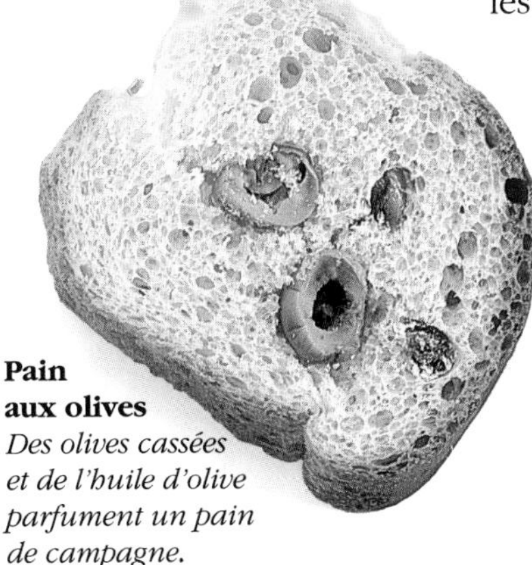

Pain aux olives
Des olives cassées et de l'huile d'olive parfument un pain de campagne.

LA RECETTE DU CHEF
TAPENADE

Pour 300 g environ

150 g d'olives noires dénoyautées, niçoises de préférence
8 filets d'anchois
50 g de câpres égouttées
2 ou 3 gousses d'ail épluchées
Le jus de 1 citron
15 cl d'huile d'olive vierge extra
Poivre noir du moulin

Mettez les olives, les anchois, les câpres, l'ail et le citron dans un robot ménager et enclenchez-le; dès que les ingrédients sont mélangés, ajoutez doucement l'huile en laissant tourner l'appareil. Ajoutez du poivre selon votre goût. Couvrez hermétiquement et laissez 2 ou 3 jours au réfrigérateur. Cette purée très parfumée se tartine sur des tranches de pain grillé, ou relève des œufs durs, des crudités ou des pâtes.

Tapenade sur croûton
Les repas méridionaux s'ouvrent souvent sur ces croûtons très relevés.

OLIVES FARCIES

Les olives farcies avec un beurre aromatisé sont parfaites à l'apéritif ou en entrée. Mélangez 125 g de beurre, 2 cuil. à soupe de filets d'anchois hachés, quelques gouttes de jus de citron et du poivre noir du moulin.

1 Placez une olive dans le dénoyauteur, côté queue vers le haut. Serrez les deux branches pour extraire le noyau.

2 Remplissez de beurre d'anchois une poche à douille et farcissez chaque olive d'une rosette du mélange aromatisé.

La pizza *prend parfois un goût très particulier dû aux olives noires niçoises séchées au soleil*

TOMATES

À la fois fruit et légume, la savoureuse tomate se prête à de multiples préparations culinaires. Importée d'Amérique du Sud en Europe au XVIe siècle, elle fut aussitôt adoptée dans tout le bassin méditerranéen. Au nord de l'Europe, en revanche, on la considéra avec une méfiance certaine : n'était-elle pas vénéneuse ? Les pays nordiques finirent pourtant par l'accepter au siècle dernier. Aujourd'hui, dans la catégorie «fruits et légumes», les tomates tiennent la deuxième place pour la consommation, après les pommes de terre, championnes absolues. Elles exhalent tout leur arôme lorsqu'elles sont cueillies bien mûres; elles poussent volontiers dans les potagers, sous les climats chauds et ensoleillés. En revanche, celles qui se vendent dans le commerce ont souvent été récoltées avant maturité.

Les tomates fraîches et mûres à point sont délicieuses coupées en tranches, avec une vinaigrette à l'huile d'olive et parsemées de quelques herbes. Les tomates moins avancées s'acccommodent mieux d'une longue cuisson à feu doux. Mais qu'elles se présentent entières ou en quartiers, cuites ou crues, seules ou associées à d'autres ingrédients, elles ont conquis les recettes du monde entier.

Dans de nombreux pays, les producteurs de tomates sélectionnent les variétés qu'ils cultivent davantage pour leur goût que pour leur aspect. Ils ont aussi créé des variétés hybrides, rondes ou allongées, jaunes ou vertes. Aujourd'hui, elles sont disponibles toute l'année sur les marchés. Celles qui sont présentées ici conviennent à de très nombreux plats.

Saint-pierre Cette grosse tomate pulpeuse et juteuse, à la texture ferme, est suffisamment goûteuse pour se manger à la croque-au-sel, en salade ou en sandwich. Sa forme bien ronde permet aussi de la farcir pour la manger crue ou cuite.

Roma ou olivette En Italie, elle est très populaire; oblongue, elle n'est commercialisée qu'en plein été. Sa chair très dense porte peu de pépins et son parfum relativement léger la destine surtout aux plats, aux potages et aux sauces longuement mijotées.

Hybride de Montfavet Disponible durant toute la saison des tomates, elle développe le maximum de son parfum en été. Elle est excellente en salade et en sandwich; une fois pelée et épépinée (voir ci-dessous), elle donne des sauces et des potages très fins.

Tomate cerise Petite et parfumée, elle enrichit les salades ou les brochettes. Vidée et farcie, elle devient un amuse-gueule très gai pour un apéritif ou sur un buffet. Sautée rapidement dans l'huile d'olive et parsemée de thym frais, elle garde son croquant et accompagne les viandes grillées.

Tomate jaune Moins acide que les tomates rouges, elle a aussi un goût moins prononcé. Longue ou ronde et de taille variable, elle convient bien aux plats froids; une salade mixte de tomates rouges et jaunes offre un amusant contraste. Associée à des petits légumes précoces, elle offre au regard un bel effet.

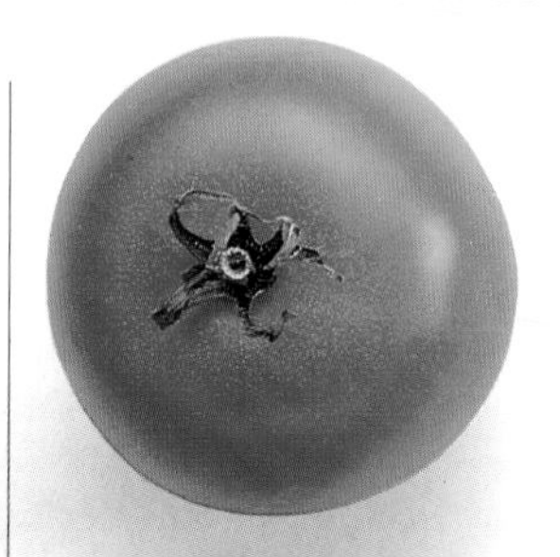

L'hybride de Montfavet, *crue ou cuite, convient à toutes les préparations*

Roma ou olivette

PRÉPARATION DES TOMATES

1 Dans une casserole, portez à ébullition de l'eau non salée. À l'aide d'un couteau d'office, enlevez le pédoncule de la tomate.

2 Incisez en croix la base de la tomate et plongez-la dans l'eau bouillante. Sortez-la dès que la peau commence à friser autour de la croix.

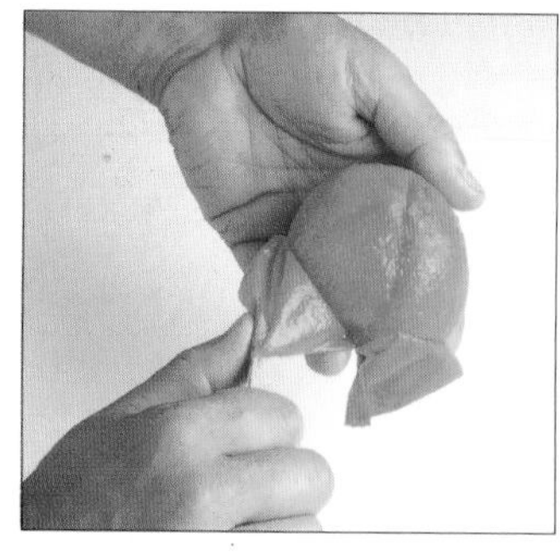

3 Laissez refroidir; vous ôterez facilement la peau.

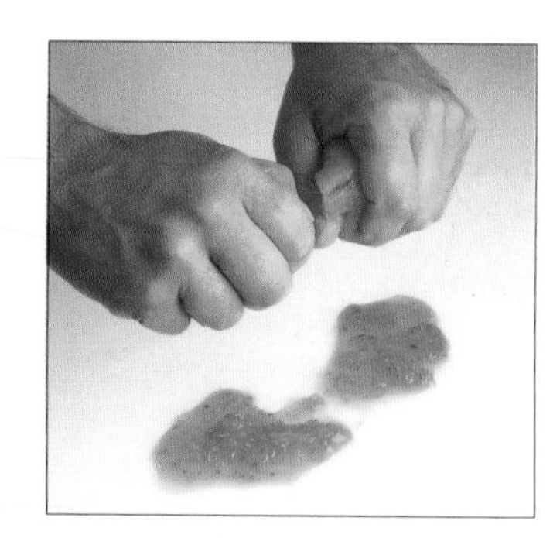

4 Coupez la tomate en deux et pressez chaque moitié entre vos mains pour chasser les pépins. Ôtez ceux qui resteraient avec la pointe du couteau.

Tomates en salade
Bien que les tomates entrent dans la composition de nombreux plats cuisinés, elles dégagent le maximum de leur saveur quand elles sont crues. Outre leur goût, elles apportent aux salades leur couleur, leur texture et leur forme.

La saint-pierre, *grosse et dense, donne des quartiers ou des tranches fermes et charnus*

Les tomates jaunes, *toutes rondes ou en forme de poire, séduisent par leur couleur*

Les tomates cerises *se dégustent souvent à la croque-au-sel*

LA RECETTE DU CHEF
SAUCE TOMATE AROMATISÉE

Pour 1 litre environ

2 ou 3 cuil. à soupe d'huile d'olive vierge extra
1 oignon haché
Sel
Poivre noir du moulin
2 gousses d'ail hachées
2,5 kg de tomates pelées et épépinées, sans pédoncule
250 g d'herbes fraîches variées telles que basilic, origan, thym, marjolaine, sarriette, persil, romarin, sauge ou laurier

Dans une casserole, chauffez l'huile et faites-y fondre l'oignon. Salez selon votre goût et ajoutez les autres ingrédients, avec 25 cl d'eau. Dès que l'eau frémit, couvrez et laissez mijoter 1 heure. Réduisez le mélange en purée dans un robot ménager. Versez dans une autre casserole et laissez cuire encore 1 heure à découvert, pour que la préparation réduise. Goûtez et rectifiez l'assaisonnement. Servez la sauce aussitôt ou congelez-la. Elle accompagnera très bien toutes les pâtes et les rôtis en croûte.

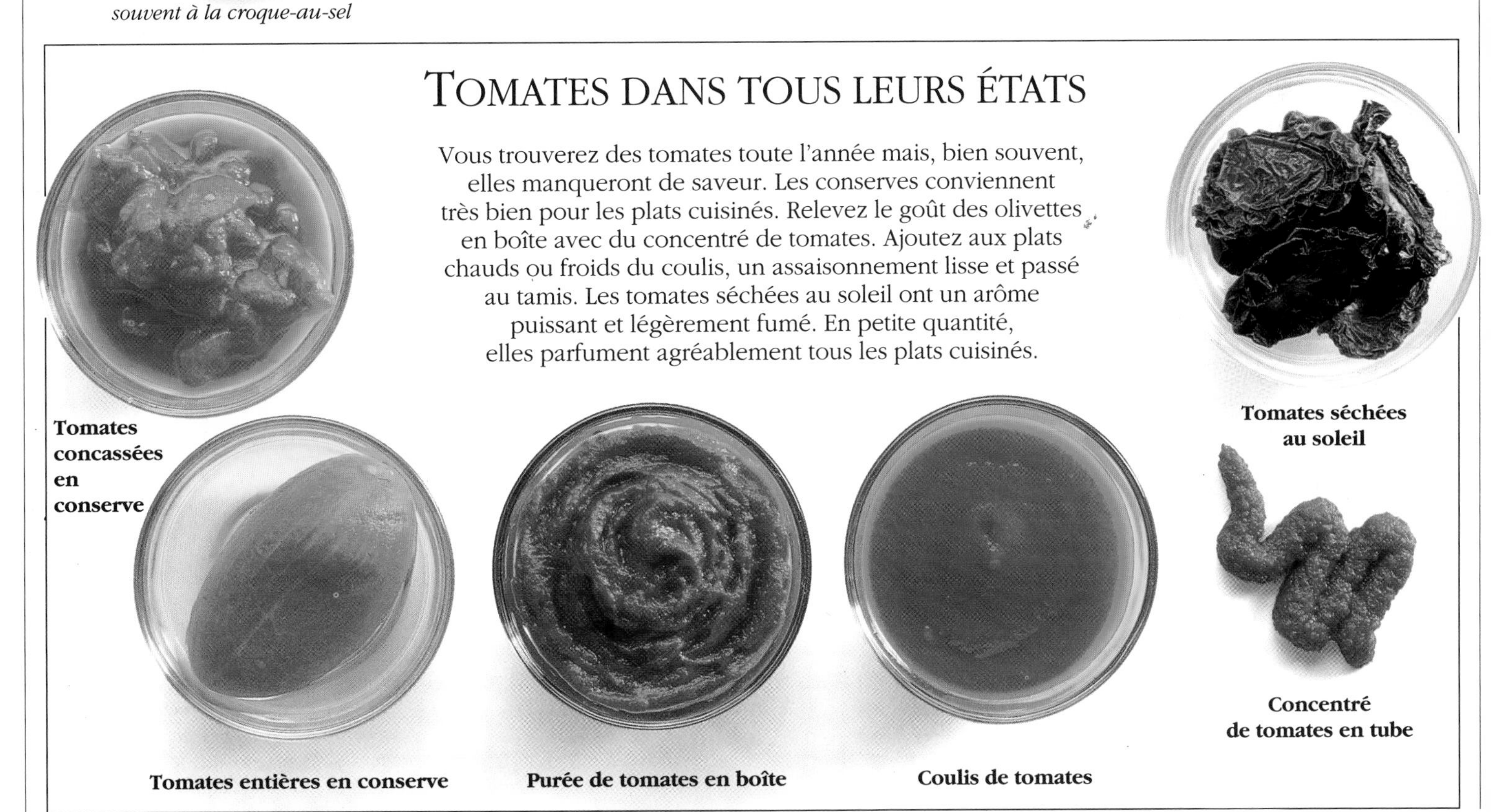

TOMATES DANS TOUS LEURS ÉTATS

Vous trouverez des tomates toute l'année mais, bien souvent, elles manqueront de saveur. Les conserves conviennent très bien pour les plats cuisinés. Relevez le goût des olivettes en boîte avec du concentré de tomates. Ajoutez aux plats chauds ou froids du coulis, un assaisonnement lisse et passé au tamis. Les tomates séchées au soleil ont un arôme puissant et légèrement fumé. En petite quantité, elles parfument agréablement tous les plats cuisinés.

Tomates concassées en conserve

Tomates séchées au soleil

Concentré de tomates en tube

Tomates entières en conserve

Purée de tomates en boîte

Coulis de tomates

AGRUMES

La culture des agrumes remonte à 2 000 ans au moins. Originaires d'Inde et de Chine, les citrons et les oranges gagnèrent peu à peu l'Occident. Les Grecs de l'Antiquité appréciaient les premiers pour leurs propriétés médicinales et leurs qualités gastronomiques. Les secondes parvinrent en Europe à l'époque des croisades et s'implantèrent facilement dans les régions les plus chaudes. Au XVIe siècle, elles arrivèrent avec les Espagnols jusqu'au Nouveau Monde, et les orangeraies se développèrent en Floride, en Californie et en Amérique du Sud. Des siècles d'expériences et de croisements ont donné de nombreux hybrides. Cette diversité est un grand atout en cuisine, où plusieurs de ces fruits offrent leur jus, leur pulpe et leur écorce.

La valencia, *très sucrée, pousse dans de nombreuses régions du monde... mais pas à Valence, en Espagne*

La satsuma, *mandarine japonaise sans pépins, se nuance parfois de vert*

Les clémentines, *d'origine algérienne, sont nées au XIXe siècle du croisement entre l'orange amère et la tangerine*

Citrons verts

Pamplemousse *Une écorce jaune clair habille ce fruit à la pulpe blanche*

La mineola, *hybride de pamplemousse et de tangerine, n'a pas de pépins*

Les citrons, *grâce à leur jus, leur pulpe ou leur zeste, entrent dans de nombreuses préparations culinaires*

Les kumquats, *originaires d'Orient, mais aujourd'hui essentiellement cultivés au Brésil, sont les agrumes les plus petits*

Le pamplemousse rose, *plus ou moins foncé, donne un jus délicieux; moins il a de pépins, plus il est doux*

La famille des agrumes *s'agrandit sans cesse de nouveaux hybrides dont on attend qu'ils soient plus savoureux, sans pépins et faciles à éplucher. Depuis toujours, ils apportent couleur et saveur à de nombreux plats sucrés ou salés*

VARIÉTÉS D'AGRUMES

Oranges Les premières oranges cultivées en Italie et en Espagne étaient plutôt amères, comme leurs lointaines ancêtres. Celle de Séville, que l'on trouve sur le marché pendant une courte période de l'hiver, s'en rapproche certainement beaucoup. Elle est très recherchée pour confectionner des marmelades et des sauces, où son amertume met en valeur des viandes grasses, notamment l'oie et le canard. Les sanguines, au goût subtilement doux-amer et à la pulpe mouchetée d'orange et de rouge sombre, ne sont en vente qu'en plein hiver. Pressées, elles donnent un beau jus rouge, délicieux au petit déjeuner, et qui entre dans la composition de nombreux desserts et salades de fruits. Leur écorce n'est pas toujours mouchetée — cela dépend du côté où elles ont poussé sur l'arbre — et n'annonce donc pas la couleur de la pulpe. Les oranges douces se regroupent en trois catégories : la jaffa, juteuse, parfumée et facile à éplucher; la valencia, à la peau fine et au jus abondant; et la navel, précoce, pulpeuse et pratiquement sans pépins; on la reconnaît au petit embryon de fruit qu'elle renferme.

Mandarines Cette famille de petits agrumes odorants et faciles à peler comprend de nombreuses variétés, dont les satsumas et les clémentines. Les premières, d'origine japonaise et moins rondes que les oranges, ont une peau claire qui se détache très bien, sans qu'il soit besoin d'un couteau. Les secondes, hybrides d'orange amère et de tangerine, ont davantage l'aspect de petites oranges. Pelées et séparées en quartiers, les mandarines se conservent

Coupes d'orange
Des oranges évidées font des superbes coupes pour des glaces ou des sorbets.

bien dans du sirop de sucre et donnent d'excellentes confitures et conserves. Elles agrémentent à merveille les salades de fruits. Malgré leur ressemblance avec les oranges, les mineolas sont des hybrides de tangerine et de pamplemousse; sans pépins, elles ont un parfum délicat. On trouve aisément aussi des tangelos, hybrides de tangerine et de pomelo.

Pomelos Ces agrumes, les plus gros de tous, sont protégés par une épaisse écorce jaune-vert; leurs membranes intérieures sont également charnues. Moins juteuse que celle des pamplemousses, leur pulpe est en revanche très rafraîchissante.

Pamplemousses Tard venus dans la famille des agrumes, ils se sont développés au XIXe siècle à partir du pomelo. Assez gros, ils ont une peau aromatique et un goût acide, sans aigreur. Les plus roses sont les plus sucrés; les plus gros sont issus du croisement entre mandarine-orange et pamplemousse, mais leur saveur rappelle davantage celle du second. Ils dégagent tout leur parfum quand ils sont saupoudrés de sucre et passés au four, et ils peuvent entrer dans toutes les recettes à base de pamplemousse.

Citrons Trop acides pour se manger nature, ils sont pratiquement indispensables en cuisine. Leur jus, leur pulpe et leur zeste sont d'excellents condiments; le jus sert également d'agent de cuisson (voir p. 175). Il entre aussi dans l'assaisonnement des salades et il permet de déglacer les poêles (voir p. 249). L'écorce taillée en julienne garnit des plats sucrés ou salés.

Citrons verts Très appréciés dans les cuisines tropicales, ils sont moins utilisés plus au Nord que les citrons jaunes. Leur jus parfume des mousses, des soufflés, des boissons; leur zeste confit garnit certaines préparations. Il vaut toujours mieux les mélanger à d'autres agrumes.

KUMQUATS

Les petits kumquats, qui ne ressemblent à aucun des autres agrumes, ont une forme d'olive. Bien qu'ils aient souvent une écorce amère, ils sont généralement plus sucrés à l'extérieur qu'à l'intérieur; ils se mangent crus ou cuits. La cuisson libère tout l'arôme de leur zeste et ils accompagnent agréablement les viandes de porc et de canard braisées. Cuits dans un sirop de sucre (voir p. 196), ils sont très rafraîchissants après un repas copieux. Ils sont faciles à glacer et à confire.

L'ÉCORCE DES AGRUMES

Lorsqu'une recette mentionne en ingrédient un zeste d'agrume, il ne s'agit toujours que de la partie colorée de l'écorce, et jamais de la peau blanche, très amère.

Tailler en julienne
Détachez des lamelles de zeste à l'aide d'un couteau éplucheur. Coupez-les dans le sens de la longueur en bâtonnets très fins.

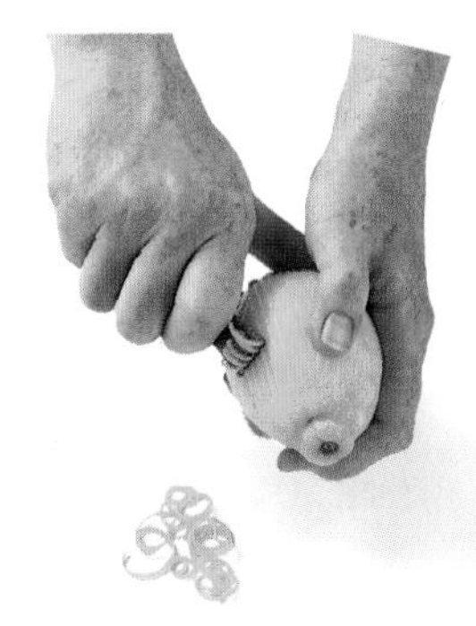

Prélever le zeste
Appuyez fermement un zesteur ou un couteau-éplucheur contre l'écorce, et prélevez-en des copeaux dans le sens de la longueur.

Sécher l'écorce
Coupez le zeste en bandes et laissez-les sécher. Mettez-en dans les viandes et les poissons, les vins chauds ou le sucre.

LES AGRUMES EN CUISINE

Zestes aromatiques, jus acides et brillantes couleurs : autant d'atouts que possèdent les agrumes. Dans le monde entier, les cuisiniers y font appel pour aromatiser et rehausser leurs plats. Avec du sel, un peu de poivre du moulin et de l'huile d'olive, un filet de jus de citron suffit souvent à assaisonner un poisson, un poulet grillé ou certains légumes cuits, comme les brocolis et les carottes. Les crêpes Suzette et la tarte au citron, des pâtisseries françaises réputées, font aussi appel aux agrumes, de même que le *Key lime pie* en Amérique du Nord. L'écorce de citron confite fait partie intégrante du *panforte,* le traditionnel gâteau de Noël italien. Quelle que soit la recette, une orange ou un citron offre toujours une gamme variée de parfums et de garnitures.

CHOIX ET CONSERVATION

Vous trouverez des agrumes en vente toute l'année mais, en automne et en hiver, le choix est vaste et la qualité très supérieure. Les critères de choix sont toujours les mêmes. Les meilleurs fruits, très frais, sont brillants et ne présentent aucune trace de meurtrissure; leur peau est tendue et d'un grain régulier. Évitez les fruits un peu secs et ridés. Les plus denses par rapport à leur taille sont les plus juteux. En règle générale, les agrumes se conservent de 3 jours à 1 semaine à température ambiante, de 2 semaines à 1 mois dans le bac à légumes du réfrigérateur. Leur zeste entrant dans de nombreuses recettes, il vaut mieux les choisir non traités. Si vous n'en trouvez pas, faites blanchir l'écorce en la plongeant 1 minute dans de l'eau bouillante; vous diminuerez ainsi la nocivité et le goût amer des pesticides et des colorants, dont l'action n'affecte d'ailleurs pas la pulpe mais seulement la peau.

CEVICHE

Le *ceviche* est un plat péruvien de poisson cru mariné dans du jus de citron. Vous préparerez de la même façon de nombreux poissons, s'ils sont très frais. Les poissons gras, comme le maquereau ou le thon, sont encore meilleurs arrosés d'un jus d'agrume.

UTILISATION

Les agrumes contiennent du sucre et des acides, en quantités variables. Le taux de sucre est plus important dans la plupart des oranges, des tangerines et des pamplemousses. La pulpe s'utilise telle quelle ou en quartiers (voir ci-dessous). Le jus est à la fois assaisonnement et agent de cuisson; quant au zeste, il donne des garnitures colorées.

Pulpe Une salade de quartiers de pamplemousse, d'avocats et de saumon fumé constitue une entrée originale et fine, tout comme une salade d'oranges, d'oignons émincés et d'olives. Pour les plats sucrés, vous atténuerez l'acidité des agrumes en les pochant dans un sirop léger (voir p. 196). Une mousse au chocolat amer s'entourera de tranches d'orange pochées ou confites. Disposez des quartiers sur une tarte au citron ou glacez-les avec de la confiture d'abricot passée au chinois (voir p. 258).

PRÉPARATION DES AGRUMES

Prélever le zeste
Retirez l'écorce à l'aide d'un couteau éplucheur. Si le fruit a été traité, blanchissez le zeste avant de l'utiliser.

Retirer la peau blanche
Coupez les extrémités de l'agrume. Enlevez le plus complètement possible la peau blanche, de haut en bas.

Couper en quartiers
Glissez la lame d'un couteau le long d'un quartier en le séparant de la membrane pour en détacher la pulpe.

Émincer
Après avoir ôté la peau blanche, posez le fruit sur le côté. Coupez-le verticalement en tranches fines.

Jus Pour en extraire le maximum, laissez les fruits à température ambiante. Avant de les presser, faites-les rouler sur le plan de travail avec la paume de la main; cela casse leurs membranes intérieures, libérant ainsi tout le jus.

Les jus d'orange et de pamplemousse sont universellement appréciés au petit déjeuner, et le citron pressé se boit couramment en été. Faites mariner du poulet dans un mélange de jus d'orange, d'ail et de gingembre frais râpé avant de le faire griller, ou du filet de porc dans un mélange de jus d'orange, de sauce soja, de piments rouges écrasés et d'ail frais avant de le faire sauter. Le jus de citron enrichi de zeste de citron râpé, de romarin, d'ail et d'huile d'olive relève délicatement toutes les viandes. Un assaisonnement fait de jus de citron, d'huile d'olive, de sel et de poivre noir est idéal pour les salades, les poissons frits ou grillés et les légumes cuits à la vapeur. La plupart des salades de fruits réclament un jus de citron qui fait ressortir la saveur sucrée des fruits.

L'acidité naturelle du jus des agrumes convient aux marinades, et ses effets remplacent ceux de la chaleur pour les «cuissons crues», couramment pratiquées dans de nombreux pays latins et sud-américains, où le jus d'agrumes permet de «cuire» certains aliments. Dans la recette du *ceviche*, le poisson est recouvert d'un mélange de jus de citron, de piments rouges, d'oignons, d'herbes et d'épices variées, où il marinera de 5 à 6 heures. Quand sa chair est devenue opaque, exactement comme s'il avait été cuit par la chaleur, il est prêt à être dégusté; le temps de marinage dépend du poisson et de sa quantité. Le jus de citron renferme de l'acide citrique, qui a la propriété de blanchir; il évite ainsi à certains aliments de s'oxyder quand ils sont coupés — pommes, artichauts, céleris-raves, avocats — et rend leur blancheur originelle à d'autres — aux champignons par exemple.

Écorce Le zeste contient toutes les huiles aromatiques des agrumes. Comme les autres fruits, ceux-ci sont souvent traités par des pesticides et des colorants chimiques qui renforcent leur teinte naturelle. Ces produits atteignent rarement la pulpe des fruits, mais ils affectent sensiblement leur écorce. Choisissez des fruits non traités pour réaliser les recettes qui comportent des zestes, sinon blanchissez-les avant de les utiliser. Pour les récupérer plus facilement, placez-les dans un sachet en mousseline ou dans un chinois avant de les plonger de 1 à 2 minutes dans de l'eau bouillante.

Le zeste de citron, de citron vert ou d'orange râpé donne aux sauces et aux marinades une pointe d'acidité. Taillé en très fines lamelles, le zeste séché trouvera sa place dans un bouquet garni ou dans un bocal de sucre. Si vous évidez complètement le fruit, l'écorce vous servira de coupe pour des sorbets, des glaces, des salades de fruits ou des légumes.

Garniture idéale des glaces, des tartes et des gâteaux, le zeste de citron taillé en julienne et confit dans du sirop de grenadine prend une belle couleur rose vif. Râpé frais, il parfume les marinades et est un ingrédient indispensable de la classique *gremolata* italienne (voir encadré p. 44), un assaisonnement dont on saupoudre le jarret de veau braisé juste avant de servir. Mélangé à du poivre noir du moulin, du sel, de l'huile d'olive et du parmesan, il relève bien les plats de pâtes.

DÉCORS EN AGRUMES

Sucrés ou salés, les mets préparés avec des agrumes peuvent aussi en être décorés. Vous disposerez les motifs sur le plat ou sur des assiettes pour agrémenter un buffet.

Tortillon **Quartiers**

Julienne de zestes multicolore

Triple papillon

LA RECETTE DU CHEF

SALADE D'AGRUMES

Pour 4 à 6 personnes

3 oranges sanguines
2 navels
2 tangerines
1 pamplemousse rose foncé
3 cuil. à soupe d'eau de fleur d'oranger
Sucre glace
Violettes confites, pour la décoration

Pelez entièrement tous les agrumes (voir encadré p. 174) puis émincez-les sans perdre de jus. Disposez-les dans un grand plat. Mélangez leur jus avec l'eau de fleur d'oranger et arrosez-en les fruits. Saupoudrez de sucre glace. Décorez avec les violettes juste avant de servir.

LA RECETTE DU CHEF

POISSON SAUCE TANGERINE

Pour 4 personnes

Beurre pour graisser le plat
1,5 kg de poisson à chair ferme, thon ou lieu noir par exemple (avec la tête et la queue)
2 cuil. à soupe de jus de citron
Sel
Poivre noir du moulin
1 cuil. à soupe d'huile d'olive vierge extra
1 cuil. à soupe de beurre doux fondu
125 g de champignons émincés
1 cuil. à soupe de persil haché
1 oignon nouveau (parties blanche et verte) finement tranché
15 cl de jus frais de tangerine
30 cl de vin blanc sec

Préchauffez le four à 200 °C; chemisez de beurre un plat à rôtir. Rincez le poisson et essuyez-le. Dans un bol, incorporez au jus de citron le sel et le poivre. Mélangez l'huile et le beurre. Mettez le poisson dans le plat et arrosez-le du liquide citronné. Parsemez les champignons, le persil, l'oignon et ajoutez le jus de tangerine et le vin. Enfournez pour 20 à 30 minutes, jusqu'à ce que le poisson se détache en lamelles sous les dents d'une fourchette. Servez-le avec sa sauce.

Fruits à coque

En termes techniques, la noix, fruit du noyer, comporte une graine oléagineuse bosselée — divisée en deux cerneaux — qu'entourent deux valves ligneuses, elles-mêmes enfermées dans une écorce verte, dite aussi brou. Les châtaignes d'eau et les noisettes sont de vraies noix, au contraire de nombreux noyaux et graines comestibles protégés par une écale dure, comme les amandes et les noix de cajou. Depuis des siècles, les fruits à coque se consomment nature ou sous forme d'huile. Quand les Espagnols importèrent leurs traditions culinaires dans le Nouveau Monde, ils découvrirent les cacahuètes et les noix de pecan, très appréciées par les Aztèques. Dans la gastronomie moyen-orientale, les fruits à coque entrent dans la composition de sauces — le *tarator* turc se prépare avec des noix — et de pâtisseries, tel le *baklava*. En Extrême-Orient, les cacahuètes et les noix de cajou sont souvent sautées avec d'autres ingrédients. Dans les cuisines africaines, les noix sont très souvent présentes, tandis qu'en Europe, noisettes et amandes enrichissent de nombreux desserts et pâtisseries.

Variétés de fruits à coque

Amandes Proche du pêcher, l'amandier est originaire de Méditerranée orientale, où il est cultivé depuis des millénaires. Il faut distinguer les amandes douces des amandes amères, les secondes étant souvent confondues avec les noyaux d'abricot. Souvent appelés «amandes chinoises», ceux-ci ont en effet un goût qui s'en rapproche beaucoup; ils permettent d'aromatiser certaines préparations comme l'essence d'amande et les liqueurs à l'amande. En grande quantité, les amandes amères deviennent toxiques (elles contiennent de l'acide cyanhydrique); il faut donc les monder ou les griller avant de les utiliser. Les amandes douces, entières ou pilées, aromatisent les gâteaux, les pâtisseries, les beurres maniés, les pralines, les farces et le nougat. Hachées, coupées en dés ou effilées, elles garnissent ou enrobent certains mets. Elles enrichissent également de nombreux plats salés à base de poulet, de poisson ou de riz.

Noix du Brésil En dépit de leur nom, ce ne sont pas des noix mais des fruits à graines, originaires des forêts tropicales du Brésil.

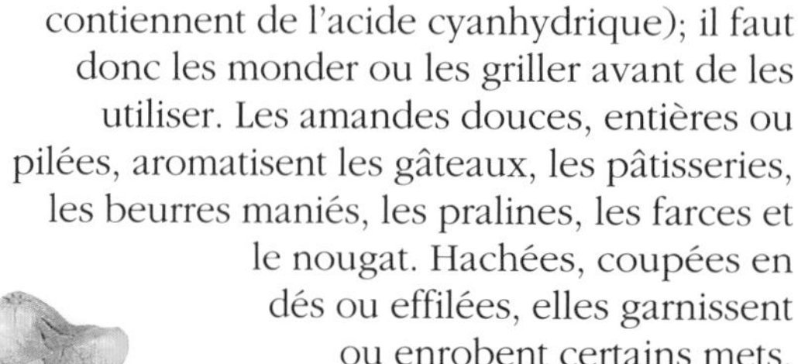

Noix de cajou

Amandes taillées

Amandes en poudre

Les noix *renferment des cerneaux protégés par une enveloppe très fine, qu'il faut enlever avant de les utiliser*

Noisettes

Les noix de pecan, *courantes dans la cuisine du sud des États-Unis, enrichissent les gâteaux, les pâtisseries et les farces pour volailles*

Amandes effilées

Noix du Brésil

Pistaches

Amandes

Amandes hachées

Leur partie comestible comprend une ou deux douzaines de graines enfermées dans une coque à trois faces, brune et dure. Elles sont très riches en huile, ce qui leur donne une grande onctuosité mais limite leur temps de conservation. Les grosses noix du Brésil se râpent dans les gâteaux à pâte lisse ou s'enrobent de chocolat pour devenir de délicieuses friandises (voir p. 182).

Noix de cajou Originaire d'Amérique du Sud, l'anacardier prospère aujourd'hui dans de nombreuses régions d'Asie du Sud-Est et d'Inde. Grillées et salées, ses noix se dégustent volontiers à l'apéritif. Elles jouent un rôle important dans la cuisine végétarienne indienne et dans les fritures rapides chinoises; hachées, elles épaississent souvent les currys.

Noisettes Ces petits fruits ronds et bruns au parfum délicat agrémentent de nombreuses pâtisseries. Fraîchement moulues, les noisettes sont très appréciées dans les gâteaux, les biscuits, les meringues; elles se marient très bien avec le chocolat. Hachées ou effilées, elles parfument des légumes cuits à l'eau ou à la vapeur. L'huile de noisette (voir p. 226), au goût riche et délicat, apporte une note raffinée aux assaisonnements pour salades et aux sauces, notamment celles qui accompagnent le veau et le canard.

Noix de pecan Fruit du pacanier, un arbre originaire d'Amérique du Sud, elle est aujourd'hui très abondante dans le sud-est des États-Unis. Sa culture, sa récolte, son décorticage et son triage sont des opérations longues et délicates, qui justifient son prix élevé. Elle a une saveur subtile et fine, malgré sa très haute teneur en graisse végétale. Outre la célèbre tourte à la noix de pecan, une grande spécialité d'Amérique du Nord, elle parfume quantité de gâteaux, de crèmes glacées et de farces.

Pistaches Venues du Moyen-Orient, les pistaches se vendent entières, ou décortiquées et mondées. Toujours bienvenues à l'apéritif, elles ont bien d'autres usages en cuisine. Dans les charcuteries — terrines, galantines, pâtés de viande, saucisses, etc. —, elles tranchent joliment par leur couleur verte sur la viande pâle. Hachées, elles sont un ingrédient essentiel des plats moyen-orientaux à base de riz et des pâtisseries grecques, turques et arabes. Intégrées à toutes sortes de préparations cuites au four, elles donnent aussi des glaces succulentes.

Noix Le noyer, originaire des rives de la Caspienne et du nord de l'Inde, pousse aujourd'hui dans de nombreuses autres régions. Les noix françaises comptent parmi les meilleures, notamment celles qui sont produites en Dordogne. Leur couleur reflète leur qualité : plus elle est pâle, meilleures sont les noix. Parfois proposées avec le fromage, elles agrémentent les salades de fruits ou de légumes, les farces et quantité de plats cuits au four. En poudre, elles parfument les pâtes à biscuit et les sauces exotiques, comme le *tarator* turc, le *chiles en nogada* mexicain et le *sugo di noci* italien. Les noix donnent aussi une huile très prisée (voir p. 227) dont le goût caractéristique relève la saveur des salades.

Les châtaignes

Les châtaignes, improprement appelées marrons, se vendent en conserve, entières ou en purée. Le mont-blanc, entremets de purée de marrons vanillée couronnée de crème Chantilly (voir p. 235) est typiquement français. La crème de marrons permet de fourrer des crêpes ou un gâteau mousseline.

Châtaignes en conserve

Châtaignes séchées

Purée de marrons

Préparer un beurre de cacahuète

Les cacahuètes ne sont pas des fruits à coque, mais ceux de l'arachide qui poussent sous le sol — d'où leur nom de pistaches de terre —, à l'extrémité de longues vrilles. Originaires du Brésil, les arachides se sont acclimatées dans de nombreuses régions tempérées du globe. Le beurre de cacahuète, très apprécié en Amérique du Nord, est également utilisé dans les cuisines du Sud-Est asiatique.

1 Broyez dans un robot ménager 125 g de cacahuètes fraîches, mondées et légèrement rôties. Ajoutez 1 à 2 cuil. à soupe d'huile.

2 Laissez tourner le robot jusqu'à ce que le beurre ait une consistance légèrement granuleuse ou lisse, selon votre goût.

DÉCORS EN FRUITS À COQUE

Les petites amandes au goût délicieux parfument les confiseries colorées. Le massepain, une pâte faite d'amandes pilées, de blancs d'œufs et de sucre, se prête à toutes les décorations : abaissé au rouleau, il habille les gâteaux aussi joliment qu'un glaçage; il se modèle aisément dans un moule ou à la main. Hachées ou réduites en poudre, les amandes donnent leur goût et leur texture à des mets très divers : confiseries, pâtés de viande ou fromages crémeux. Seules ou mélangées à des noix, les pistaches apportent une touche de couleur. Quant aux noix et aux amandes claires, elles se dorent au four ou à la poêle. Et toutes se croquent d'un coup de dent.

FRUITS ET LÉGUMES EN MASSEPAIN

Pour devenir du massepain, la pâte d'amandes est d'abord pétrie pour prendre de la souplesse, puis modelée à la main, morceau par morceau, avant d'être introduite dans des moules spéciaux qui lui donneront une jolie forme : ces fruits et légumes se savourent comme des petits fours.

FRUITS À COQUE FRAIS

Entiers, hachés ou grillés, les fruits à coque sont des motifs décoratifs simples et raffinés. Les noix hachées enrobent les gâteaux et les confiseries au chocolat, et les cerneaux couronnent les glaçages de massepain. Les pâtés et les fromages garnis de noix voient leur saveur rehaussée.

PRÉPARER DE LA NOUGATINE

La nougatine est un mélange d'amandes hachées — et parfois de noisettes — et de caramel blond, en quantités égales. Abaissée en fine couche, elle se découpe en diverses formes pour décorer gâteaux et pâtisseries, ou en ronds ou en carrés assez grands pour foncer un moule.

1 *Dans une casserole en cuivre, faites fondre dans 2 cuil. à soupe de jus de citron 200 g de sucre. Ajoutez 200 g d'amandes mondées et hachées et laissez frémir, jusqu'à ce que le mélange caramélise. Versez-le sur un plan de travail légèrement huilé et étendez-le avec une palette.*

2 *À l'aide d'un rouleau, abaissez la pâte en couche fine pendant qu'elle est encore chaude. Travaillez-la rapidement car la nougatine refroidie devient cassante. Si tel est le cas, transvasez-la sur une tôle légèrement huilée et mettez à four doux pour la réchauffer.*

3 *À l'aide d'un couteau bien aiguisé, coupez la pâte en bandes puis en carrés ou en triangles. Garnissez-en le bord de gâteaux glacés ou disposez les triangles tout autour, en roue dentée. Vous pouvez réchauffer les chutes pour les utiliser autrement.*

NOIX DE COCO

Fruit du palmier cocotier originaire de Mélanésie, la noix de coco est elle aussi une «fausse» noix. La coque dure, brune et fibreuse qui nous est familière est celle d'une noix parvenue à maturité. Mais, dans les pays où elle pousse, on la mange à tous les stades de maturité. Quand elle est immature, sa coque est verte et encore tendre. On l'ouvre au couteau et on la sert avec une paille et une cuiller : la première pour aspirer l'eau de coco sucrée, la seconde pour extraire la pulpe. Sous les tropiques, elle entre dans la composition de nombreux plats salés et sucrés, et notamment dans des préparations épicées et pimentées.

Quand vous achetez une noix de coco, soupesez-la; elle doit être lourde, sans trace d'humidité ou de moisissure autour de ses «yeux». Puis secouez-la pour vous assurer qu'elle est bien pleine d'eau de coco.

Pour casser la coque, maintenez fermement la noix et percez les trois «yeux» à l'aide d'une broche ou d'un tournevis. Videz son eau dans un bol. Puis posez-la sur un torchon qui l'empêchera de glisser. À l'aide d'un marteau, frappez-la tout le long de sa circonférence jusqu'à ce que la coque se fende. Débitez-la alors en morceaux, toujours à l'aide du marteau. Détachez la chair avec un couteau d'office et enlevez la peau brune avec un couteau éplucheur.

Pour la plupart des recettes, la saveur et la texture de la noix fraîchement râpée sont bien supérieures à celles de la poudre séchée vendue dans le commerce. Utilisez plutôt de la crème de coco, plus parfumée et plus lisse.

De minces tranches de noix de coco fraîche parfument délicatement les salades de fruits, les gâteaux de riz et les entremets au chocolat. La saveur riche et sucrée de ce fruit s'accorde bien avec certains plats salés très épicés.

Noix de coco fraîche

Noix de coco séchée

Crème de noix de coco

LAIT DE COCO

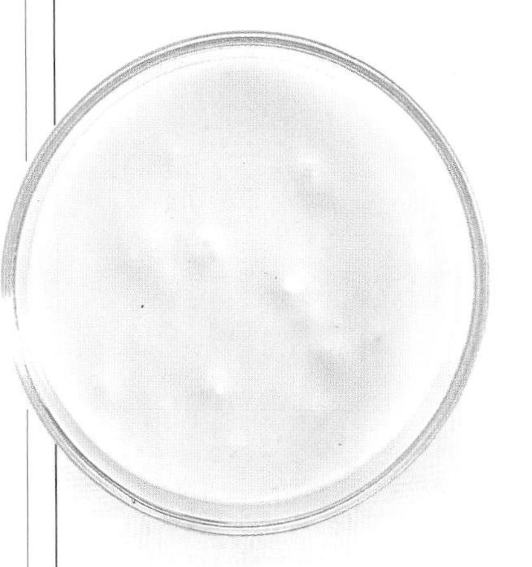

Le liquide que contiennent les noix de coco n'est pas du lait de coco; celui-ci se prépare en laissant infuser de la pulpe fraîche ou de la crème dans de l'eau ou du lait.

1 Mettez 75 g de crème de coco ou de pulpe de coco dans un grand bol. Ajoutez 30 cl d'eau chaude.

2 Remuez et laissez refroidir. Passez le mélange dans un chinois doublé d'une mousseline et pressez pour extraire le maximum de jus.

LA RECETTE DU CHEF

CREVETTES À LA NOIX DE COCO

Pour 4 personnes

2 piments verts piquants frais épépinés et hachés
1 gros oignon haché
1 tige de lemon-grass hachée
4 ou 5 feuilles de basilic finement hachées
1 cuil. à café de curcuma
1 petit morceau de gingembre frais pelé et haché
25 cl de lait de coco
500 g de grosses gambas crues
Sel
50 g de flocons de noix de coco grillés

Dans un robot ménager, réduisez les piments, l'oignon et le lemon-grass en purée, que vous mettrez dans une casserole à fond épais; ajoutez le basilic, le curcuma, le gingembre et 25 cl d'eau. Portez à ébullition, puis baissez le feu et faites cuire de 6 à 8 minutes, jusqu'à ce que presque tout le liquide soit évaporé. Ajoutez le lait de coco, les crevettes et du sel selon votre goût. Laissez mijoter de 4 à 5 minutes en remuant souvent, jusqu'à ce que les crevettes soient fermes. Saupoudrez de noix de coco grillée et servez aussitôt.

CHOCOLAT

Le nom scientifique du cacaoyer, *Theobroma cacao,* signifie «aliment des dieux», et rares sont ceux qui lui contesteraient ce titre. Lorsque Hernán Cortés s'empara du Mexique, en 1519, les Aztèques préparaient déjà avec la fève de cet arbre une bouillie de maïs et une boisson. Depuis des siècles, la vogue du chocolat se perpétue, et on l'utilise sous des formes très diverses : boissons, friandises, bonbons, aromate, simple nappage ou décoration élaborée. Car son parfum se marie avec beaucoup d'autres. Noisettes et amandes sont des compagnons parfaits, ainsi que certaines épices — cannelle, noix muscade et clous de girofle — et aussi la menthe, les framboises, les oranges et la vanille. Le café lui-même semble plus parfumé et plus corsé lorsqu'on l'accompagne d'un chocolat. Enfin, certains entremets et desserts fins au chocolat sont relevés d'un peu d'alcool.

PRODUCTION

Le cacaoyer se plaît sous les climats équatoriaux. Ainsi, la meilleure fève — ou haricot —, le *criollo,* vient d'Amérique centrale, d'Amérique du Sud et d'Inde. L'essentiel de la production mondiale provient du *forastero,* qui pousse en Afrique et au Brésil. Après la récolte, les cabosses sont mises à fermenter afin que leur amertume cède peu à peu la place au parfum. Les fèves elles-mêmes sont ensuite torréfiées. Plusieurs variétés sont mélangées dans des proportions variables pour obtenir la saveur désirée, puis elles sont broyées pour donner une pâte appelée masse, la quintessence du chocolat. Celle-ci est alors enrichie de sucre, de beurre de cacao et d'aromates, avant de passer à travers une série de cylindres qui en font une préparation homogène. Les plaques fines et sèches qui en sortent doivent encore être conchées, selon un procédé long et coûteux inventé par Rodolphe Lindt en 1879, qui a pour but de parfaire leur texture et leur parfum. Pour les chocolats de qualité inférieure, le beurre de cacao est remplacé par un produit de synthèse, et le conchage par l'addition de lécithine de soja, qui leur apporte leur moelleux.

CHOIX ET CONSERVATION

Le chocolat et le cacao en poudre se gardent bien, au frais et au sec, mais pas au réfrigérateur; la température y est trop basse et l'humidité trop importante. Le froid favorise aussi l'efflorescence du sucre, qui apparaît alors à la surface sous forme de traînées gris blanchâtre. Celle de la matière grasse est également due à des changements de température pendant la fabrication et à de mauvaises conditions de stockage; cependant, si elle est désagréable à l'œil, elle n'affecte pas le goût. Choisissez de préférence du chocolat noir, un peu plus cher, mais fabriqué avec soin.

VARIÉTÉS DE CHOCOLAT

Le chocolat peut être noir — amer ou doux — ou au lait — mi-amer et fondant. À l'exception du chocolat blanc, les chocolats à croquer ou à cuire sont tous à base de masse mélangée à du beurre de cacao, du sucre et des aromates.

Quand ils sont commercialisés, leur saveur dépend de la variété qui a été utilisée, mais différents facteurs déterminent leur qualité. Le goût particulier de chaque type de fève et les proportions de chacun dans le mélange de base ont une influence directe sur le parfum. La fermentation, la torréfaction et les techniques de fabrication sont tout aussi importantes.

Pâte de cacao Cet extrait pur de cacao n'a pas été additionné de sucre ni aromatisé. Principalement utilisé par les chocolatiers-confiseurs et rarement vendu au détail, il est amer, grenu et fond difficilement. Dans les recettes où il est mentionné, vous le remplacerez par 3 cuil. à soupe de poudre de cacao et 1 cuil. à soupe de beurre doux pour 30 g de chocolat non sucré.

Chocolat noir Il contient au minimum 45% d'extrait de cacao et regroupe les mi-amers et les amers, les seconds étant les moins sucrés. Vous réussirez mieux les préparations qui en comportent en choisissant un chocolat contenant au moins 50% d'extrait de cacao; certains même en renferment jusqu'à 70%.

Chocolat au lait Comme son nom l'indique, ce chocolat est un mélange de chocolat de couverture et de lait. Il fut créé en 1878 par un Suisse, le docteur Peter : il remplaça une petite quantité de chocolat noir par du lait condensé; de nos jours, ce produit est plus souvent fabriqué avec du lait en poudre. En cuisine, il ne peut pas remplacer le chocolat noir, car il ne contient pas suffisamment d'extrait

Cacao en poudre

Carré de chocolat

Pépites de chocolat

Copeaux de chocolat

Le chocolat noir, *fabriqué avec des fèves de premier choix et un fort pourcentage d'extrait de cacao, est délicieux à croquer et idéal en cuisine*

Le chocolat au lait *ne contient pas suffisamment d'extrait de cacao pour être utilisé en pâtisserie, à moins que la recette soit spécialement adaptée*

Morceaux de chocolat *Les fabricants présentent leurs produits en tablettes de forme et de poids différents.*

de cacao. En outre, il réagit plus rapidement à la chaleur et il devient alors nettement plus difficile à travailler.

Chocolat de couverture La forte proportion de beurre de cacao qui entre dans cette variété donne un aspect glacé et une texture lisse aux gâteaux. Il sert essentiellement aux professionnels, pour enrober diverses confiseries. Sa richesse en beurre de cacao oblige à le recuire avant de l'utiliser. Il est donc soumis à la chaleur puis refroidi; après durcissement, il garde son brillant. Le chocolat fondu est chauffé jusqu'à 46 °C, puis étendu en couche fine sur un plan de travail et travaillé jusqu'à ce qu'il soit suffisamment tiède pour figer, soit à 27 °C environ. Il est ensuite raclé, versé une fois encore dans un récipient et chauffé de nouveau jusqu'à 32 °C. Un glaçage n'est réussi que si le chocolat a été recuit selon cette technique très précise.

Cacao en poudre Ses 18% de beurre de cacao en font le moins gras de tous les chocolats; il est généralement commercialisé non sucré. En 1882, C. J. Van Houten mit au point la presse à cacao, qui extrait tout le beurre de cacao des fèves torréfiées et donne des blocs compacts de cacao pur, qui sont ensuite broyés en poudre. Il inventa plus tard le *dutching,* qui consiste à neutraliser l'acidité du cacao, lui permettant, une fois réduit en poudre, de fondre plus facilement.

Préparations à base de cacao Ces produits sucrés sont destinés à la préparation de boissons, chaudes généralement, pour le petit déjeuner et le goûter. Ils ne peuvent remplacer la poudre de cacao car le sucre et les aromates qui leur ont été ajoutés compromettraient la réussite des recettes en leur apportant un goût différent.

CHOCOLAT BLANC

En termes de fabrication, ce n'est pas vraiment du chocolat, car il ne contient pas de masse, mais seulement du beurre de cacao, du lait et du sucre. Le chocolat blanc de qualité inférieure renferme une forte proportion de graisse végétale, et certains fabricants vont même jusqu'à remplacer le beurre de cacao par des substituts médiocres. Ce chocolat, qui supporte mal la chaleur, est difficile à travailler. En cuisine, contentez-vous de le râper ou de le faire fondre pour des garnitures où sa couleur pâle contrastera joliment avec celle du chocolat noir.

Beurre de cacao

Chocolat blanc

CHOCOLAT CHAUD

Chocolat chaud

Nombreux sont les amateurs de cette boisson traditionnelle à base de lait et de cacao en poudre. Préparée avec du lait entier et du cacao de bonne qualité, elle est toujours savoureuse, mais elle atteint au délice quand elle est faite avec du chocolat noir. Choisissez-en un qui contienne au moins 50% d'extrait de cacao. Râpez-en finement 250 g et faites-le fondre. Portez à ébullition 1 litre de lait. Versez-en la moitié dans le chocolat en fouettant jusqu'à ce qu'il mousse. Ajoutez du sucre selon votre goût. À feu très doux, ajoutez peu à peu le reste du lait sans cesser de remuer. Servez chaud avec de la crème fouettée. La boisson sera encore plus onctueuse si vous remplacez une moitié du lait par de la crème fraîche.

LE CHOCOLAT EN CUISINE

En cuisine, le chocolat sert surtout à la confection de gâteaux, mais son goût, quand il est amer, se marie bien avec celui de nombreux plats salés. Ainsi, les Espagnols et les Italiens en ajoutent une petite quantité à une sauce à base d'oignons, d'ail, de tomates et d'épices. Mélangé à une préparation très aromatique à base de piments secs pilés, il donne la *mole,* une sauce mexicaine traditionnelle. Si vous ajoutez au dernier moment un carré de chocolat noir dans un ragoût de viande ou dans un civet, il atténuera l'amertume de la sauce.

CHOCOLAT FONDU

Rien ne semble plus simple que de faire fondre du chocolat; pourtant, il faut y apporter attention et soin : en effet, il brûle très vite, prenant alors une saveur âcre, et, s'il est trop chauffé, il devient grenu et durcit. Il faut veiller aussi à ce qu'aucune goutte d'eau ne tombe dans le chocolat chaud, car il serait «saisi», épaissirait ou se solidifierait. Certaines recettes précisent qu'il faut lui ajouter du beurre ou de l'huile lorsqu'on le fait fondre; ce geste est d'autant plus inutile qu'il apporte un surplus d'éléments gras.

La meilleure technique est celle du bain-marie, pratiqué avec deux casseroles ou un récipient résistant à la chaleur simplement posé sur une casserole. Commencez par y mettre de l'eau, assez peu pour que le bol ne l'atteigne pas. Portez à ébullition et retirez du feu. Faites fondre le chocolat dans le bol, au-dessus de la vapeur; cependant, si la chaleur est insuffisante, remettez la casserole sur le feu et remuez. Ne couvrez pas : des gouttelettes d'eau se condenseraient sur le couvercle et tomberaient dans le chocolat, qu'elles saisiraient. Celui-ci fond aussi très bien dans un four à micro-ondes. Cassez-le en morceaux et mettez-le dans un récipient adapté à ce mode de cuisson, là aussi sans couvrir. Pour 75 g de chocolat noir, réglez le four au maximum et laissez fondre de 2 à 3 minutes selon la puissance de l'appareil. Remuez pour que le chocolat devienne lisse, sinon, il gardera sa forme.

Bain-marie
La chaleur douce et régulière de l'eau frémissante permet au chocolat fondu d'être bien lisse.

LA RECETTE DU CHEF
SAUCE TOMATE CHOCOLATÉE POUR GIBIER

Pour 6 personnes

3 tranches épaisses de poitrine fumée hachées
2 grosses tomates pelées, épépinées et concassées
2 gros oignons émincés
2 carottes hachées
2 gousses d'ail écrasées
1 litre de bouillon de gibier
1 cuil. à soupe de persil plat frais haché
2 clous de girofle
1 pincée de noix muscade fraîchement râpée
1 cuil. à soupe de vinaigre de vin ou de vinaigre de xérès
Sel
Poivre noir du moulin
2 ou 3 cuil. à café de chocolat amer râpé
25 cl de xérès sec

Dans une casserole, faites dorer la poitrine fumée à feu moyen. Ôtez la graisse et ajoutez les tomates, les oignons, les carottes, l'ail et le bouillon, puis, en remuant, le persil, les clous de girofle, la noix muscade et le vinaigre; salez selon votre goût. Portez à ébullition, couvrez et laissez mijoter 45 minutes. Filtrez et versez dans une autre casserole. Ajoutez le chocolat et le xérès en remuant. Laissez frémir à découvert de 5 à 10 minutes, goûtez et rectifiez l'assaisonnement. Servez avec un gibier à plume rôti — cailles ou perdreaux — ou avec un lièvre cuit à l'étouffée.

GLAÇAGE ET FONDUE

Les fruits à chair ferme — melon en dés, poire ou banane en tranches, fraise, carambole — trempés dans du chocolat fondu se transforment en friandises fraîches et originales. Les zestes d'agrumes confits, les amandes et tous les fruits à coque, enrobés de chocolat, sont de vrais régals. Faites fondre le chocolat (voir à gauche). Plongez-y les fruits un à un, retirez-les rapidement et faites-les tourner plusieurs fois pour que le glaçage soit régulier. Laissez-les sécher à l'air sur du papier sulfurisé; servez dans l'heure qui suit. Pour une fondue, proposez une grande variété de fruits à coque à côté d'une coupe de chocolat fondu. Ajoutez un peu de beurre fondu au chocolat pour qu'il soit moins ferme et plus parfumé.

Fruits secs et confits

Noix et amandes

Fruits frais

Enrobage des fruits
Préférez les fruits qui se mangent d'une seule bouchée.

DESSERTS DE BASE

Depuis le simple biscuit de Savoie préparé à la maison jusqu'au dessert sophistiqué, fourré et glacé, le gâteau au chocolat reste le favori des grands et des petits. Les recettes proposées ici sont très détaillées; vous pouvez les réaliser dans leur intégralité, comme pour le gâteau présenté ci-dessous, ou n'en choisir qu'une partie pour agrémenter d'autres desserts. Ainsi, le biscuit de Savoie, tranché, est parfois fourré de framboises et de crème. Un gâteau peut se composer d'une pâte au chocolat et d'une pâte blanche, qui lui donnent un effet marbré. Parfumée au café, à la cannelle ou à la menthe, la ganache permet de farcir un quatre-quarts ou une bûche, ou de garnir un fond de pâte pour une tarte au chocolat instantanée. Quant au glaçage au chocolat, il enrobe délicieusement les biscuits de Savoie et tous les gâteaux aux amandes ou aux noisettes pilées; chaud, il devient une sauce au chocolat onctueuse.

LA RECETTE DU CHEF
GÂTEAU MOUSSELINE AU CHOCOLAT

Pour 6 à 8 personnes

Beurre fondu pour chemiser le moule
4 gros œufs
125 g de sucre en poudre
100 g de farine
30 g de cacao en poudre non sucré
15 g de beurre doux fondu et refroidi (facultatif)

Préchauffez le four à 190 °C. Garnissez de papier sulfurisé le fond d'un moule à gâteau de 20 cm de diamètre et badigeonnez de beurre fondu. Mélangez les œufs et le sucre dans un récipient allant sur le feu. Mettez sur feu doux ou au bain-marie et fouettez jusqu'à ce qu'ils soient juste chauds. Ne chauffez pas trop, car les œufs cuiraient et formeraient des grumeaux. Retirez du feu et battez au fouet électrique 15 minutes environ, jusqu'à ce que le mélange mousse. Tamisez ensemble la farine et le cacao en poudre. À l'aide d'une spatule, incorporez en trois fois les ingrédients secs dans la préparation légère. Travaillez doucement mais régulièrement pour incorporer parfaitement la farine. Ajoutez enfin le beurre. Versez la pâte dans le moule et enfournez pour 30 à 40 minutes, jusqu'à ce que le gâteau se détache des bords du moule. Démoulez-le sur une grille métallique et laissez-le refroidir. Coupez-le horizontalement en trois couches à l'aide d'un long couteau-scie, et fourrez-le.

LA RECETTE DU CHEF
GLAÇAGE AU CHOCOLAT

Pour un gâteau de 20 cm environ

350 g de chocolat noir
125 g de beurre doux à température ambiante

Râpez finement le chocolat et mettez-le dans une casserole avec 15 cl d'eau tiède. Faites-le fondre à feu doux. Pendant ce temps, coupez le beurre en petits morceaux. Retirez la casserole du feu et incorporez progressivement le beurre, sans cesser de remuer, jusqu'à ce que le mélange soit homogène. Versez le glaçage sur le gâteau et lissez-le à l'aide d'une palette. Laissez refroidir 1 heure avant de garnir et de servir.

La garniture peut être toute simple, un nuage de cacao en poudre par exemple, ou plus recherchée, comme des feuilles en chocolat et des noix de pecan enrobées

Pour glacer un gâteau, posez-le sur une grille métallique ou sur une plaque à pâtisserie qui recueillera les chutes que vous pourrez réutiliser

Pour obtenir des couches régulières, maniez progressivement le couteau comme une scie en faisant tourner le gâteau; un morceau de carton vous permettra de déplacer les différentes couches

Pour le glaçage, utilisez une palette et étalez la préparation en couche régulière, jusqu'au bord du gâteau

LA RECETTE DU CHEF
GANACHE

Pour 25 cl environ

250 g de chocolat noir
25 cl de crème fraîche épaisse

Râpez finement le chocolat à l'aide d'un couteau bien aiguisé; plus les copeaux seront petits, plus il fondra vite et régulièrement. Mettez-les dans un récipient allant sur le feu. Versez la crème dans une casserole et portez à ébullition. Incorporez la crème bouillante au chocolat, et remuez sans arrêt, jusqu'à ce que le mélange soit parfaitement lisse. Laissez refroidir 1 heure environ. Battez la ganache au fouet électrique 10 minutes environ, jusqu'à ce qu'elle double de volume, et entreposez-la au froid jusqu'au moment de servir. Vous pouvez la préparer 1 semaine à l'avance; gardez-la, couverte, au réfrigérateur et réchauffez-la légèrement avant de la battre.

DÉCORS EN CHOCOLAT

Les décors en chocolat apportent une touche professionnelle à de nombreux desserts. Il vaut mieux en prévoir plus qu'il n'en faut car ils sont fragiles et se brisent facilement au cours des manipulations.

Certains de ces décors sont si délicats que la chaleur a tendance à les détériorer. Les chocolatiers professionnels et les pâtissiers travaillent d'ailleurs dans des locaux où la température et l'hygrométrie sont strictement contrôlées. Chez vous, vous les préparerez dans une cuisine aussi fraîche et aérée que possible.

La garniture la plus simple est une couche de cacao en poudre; tenez un tamis au-dessus de la surface à recouvrir, versez-y un peu de cacao en poudre et tapotez doucement sur le bord; déplacez éventuellement le tamis pour former une couche fine et régulière. Pour une décoration plus sophistiquée, remplacez le tamis par un napperon de papier en dentelle et procédez de la même façon. Un motif ajouré découpé dans du carton peut servir plusieurs fois; ainsi, un ensemble de bandes espacées de 2,5 cm donnera des rayures et servira plusieurs années.

Un autre décor attrayant est fait de chocolat râpé à la main et saupoudré. Tenez alors le morceau de chocolat — qui doit sortir du réfrigérateur — avec de l'aluminium ménager pour qu'il ne fonde pas entre vos doigts. Un robot ménager vous servira si vous désirez avoir des copeaux très fins. Mettez l'appareil en marche et introduisez le chocolat par le cylindre d'alimentation; détaillez-le auparavant en gros morceaux, pour que la lame ne se bloque pas.

ROULEAUX

Pour obtenir des rouleaux longs et fins, faites fondre le chocolat puis versez-le sur un plan de travail. À l'aide d'une palette, étendez-le régulièrement sur une épaisseur d'environ 3 mm. Laissez refroidir 30 minutes. Placez le tranchant d'un couteau à longue lame ou d'une palette selon un angle de 45° par rapport à la surface de la plaque de chocolat. Raclez-la pour prélever une fine couche de chocolat, qui va former un long rouleau. Pour obtenir de petites coques bouclées, utilisez une cuiller à café au lieu du couteau.

Petites boucles

Longs rouleaux

BOUCLES DE CHOCOLAT

Vous les préparerez avec du chocolat à température ambiante. (S'il est trop froid, il volera en éclats; commencez par le ramollir un peu entre vos mains.) À l'aide d'un couteau éplucheur, «rasez»-le au-dessus d'une assiette dans le sens de la longueur. S'il prend une forme peu maniable, faites-le fondre avec un peu d'huile végétale (1 cuil. à café par 30 g). Versez le mélange dans une petite boîte ou un moule rectangulaire et faites-le durcir au réfrigérateur. Sortez-le et laissez-le à température ambiante avant de reprendre votre «rasage».

Préparation des rouleaux
À l'aide de la lame d'un couteau bien aiguisé ou d'une palette, raclez la surface du chocolat pour former des rouleaux longs et minces.

Préparation des boucles
Passez fermement la lame d'un couteau éplucheur sur le côté le plus large d'un morceau de chocolat laissé quelque temps à température ambiante.

DÉCORS À LA DOUILLE

Les chefs expérimentés savent improviser sur les pâtisseries des décors en chocolat fondu à l'aide d'une poche à douille. Les novices auront intérêt à les dessiner d'abord sur du papier sulfurisé puis à les transférer sur le gâteau une fois qu'ils auront durci. Dans une feuille de papier de 21 x 29,7 cm coupée en diagonale, préparez deux cônes. Faites fondre le chocolat (voir p. 182). À l'aide d'une petite cuiller, remplissez aux trois quarts un des cônes et créez un motif (ci-contre). Dès qu'il est terminé, relevez la pointe du cône pour éviter les bavures.

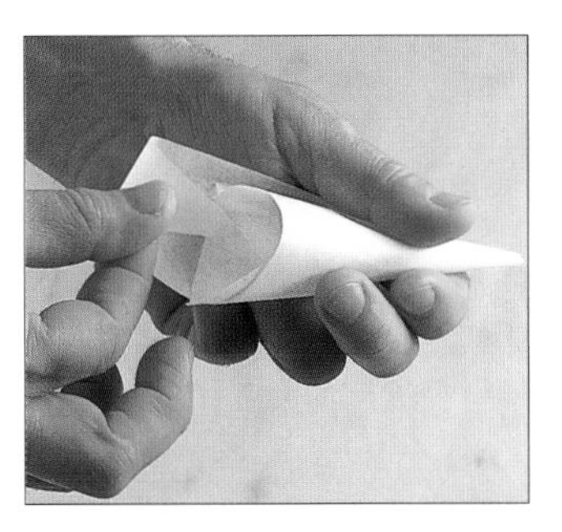

Réalisation du cornet
Repliez le petit côté du triangle de papier sur le sommet de l'angle droit pour former un cône. Repliez l'angle aigu et glissez-le dans l'ouverture.

Tracé des motifs
Placez le motif que vous souhaitez sous du papier sulfurisé, recopiez-le avec le chocolat du cône : celui-ci doit s'écouler régulièrement.

Mise en place des motifs
Quand les décors ont durci, décollez-les un à un à l'aide d'une palette. Maniez-les avec précaution, car ils sont fragiles.

FEUILLES EN CHOCOLAT

Toutes les feuilles fraîches, comestibles et à veines très apparentes — celles du rosier, du citronnier, du laurier —, conviennent. Lavez-les et séchez-les dans du papier absorbant. À l'aide d'un pinceau à pâtisserie, enduisez le dessous des feuilles d'une couche de chocolat fondu (vous obtiendrez ainsi davantage de relief). Laissez un petit bout de queue verte pour pouvoir séparer la feuille du chocolat quand il aura durci. Faites sécher sur une grille et mettez au réfrigérateur jusqu'à ce que le chocolat ait pris. Assurez-vous que vous avez les mains froides et décollez le chocolat de la feuille en tirant délicatement sur la queue.

Préparation des feuilles
Enduisez de chocolat fondu le dessous de feuilles comestibles et retirez-les quand le chocolat a durci.

Des triangles de chocolat noir, au lait et blanc font une très jolie décoration

Triangles

Des feuilles de trois couleurs transforment en œuvre d'art le gâteau le plus simple

Feuilles

TRIANGLES EN CHOCOLAT

Versez du chocolat fondu sur une plaque à pâtisserie recouverte de papier sulfurisé ou sur un plan de travail huilé. Étalez-le en couche régulière d'environ 3 mm d'épaisseur et laissez refroidir 30 minutes, éventuellement au réfrigérateur. Retournez la plaque de chocolat sur une autre feuille de papier sulfurisé et égalisez les côtés. À l'aide d'une règle, tracez des lignes pour délimiter des carrés ou des losanges et découpez. Des carrés coupés en diagonale deviendront des triangles. Les petits emporte-pièce vous permettront d'obtenir des formes plus variées. Mettez au réfrigérateur pour que les décors durcissent.

Préparation des triangles
Enfoncez fermement le petit emporte-pièce dans la couche de chocolat puis laissez les formes durcir au réfrigérateur. Vous pouvez également utiliser une règle et un couteau à lame fine.

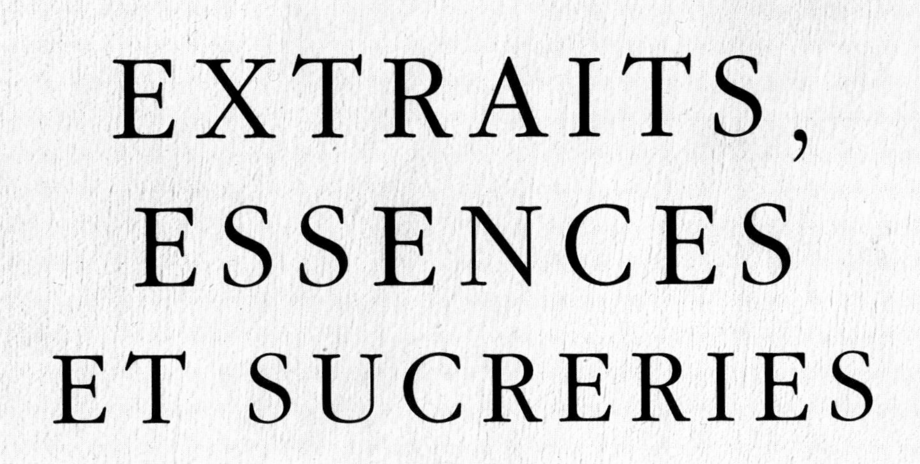

EXTRAITS, ESSENCES ET SUCRERIES

Extraits salés et aromates

Les extraits salés ont été les aromates essentiels des cuisines du monde entier pendant des centaines d'années. En Orient, ils se composaient essentiellement de haricots de soja et de poisson. En Occident, les concentrés de viande servaient de base d'assaisonnement. Aujourd'hui, des réductions très concentrées de bouillons mijotés avec des légumes, des herbes, des os de viande ou des arêtes de poisson se préparent à la maison ou s'achètent tout prêts dans le commerce. Certaines d'entre elles contiennent de la levure, sous-produit additionné de sel de la bière et de la distillation des alcools, et du poisson séché. D'Orient ou d'Occident, d'origine animale ou végétale, tous ces produits ont la propriété de renforcer la saveur des aliments.

Miso Ce condiment d'origine japonaise est connu depuis des milliers d'années. Il se prépare en salant puis en faisant fermenter à l'aide d'une moisissure spéciale des germes de soja cuits avec une céréale — riz ou blé; on laisse ensuite vieillir cette pâte pendant plusieurs années. Chaque région possède sa recette de *miso* traditionnel, dont les teintes s'échelonnent du blanc cassé au noir chocolat, en passant par le brun-roux. Son goût a une verdeur rappelant celle d'un vin. Certains *miso* sont épais et lisses, d'autres plus granuleux.

À l'origine, le *miso* servait d'agent de conservation, et le reste dans de nombreux pickles japonais, mais il est peu à peu devenu un assaisonnement de base, surtout au Japon et en Corée. Il permet de préparer la soupe au *miso,* à base du traditionnel bouillon japonais (algues et bonite séchée), le *dashi.* Il assaisonne également les sauces destinées aux salades, aux légumes, au tofu, et le jus de cuisson des *tempura,* les fritures typiquement japonaises. Dans les plats chauds, ne l'ajoutez qu'au dernier moment, car il ne doit pas bouillir.

Les viandes, les poissons et les légumes en brochettes à griller peuvent être enrobés de *miso.* Le *denagaku,* très populaire au Japon, se compose d'une pâte de haricots de soja grillée, nappée d'une sauce au *miso* parfumée de saké, de *dashi,* de graines de sésame, de vinaigre de riz, de sucre, de quelques cuillerées à café de jus de citron, de zeste de citron râpé, et liée aux jaunes d'œufs battus.

Le *miso* jaune, ou *shinshu,* est très couramment utilisé; le *miso* rouge, dit *aka,* est beaucoup plus salé. Quant au *miso* blanc, le *shiro,* préparé avec deux tiers de riz, il est très doux et sucré; il aromatise les pickles et garnit les viandes grillées. Puissamment épicé, le *hatcho miso* se mange souvent seul et le *mugi,* à base d'orge, plus foncé, a un goût de terre.

Le miso rouge, *très salé, s'utilise en petite quantité dans les bouillons, les potages et les ragoûts*

Le trasi, *très âcre, est une pâte dure à base de crevettes fermentées*

Le miso jaune *est la version japonaise de la pâte de haricots de soja dont tous les Asiatiques relèvent le goût de nombreux plats*

Extraits salés
De l'Orient à l'Occident, les extraits salés et les aromates rehaussent la saveur des mets.

L'extrait de malt *apporte une saveur caractéristique à plusieurs boissons lactées très appréciées*

L'extrait de viande *sale et relève de nombreuses préparations, des potages aux boissons*

L'extrait de levure *est un mélange de sel et de levure de bière*

Cubes de bouillon de bœuf

Cube de bouillon de poulet

Granulés de bouillon

Pâte de poisson Préparées à partir de crevettes salées et fermentées, les pâtes de poisson sont très courantes en Asie du Sud-Est. *Trasi* indonésien, *blachan* malaisien ou *kapee* thaïlandais, leur aspect varie de la bouillie gris clair au bloc brun et friable. Toutes ont un goût et une odeur prononcés de poisson, et il faut savoir parfaitement les doser. Lorsqu'elles assaisonnent des plats crus, celles qui se présentent en blocs doivent être auparavant cuites. Coupez-en un morceau et faites-le griller au-dessus d'une flamme douce, ou placez-le quelques minutes sous le gril du four; suivez ensuite la recette. Bien qu'elle leur ressemble, la pâte d'anchois ne peut remplacer ces pâtes piquantes; dans la gastronomie européenne, elle sert parfois de condiment pour assaisonner des hachis de viande, des ragoûts, des sauces, ou elle se tartine simplement sur du pain ou des crackers.

Extrait de viande En Occident, les sucs de viande sont concentrés en pâtes épaisses, fabriquées industriellement. Certaines sont parfumées d'extraits de légumes, d'aromates et d'épices. La plupart de ces extraits se diluent dans l'eau chaude pour préparer du bouillon, mais ils donnent aussi un fumet de viande à des potages, des ragoûts et des sauces. Parfois même, ils se dégustent sur un toast ou dans un sandwich, tartinés en couche mince.

Extrait de bouillon Les extraits secs de bouillon se présentent sous forme de cubes ou de tablettes, ou encore de granulés. Ils aromatisent les plats d'un goût de bœuf, de porc, de jambon, d'agneau, de poisson, de poulet et même de légumes nature. Cubes, tablettes et granulés doivent être d'abord délayés dans l'eau chaude, sauf pour les plats qui comportent beaucoup d'eau.

Extrait de levure L'étude des levures, déjà bien connue au XIXe siècle, fit des progrès considérables avec les travaux de Louis Pasteur sur les fermentations. Avant même que l'on eût découvert, en 1911, le rôle des vitamines dans l'alimentation, divers extraits de levure étaient connus pour leurs vertus fortifiantes. Aujourd'hui, ils sont largement consommés sous forme de pâte à tartiner en Grande-Bretagne, en Australie et en Amérique du Nord.

Extrait de malt Préparé à partir d'orge fermentée, cet extrait a un parfum sucré très particulier; en Occident, il est utilisé en pâtisserie et dans le lait malté.

LA RECETTE DU CHEF

POTAGE AU *MISO*

Pour 4 à 6 personnes

1 carré de 4 cm de côté d'algues (konbu)

3 cuil. à soupe de flocons de bonite

125 g de miso rouge

125 g de tofu doux

2 ou 3 oignons nouveaux émincés

Essuyez les algues avec du papier absorbant et incisez-les plusieurs fois au couteau. Plongez-les dans 1,2 litre d'eau bouillante, couvrez et laissez cuire 10 minutes. Sortez-les et ajoutez 25 cl d'eau. Portez de nouveau à ébullition. Ajoutez les flocons de bonite et mélangez. Passez le liquide et remettez-le dans la casserole. (Vous pouvez remplacer les algues et les flocons de bonite par du *dashi* concentré, en vente dans les épiceries japonaises, et ajouter une quantité égale d'eau bouillante). Incorporez le *miso*. Coupez le tofu en petits cubes et disposez-les dans des bols individuels chauds. Ajoutez les oignons nouveaux à la soupe, remuez et versez sur le tofu. Servez aussitôt.

PRODUITS MARINS SÉCHÉS

Les produits marins séchés sont depuis très longtemps des ingrédients incontournables de la cuisine chinoise. Certains d'entre eux — huîtres, coquilles Saint-Jacques ou calmars — doivent être réhydratés avant d'être préparés : le liquide de trempage parfumera ensuite le plat.

Crevettes en poudre

Coquilles Saint-Jacques séchées

Flocons de bonite

Les flocons de bonite séchés ressemblent à des copeaux de bois; ils sont obtenus à l'aide d'un ustensile spécial, le katsuo-kezuri-ki.

Essences et parfums sucrés

Les essences sont des extraits, par macération ou par distillation, des huiles essentielles d'une très grande variété de plantes. Les meilleures essences liquides sont préparées exclusivement à partir d'ingrédients naturels, et leur coût de production est très élevé. Aussi certains fabricants introduisent-ils dans leurs produits des substituts bon marché et des arômes synthétiques. En cuisine, les essences parfument des desserts et des pâtisseries cuites au four, mais aussi des sauces et des assaisonnements salés. Les poudres sucrées entrent surtout dans la fabrication de bonbons et de boissons sans alcool.

Les essences de fruits, *frais ou secs, tels que citron, fraise, amande ou noisette, s'emploient surtout en pâtisserie et en confiserie*

Essence de fraise

Essence de noisette

Les noix de cola *séchées entrent dans la composition de nombreuses boissons sans alcool; leur teneur en caféine, bien que faible, les rend légèrement stimulantes*

Cola

Poudre de cola

La salsepareille *est extraite de l'arbuste du même nom* (Smilax aspera), *originaire d'Amérique du Sud; ses racines, en forme de corde, séchées, parfument une boisson appréciée des Mexicains pour ses vertus médicinales*

Copeaux de salsepareille

Boisson à la salsepareille

Bonbons à la réglisse

Les racines de réglisse *sont séchées et broyées, ou pressées pour en extraire les sucs doux-amers qui donneront de délicieuses confiseries noir de jais*

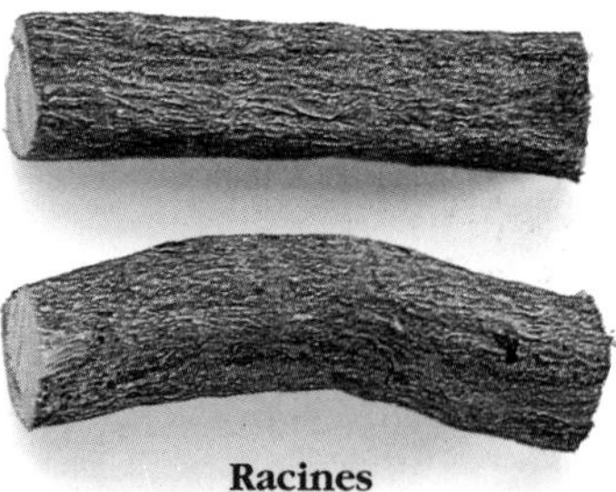

Racines de réglisse

Extrait d'herbes *Quelques gouttes d'extrait remplacent agréablement les herbes aromatiques lorsque la saison est passée.*

Essence de fruits Fraises, framboises et grenades se distillent pour offrir des essences ou bien macèrent pour donner des sirops qui se conservent tout l'hiver. Sous une forme ou une autre, elles vous permettront de parfumer ou de garnir toutes sortes de desserts : glaces, sorbets, tartes, gâteaux fourrés. Elles relèvent les salades de fruits, certains assaisonnements salés et des sauces sucrées pour entremets. Ces arômes fruités apportent saveur et douceur à quantité de boissons.

Huile de fruit Elle est extraite des huiles essentielles de l'écorce des agrumes — et parfois des amandes et de la menthe — et quelques gouttes suffisent à aromatiser un mets. Il vaut mieux les utiliser dans des préparations crues, ou ne les ajouter qu'en fin de cuisson, car la chaleur atténue leur arôme.

Essence de noix Cet ingrédient tout simple rehausse la saveur des gâteaux de Savoie, des quatre-quarts, des biscuits, des tartes.

Essence de vanille Universellement connue, elle relève le goût de nombreuses pâtisseries, dont elle accentue l'arôme principal.

Extrait d'herbes En vente dans certains magasins spécialisés, ces extraits suffisent, en très petite quantité, à apporter d'autres senteurs végétales aux potages, ragoûts et fricassées.

Réglisse La saveur douce-amère très particulière de la réglisse est appréciée dans le monde entier. Utilisée principalement en confiserie, la réglisse se transforme en rubans, en pastilles et en bonbons de toutes sortes; elle parfume les célèbres gâteaux de Pontefract, en Grande-Bretagne, et elle est en France une des spécialités d'Uzès. Infusées dans de l'eau bouillante, ses racines donnent une tisane calmante, et sa poudre met en valeur l'arôme acidulé des jus et des salades de fruits. Elle entre dans la composition de liqueurs, dont la sambuca italienne.

Cola et salsepareille L'essence de la noix de cola et celle de la salsepareille étaient autrefois prescrites pour leurs vertus fortifiantes. Quelques fabricants ont misé sur ces ingrédients qu'ils ont introduits dans des boissons non alcoolisées, aujourd'hui universellement connues et appréciées.

Grenadine

La véritable grenadine est un sirop fabriqué avec du jus de grenade. De couleur rouge vif, elle dégage un parfum frais et doux. Absolument sans alcool, elle joue néanmoins un rôle essentiel sur la palette du barman. Sans elle, il ne pourrait pas préparer de vraie tomate (anis et grenadine), ni de vrai arc-en-ciel (grenadine, Marie Brizard, veramint Ricqlès, Chartreuse verte), ni de vrai hollywood (jus de pamplemousse, blancs d'œufs, grenadine). Colorant naturel, la grenadine, outre son goût, offre un autre avantage : elle teinte de rouge les cocktails, les desserts et les zestes d'agrumes confits. Elle est particulièrement agréable dans les sorbets, les glaces et les salades de fruits. Arrosez-en des moitiés de pamplemousse ou mettez-en quelques gouttes dans l'assaisonnement d'une salade d'avocats. Il ne faut pas confondre la grenadine avec le sirop de grenade, jus non sucré et réduit des graines amères de grenade verte, qui est largement utilisé par les cuisiniers du Moyen-Orient pour relever de nombreux mets, notamment le *faisinjan* iranien, plat de viandes de canard et de poulet nappées d'une sauce aux noix parfumée au sirop de grenade.

Les glaces, les mousses ou les salades de fruits se décorent très joliment de graines de grenade

Crème pâtissière parfumée

Mélangez dans une casserole 125 g de sucre, 50 g de farine et 2 œufs. Versez 50 cl de lait bouillant. Portez sur le feu en remuant, jusqu'à ce que le mélange épaississe. Transvasez-le dans un bol, ajoutez-y quelques gouttes d'essence de fruit ou de noisette, et laissez refroidir.

LA RECETTE DU CHEF

Sorbet au pamplemousse et à la grenadine

Pour 6 personnes

1 litre de jus de pamplemousse rose
200 g de sucre en poudre
2 cuil. à soupe de grenadine
Tulipes en pâte à langues de chat *(voir p. 203)*
Feuilles de menthe fraîche pour la décoration

Mettez dans un bol le jus de pamplemousse et la grenadine, et faites-y fondre le sucre en remuant. Versez dans un bol en métal et entreposez au congélateur. Lorsque le mélange est dur, cassez-le en gros morceaux et réduisez-les en purée dans un robot ménager; remettez le bol vide dans le congélateur. Lorsque la préparation est parfaitement lisse, versez-la dans le bol glacé et faites-la de nouveau prendre au congélateur de 30 à 45 minutes. Servez en boules dans les tulipes et décorez de menthe.

Liqueurs, spiritueux et vins

On peut faire macérer ou infuser dans de l'alcool toutes les parties d'une plante — graine, feuille, racine, fruit et noyau — pour obtenir des boissons alcoolisées. Bien qu'elles se boivent souvent nature, elles jouent un rôle appréciable dans de nombreux plats.

Le vin apporte de la profondeur aux plats mijotés tandis que les liqueurs de fruit ou de noix, flambées ou non, les aromatisent en fin de cuisson. Alcools et eaux-de-vie donnent du corps aux marinades et à certains desserts au café; ils arrosent aussi une salade de fruits ou une glace.

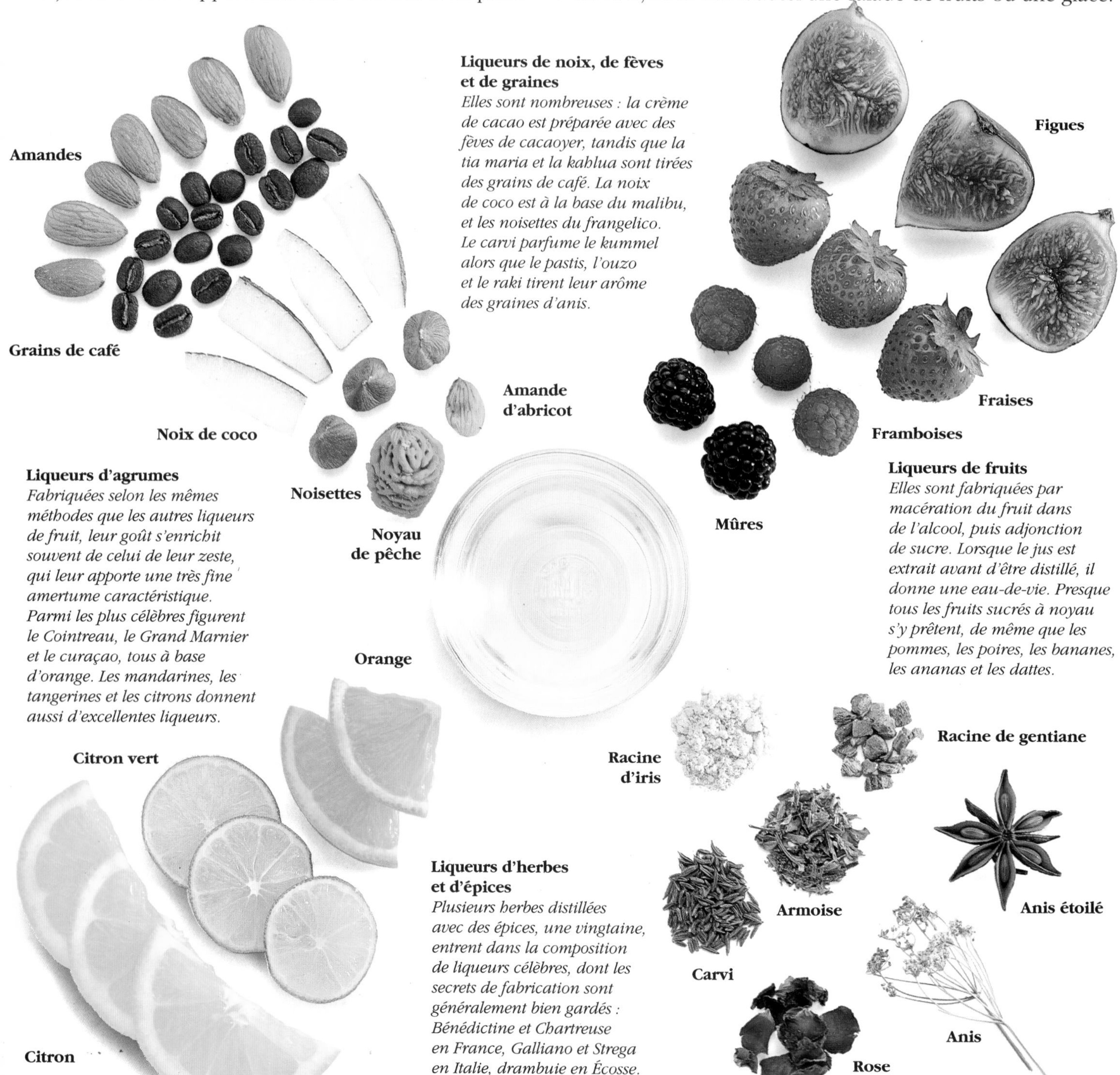

Liqueurs de noix, de fèves et de graines
Elles sont nombreuses : la crème de cacao est préparée avec des fèves de cacaoyer, tandis que la tia maria et la kahlua sont tirées des grains de café. La noix de coco est à la base du malibu, et les noisettes du frangelico. Le carvi parfume le kummel alors que le pastis, l'ouzo et le raki tirent leur arôme des graines d'anis.

Liqueurs d'agrumes
Fabriquées selon les mêmes méthodes que les autres liqueurs de fruit, leur goût s'enrichit souvent de celui de leur zeste, qui leur apporte une très fine amertume caractéristique. Parmi les plus célèbres figurent le Cointreau, le Grand Marnier et le curaçao, tous à base d'orange. Les mandarines, les tangerines et les citrons donnent aussi d'excellentes liqueurs.

Liqueurs de fruits
Elles sont fabriquées par macération du fruit dans de l'alcool, puis adjonction de sucre. Lorsque le jus est extrait avant d'être distillé, il donne une eau-de-vie. Presque tous les fruits sucrés à noyau s'y prêtent, de même que les pommes, les poires, les bananes, les ananas et les dattes.

Liqueurs d'herbes et d'épices
Plusieurs herbes distillées avec des épices, une vingtaine, entrent dans la composition de liqueurs célèbres, dont les secrets de fabrication sont généralement bien gardés : Bénédictine et Chartreuse en France, Galliano et Strega en Italie, drambuie en Écosse.

VINS VINÉS

Certains vins, notamment le porto, le xérès et le madère, sont renforcés par un apport d'alcool. À l'exception du xérès, qui peut être très sec, ils sont doux et leur riche bouquet parfume bien les viandes braisées, les civets de gibier et même certains poissons. Le porto met en valeur la viande et les pâtés de canard. Le madère s'accorde avec le jambon et le porc en général, et le xérès améliore beaucoup les soupes et les sauces, notamment à base de volaille. Les vins vinés entrent aussi dans la confection de plats sucrés, tels que crèmes, gelées, charlottes, savarins et sirops de sucre pour pocher les fruits.

Xérès

Porto

De nombreux pâtés sont parfumés au porto

Toutes les boissons alcoolisées peuvent apporter leur parfum en cuisine. De nombreux alcools permettent de déglacer une poêle (voir encadré p. 249) ou d'aromatiser au dernier moment un plat tel qu'un potage ou une daube. Pour apporter à vos préparations davantage de moelleux, laissez-les alors bouillir quelques minutes pour permettre l'évaporation de l'alcool.

Vous pouvez toujours ajouter une liqueur ou un alcool à une recette qui n'en comporte pas. Cependant, choisissez-les en fonction de leur composante principale. Le kirsch, eau-de-vie de cerises, s'impose dans un plat qui comporte des cerises; le puissant parfum de genièvre que dégage le gin convient au gibier; obtenu par distillation du cidre, le calvados se marie agréablement avec les desserts et les plats salés accompagnés de pommes. L'origine des ingrédients est un autre facteur déterminant. Ainsi, ajoutez quelques gouttes de vin rouge italien dans une sauce pour pâtes ou un filet de liqueur d'anis dans les plats de poisson ou de fruits de mer méditerranéens.

Le flambage est une technique pratiquement indissociable des vins, liqueurs et eaux-de-vie. Lorsqu'ils sont chauffés, leur alcool s'évapore et on peut les flamber pour ne garder que leur arôme. Cette opération pratiquée à table constitue une élégante mise en scène; la volaille ou le gibier se colorent d'une belle teinte brune et les plats sucrés caramélisent légèrement. Pratiquez-la cependant avec précaution. Ne laissez pas votre visage et vos cheveux trop près des plats et restez éloigné des étagères et des placards inflammables.

Les alcools apportent aussi au moment de servir la dernière touche à certains desserts : arrosez de kirsch des tranches d'ananas; de curaçao des pêches, et de vin de gingembre du melon frais. Et rien n'est plus délicat que des fraises ou des framboises macérées dans du champagne rosé et servies dans une coupe en cristal.

La crème fouettée accompagne parfaitement les arômes alcoolisés. Quand vous la servez avec un dessert au chocolat, ajoutez-y un doigt de liqueur de noisette et, pour une salade de fruits, un filet de crème de cassis.

Les glaces gagnent souvent à être arrosées de liqueur ou de cognac. Les meilleurs mariages associent le sorbet à la pomme verte et le calvados, la glace aux raisins secs et le rhum, la glace à la vanille et une touche de frangelico à la noisette, d'amaretto aux amandes amères ou de kahlua au café.

Un doigt de cognac ou de la crème de vanille relève le café et le célèbre *irish coffee* l'enrichit de whisky irlandais et de crème fraîche.

Angostura
Fabriqué dans l'île de la Trinité, l'angostura est produit à partir de l'écorce amère mais aromatique du cusparia *et d'un mélange de fruits secs et d'épices. Quelques gouttes suffisent pour aromatiser les cocktails et rehausser les salades de fruits, les glaces, les sauces et les potages salés.*

LA RECETTE DU CHEF

CREVETTES À LA MARSEILLAISE

Pour 4 personnes

2 échalotes finement hachées
30 g de beurre doux
500 g de grosses crevettes décortiquées
15 cl de vin blanc sec
1 cuil. à soupe de liqueur d'anis
15 cl de court-bouillon de poisson
20 cl de crème fraîche épaisse
Sel
Poivre noir du moulin

Chauffez le beurre dans une casserole et faites-y fondre les échalotes 1 minute. Mettez-y les crevettes et poursuivez la cuisson 1 minute. Versez le vin blanc et la liqueur d'anis, couvrez et portez à petite ébullition pour 30 secondes. Retirez les crevettes et réservez-les au chaud. Ajoutez le court-bouillon et laissez-le réduire de moitié. Incorporez la crème et faites cuire 5 minutes, pour que le mélange épaississe. Assaisonnez selon votre goût. Disposez les bouquets sur des assiettes individuelles et nappez-les de sauce. Servez aussitôt.

Sucre

Le sucre est l'un des plus anciens aromates culinaires connus, et il était déjà utilisé en Asie quelques milliers d'années avant notre ère, sous forme d'un liquide produit par un «roseau qui donnait du miel sans l'intervention des abeilles». Les Européens, eux, ne connurent pendant longtemps que le vrai miel et les extraits de fruits. Lorsqu'ils découvrirent la canne à sucre, ils en parlèrent eux aussi comme d'un «roseau sucré» dont on tirait un jus qui cristallisait. Après la découverte du Nouveau Monde, ils l'introduisirent aux Antilles, où elle fut et continue d'être largement exploitée. Au XVIIe siècle, la vogue croissante de boissons comme le café, le thé et le chocolat eut un effet immédiat sur les besoins des Occidentaux en sucre, et le travail de la canne devint très important. Au XIXe siècle, enfin, il fut établi que la betterave à sucre offrait une autre source de production. De nos jours, le sucre se présente sous différentes formes : brut, raffiné, roux, en morceaux, et même en mélanges aromatisés.

La canne à sucre, pouvant atteindre 6 m de haut, est une plante tropicale vivace qui pousse en plantations, essentiellement aux Antilles et en Amérique du Sud. Sa tige, de 2,5 à 5 cm de diamètre, ressemble beaucoup à celle du bambou.

La betterave à sucre pousse en champs labourés dans les régions tempérées d'Europe. Le sucre est extrait de sa racine charnue, qui ressemble à un gros navet.

Production

Après la récolte, les cannes à sucre, dirigées vers des sucreries, sont broyées puis laminées entre de puissants rouleaux qui en tirent le jus sucré. Celui-ci est ensuite mélangé à du lait de chaux puis à du gaz carbonique, qui le débarrassent de ses impuretés. Concentré par évaporation puis porté à ébullition, le jus

Cassonade

Sucre cristallisé roux

Vergeoise blonde

Vergeoise brune

Fait d'un mélange de sucre raffiné, de sucre non raffiné et de miel, il apporte un arôme distinctif aux plats de porc et de canard braisés

Sucre candi chinois

Le sucre cristallisé *présente des grains plus ou moins gros qui en font un produit polyvalent*

Le sucre en poudre *est plus fin; il se dissout rapidement et s'utilise très largement en pâtisserie*

Le sucre glace *a la texture la plus fine de tous les sucres; il édulcore et décore*

épaissit et commence à cristalliser seul, puis sous l'action de petits cristaux de sucre, qui accélèrent le processus.

Le mélange est ensuite versé dans des centrifugeuses rapides, sortes d'essoreuses rotatives qui séparent l'eau sirupeuse, la mélasse, incristallisable, des cristaux bruts. Pour obtenir du sucre blanc, ceux-ci doivent être raffinés pour acquérir la couleur et la texture voulues. Le sucre roux, lui, a gardé quelques impuretés enrobées d'une fine pellicule de mélasse.

Pour produire du sucre de betterave, on laisse d'abord tremper les racines (découpées en «cossettes») dans l'eau chaude. Le processus de fabrication est ensuite le même que pour la canne : le jus est purifié, concentré et ensemencé de cristaux de sucre. Lorsque la cristallisation est terminée, le sucre est centrifugé, lavé puis séché. Contrairement à la mélasse du sucre de canne, vendue pour les usages domestiques, celle de la betterave entre surtout dans la préparation d'aliments pour le bétail.

VARIÉTÉS DE SUCRE

Sucre candi Ce sucre, obtenu par lent refroidissement d'un sirop concentré, a cristallisé autour de fils. Il se dissout ensuite très lentement, et il est donc très utile pour la préparation des fruits au sirop ou à l'eau-de-vie, car il laisse à leur arôme le temps de se développer.

SUCRES AUX HERBES ET AUX ÉPICES

Le sucre se parfume agréablement avec des fleurs — rose, lavande ou géranium rosat — ou avec des épices, tels le clou de girofle, l'anis, le gingembre, la cannelle, la vanille ou la cardamome. Vous relèverez ainsi l'arôme des crèmes et des pâtisseries. Assurez-vous que les pétales et les épices sont bien secs, pour que le sucre ne prenne pas en bloc.

Mélasse Ce sous-produit de la fabrication du sucre ne se transforme pas en cristaux; il a une consistance dense et poisseuse. Celle de la Barbade — une des plus connues — apporte son goût exotique aux chutneys, aux gâteaux aux fruits, aux pains d'épice et aux caramels.

Vergeoise Brune ou blonde, elle n'a pas un arôme aussi fort que la mélasse. Elle apporte, notamment dans le nord de la France et en Belgique, couleur et parfum aux puddings aux fruits secs, aux gâteaux aux épices, aux biscuits, aux charlottes aux fruits et aux pommes cuites. Elle aromatise aussi certains plats salés comme le jambon glacé, les sauces barbecue et les chutneys.

Cassonade Ce sucre brut cristallisé, extrait directement du jus de la canne à sucre, est brun et a un léger parfum de rhum dû aux quelques impuretés qu'il renferme. Il entre dans la fabrication de divers plats à l'aigre-doux et apporte une saveur spécifique à des brioches, des gâteaux et autres pâtisseries particulièrement fins; il parfume également des boissons chaudes, telles que le café et le vin chaud aromatisés.

Sucre cristallisé roux Ce sucre très fluide a un léger goût de beurre. Ses fins cristaux dorés sont obtenus par un procédé unique qui donne un jus très clair et brillant avant la cristallisation. Délicieux, il ne convient pourtant pas aux pâtisseries délicates, car il se mélange difficilement aux autres ingrédients.

Sucre cristallisé blanc Il est très utilisé en cuisine. Dans les préparations salées, il caramélise bien; il apporte aux plats couleur et profondeur, une caractéristique largement exploitée dans les cuisines des Caraïbes. Il convient aussi parfaitement à la préparation de sucres parfumés (voir encadré à droite).

Sucre en morceaux Fabriqué à partir de la canne ou de la betterave, il se présente en rectangles ou en cubes plus ou moins réguliers, selon qu'ils ont été moulés ou cassés. C'est par excellence le sucre des boissons chaudes et celui qui sert à préparer les sirops de sucre et le caramel.

Sucre en poudre Ce sucre cristallisé, broyé et tamisé, est aussi appelé sucre semoule. Il est idéal dans les biscuits de Savoie, les meringues et tous les plats où de trop gros cristaux modifieraient la consistance de la préparation.

Sucre glace Ce sucre cristallisé blanc réduit en une poudre très fine, comme son nom l'indique, sert essentiellement à décorer et à glacer, mais aussi à préparer certaines pâtisseries délicates. Pour qu'il ne prenne pas en bloc, conservez-le au frais et à l'abri de l'humidité. Tamisez-le toujours avant de l'utiliser, pour éviter les grumeaux.

SUCRES AROMATISÉS

Des sucres parfumés ou colorés peuvent remplacer le sucre blanc dans les boissons ou les décors de pâtisseries. Le délicieux sucre vanillé se prépare avec une poudre ou une essence de vanille naturelle; quand son arôme est synthétique, il porte la mention «vanilliné». Les bâtonnets en sucre candi sont très spectaculaires : plongés dans du café, du thé ou une autre boisson chaude, ils les sucrent légèrement de façon amusante.

Sucre vanillé

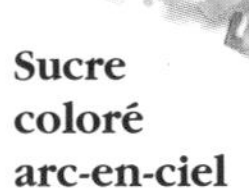

Sucre coloré arc-en-ciel

Sucre coloré

Bâtonnet candi roux

LE SUCRE EN CUISINE

Utilisé surtout comme édulcorant, le sucre a cependant beaucoup d'autres usages. Il limite le développement des micro-organismes, ce qui le rend indispensable dans les conserves sucrées et dans les chutneys; il amplifie l'action de la levure dans les pains et relève la texture et le parfum des pâtisseries faites à la maison. Le sucre change de forme sous l'action de la chaleur, une propriété précieuse pour la fabrication des bonbons et essentielle pour la décoration des gâteaux et des autres mets cuits au four. La plupart des glaçages — de la glace royale au fondant — sont préparés avec du sucre, parfois chauffé jusqu'au stade du caramel, et coulé ou moulé en de nombreux motifs, formes et sculptures. Pour lui donner davantage d'arôme, faites-y infuser des épices, de la vanille ou de la cardamome, ou des aromates comme le zeste de citron.

Simples mélanges de sucre et d'eau, les sirops sont très utiles en cuisine. Leur force dépend naturellement de la proportion de sucre qu'ils renferment.

Avec 125 g de sucre pour 60 cl d'eau, vous obtiendrez un sirop léger pour pocher des fruits, conserver des tranches de pomme ou glacer des fruits délicats, comme le melon et l'ananas. Avec un mélange en quantités égales de sucre et d'eau, vous réaliserez des sorbets aux fruits et des soufflés glacés. Avec 600 g de sucre pour 50 cl d'eau,vous préparerez un fondant ou des conserves de pêches.

Le sirop de sucre se garde plusieurs jours à température ambiante, et plusieurs semaines au réfrigérateur. Vous pouvez le parfumer avec une gousse de vanille, de l'anis étoilé ou du zeste de citron, ou avec une poignée de fleurs de citronnier plongées dans l'eau bouillante avant filtrage et addition de sucre; le sirop sera alors très délicat.

Porté à ébullition, le sirop de sucre se transforme. Il passe alors par différentes étapes : filé, perlé, boulé, cassé. Chacun de ces degrés correspond à une température très particulière qui permet de préparer différents types de pâtisseries, de bonbons et même de plats salés. Les professionnels testent généralement cette température avec leurs doigts, après les avoir trempés dans un bol d'eau glacée. Si vous manquez d'expérience,

LA CUISSON DU SUCRE

Le sirop destiné à réaliser des sucreries, des pâtisseries et des fruits pochés est un simple mélange d'eau et de sucre porté à ébullition; il peut se préparer dans une casserole ordinaire. En revanche, si vous voulez l'amener à de hautes températures, notamment pour obtenir du caramel, utilisez toujours une casserole en cuivre. Pour éviter que les éclaboussures de sucre brûlent, décollez-les des parois de la casserole à l'aide d'un pinceau à pâtisserie.

Fudges

Guimauves

Bonbons fourrés

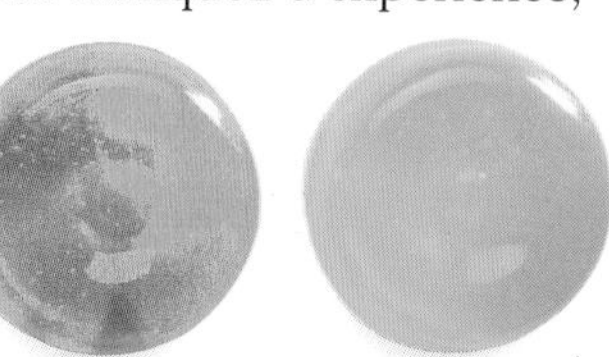

Pastilles acidulées

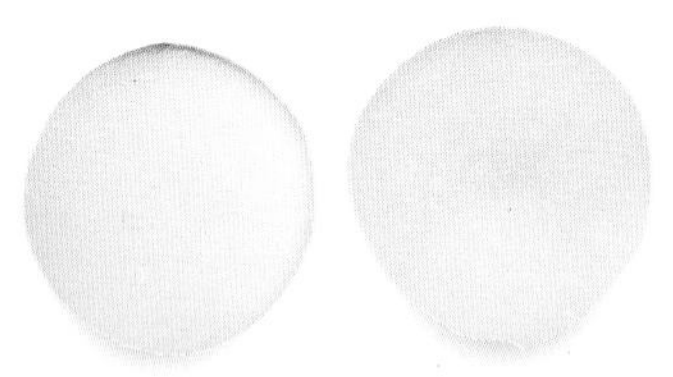

Fondants à la menthe

Nougat

Berlingots à la menthe

Caramels

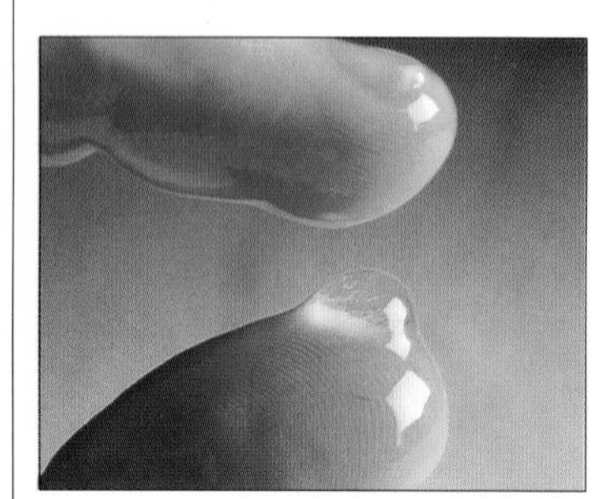

Petit boulé (115 °C)
Convient pour les gelées, les caramels mous, les nougats. Plongé dans l'eau froide, le sucre doit former une petite boule.

Grand boulé (120 °C)
Convient pour les confitures, les fondants, les meringues. Plongé dans l'eau froide, le sucre forme une boule plus dure et plus grosse.

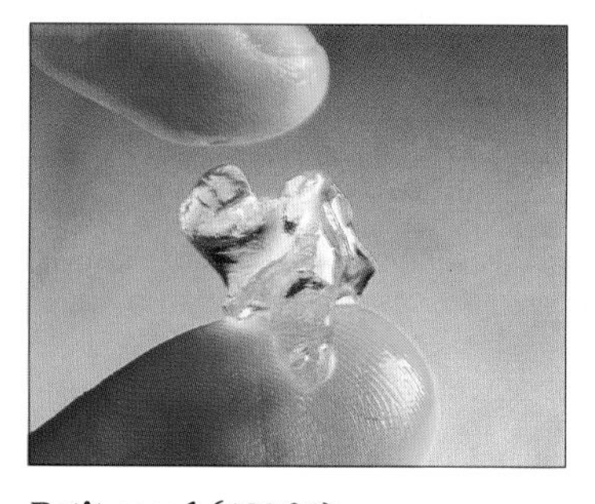

Petit cassé (130 °C)
Convient pour les caramels au beurre, ainsi que pour les bonbons mous. Plongé dans l'eau froide, le sucre doit durcir immédiatement.

Grand cassé (146 °C)
Convient pour les bonbons de sucre cuit, les glaçages, le sucre filé. Plongé dans l'eau froide, il doit casser comme du verre.

DÉCORS EN SUCRE

Un sirop de sucre chauffé au petit boulé permet de préparer un glaçage qui nappera des pâtisseries. Pour fourrer et recouvrir un gâteau pour 6 à 8 personnes, mélangez dans une casserole 6 cuil. à soupe d'eau et 100 g de sucre. Chauffez pour faire fondre le sucre, puis laissez bouillir jusqu'à ce qu'il atteigne 115 °C sur le pèse-sirop. Battez 4 œufs dans un grand bol. À l'aide d'un fouet électrique, incorporez-les au sirop de sucre et travaillez le mélange de 5 à 10 minutes; il doit être froid. Maniez 250 g de beurre doux en crème et ajoutez-les progressivement à la préparation, sans cesser de fouetter. Mettez dans une poche à douille et décorez.

Douille ronde pour traits et perles

Douille cannelée pour grosses étoiles

Douille cannelée pour petites étoiles

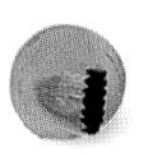

Douille aplatie pour ruban

utilisez plutôt un pèse-sirop, en n'oubliant pas de le plonger dans le mélange dès que vous le faites chauffer, pour qu'il ne risque pas d'éclater.

À 151 °C, le sirop prend une légère couleur : il devient du caramel, qui fonce de plus en plus. Quand il est brun et qu'il commence à fumer légèrement, retirez la casserole du feu et plongez-la aussitôt dans une bassine d'eau froide pour interrompre la cuisson avant que la préparation ne brûle, ce qui risque de se produire très rapidement.

Les meilleurs récipients pour préparer du caramel sont en cuivre, métal très bon conducteur de la chaleur, non étamé; ils doivent donc être très vite refroidis pour éviter que le caramel brûle.

L'art de réaliser des bonbons et des décors en sucre coulé ou soufflé s'acquiert au terme d'une longue expérience.

Les pâtissiers et les confiseurs travaillent sur des plans de travail calorifuges et souvent sous des lampes spéciales qui maintiennent la chaleur nécessaire à la malléabilité du sucre. Ils le teintent éventuellement avec des colorants alimentaires. Pour obtenir des motifs soufflés, ils plongent un tube dans la masse de sucre et soufflent, comme ils le feraient dans du verre.

Le sucre glace permet de créer chez soi des décorations toutes simples, mais séduisantes. Il suffit de placer un modèle ajouré sur un gâteau et de le saupoudrer de ce très fin nuage. Les napperons en dentelle de papier sont des patrons tout trouvés, mais vous pouvez découper les motifs de votre choix dans du carton. Décorez toujours le dessert au dernier moment et ne posez pas le patron directement sur la surface des préparations glacées.

Les glaçages à base de sucre (voir ci-dessus) s'utilisent nature ou se parfument avec des liqueurs de chocolat ou de fruits. Pour des décorations plus élaborées, vous aurez besoin de douilles; cependant, un simple cône de papier sulfurisé (voir p. 185) suffit pour dessiner des lettres ou des motifs à croisillons.

LA RECETTE DU CHEF
CARAMELS DURS AU BEURRE

Pour 250 g environ

Huile pour chemiser le moule
100 g de sucre en poudre
100 g de beurre doux
10 cl de sirop de glucose
15 cl de crème fleurette

Huilez un petit moule métallique carré. Dans une casserole, mélangez tous les ingrédients à feu très doux. Remuez jusqu'à ce que le sucre ait fondu. Portez à ébullition et attendez que le mélange atteigne 125 °C. Versez-le dans le moule et tracez à sa surface des carrés. Lorsque le caramel a refroidi, coupez-le en suivant les marques. Enveloppez dans du papier sulfurisé et gardez dans un récipient hermétique.

LA RECETTE DU CHEF
POMMES CARAMÉLISÉES

Pour 12 pommes

12 pommes à couteau
12 piques en bois
500 g de sucre en poudre
125 g de beurre doux

Lavez et essuyez les pommes; enfilez-les chacune sur une longue pique. Dans une casserole, faites fondre le sucre avec le beurre et 2 cuil. à soupe d'eau. Portez à ébullition et amenez jusqu'à 125 °C. Plongez les pommes dans ce sirop. Laissez refroidir sur du papier sulfurisé.

Un chinois pour le sucre
Pour les décorations au sucre glace, un chinois vous permettra d'éliminer le moindre grumeau.

SIROPS

Vous trouverez dans le commerce différents types de sirops : sirop de sucre, mélasse, sirop d'érable, sirop de maïs... Leurs parfums et leurs couleurs diffèrent, mais ce sont tous, à l'origine, des formes liquides de sucre. La plupart d'entre eux sont des sous-produits du raffinage du sucre de canne ou de betterave; ils sont obtenus par concentration du liquide résiduel de la cristallisation. Certains, cependant, sont préparés avec des légumes ou des fruits. Le sirop de maïs, à la saveur plutôt douce, est fait à partir de grains de maïs vert; il est parfois additionné de mélasse, qui lui apporte couleur et parfum : on l'appelle alors sirop de maïs noir.

La mélasse et le sirop d'érable sont très appréciés en Amérique du Nord, où ils aromatisent de nombreux gâteaux traditionnels et quelques sauces salées. De même goût que la mélasse, le sirop de canne est le résultat de la lente cuisson du jus de canne à sucre. Le sorgum est lui aussi un sous-produit du traitement des tiges du sorgho (ou gros mil), très largement utilisé dans le Sud américain. De senteur délicate, le sirop de malt est riche en vitamines et en fer. Les égouts, résidus sirupeux de la cristallisation du sucre, ne sont plus guère employés; de nombreux desserts — dont les puddings et les tartes à la mélasse — sont aujourd'hui plus souvent préparés avec du sirop de sucre.

Édulcorants liquides
Les sirops parfument agréablement les gâteaux et les entremets qu'ils nappent. Les plus foncés ont généralement un arôme puissant; les plus clairs ont un goût plus délicat.

Sirop de maïs

Mélasse

Sirop d'érable

Mélasse noire

Sirop de sucre de canne

Les sirops se distinguent par leur consistance et par la force de leur parfum, qui conditionnent l'utilisation qui en est faite en cuisine.

Mélasse Ce sirop très foncé se forme au cours du traitement de la betterave ou de la canne à sucre. Une fois que le jus sucré a été concentré plusieurs fois pour que les cristaux se forment, ceux-ci sont séparés de la mélasse, qui contient encore 50% de sucre. Elle a donc une consistance très épaisse; son goût affirmé a une tendance au doux-amer. Seule la mélasse de canne ou mélasse noire est commercialisée. Autrefois très utilisée dans les foyers, elle est aujourd'hui surtout employée dans diverses pâtisseries et dans certains plats à l'aigre-doux; elle est utilisée industriellement pour la fabrication du rhum et de divers bonbons.

Sirop de sucre de canne Très lisse, très clair, d'une chaude couleur dorée, ce sirop doux et sucré s'intègre bien dans les pâtes à gâteaux, les salades de fruits, les yaourts ou les fromages blancs. Versez-en quelques gouttes avec des raisins secs dans des pommes évidées avant de les mettre au four, ou arrosez-en un entremets cuit à l'étouffée. Il sucre traditionnellement le porridge des îles Britanniques et il est devenu le complice des crêpes de mardi gras.

Sirop de maïs Assez liquide et relativement doux, il est très populaire sur le continent américain, où il entre dans la composition de très nombreuses pâtisseries, ainsi que dans les sauces barbecue, les gelées et les plats à l'aigre-doux.

Sirop d'érable Préparé surtout à partir de la sève de l'érable à sucre, et parfois de l'érable noir, qui ne pousse qu'au sud-est du Québec et au sud-ouest de l'Ontario, ce sirop fin et fluide ne se fabrique qu'au Canada et au nord des États-Unis. Son appellation est strictement contrôlée, et toute addition de sucre doit être mentionnée. Les variations de couleur dépendent du cru : plus il est tardif, plus le sirop est foncé. Il nappe délicieusement les glaces à la vanille, les crêpes chaudes, les scones, et il sucre les toasts, les boissons chaudes, parfume des gâteaux et les pies aux fruits à coque, notamment la délicieuse tarte au sirop d'érable, laque les rôtis et les jambons ou caramélise les légumes.

MIEL

Cette substance sucrée que les abeilles produisent à partir du nectar des fleurs est utilisée en cuisine depuis des temps immémoriaux. L'homme du néolithique prélevait sans doute déjà le miel sauvage des abeilles; dès l'âge du bronze, il avait appris à les élever dans des ruches. Pour les Anciens, il était la nourriture des dieux; les Grecs et les Romains en faisaient du vin miellé ou de l'hydromel. Au Moyen-Orient, il entre depuis longtemps dans la composition des pâtisseries feuilletées et sucrées. Le miel est toujours aussi apprécié de nos jours et, en cuisine, il couvre toute la gamme du sucré et du salé. Il peut porter l'appellation «toutes fleurs» ou ne provenir que d'une seule espèce. En fait, sa consistance, sa couleur et son goût dépendent des fleurs que butinent les abeilles.

Chaque miel imprime nettement sa marque aux ingrédients qu'il accompagne; il faut donc le choisir judicieusement. Ainsi, les miels provenant d'herbes aromatiques, comme le thym et le romarin, ont un parfum puissant et pénétrant, qui imprègne fortement tous les plats; les miels d'oranger et de trèfle sont au contraire doux et subtils.

Non seulement les miels aromatisent les produits boulangers et pâtissiers, mais ils prolongent aussi leur temps de conservation. Plus ils sont liquides, mieux ils s'incorporent aux pâtes à gâteaux; ils sont d'ailleurs souvent chauffés pour s'y mélanger plus facilement. Tout droit sorti du pot, le miel apporte sa douceur sucrée aux céréales, aux tartines grillées et aux petits pains, aux scones, aux glaces, aux yaourts, aux fromages blancs ou frais. Mélangé à deux fois son volume d'eau, il permet de pocher des fruits comme les abricots, les pêches, les poires et les prunes.

En Europe, le miel fait partie intégrante de pâtisseries traditionnelles : gâteau de miel hollandais, biscuits allemands de Noël et tous les feuilletages grecs et turcs, ruisselants de ce nectar sucré.

Parmi les plats salés, il laque, des deux côtés de l'Atlantique, les jambons cuits au four. Il s'intègre bien aux sauces barbecue épicées et sait parfumer de façon remarquable les vinaigrettes.

Les Chinois en arrosent les viandes grasses — porc ou canard —, et les Turcs entourent souvent leur poulet rôti de miel et d'amandes.

Le miel se conserve au frais et à l'abri de l'humidité; il n'est pas nécessaire de l'entreposer au réfrigérateur, d'autant plus qu'il a tendance à cristalliser à basse température.

Du point de vue nutritionnel, le miel renferme essentiellement du fructose et du glucose, plus facilement assimilables par l'organisme que la saccharose du sucre de canne et de betterave. En outre, le fructose a un grand pouvoir sucrant; utilisez donc le miel en plus petite quantité que le sucre.

LA RECETTE DU CHEF

MADELEINES AU MIEL

Pour 24 madeleines environ

Beurre pour chemiser les moules
200 g de beurre doux
1 cuil. à soupe de miel uniflore
80 g de farine tamisée
200 g de sucre en poudre
80 g d'amandes en poudre
1 gousse de vanille fendue
6 blancs d'œufs

Beurrez largement les moules à madeleine. Dans une casserole, chauffez le beurre à feu moyen. Mélangez-y le miel et laissez le tout refroidir, mais sans durcir. Mettez dans un grand bol la farine, le sucre, les amandes, et remuez. Détachez à l'aide d'une petite cuiller les graines de vanille et ajoutez-les au mélange. Dans un autre grand bol, battez les blancs d'œufs en neige ferme puis incorporez-les intimement à la préparation, en même temps que le beurre parfumé; mélangez soigneusement. À l'aide d'une cuiller, remplissez les moules de pâte et laissez 1 heure au réfrigérateur. Préchauffez le four à 190 °C. Enfournez les moules pour 12 à 15 minutes, jusqu'à ce que le bord des gâteaux commence à dorer. Démoulez les madeleines avec la pointe d'un couteau; laissez-les refroidir sur une grille. Servez chaud ou conservez 2 ou 3 jours au maximum dans un récipient hermétique.

Rayon de miel

Miel de trèfle anglais

Miel de lavande français

Miel grec de l'Hymette

Les miels sont plus ou moins clairs et plus ou moins épais; leur goût dépend des fleurs que les abeilles ont butinées

PURÉES, ESSENCES ET SIROPS DE FRUITS

L'apparition saisonnière des fruits, souvent en grand nombre, incita les cuisiniers à trouver les meilleures solutions pour emprisonner leurs arômes, qu'ils libéreraient plus tard. Conserver, mettre en bocal et concentrer le parfum des fruits dans des sirops sont désormais des pratiques traditionnelles; la congélation, plus récente, est un atout précieux. Les saveurs si diverses des fruits permettent de préparer toutes sortes de desserts, des confitures, des gelées, des bonbons et d'innombrables boissons. Les fruits jouent également un rôle dans certains plats salés, notamment des potages épicés et des sauces où leur acidité met en valeur les viandes grasses, comme le porc et le canard. Très souvent, les fruits doivent être cuits légèrement pour libérer le maximum de leur arôme.

La compote la plus classique, à base de pommes, figure dans de nombreux desserts du monde entier : tarte aux pommes normande, gâteau suédois aux pommes, charlotte aux pommes anglaise, *Strudel* autrichien et *apple pie* américain. La compote de pommes se déguste nature, mais sa saveur est volontiers relevée par des parfums plus accentués : zeste ou jus de citron, cardamome, noix muscade, cannelle et autres épices.

Les associations de fruits permettent de découvrir des goûts subtils et surprenants. Ainsi, dans quelques pays européens, on cuisine traditionnellement les groseilles à maquereau avec des fleurs de sureau, qui s'épanouissent précisément lorsque ces fruits arrivent à maturité; mais elles sont également délicieuses mélangées à des fraises, des framboises et des oranges. À l'occasion, remplacez la crème pralinée d'un paris-brest par une crème d'oranges et de groseilles à maquereau, ou incorporez de la purée de groseilles à maquereau dans une marmelade de framboises. Une compote d'abricots allongée de jus d'orange ou de citron nappe agréablement les entremets cuits à l'étouffée, notamment ceux qui comportent des bananes. Les herbes et les épices sont elles aussi les bienvenues. Quant au jus de citron, il accompagne très bien la rhubarbe.

Les fruits à pulpe tendre se réduisent aisément en purées qui deviendront des sauces ou des nappages délicieux, où deux fruits peuvent s'associer. Mariez la papaye et le citron vert, le cassis et la pêche, la fraise et la groseille, le cassis et la mûre; ou encore les framboises arrosées de jus d'orange et servies avec un gâteau au chocolat. Relevez le parfum d'une purée de fruits de quelques gouttes de kirsch ou de liqueur de cassis ou d'amandes. Tous ces mélanges garderont leur finesse si vous en faites la base de glaces ou de sorbets.

Quelques sauces aux fruits accompagnent certains plats salés. La compote de pommes se sert avec du rôti de porc, la sauce aux groseilles avec de l'agneau, et les airelles avec de la dinde aux États-Unis et de l'oie au Danemark. En Angleterre, le maquereau cuit au four est servi avec une sauce aux groseilles à maquereau.

D'autres sauces salées se préparent en ajoutant à la fois sucre et vinaigre dans une purée de fruits dont le parfum devient alors aigre-doux. C'est ainsi que les Américains du Nord préparent le glaçage aux abricots dont ils enduisent les côtes de porc avant de les griller.

Dans le centre et le nord de l'Europe, les soupes aux fruits, très appréciées, comportent parfois des pommes et du céleri, ou des pommes et des carottes, parfois des cerises, comme dans le potage glacé allemand aux cerises et aux boulettes de pâte, ou la soupe hongroise à la crème sûre et aux cerises aigres.

Enfin, en Scandinavie, les purées de fruits se préparent avec des céréales.

Purée d'abricots

L'essence de fruit *est extraite du zeste des agrumes qui contient les huiles essentielles odorantes. Celles-ci s'évaporent sous l'effet de la chaleur de la cuisson; pour parfumer sauces ou crèmes, il faut donc les ajouter au dernier moment*

Sirop de cassis

La pomme *figure sous forme de compote dans de nombreux plats du monde entier*

La poire *cuite, comme les autres fruits fermes, doit être passée au chinois*

Les abricots *en purée se marient bien avec des bananes*

Les fraises *crues donnent de délicieux coulis*

Les framboises *doivent être débarrassées de leurs graines avant d'être écrasées*

Les cerises *cuites en purée parfument des soupes chaudes ou froides*

Les kiwis *ont des graines assez grosses qu'il faut éliminer à l'aide d'un chinois*

Les mûres *cuites rendent un maximum de jus*

Les myrtilles *tirent avantage d'une cuisson lente qui ramollit leur peau*

La rhubarbe, *vite préparée en purée, est meilleure avec un jus de citron*

Les mangues *bien mûres se transforment facilement en purée*

PURÉES DE FRUITS

Depuis très longtemps, les purées de fruits épaisses farcissent les pies et les crêpes ou servent de base à des mousses ou à des marmelades. Les plus liquides donnent des sauces chaudes ou froides, appelées coulis — mot qui désigne aujourd'hui toutes les préparations passées, bien que le terme fût autrefois réservé aux réductions de légumes, de viandes et de poissons.

La plupart des fruits se prêtent bien aux purées : les uns à cru, les autres, à la chair plus ferme, après cuisson. Si les premiers donnent les meilleurs résultats, les fruits congelés ou séchés ne manquent pas de qualité. Les appareils modernes, robot ménager et mixeur, sont extrêmement pratiques; cependant, les meilleurs coulis se réalisent en pressant jus et chair dans un chinois.

Les fraises, les framboises, les mûres, les pêches, les mangues, les kiwis, les bananes, les ananas et les melons mûrs sont très simples à préparer : commencez par les peler, quand cela est nécessaire, puis épépinez-les et dénoyautez-les. Pressez ensuite la pulpe dans une passoire à tamis fin ou réduisez-la en purée dans un robot ménager ou dans un mixeur. Sucrez selon votre goût, avec du sucre ou du miel, qui met en valeur le parfum de nombreux fruits, en particulier celui des pêches et des abricots; vous devrez peut-être chauffer légèrement le miel pour obtenir un mélange parfait. Les fruits plus fermes — groseilles, myrtilles et mûres — ont souvent besoin d'une légère cuisson qui libère leur jus et ramollit leur peau. Mettez-les dans une casserole avec très peu d'eau et chauffez à feu doux. Dès qu'ils ont crevé, retirez-les du feu et préparez la purée. Les fruits à chair dure, comme la poire, la pomme et la rhubarbe, doivent être vraiment cuits. Comptez 2 ou 3 cuil. à soupe d'eau pour 500 g de fruits, un peu plus pour les poires. Cette opération présente l'avantage de vous donner l'occasion d'ajouter un parfum : une tranche de gingembre frais, de l'anis étoilé ou une brindille de thym, par exemple, que vous ôterez avant de passer la purée.

Certains fruits ont tendance à noircir à l'air, la banane et la pomme notamment. Arrosez-les de jus de citron avant la cuisson; l'acide qu'il renferme les empêchera de s'oxyder et apportera au mélange une saveur agréable. La rapidité limite aussi la décoloration; pelez très vite les mangues, les pommes et les poires et ne les préparez jamais à l'avance. Vous pouvez également les plonger dans un récipient plein d'eau additionnée de jus de citron, mais leur parfum sera un peu dilué.

PLUMETIS

Pour réaliser ce décor arachnéen, dessinez à la douille une spirale de crème sur une base de purée de fruits. À l'aide d'une pique, tracez de fines traînées du centre vers le bord puis du bord vers le centre, tout autour de la purée. Quand vous servirez, tenez le plat bien droit pour que le décor ne coule pas.

PRESSER DES FRUITS EN PURÉE

Un trio de textures
Les consistances très différentes de ces fruits détermineront la finesse de leurs purées respectives.

Les purées sont fluides ou épaisses; les premières se prêtent bien à la confection de sauces ou de coulis; les secondes sont à la base de desserts ou accompagnent une viande cuite. De nombreux ustensiles vous permettront de les préparer : appareils électriques, presse-purée manuels et chinois ou passoires à tamis fin doublé de mousseline; comme ingrédients, vous utiliserez tous les fruits frais, surgelés ou cuits. Chacun d'entre eux s'accommode cependant particulièrement bien de tel ou tel procédé. Ainsi, une passoire à tamis de Nylon serré donnera une purée au grain très fin. D'autre part, certains fruits comme le kiwi, qui s'écrase au presse-purée ou au mixeur, doivent ensuite être passés au chinois pour en éliminer toutes les graines.

1 Il faut toujours éliminer les nombreux pépins de certains fruits en pressant la purée à travers un chinois. Si celle-ci est trop épaisse, ajoutez du jus de citron.

2 Un robot ménager permet de préparer une purée granuleuse avec des fruits à pulpe tendre, comme les ananas, ou une purée plus fine avec des fruits cuits, comme les pommes.

Utilisez les purées de fruits pour leur saveur et leur couleur

Les purées de fruits sont très utiles en cuisine; elles servent de base à des glaces ou à des sorbets, elles se marient à du yaourt pour composer un dessert simple et frais; elles habillent les gros gâteaux d'un délicieux nappage; un coulis de framboises allégera un riche gâteau au chocolat.

Mettez 1 cuil. à soupe de coulis sur l'assiette de service et faites-la tourner en l'inclinant pour la recouvrir entièrement de la préparation. Posez au milieu une tranche de gâteau ou le gâteau individuel. Pour le plaisir, vous pouvez combiner deux purées. Une glace à la vanille sera servie entourée d'un côté d'un coulis de fraises, de l'autre, d'un coulis de kiwis, et parsemée de quelques myrtilles fraîches. Le coulis de fruits de la passion a une saveur exquise et une belle couleur jaune orangé; accompagnez-le d'un coulis d'abricots pour parfumer une génoise.

Les purées de fruits se congèlent. Mettez-les dans des récipients en plastique, sans trop les remplir car le froid dilatera la préparation, et fermez hermétiquement.

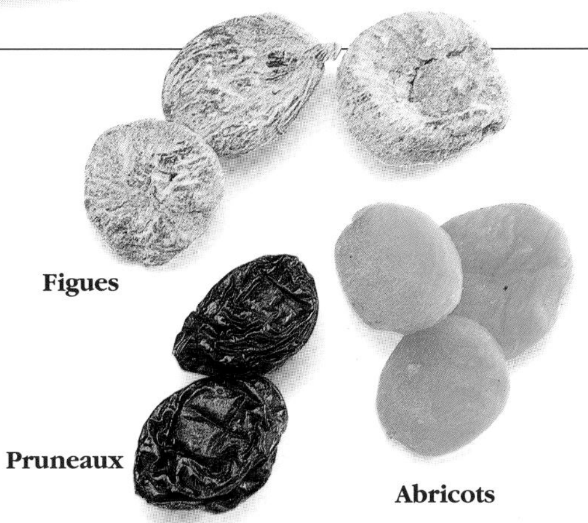

Figues

Pruneaux

Abricots

FRUITS SECS

Les fruits secs, seuls ou mélangés à des fruits frais, donnent eux aussi d'excellentes purées. Certains duos sont très réussis : abricots secs et airelles, figues sèches et poires. Les épices soutiennent les arômes musqués des fruits secs. Préparez-les comme les fruits frais, mais faites-les tremper toute une nuit ou pochez-les légèrement avant de les presser.

LA RECETTE DU CHEF

MARMELADE DE FRUITS EN TULIPE

Pour 4 à 6 personnes

500 g de purée de fruits, groseilles à maquereau, rhubarbe ou pommes
Sucre selon votre goût
25 cl de crème fraîche épaisse
60 g de beurre doux ramolli
60 g de sucre en poudre
Essence de vanille
2 blancs d'œufs
60 g de farine tamisée
Coulis de framboises
Crème fleurette pour le plumetis

Commencez par passer la purée dans une passoire à tamis fin. Ajoutez le sucre et réservez. Dans un grand bol, fouettez la crème épaisse jusqu'à ce qu'elle commence à durcir. Incorporez-y la purée et mélangez bien. Mettez au réfrigérateur jusqu'au moment de servir. Pour préparer les tulipes, préchauffez le four à 190 °C. Dans un bol, battez le beurre et le sucre pour obtenir un mélange léger et mousseux. Ajoutez la vanille sans cesser de remuer et incorporez peu à peu les blancs d'œufs. Saupoudrez progressivement de farine et remuez. Recouvrez une plaque à pâtisserie de papier sulfurisé. Déposez-y des noix de pâte et, d'un geste circulaire, aplatissez-les avec le dos d'une cuiller à café. Enfournez pour 5 à 7 minutes, jusqu'à ce que le bord des cercles commence à dorer. Décollez-les à l'aide d'une spatule et posez-les sur des coupes ou des bols. Travaillez par petites fournées car les tulipes refroidissent et durcissent très vite. Pour servir, nappez des assiettes à dessert de purée de framboises et dessinez-y un plumetis avec la crème fleurette (voir p. 202). Remplissez les tulipes de coulis, placez-les sur la purée et servez aussitôt.

SIROPS DE FRUITS

Les sirops sont des jus de fruits clairs et sucrés. S'ils parfument de nombreuses boissons, ils ont bien d'autres usages, dont le plus simple consiste à accompagner un gâteau ou un entremets. Ils entrent dans la préparation des coupes de glaces composées et des *ice cream sodas,* et remplacent bien le sucre dans les salades de fruits. Ils parfument les mousses, les glaces ou les bonbons. Ils s'utilisent parfois seuls mais, additionnés d'eau, de soda, de lait ou de yaourt liquide, ils apportent leur arôme fruité à diverses boissons. Conservés au frais et à l'abri de la lumière, les sirops de fruits se gardent un an; ils se congèlent très bien. Vous en trouverez une grande variété dans le commerce, mais ils sont très faciles à préparer et à aromatiser de façon originale.

Les jus de fruits réagissent chimiquement avec certains matériaux; évitez notamment les ustensiles à base de zinc, de cuivre ou de fer. Une fois que vous avez extrait le jus, travaillez rapidement pour qu'il se décolore le moins possible. Choisissez toujours des fruits parfaitement mûrs; s'ils ne le sont pas assez, ils sont moins riches en jus et en arôme; s'ils le sont trop, ils risquent de dégager une odeur de moisissure et donneront un sirop qui se conservera moins bien.

Les meilleurs sirops se font avec des fruits juteux et parfumés : cassis, mûres, framboises cultivées ou sauvages. Mais les fraises, les groseilles à maquereau, les baies de sureau, les pommes et les baies d'églantier sont aussi très appréciées. Les agrumes conviennent également, notamment les citrons jaunes et verts et les kumquats; et si vous utilisez la pulpe et le zeste, vous en renforcerez l'arôme.

EAUX DE FRUITS

Elles se préparent en laissant infuser des fruits frais dans de l'eau et du sucre. Les purées de baies donnent les meilleurs résultats. Pour 500 g de fruits, il faut environ 60 cl d'eau et 125 g de sucre. Tamisez avant de servir. Si les fruits sont fermes, coupez-les en cubes, mettez-les avec l'eau dans une casserole et portez à ébullition. Ajoutez le sucre en remuant, laissez refroidir et passez. Pour l'eau de citron, plongez le zeste dans l'eau bouillante. Laissez refroidir, incorporez le jus et sucrez. Servez glacé dans de grands verres, mais sans glaçons, qui dilueraient son parfum. Garnissez avec des fruits ou de la menthe.

Parfumez les sirops que vous préparez chez vous en combinant des fruits — pommes et mûres par exemple — ou en leur ajoutant des herbes — menthe, cerfeuil et thym — ou des infusions d'épices — cardamome, gousse de vanille entière, tuyaux de cannelle.

La pulpe qui reste après l'extraction du jus vous servira souvent. Passée au presse-purée, celle des fraises, des groseilles à maquereau, des abricots, des pommes donnera des marmelades ou des mousses. Celle des framboises et des mûres, trop chargée en pépins pour produire beaucoup de purée, permettra de préparer du vin de fruit. Seule la pulpe des baies d'églantier est inutilisable.

Certains sirops se décolorent plus rapidement que d'autres : un peu de colorant végétal leur redonnera bonne mine. Le jus de citron empêche en grande partie le blanchiment. Le jus de pomme, lui, a tendance au contraire à foncer. Dans tous les cas, une

PRÉPARER LE SIROP

Tous les fruits, et surtout les baies, permettent de préparer du sirop. N'en choisissez qu'un seul ou mariez-en deux, et aromatisez avec du zeste de citron, des herbes ou des épices.

1 *Préparez une purée de fruits (voir p. 202) puis pressez-la à travers un chinois doublé de mousseline. Rassemblez les coins de la mousseline et tordez pour extraire tout le jus.*

2 *Ajoutez 500 g de sucre pour 300 g de jus. Faites fondre, puis portez à ébullition. Vous pouvez diminuer la proportion de sucre, mais le sirop se gardera moins longtemps.*

3 *Baissez le feu. Ôtez l'écume. Plongez un pinceau à pâtisserie dans de l'eau et nettoyez les parois de la casserole pour que la couche de sirop ne brûle pas. Laissez refroidir.*

Sirops de fruits
Colorés et délicieusement doux, les sirops savent relever un grand nombre de plats. Ils décorent d'une laque brillante les boules de glace et de sorbet; mélangés à des cocktails et des sodas, ils leur apportent couleur et arôme; dans les salades de fruits, ils élargissent la palette des parfums et des teintes.

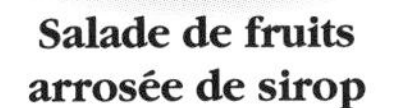

Salade de fruits arrosée de sirop

Milkshake à la fraise

Soda au cassis

congélation immédiate évite ces inconvénients. Au lieu de mettre les sirops en bouteilles, versez-les dans de petits récipients en plastique, en leur laissant un peu de place pour se dilater, puis entreposez-les au congélateur. Les bacs à glaçons sont très pratiques. Chaque cube de sirop vous suffira ensuite pour obtenir 25 cl de boisson. La congélation résoud également les problèmes de stérilisation en bouteille, processus long, compliqué et hasardeux : les récipients qui ne sont pas exactement conçus pour cet usage risquent de se briser dans l'autoclave.

La plupart des sirops de fruits restent riches en vitamine C, notamment ceux de baies d'églantier et de cassis; mélangés à du jus d'orange ou de pamplemousse, ils sont une excellente source d'énergie au début de la journée.

Les sirops de fruits sont si concentrés qu'il n'en faut qu'une toute petite quantité. Deux cuillerées à soupe parfument une sauce, ou, diluées dans de l'eau, du vin blanc, du yaourt liquide ou du soda, donnent une boisson rafraîchissante. Vous pouvez même en faire des cadeaux sympathiques : mettez-les dans des bouteilles transparentes ou colorées et cravatez-les d'un élégant ruban.

LA RECETTE DU CHEF
FRAMBOISES MELBA

Pour 4 personnes

4 boules de glace à la vanille
250 g de framboises fraîches
2 ou 3 cuil. à soupe de sirop de framboises
4 boules de glace à la framboise
15 cl de crème fouettée
4 cuil. à soupe d'amandes effilées et grillées

Mettez une boule de glace à la vanille dans le fond de chacune des quatre coupes. Ajoutez quelques framboises et arrosez d'un peu de sirop de framboises. Disposez ensuite la glace à la framboise et le reste des fruits. Versez la fin du sirop et couronnez de crème fouettée. Décorez avec les amandes grillées.

TRUCS ET CONSEILS
Utilisez les sirops de fruits pour parfumer les glaces, les sodas, les milkshakes :

Glace à la fraise, sirop d'orange, quelques gouttes de Grand Marnier

Pêches fraîches, glace à la vanille, sirop de framboises

Glace au caramel, tranches de banane fraîche, sirop d'ananas, crème fouettée

GELÉES DE FRUITS

La gelée : voilà encore un excellent moyen de tirer le meilleur parti des fruits. Dans une casserole, chauffez 50 cl de jus de fruits, 100 g de sucre, 4 cuil. à soupe de glucose liquide, et mélangez pour faire fondre le sucre. Ajoutez 30 g de gélatine en poudre et remuez pour la dissoudre. Versez dans un moule humidifié de 6 mm de haut. Laissez prendre au frais. Quand la gelée est bien ferme, découpez-la à l'aide de la lame d'un couteau plongée dans de l'eau chaude. Des emporte-pièce vous permettront de créer des motifs plus variés. Préparez la gelée avec le jus d'un seul fruit, ou de deux en superposant les couches. Laissez celle du dessous prendre légèrement avant d'ajouter la seconde. Servez ces confiseries nature ou enrobées de sucre cristallisé.

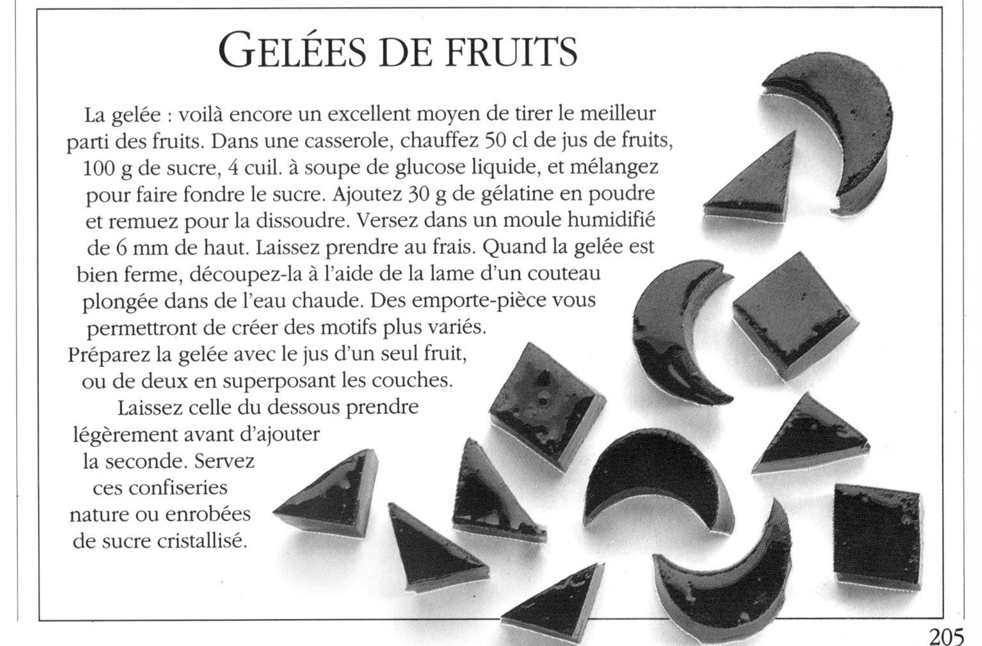

FLEURS ET FEUILLES DÉLICIEUSES

FLEURS

Peut-on imaginer pour un plat plus jolie décoration que des fleurs fraîches et comestibles ? La plus ancienne mention écrite attestant leur usage culinaire date de 140 ans avant notre ère. Mais, au Proche- et au Moyen-Orient, la rose et la fleur d'oranger sont sans doute utilisées depuis bien plus longtemps. Et, dès l'Antiquité, dans tout le bassin méditerranéen, on prépare des fleurs de courgette farcies, frites ou braisées. Certaines fleurs, comme la lavande, la rose, la capucine, le jasmin ou la fleur d'oranger parfument délicatement les sorbets, les crèmes, les confitures ou les gelées, les liqueurs, le vin ou le thé. D'autres, moins odorantes, le bleuet, le géranium, le chrysanthème et le souci par exemple, apportent aux plats une touche de couleur qui stimule l'appétit.

Pour bien choisir les fleurs qui garniront un plat, vous respecterez quelques règles élémentaires. Tout d'abord, assurez-vous qu'elles sont comestibles, comme celles qui sont présentées ici. Ce point est très important, même si vous ne les employez que pour décorer et non pas comme ingrédient. Vérifiez ensuite qu'elles ont poussé sans pesticide ni produit chimique; celles que vendent les fleuristes ont presque toujours été traitées. Préférez celles dont vous connaissez la provenance. Si vous avez des doutes, renseignez-vous auprès d'une société horticole ou d'un centre antipoison, ou limitez-vous aux fleurs qui sont présentées dans cet ouvrage et qui ne sont absolument pas toxiques.

Si vous cueillez les fleurs dans un jardin, faites-le de bon matin et par temps sec. Rincez-les délicatement sous un filet d'eau fraîche. Ne les gardez pas plus de 24 heures, car elles fanent rapidement. Quelle que soit la recette que vous voulez réaliser, enlevez le pistil et les étamines. Ôtez également toutes les parties blanches qui se trouvent parfois à la base des pétales et qui sont amères.

Un grand nombre de fleurs, telles que la lavande, l'hibiscus, la bruyère et les boutons de rose, se font facilement sécher pour être employées hors saison. Vous en parfumerez très agréablement le sucre en poudre. Broyez finement les pétales, puis mélangez-les avec du sucre, dans la proportion de un pour quatre. Laissez reposer au moins un mois.

Si vous voulez parfumer du beurre, choisissez des fleurs fraîches. Enveloppez le beurre dans une mousseline, placez-le dans un récipient rempli de pétales et laissez au frais toute une nuit. Pour bien apprécier le goût délicat de ce beurre aromatisé, tartinez-le sur de fines tranches de pain et servez-le avec des confitures ou des gelées de fleurs.

Les pensées *apportent une touche de couleur éclatante aux salades vertes*

La bourrache *décore boissons et soupes*

Les soucis *accompagnent bien de nombreux plats. Hachez finement quelques fleurs et une feuille ou deux. Incorporez-les à une omelette, à du fromage blanc, à un soufflé ou à une terrine de légumes*

Les capucines, *émincées, décoreront un risotto; mélangées à de l'huile d'olive, elles napperont des pâtes chaudes*

Le lis orangé ***(Hemerocallis)*** *vogue joliment sur une soupière ou un grand bol de punch; n'utilisez que cette espèce car certains lis sont toxiques*

Le chèvrefeuille *dégage un arôme subtil qui parfumera un gâteau, un sorbet ou une boisson délicate*

Le glaïeul *décore de façon inattendue un gâteau ou une glace*

La rose *s'emploie fraîche ou cristallisée en décoration, mais elle sait aussi se transformer en ingrédient*

Églantine

Le freesia *est extrêmement parfumé; infusé dans un sirop de sucre, il relève le goût d'un sorbet*

Les pois de senteur *agrémentent les légumes verts*

Les fleurs en cuisine

Les fleurs comestibles sont des ingrédients inhabituels, colorés et décoratifs dont la douceur et la saveur conviennent à de nombreux plats. Certaines parfument délicatement les sorbets, les confitures ou les salades. D'autres supportent d'être frites tandis que d'autres encore, séchées, entrent dans les mélanges d'épices.

Une salade de légumes verts légèrement assaisonnée est un lit idéal pour un semis de fleurs ou de pétales. Mais toutes les salades les accueillent volontiers, car leurs textures et leurs saveurs se complètent parfaitement. Et elles se marient volontiers avec les tendres feuilles de mâche et de cerfeuil. N'ajoutez que très peu de vinaigre ou de jus de citron, car une sauce trop acide décolorerait les pétales et gâterait leur goût subtil. Assaisonnez d'abord la salade puis disposez-la sur des assiettes individuelles. N'ajoutez les fleurs qu'au dernier moment pour préserver leur éclat.

Si les fleurs des herbes aromatiques, celles de la ciboulette ou de la bourrache, ou les boutons poivrés des capucines par exemple s'accordent bien avec les salades en raison de leur saveur, les bleuets et les violettes leur apportent surtout leur couleur. La rose aromatise parfaitement les plats sucrés, surtout les desserts à base de fruits, et plus particulièrement de cerises.

Un mariage de fleurs comestibles hautes en couleur transforme une banale salade en œuvre d'art

Les fleurs dans les salades
Ajoutez toujours les fleurs après avoir assaisonné la salade, car l'acidité gâte leur couleur et leur fraîcheur.

Ras-el-hanout

La recette du chef
Fleurs de courgette farcies

Pour 4 personnes

12 à 14 fleurs de courgette
250 g de ricotta
4 cuil. à soupe de parmesan frais râpé
1 petit bouquet de basilic haché
Noix muscade fraîchement rapée
1 œuf battu
Sel
100 g de farine tamisée
Huile pour la friture

Lavez les fleurs de courgette puis séchez-les. Dans un grand bol, mélangez le fromage, le basilic haché, un peu de noix muscade, et l'œuf. Assaisonnez selon votre goût. Farcissez chaque fleur avec ce mélange et tordez-en l'extrémité pour la fermer. Dans un autre bol, incorporez peu à peu 25 cl d'eau à la farine pour obtenir une pâte onctueuse. Faites chauffer l'huile dans une poêle. Plongez chaque fleur dans la pâte. Laissez frire 2 ou 3 minutes de chaque côté. Égouttez sur du papier absorbant, salez et servez chaud.

Ras-el-hanout
Le ras-el-hanout est un mélange d'épices maghrebin dont le nom signifie littéralement «toit de la boutique». Ce condiment très parfumé relève le riz, le couscous, les tajines, ces délicieux ragoûts de la cuisine tunisienne ou marocaine. Il n'y a pas de recette type. En Afrique du Nord, chacun le prépare à sa façon, et il en existe de multiples variantes, qui marient à volonté de nombreux ingrédients : poivre, cardamome, macis, galangal, muscade, piment de la Jamaïque, baies de frêne, cannelle, clous de girofle, gingembre, nigelle, lavande, boutons de rose poivrée, cannelle de Chine, graines de fenouil.

La glace à la rose est un délice très ancien, que les adeptes de la nouvelle cuisine ont remis au goût du jour

Des pétales de rose frais garnissent ce rafraîchissant dessert, mais des pétales cristallisés sont encore plus savoureux

Les violettes cristallisées, *préparées à la maison ou achetées toutes prêtes, décorent joliment de nombreux desserts*

LA RECETTE DU CHEF
GLACE À LA ROSE

Pour 6 personnes

1/2 litre de lait
Pétales rincés d'une grande rose ou plus selon votre goût
8 jaunes d'œufs
125 g de sucre en poudre
25 cl de crème fraîche fouettée
Colorant alimentaire rouge (facultatif)
Pétales de rose frais ou cristallisés

Faites bouillir le lait dans une casserole. Ajoutez les pétales de rose, couvrez et laissez infuser 15 minutes. Dans un grand bol résistant à la chaleur, battez les jaunes d'œufs et le sucre jusqu'à ce que le mélange blanchisse. Sortez les pétales de la casserole et portez de nouveau à ébullition. Versez un peu du lait bouillant sur les jaunes sucrés et fouettez vigoureusement. Remettez le tout dans la casserole, baissez le feu et tournez à l'aide d'une cuiller en bois, jusqu'à ce que la préparation épaississe. Assurez-vous qu'elle est cuite en passant le doigt sur le dos de la cuiller : il doit y faire une marque. Laissez refroidir, puis ajoutez la crème fouettée et éventuellement un peu de colorant rouge. Placez dans une sorbetière et suivez les indications du fabricant. Décorez de pétales de rose et servez.

PÉTALES DE ROSE CRISTALLISÉS

Vous réussirez facilement ces pétales de rose. Commencez par les effeuiller un à un. Ôtez la partie blanche et amère de la base. Travaillez dans un endroit sec car l'humidité empêcherait une bonne cristallisation. D'autres fleurs comestibles comme la violette ou la bourrache se préparent de la même façon.

1 Faites fondre 60 g de gomme arabique dans 30 cl d'eau de rose bien chaude. Laissez refroidir.

2 À l'aide d'une pince à épiler, plongez un à un les pétales dans le mélange pour les enrober uniformément. Secouez pour enlever l'excès de liquide.

3 Passez les pétales humides dans le sucre et mettez-les à sécher sur une grille. Conservez-les dans une boîte hermétique chemisée de papier sulfurisé.

Eaux de fleurs et liqueurs

En Europe, les eaux de fleurs sont utilisées en cuisine depuis le Moyen Âge; à cette époque, on appréciait surtout la fleur d'oranger et la rose. Au XVIIe siècle, les Anglais en étaient toujours de grands amateurs, tout comme de la fleur de sureau. Aujourd'hui, elles sont encore très répandues en Inde, au Proche- et au Moyen-Orient. Des ragoûts aux pâtisseries et au café, elles parfument de très nombreux mets. Elles s'achètent dans les épiceries fines, mais il ne faut pas les confondre avec les essences vendues comme parfums et qui ne sont pas comestibles.

Eau de rose

En Turquie, l'eau de rose parfume souvent les loukoums habituellement servis avec le café

L'eau de rose, dilution de l'huile essentielle extraite des pétales de rose, est connue depuis très longtemps. Avant l'ère chrétienne, les Perses en exportaient jusqu'en Chine. Très appréciée par les gastronomes anglais il y a trois siècles, elle fait encore partie intégrante des plats sucrés indiens et moyen-orientaux. En Inde, l'entremets de fête traditionnel, à base de lait et de riz décoré de feuilles d'argent, est parfumé à la cardamome et à l'eau de rose. En Turquie, les loukoums, qui se servent avec un café très fort, sont préparés à base de sucre et de miel, de sirop de glucose et de fécule de maïs, et souvent aromatisés à l'eau de rose. Celle-ci, additionnée de beaucoup de sucre, nappe les pâtisseries orientales, tel le baklava. En Occident, elle apporte son parfum délicat à des glaces, des mousses, des gelées ou des sorbets.

L'eau de rose se vaporise sur des fraises ou aromatise de la crème fouettée

Eau de rose

Eau de fleur d'oranger

Eau de fleur d'oranger

Ce bavarois a été parfumé à l'eau de fleur d'oranger

Obtenue par distillation des fleurs de l'oranger, l'eau de fleur d'oranger renforce tout naturellement l'arôme des oranges, et apporte sa fraîche saveur aux salades d'agrumes, aux sorbets et aux gelées. Comme l'eau de rose, elle s'utilise en petite quantité, car elle a un parfum pénétrant. Elle aromatise des entremets depuis le Moyen Âge. Aujourd'hui encore, elle jouit d'une grande popularité au Moyen-Orient : on en donne souvent le soir dans de l'eau sucrée aux enfants avant le coucher. Mélangée à de l'eau bouillante, elle constitue une excellente boisson chaude, que les Anglais appellent café blanc. Ses vertus calmantes et digestives sont reconnues. Il suffit de mettre 1 cuil. à café d'eau de fleur d'oranger dans une tasse et d'y verser de l'eau bouillante, puis d'ajouter du sucre ou, mieux, du miel de fleur d'oranger. Vous en parfumerez aussi gâteaux et entremets et en aromatiserez salades de fruits ou compotes.

Vous trouverez dans le commerce des eaux de fleurs que vous mélangerez à de l'eau pour obtenir des boissons fraîches. Mais des fleurs fraîches ou séchées vous permettront de confectionner des sirops (voir ci-dessous) et d'imaginer d'autres boissons plus originales. Choisissez toujours des fleurs très parfumées : le sureau, la rose, la violette, l'œillet mignardise, la primevère, le lilas, la fleur d'oranger sont tous très odorants.

En été, ces sirops seront encore plus désaltérants si vous les additionnez d'eau gazeuse, de soda, pétillant ou non, ou même de vin, pour l'apéritif. En hiver, ils donnent d'excellentes boissons chaudes et revigorantes si vous les ajoutez à du thé ou à une tisane (voir p. 274). Allongés de cidre ou de vin chaud, ils sont relevés d'un clou de girofle et d'un peu de cannelle.

Les sirops de fleurs parfument également les entremets, les desserts, les salades de fruits frais, les glaces et les sorbets. Quelques gouttes transforment le goût d'un assaisonnement de salade, d'une sauce barbecue, d'une marinade ou d'une sauce pour légumes crus.

LA RECETTE DU CHEF

RATAFIA AUX ŒILLETS

Pour 1 litre

250 g de pétales d'œillet parfumé
50 g de sucre en poudre
1 clou de girofle
1 petit morceau de tuyau de cannelle
1 litre de vodka ou d'eau-de-vie blanche

Enlevez les parties blanches des fleurs. Mettez tous les ingrédients dans un grand bocal en verre. Fermez et laissez infuser 1 mois au moins au frais et à l'abri de la lumière. Agitez de temps en temps. Quand les pétales sont décolorés, filtrez et mettez en bouteilles.

LA RECETTE DU CHEF

EAU-DE-VIE AUX CERISES ET AUX PÉTALES DE ROSES

Pour 1 litre

750 g de cerises anglaises
250 g de feuilles de cerisier
500 g de sucre en poudre
Pétales de 6 roses parfumées
50 g de fleurs de jasmin séchées
1 litre d'eau-de-vie

Dénoyautez les cerises et cassez-en les noyaux. Mettez le tout avec les feuilles et le sucre dans un bocal. Ajoutez les pétales de rose, les fleurs de jasmin, l'eau-de-vie. Agitez. Fermez et laissez infuser au moins 1 mois au frais et à l'abri de la lumière. Filtrez et mettez en bouteilles.

Sirops de fleurs
En faisant infuser des fleurs comestibles dans du sirop de sucre, vous obtiendrez des boissons surprenantes et rafraîchissantes.

Boissons aux fleurs

LA RECETTE DU CHEF

PUNCH D'ÉTÉ

Pour 1 litre environ

1 orange en tranches
1 pomme en tranches
1 cuil. à soupe d'eau de fleur d'oranger
1 cuil. à café d'essence de vanille
1 litre d'eau gazeuse ou de tonic
15 cl de sirop de fleur, de sureau par exemple
Citrons et oranges en tranches, pour la décoration

Dans un grand bol, mettez les tranches d'orange et de pomme, l'eau de fleur d'oranger et la vanille. Versez l'eau gazeuse ou le tonic, couvrez et laissez infuser au moins 2 heures. Placez éventuellement au réfrigérateur. Ajoutez le sirop de sureau. Servez avec des glaçons et décorez avec les tranches de citron et d'orange.

PRÉPARER UN SIROP DE FLEURS
Mettez 500 g de pétales de fleurs fraîches dans une casserole. Couvrez avec un bon demi-litre d'eau. Portez à ébullition et laissez infuser à couvert 30 minutes au moins. Filtrez et remettez dans la casserole avec 350 g de sucre. Laissez bouillir 10 minutes. Vous pouvez n'utiliser qu'une sorte de fleurs ou en combiner plusieurs, et même ajouter des fruits, des épices et des herbes : violettes et miel, fleurs d'aubépine et bourrache, fleurs de sureau et fleurs d'oranger avec des pommes séchées...

Papillotes

La cuisson en papillote végétale est une technique peu pratiquée, et pourtant elle donne d'excellents résultats. Les feuilles de vigne farcies à la grecque en sont le meilleur exemple. Les feuilles de laitue, d'épinard ou de vigne protègent bien au cours de la cuisson des ingrédients fragiles comme le poisson : non seulement elles mettent en relief leur saveur, mais elles facilitent en outre leur présentation. Les grandes feuilles de lotus ou de maïs permettent de confectionner de magnifiques papillotes abondamment garnies; cependant, il ne faut pas les manger. Certaines feuilles, bien que comestibles, doivent être blanchies pour qu'elles perdent leur amertume, ou bien il faut les assouplir pour les rouler sans les casser. Ne limitez pas votre choix; innovez en cherchant des parfums qui s'épanouissent entre eux.

Feuilles de laitue Les grandes feuilles de laitue ou de batavia enveloppent à merveille les poissons entiers ou en filets cuits à la vapeur. Les plus petites et les plus tendres, pliées à la manière thaï ou chinoise et garnies de feuilles de menthe, s'enroulent autour de rouleaux de printemps que l'on trempe dans un petit bol de sauce aigre-douce.

Feuilles d'épinard Grâce à leur goût prononcé — et à leur belle couleur —, les feuilles d'épinard font d'exquises papillotes pour de nombreux ingrédients. Après les avoir blanchies, tapissez-en, par exemple, des petits ramequins beurrés que vous remplirez d'un flan de légumes. Faites-les cuire au bain-marie et démoulez avant de servir.

Feuilles de chou Adaptées aux cuissons lentes, les feuilles de chou farcies sont un plat traditionnel dans de nombreux pays. Garnissez les feuilles de chou de viande hachée ou de riz parfumé, ou des deux à la fois, et servez avec une sauce à la tomate. Si vous les faites cuire à la vapeur, enlevez leur côte centrale pour mieux les rouler.

Feuilles de vigne Ces célèbres papillotes végétales ont un goût légèrement acide qui se marie à celui de nombreux ingrédients, notamment le poisson ou les cailles. Faites toujours blanchir les feuilles fraîches avant de les utiliser afin qu'elles perdent leur amertume naturelle et laissez tremper celles qui ont été conservées dans la saumure.

Feuilles de romaine

Feuilles de vigne

Feuilles de bétel

En Inde, la tradition veut que l'on offre à la fin du repas une feuille de bétel pliée pour rafraîchir l'haleine et faciliter la digestion. Elle est garnie d'un mélange d'ingrédients amers, doux et aigres — graines de bétel, noix de coco, cardamome, anis, cristaux de sucre et graines de melon — et on la maintient fermée avec un clou de girofle.

Feuilles de chou

Feuilles d'épinard

FARCIR DES FEUILLES DE VIGNE

Les feuilles de vigne sont généralement garnies avec un mélange aromatique de riz cuit, de raisins de Smyrne, d'oignons, de pignons et de persil. Elles se servent froides avec du yaourt grec en entrée, ou chaudes avec une sauce à la tomate en plat principal. Il faut toujours les blanchir avant de les farcir. Le riz, qui est le composant principal de la farce, peut être agrémenté de pulpe de tomate, d'oignons nouveaux, de menthe, de cumin ou d'agneau haché.

1 *Placez une feuille de vigne à l'envers sur le plan de travail. Déposez 1 cuil. de farce à la base de la feuille, près de la queue.*

2 *Rabattez la feuille sur la farce en lui donnant une forme rectangulaire. Roulez-la ensuite en un cylindre serré.*

3 *Servez froid en entrée ou chaud en plat principal. Si vous garnissez les feuilles d'une farce crue, faites-les cuire 2 heures environ à la vapeur.*

Feuilles de lotus Elles s'utilisent généralement séchées, essentiellement pour les plats chinois à la vapeur. Seules les jeunes feuilles fraîches sont comestibles.
Feuilles de maïs En Amérique latine, elles servent souvent de papillotes. Elles apportent aux mets un parfum sucré de noisette, mais elles ne se mangent pas.
Feuilles de bananier Ces feuilles gigantesques, qui peuvent mesurer 3 m de long sur 60 cm de large, ont un arôme délicat qui parfume aisément les aliments qu'elles enveloppent; elles sont très utilisées dans la gastronomie asiatique.

Les feuilles de bananier *interviennent surtout dans la cuisine asiatique, où elles enveloppent du poisson ou du poulet, qui sont cuits au four, à la vapeur ou au barbecue*

Assez larges pour accueillir de nombreux ingrédients, les feuilles de bananier ont un parfum très agréable mais ne sont pas comestibles

Feuilles de lotus séchées

Feuilles de maïs séchées

PRÉPARER DES PAPILLOTES DE MAÏS

Pour chaque papillote, faites blanchir deux feuilles d'épi de maïs. Disposez-les en croix. Placez la farce au centre. En commençant par celle du dessous, rabattez les feuilles. Liez-les avec une «ficelle» découpée dans une feuille d'épi de maïs. Faites cuire à la vapeur.

Laitues et chicorées

Autrefois, le printemps annonçait le retour des légumes feuillus; aujourd'hui, la grande majorité des salades sont disponibles toute l'année. Elles ont des formes et des saveurs très différentes. La plupart, notamment les laitues et les chicorées, sont cultivées. Quelques-unes, comme les orties ou les pissenlits, poussent encore à l'état sauvage. Riches en vitamines A et C, elles doivent toutes être consommées le plus vite possible après leur cueillette. Quand vous achetez une salade, choisissez-la avec des feuilles brillantes et fermes. Si vous la conservez quelques jours, lavez-la, séchez-la soigneusement et gardez-la au frais dans un endroit bien aéré. Sortez-la de son éventuel emballage en plastique, qui entretient l'humidité et favorise le pourrissement. Aussi bonnes dans un saladier que dans une soupière, les salades sont devenues un des ingrédients favoris des cuisiniers.

Les laitues et les chicorées offrent une grande variété de saveurs, de couleurs et de textures. Si elles gardent une place de choix en salade, elles développent tout leur arôme à la cuisson. Les chicorées, les plus fermes, supportent très bien d'être braisées pour accompagner un rôti ou une volaille. Mais elles se traitent également aussi comme des herbes aromatiques et se servent hachées ou en chiffonnade (voir p. 47) autour d'un plat, au même titre que le persil, l'oseille ou le cerfeuil.

Les salades sans cœur Elles n'ont pas de cœur pommé et leurs feuilles se détachent facilement; dans le potager, on peut les cueillir une à une en laissant leur pied en terre. Celles qui restent continuent de pousser et permettent donc de s'approvisionner longtemps en salade fraîche du jardin. Elles ont une texture et un goût délicats qui se marient agréablement avec ceux des salades aux feuilles plus robustes.

Les nouvelles variétés sont de plus en plus nombreuses, mais les plus courantes sont la lollo, ou laitue frisée, d'un vert très vif, et la lollo rouge, dont les feuilles également frisées sont bordées de pourpre. Quant à la feuille de chêne rouge, sa saveur et sa texture délicates en font un composant agréable des mélanges de salades.

Les salades rondes La laitue et la batavia sont les représentantes les plus classiques de cette catégorie de salades au cœur serré et dense et aux feuilles douces et tendres. Celles de l'extérieur ont un goût plus prononcé; celles du centre, plus claires, sont plus délicates. Elles poussent presque partout et sont appréciées dans le monde entier.

Les salades longues La romaine en est le type même. Craquante, elle a un goût qui rappelle celui de la noisette. Ses feuilles vertes accompagnent bien des ingrédients à l'arôme puissant comme les anchois ou le parmesan,

La romaine *est à la fois croquante et très douce. Elle doit son nom à l'Italie dont elle est sans doute originaire*

Lollo rouge

Feuilles de chêne rouges

La laitue iceberg, *ou laitue des glaces, a un cœur dense, ferme et croquant, mais elle est un peu fade*

Les chicorées *ont toutes des feuilles légèrement amères qui se marient harmonieusement avec d'autres salades, plus douces. Cuites, elles deviennent de délicieux légumes*

La frisée, *avec ses feuilles dentelées aux teintes dégradées de blanc, de jaune et de vert, est la plus jolie des chicorées*

La lollo verte *est une variété nouvelle dont les feuilles frisées et serrées forment un bouquet dépourvu de cœur*

Trévise

Batavia

L'endive *est une des chicorées les plus connues. Elle se sert aussi bien en salade que braisée*

ou se servent avec des tomates, des olives, du thon et des œufs durs. Elle se conserve plusieurs jours au réfrigérateur.

Les chicorées La chicorée, la scarole et la chicorée frisée font partie de la même famille. L'*endive* n'est qu'une pousse blanche d'une variété de chicorée, dite de Bruxelles. Avec leur goût légèrement amer et leur texture ferme, la plupart des chicorées sont aussi bonnes crues que cuites. Les endives doivent leur couleur pâle à leur mode de culture : elles poussent en effet dans l'obscurité, sur un sol sableux, un peu dans les mêmes conditions que les champignons. Quand vous les achetez, assurez-vous que leurs feuilles sont bordées de jaune; si elles sont verdâtres, elles sont probablement vieilles. Détachez-les et coupez-les si vous les préparez en salade; gardez-les entières pour les pocher ou les braiser. Pour qu'elles soient moins amères, il vaut mieux évider leur base.

La *frisée,* qui déploie ses feuilles dentelées, est un lit idéal pour un œuf dur ou poché, des lardons et des croûtons. La *scarole* se trouve à mi-chemin entre la laitue et la frisée. Sa saveur est légèrement amère et, quand on la prépare en salade, il faut la couper en petits morceaux. Elle est délicieuse cuite dans un bouillon de viande. La *trévise,* une variété de chicorée à feuilles rouges, est très appréciée des Italiens. Sa couleur égaiera une salade banalement verte. Ses feuilles en forme de coquille accueillent joliment de nombreuses garnitures. Elle se sonsomme aussi braisée, coupée en deux ou en quatre.

SALADES DE FEUILLES ET D'HERBES

Dès l'Antiquité, les Romains consommaient les légumes à feuilles qui poussaient à l'état sauvage tout autour du bassin méditerranéen — la mâche ou la roquette par exemple. Aujourd'hui, ils sont cultivés à grande échelle et ils garnissent toute l'année les étals des marchés. Les si jolies feuilles de capucine, à la saveur poivrée, connaissent un succès grandissant comme ingrédients des salades vertes. La cueillette des orties et des pissenlits est l'occasion de promenades familiales. Assurez-vous que les plantes que vous récoltez dans la nature n'ont pas été touchées par les produits chimiques que l'on répand dans les champs. Évitez de les cueillir au bord des routes, polluées par les gaz d'échappement. Elles sont toujours, meilleures au printemps, lorsque leurs feuilles sont encore tendres et que celles qui fleurissent n'ont pas encore sorti de boutons.

Roquette (Arugula) Déjà récoltée au temps des Romains, elle est très appréciée pour son fort goût poivré. Apparentée à la moutarde, la roquette a des feuilles qui ressemblent à celles des radis et évoquent la forme d'un violon. Elle entre dans la composition du mesclun, mélange traditionnel provençal de petites feuilles de salade. Sautée quelques secondes dans l'huile d'olive, elle accompagne délicieusement des pâtes chaudes.

Mâche Plusieurs variétés de mâche poussent à l'état sauvage. L'une d'entre elles présente de petites feuilles rondes et serrées, alors que la plus commune a des feuilles plus longues et étroites. Parfaite en salade, la mâche se sert aussi couramment avec des dés de betteraves, des cerneaux de noix et une vinaigrette à l'huile de noix. Elle se marie merveilleusement avec du maïs doux en boîte ou, mieux encore, avec les jeunes grains d'épis frais de maïs légèrement blanchis.

Pissenlit Ennemies des jardiniers, les feuilles de pissenlit font les délices des cuisiniers. Les plus tendres se récoltent au printemps.

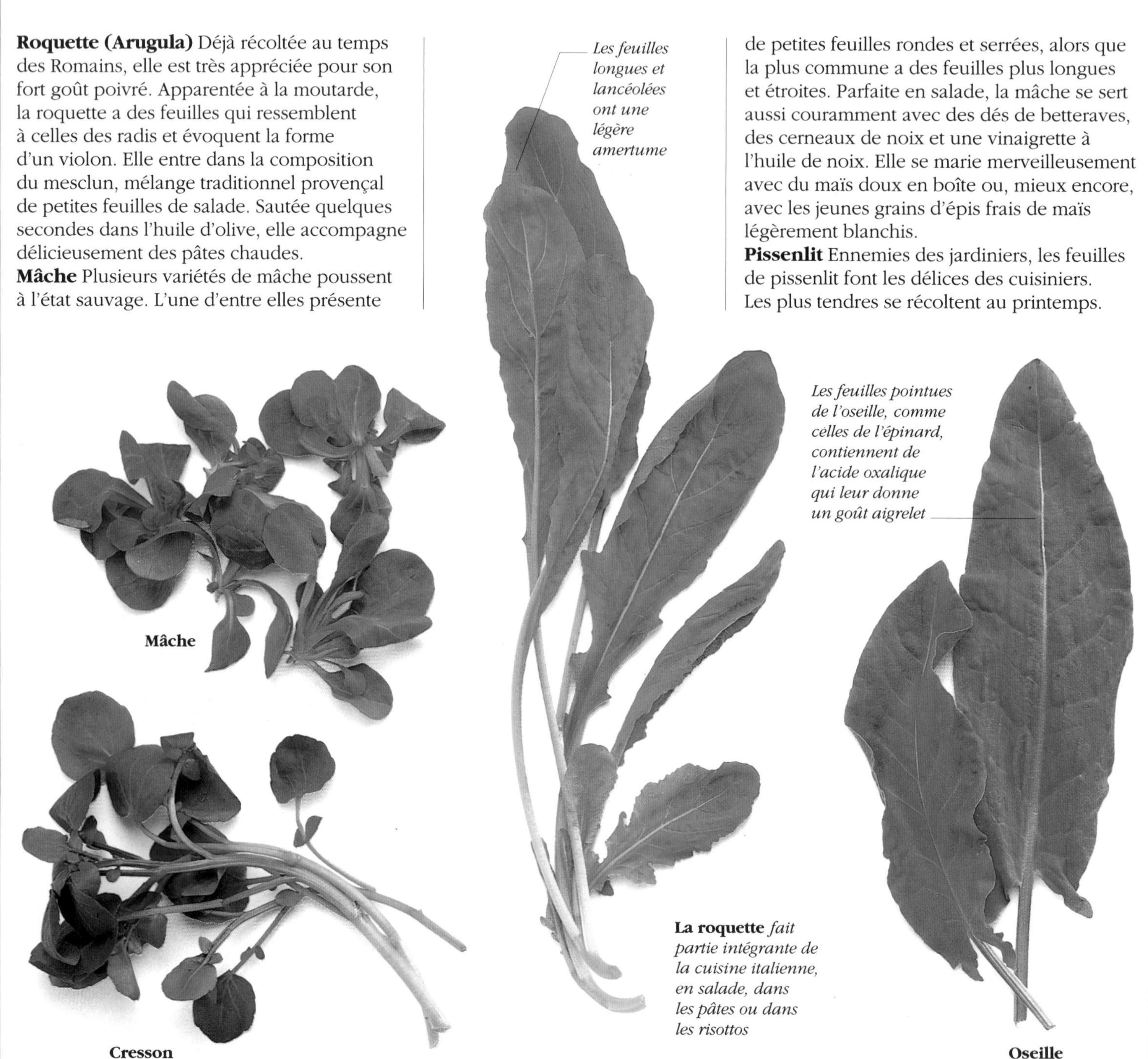

Les feuilles longues et lancéolées ont une légère amertume

Les feuilles pointues de l'oseille, comme celles de l'épinard, contiennent de l'acide oxalique qui leur donne un goût aigrelet

Mâche

Cresson

La roquette *fait partie intégrante de la cuisine italienne, en salade, dans les pâtes ou dans les risottos*

Oseille

Dentelées et légèrement amères, elles sont délicieuses en salade. Les plus vieilles doivent toujours être blanchies ou attendries avant préparation dans une sauce tiède (voir ci-contre). Ne les ramassez jamais dans un champ ou un jardin qui aurait été traité avec des produits toxiques.

Orties Seules leurs jeunes tiges tendres conviennent pour la cuisine; les feuilles basses et les racines ne sont pas comestibles. Réduisez-les en purée pour enrichir un potage ou pour accompagner des légumes. Hachez-les finement pour parfumer un fromage frais de chèvre ou de vache. Farcissez-en des raviolis.

Oseille Cette plante, connue pour son goût aigrelet et sa haute teneur en vitamine C, est la plus acide de toutes les feuilles comestibles. Une ou deux feuilles ciselées dans une salade suffisent à lui donner un piquant rafraîchissant. De même, quelques petits morceaux apportent aux plats une acidité caractéristique. Comme les épinards, l'oseille diminue considérablement de volume à la cuisson; il vous faudra en moyenne en acheter 1 kg cru pour obtenir 500 g cuits.

Pourpier Souvent considérée comme une mauvaise herbe, cette plante a des feuilles croquantes et vraiment savoureuses. Elle se sert aussi bien crue en salade ou cuite avec de la crème fraîche ou du beurre, comme les épinards.

Capucine Ses feuilles ont trouvé divers emplois culinaires. Entières, elles donnent un goût agréablement poivré à une salade verte; hachées ou ciselées, elles aromatisent un fromage frais, des œufs brouillés ou une omelette.

Cresson Pour bien se développer, cette plante doit pousser dans une eau très pure. La plupart du cresson vendu dans le commerce a été cultivé. Il est délicieux dans un potage, et, haché, il parfume du beurre, une viande ou un poisson. Fragile, il se conserve mal et doit être consommé le jour même de l'achat.

Cresson alénois Utilisé comme garniture, il accompagne agréablement un œuf mayonnaise dans un sandwich. Vous le ferez facilement pousser chez vous ou vous l'achéterez en pousses dans de petites barquettes.

Capucine

Ortie

Pourpier

Cresson alénois

Pissenlit

LA RECETTE DU CHEF

SOUPE D'ORTIES

Pour 4 personnes

500 g de jeunes feuilles d'ortie lavées
4 échalotes finement hachées
2 cuil. à soupe de beurre doux
1 grosse pomme de terre pelée et coupée en dés
Sel
Poivre noir du moulin
Crème fraîche épaisse et croûtons, pour la garniture

Hachez finement le tiers des feuilles d'ortie. Réservez-les. Dans une marmite, chauffez le beurre et faites-y fondre les échalotes 5 minutes. Ajoutez les feuilles d'ortie entières, remuez et cuisez 1 minute. Ajoutez les dés de pomme de terre et 1 litre d'eau froide. Salez et poivrez selon votre goût. Couvrez et laissez mijoter 20 minutes, jusqu'à ce que les dés de pomme de terre soient cuits. Mettez dans un robot ménager et réduisez le tout en une purée onctueuse. Goûtez et rectifiez l'assaisonnement. Versez dans une soupière et décorez des feuilles d'ortie hachées, de la crème et des croûtons. Servez aussitôt.

ATTENDRIR LES FEUILLES

Les feuilles de pissenlit s'attendrissent quand on les mélange à une garniture chaude. Lavez-les et mettez-les dans un saladier. Dans une poêle, faites revenir des lardons dans un peu d'huile d'olive et ajoutez-les aux pissenlits. Déglacez avec du vinaigre de vin (voir p. 249), versez le jus dans le saladier, assaisonnez et mélangez.

Algues

En Occident, les algues et les plantes qui se développent sur les côtes européennes sont plus connues pour leurs propriétés médicinales que pour leurs qualités culinaires. Dédaignées par les Grecs et les Romains, elles n'ont guère connu de succès pendant longtemps. En revanche, en Asie, les algues, riches en sels minéraux, en vitamines et en protéines, font partie intégrante de l'alimentation. Elles sont récoltées sur les côtes du Japon depuis le XVIIe siècle. C'est dans ce pays qu'elles sont le plus appréciées. Elles sont toujours vendues séchées. On les réhydrate facilement en les laissant tremper dans l'eau, puis en les faisant bouillir jusqu'à ce qu'elles ramollissent. Elles participent à de multiples préparations culinaires : pour aromatiser des soupes ou des bouillons, garnir des salades ou des plats de légumes sautés, épaissir des entremets...

Konbu Connue aussi sous le nom de laminaire géante, cette algue s'utilise crue, cuite ou séchée. Plus que toute autre, elle occupe une place de choix dans la gastronomie japonaise, mais elle figure également dans la cuisine coréenne. Elle est à la base de nombreux consommés et fonds de sauce qui parfument les plats de la région. Ajoutées à l'eau de cuisson, les lanières de *konbu* non seulement donnent du goût aux aliments pochés, mais elles ramollissent des ingrédients coriaces comme les légumes secs, tout en les rendant plus digestes. Elles sont parfois tressées en forme de panier et frites pour d'élégantes présentations. Le *tororo konbu* se compose de fibres blanchies et finement rasées et devient gluant à la cuisson; il entre dans la composition des soupes ou enveloppe de petits paquets de riz. Plat traditionnel japonais, les rouleaux de *konbu* s'enroulent autour de poisson séché, généralement du hareng, et se plongent dans un bouillon savoureux.
Nori Avec le *konbu,* ce varech comestible est l'algue la plus consommée. La plupart du temps vendu en feuilles, il sert essentiellement à confectionner les sushis (voir p. 221). Pour le rendre légèrement craquant et libérer son parfum délicat, il faut passer ses feuilles au-dessus d'une flamme ou les mettre quelques minutes dans un four chaud, puis les émietter sur une salade ou dans une soupe.
Wakame Cette algue à la saveur douce et à la belle couleur verte est celle qui ressemble le plus à un légume. Elle convient tout à fait aux novices en la matière. Une fois qu'elle a été réhydratée, elle est très tendre et se déguste en salade, sur du riz ou aromatisée au vinaigre.
Hijiki Cette variété demande peu de préparation car elle est habituellement précuite avant d'être séchée. Ressemblant étrangement à du thé, elle a la particularité de décupler de volume dans l'eau; elle ne s'emploie donc qu'en petites quantités.
Agar-agar Connue sous le nom de *kanten* au Japon, cette algue est largement utilisée comme gélifiant alimentaire. Rouge ou blanc, l'agar-agar, ou «mousse du Japon», est délicieux en salade. Faites ramollir la variété blanche dans de l'eau et servez-la avec des bâtonnets de concombre et des amandes grillées, assaisonnés d'huile de sésame et de sauce soja.

Nidashi konbu

Konbu

Tororo konbu

Rouleaux de konbu

Algues fraîches

Galettes aux algues

Beaucoup d'algues qui poussent sur les côtes européennes peuvent se consommer fraîches, crues ou cuites, bien qu'elles n'apparaissent que rarement sur les marchés. Dans les îles Britanniques, une espèce de porphyra se consomme mélangée avec des flocons d'avoine sous forme de galettes. Frite, elle accompagne le bacon ou le poisson poché. D'autres algues, comme la laitue de mer, s'accommodent très bien en salade. La salicorne, qui n'est pas une algue, pousse pourtant sur les côtes. Pour l'apprécier au mieux, faites-la cuire à la vapeur et servez-la avec du beurre fondu ou une vinaigrette en accompagnement d'un poisson.

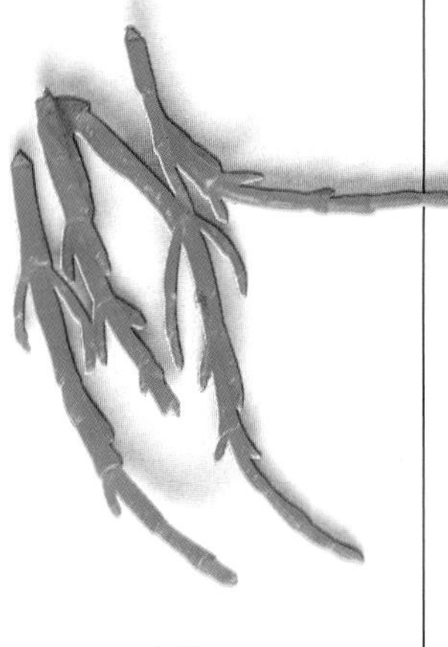
Salicorne

Un produit de base en Asie
Les algues sont très appréciées au Japon, en Corée et dans certaines régions de Chine.

LA RECETTE DU CHEF

RAIE POCHÉE ET GALETTES AUX ALGUES

Pour 4 personnes

Le jus de 1/2 citron
50 g de flocons d'avoine
500 g de porphyra fraîches ou en boîte au naturel
4 petites ailes de raie
2 cuil. à soupe de vinaigre de cidre
4 cuil. à soupe d'huile
Tranches de citron et brins de persil, pour la décoration

Dans un bol, mélangez le jus de citron, les flocons d'avoine et les algues cuites et égouttées. Moulez en forme de petites galettes de 3 cm de diamètre. Saupoudrez de quelques flocons d'avoine. Dans une casserole, couvrez d'eau les ailes de raie. Portez à ébullition et ajoutez le vinaigre, du sel et la raie. Laissez pocher de 8 à 10 minutes. Faites chauffer l'huile dans une poêle pour y frire les galettes d'algues 2 minutes de chaque côté. Servez avec la raie poivrée décorée de citron et de persil.

PRÉPARER UN SUSHI

Les feuilles de nori et le riz au vinaigre sont les seuls ingrédients indispensables pour la préparation d'un sushi. Chaque cuisinier en compose ensuite la garniture selon son inspiration, en l'enrichissant de champignons, d'épinards, de gingembre...

1 Posez une feuille de nori légèrement grillée sur une natte en bambou. Étalez-y du riz au vinaigre en laissant une bordure libre. Enrichissez-le ensuite d'autres ingrédients.

2 Aidez-vous de la natte en bambou pour enrouler la feuille de nori autour du riz. Serrez-la bien pour obtenir un cylindre ferme. Laissez reposer 5 minutes au moins.

3 Enlevez la natte. À l'aide d'un couteau bien aiguisé, coupez le sushi en tranches de 2,5 cm d'épaisseur. Servez avec une sauce soja et de la pâte de wasabi (*voir p. 166*).

HUILES, VINAIGRES
ET PRODUITS LAITIERS

Huile d'olive

L'huile d'olive est une des plus anciennes que les hommes aient utilisées en cuisine. Dans l'Antiquité grecque, celle que produit chaque cité est un signe de sa prospérité. Elle sert aussi bien d'ingrédient culinaire que de combustible pour les lampes. Plus tard, les Romains répandent la culture de l'olivier dans tout leur empire, de l'Afrique à la péninsule Ibérique. À cette époque, la tradition veut déjà que l'emploi quotidien d'huile d'olive et de vin assure la longévité. Aujourd'hui, les huiles d'olive se classent en plusieurs catégories — «vierge» (extra fine, fine ou semi fine), ou «pure», etc. — et en fonction de leur degré d'acidité, un élément capital car, s'il est élevé, il nuit à leur saveur et masque leur parfum. Cependant, les fabricants prennent en compte d'autres critères, et il est parfois difficile de faire un choix au vu des étiquettes. Celles-ci indiquent toujours au moins le niveau d'acidité, la catégorie, la contenance et le pays de production. Certaines signalent en outre le nom de l'agriculteur et du domaine ou du village d'origine; il est alors probable que l'huile qu'elles contiennent a fait l'objet de soins attentifs.

Production

La méthode de production traditionnelle consiste à écraser les olives entre deux meules en pierre pour obtenir une pulpe de fruit. Celle-ci est ensuite étalée sur des nattes empilées puis pressées avec des poids. Bien qu'il en existe d'autres, plus modernes, cette pratique ancienne donne une huile de première qualité, dite «pressée à froid»; cette appellation tient au fait que les poids, assez peu lourds, n'entraînent pas d'échauffement de la pulpe. La chaleur permet en effet d'extraire davantage d'huile, mais elle est alors d'une qualité inférieure.

Les catégories d'huile dépendent aussi et surtout de leur degré d'acidité, même si leur couleur, leur saveur et leur parfum interviennent en partie; car plus l'acidité est élevée, moins elles sont goûteuses et fines. L'huile d'olive «vierge extra fine» est la meilleure, et son acidité ne dépasse pas 1%. Viennent ensuite la «vierge fine» (moins de 1,5%), puis la «vierge semi fine» (jusqu'à 3%). La «pure» (elle aussi à moins de 3% d'acidité) est le résultat d'un mélange avec de l'huile raffinée.

Dans ce domaine, la qualité est synonyme de parfum; chacun se laissera donc guider par son goût personnel et choisira son huile d'olive en fonction du plat qu'il veut préparer.

Variétés d'huile d'olive

Pratiquement tous les pays du bassin méditerranéen produisent de l'huile d'olive, mais seuls les principaux producteurs sont ici évoqués.

Italie Les huiles de Toscane et d'Ombrie sont réputées les meilleures. Leur renom tient en partie au fait qu'elles se sont fait largement connaître, mais surtout au travail des associations de récoltants et de fabricants,

Les meilleures huiles d'olive ont un goût léger et fruité

La couleur des huiles d'olive va du jaune pâle doré au vert sombre profond

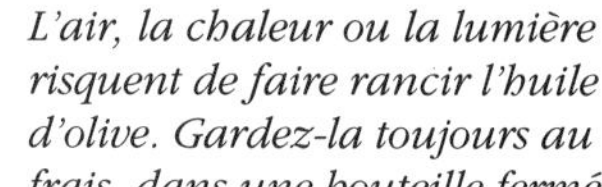

Huile trouble
L'air, la chaleur ou la lumière risquent de faire rancir l'huile d'olive. Gardez-la toujours au frais, dans une bouteille fermée. Par temps chaud, une fois qu'elle est ouverte, placez-la dans le bas du réfrigérateur. Par temps froid, elle fige parfois; elle n'est pas pour autant impropre à la consommation; à température ambiante, elle retrouvera sa limpidité.

Un bouchon verseur *est idéal pour arroser les plats d'un filet d'huile d'olive*

qui contrôlent rigoureusement la matière première et les méthodes de production.
Espagne Ce pays est, après l'Italie, le deuxième producteur mondial d'huile d'olive, et il prend même certaines années, quand les conditions climatiques sont favorables, la première place. Cette industrie est réglementée par une corporation qui attribue un label d'appellation d'origine; un des plus réputés est celui de Borjas Blancas, dans la région de Lerida, dans le nord-est.
Grèce En Grèce, la consommation annuelle d'huile d'olive est estimée à près de 23 litres par habitant, ce qui la place au premier rang mondial des pays consommateurs, mais seulement au troisième rang des pays producteurs. Cependant, la qualité de la production est inégale, car les contrôles sont ici moins stricts qu'ailleurs.
France Si la production est ici relativement faible, elle a la réputation d'être de bonne qualité. La plupart des oliveraies se trouvent dans le Sud, et les huiles produites autour de Nyons et dans la vallée des Baux comptent parmi les meilleurs crus.

L'HUILE D'OLIVE EN CUISINE

L'huile d'olive s'emploie comme les autres huiles ou matières grasses de cuisson, mais certains lui trouvent une saveur trop prononcée. Pour l'atténuer quelque peu, vous pouvez la mélanger avec une huile plus neutre, huiles de tournesol ou de maïs par exemple. (Cependant, un goût fort et déplaisant tient souvent à une qualité médiocre.)

L'huile d'olive est essentielle dans la gastronomie méditerranéenne. Elle sert aussi bien d'assaisonnement que de graisse de cuisson. Un mince filet aromatise de simples tranches de tomate. Elle parfume au dernier moment une soupe de légumes chaude, en France ou en Italie, ou un gaspacho glacé en Espagne. Ces trois pays ont leur propre recette de pain grillé à l'huile d'olive. Pour préparer une *bruschetta* italienne, faites griller d'épaisses tranches de pain de campagne et frottez-les d'ail. Arrosez-les d'huile d'olive et salez avec du gros sel marin. Si vous les agrémentez d'une purée de tomates, vous obtiendrez le *pan con tomate* espagnol. En France, des croûtons frits à l'huile d'olive accompagnent la brandade de morue comme la bouillabaisse parfumée au safran.

L'huile d'olive est un ingrédient incontournable de presque toutes les sauces pour pâtes italiennes. Simplement mélangée à de l'ail et à des piments, elle relève délicieusement les spaghettis. L'aïoli, une mayonnaise à l'huile d'olive fortement aillée, est fréquent en Espagne et dans le sud de la France, où de nombreux autres condiments froids à base d'herbes, comme le basilic pour le pistou, sont préparés à l'huile d'olive.

Alors que les Européens emploient souvent l'huile d'olive pour faire cuire des viandes ou faire sauter des légumes, les Moyen-Orientaux l'utilisent surtout pour assaisonner des entrées ou des hors-d'œuvre froids, notamment la purée d'aubergine ou l'hoummos (purée de pois chiches), ou pour faire frire des poissons.

Conservation
La lumière est l'ennemie de l'huile d'olive. Conservez-la au frais et à l'abri de la lumière, dans un récipient métallique ou une bouteille en verre foncé. Il vaut toujours mieux la transvaser dans de petits récipients.

Huiles d'olive parfumées
Certaines huiles d'olive italiennes sont aromatisées aux truffes, aux bolets ou au citron. En France, elles sont plus souvent parfumées avec des herbes ou des épices. Elles s'utilisent aussi bien que les huiles d'olive nature.

HUILES DE NOIX ET DE GRAINES

L'huile est indispensable en cuisine; elle cuit et dore les ingrédients mais leur apporte aussi son parfum, et elle est un élément important de toute alimentation équilibrée. Toutes les huiles contiennent des graisses mono-insaturées, polyinsaturées et saturées. Ces termes techniques font référence à la structure de leurs molécules, et plus précisément au nombre d'atomes d'hydrogène qui les composent. Les graisses saturées, les moins bonnes pour la santé, en renferment un maximum. Les graisses polyinsaturées et mono-insaturées, les meilleures en termes diététiques, en ont moins; elles se combinent donc plus facilement avec d'autres éléments contenus dans l'organisme, l'oxygène notamment. L'huile d'olive compte beaucoup de graisses mono-insaturées, alors que les huiles de palme et de coco sont au contraire très saturées.

Bien que certaines huiles soient adaptées à tous les usages culinaires, on distingue généralement celles qui servent à la cuisson de celles qui servent à l'assaisonnement. Les premières — soja et maïs notamment — ont un goût neutre et supportent bien la chaleur. Les secondes — noix et noisette — ont davantage de parfum, et s'accordent bien avec les salades.

Huile d'amande douce Cette huile pâle, extraite d'amandes douces, est employée en pâtisserie et en confiserie. Vous en enduirez les moules où cuiront vos gâteaux les plus délicats. Vous pouvez y faire revenir des amandes émincées dont vous décorerez un poisson ou un plat de légumes verts.

Huile d'avocat À base de noyaux d'avocat et parfois de fruits gâtés, cette huile incolore utilisée essentiellement en Amérique du Nord a un goût légèrement anisé.

Huile de noix de coco Préparée à partir de noix de coco séchée, cette huile intervient dans des préparations culinaires industrielles et dans certains plats de la cuisine indienne; elle contient beaucoup de graisses saturées.

Huile de maïs Cette huile universelle est assez peu chère. Elle a une belle couleur et une viscosité importante. Très riche en graisses polyinsaturées, elle ne fume qu'à température élevée et a donc des qualités diététiques qui en font un ingrédient d'assaisonnement et de cuisson très répandu.

Huile de graines de coton Cette huile est un des ingrédients de la margarine et des huiles mélangées; elle donne son parfum particulier à la cuisine égyptienne.

Huile de pépins de raisin Cette huile pâle et délicate qui contient beaucoup de graisses polyinsaturées supporte de grands écarts de température; au réfrigérateur, elle ne fige pas, ce qui la rend idéale pour les mayonnaises, et elle ne fume qu'à très haute température.

Huile de noisette Produite surtout en France, cette huile délicieusement parfumée est chère et mérite d'être mariée aux vinaigres les plus fins pour des assaisonnements de salade ou des marinades. Chauffée, elle perd sa saveur, mais vous l'ajouterez à une sauce chaude à la dernière minute ou dans la pâte de gâteaux aux noisettes.

DES HUILES POUR LE GOÛT

Les huiles de noix et de graines servent généralement à parfumer des plats froids, ou éventuellement des plats chauds si on les ajoute à la dernière minute. Les huiles de pépins de citrouille, de noix, de noisette, de sésame, de pignons ou d'arachide pressées à froid sont toutes excellentes dans les assaisonnements de salade ou de légumes et les marinades. Leur goût semblant souvent trop prononcé, utilisez-les en petite quantité et mélangées à une huile plus neutre, comme celle de tournesol. Vous pouvez aussi en ajouter quelques gouttes pour aromatiser des aliments cuits, comme le ferait une noix de beurre. Ajoutez, par exemple, un filet d'huile de noix à des haricots verts bouillis ou cuits à la vapeur juste avant de servir.

Huile d'arachide Cette huile à la saveur peu prononcée convient aussi bien aux salades qu'aux fritures. Pressée à froid, elle a un doux parfum de cacahuète qui s'accorde dans les sauces de salade à celui des vinaigres aromatisés aux fruits. L'huile d'arachide contient une certaine quantité de graisses mono-insaturées et peu de graisses saturées.

Huile de palme Extraite de la graine du palmier à huile, elle a une belle couleur orange dorée et un goût de noix agréable. Légère en goût, elle a de multiples utilisations et convient particulièrement pour les fritures ou les vinaigrettes, mais elle a tendance à rancir rapidement.

Huile de pignons Cette huile au parfum particulier n'est produite qu'en petite quantité, essentiellement en France. Assez chère, elle a cependant un arôme incomparable. Elle est idéale pour assaisonner des salades et encore meilleure pour accompagner les artichauts.

Huile de pépins de citrouille De couleur brun foncé, cette huile possède l'agréable parfum des pépins de citrouille grillés. Presque toute la production vient d'Autriche, où elle est très appréciée. Versez-la sur un plat de légumes ou de poisson cuit à la vapeur juste avant de servir.

Huile de colza Son goût neutre convient aussi bien pour la cuisson que pour la pâtisserie. Elle ne fume qu'à température élevée et renferme très peu de graisses saturées.

Huile de carthame D'une belle couleur jaune, elle peut s'utiliser largement en cuisine bien que son parfum soit assez prononcé. Riche en vitamine E, elle est celle qui contient le plus de graisses polyinsaturées et le moins de graisses saturées.

Huile de sésame Il en existe plusieurs variétés. Celle qui est produite en Europe par pressage à froid a une couleur claire et un parfum de noix. Elle supporte les fortes chaleurs et convient donc bien pour la cuisson. Celle qui se consomme en Asie est faite avec des graines grillées qui lui donnent une couleur plus sombre et une saveur plus prononcée. Celle qui est préparée au Moyen-Orient a un goût plus léger. Mais toutes présentent l'avantage de ne fumer qu'à température élevée.

Huile de soja Principal composant des huiles mélangées, elle contient peu de graisses saturées. Elle a un parfum neutre.

Huile de tournesol Elle s'utilise largement en cuisine. Elle contient beaucoup de graisses insaturées et n'a que très peu de goût. Pâle, fluide, peu coûteuse, elle sert pour les fritures, dans les assaisonnements et dans les mélanges avec d'autres huiles au parfum plus prononcé.

Huile «végétale» Ce mélange de plusieurs huiles porte une étiquette qui indique sa composition; dans certains cas, elle contient de l'huile de coco ou de l'huile de palme, riches en graisses saturées. Elle a peu de goût et de parfum, ce qui la destine à tous les usages.

Huile de noix Cette huile délicieuse à l'arôme très riche a une belle teinte topaze. Les noix du Périgord et de Dordogne ont la réputation de fournir la meilleure. Elles reçoivent d'ailleurs dans ces deux régions des labels de qualité qui ne sont pas nécessairement les mêmes pour tous les fruits d'un même arbre.
La production étant restreinte, cette huile est chère. Elle se conserve peu de temps, même dans une bouteille qui n'a pas été ouverte. Elle est délicieuse dans une sauce de salade et parfume subtilement certains gâteaux, surtout s'ils comportent des noix. Elle aromatise poissons, volailles, légumes, et tous les ingrédients dont le goût se marie bien avec celui des noix.

LA RECETTE DU CHEF

SALADE DE MÂCHE ET DE BETTERAVE

Pour 4 personnes

1 cuil. à soupe de vinaigre de vin blanc
1 cuil. à café de moutarde de Dijon
Sel
3 cuil. à soupe d'huile de noix
2 cuil. à soupe d'huile de tournesol
Poivre noir du moulin
400 g de bouquets de mâche lavés
4 petites betteraves coupées en dés
50 g de roquefort émietté
50 g de noix grossièrement concassées
Cerfeuil frais, pour la décoration

Dans un petit bol, mélangez le vinaigre, le sel et la moutarde. Ajoutez peu à peu les deux huiles en remuant. Poivrez. Dans un grand bol, tournez la mâche avec 2 cuil. de vinaigrette. Disposez la salade en couronne sur 4 assiettes. Posez les dés de betterave en monticule au centre. Arrosez-les avec le reste de sauce. Saupoudrez de roquefort et de noix. Décorez avec le cerfeuil et servez aussitôt.

Huiles parfumées
Les huiles parfumées de noix et de graines permettent surtout de mettre en valeur l'arôme de certains plats; elles ont souvent trop de goût pour être utilisées comme graisse de cuisson. Elles sont d'ailleurs assez chères, ce qui justifie une certaine économie.

L'HUILE S'ENFLAMME
Une huile qui chauffe trop longtemps ou à trop forte température peut prendre feu. Dans ce cas, ne jetez jamais d'eau sur les flammes. Étouffez-les plutôt sous un couvercle, une couverture ininflammable ou une feuille d'aluminium ménager.

Huiles aromatisées

Les huiles aromatisées avec des herbes et des épices amélioreront toutes les recettes qui comportent de l'huile ordinaire. Pour la plupart, elles sont en vente dans les grandes surfaces ou les épiceries fines, mais il est très facile de les préparer soi-même. L'huile d'olive vierge extra en est la meilleure base. Ainsi, si elle est parfumée avec une truffe ou des pelures de truffe, elle prendra un goût exceptionnel et le communiquera à des pâtes, à un risotto ou à une salade. Les herbes aromatiques s'emploient séparément ou combinées les unes avec les autres; il faut cependant veiller à ce que leurs saveurs s'accordent. Les huiles aromatisées servent surtout d'assaisonnement, mais une huile au thym, au romarin ou au laurier conviendra parfaitement pour une fondue bourguignonne.

Épices

Vous pouvez préparer toute l'année des huiles aromatisées avec les épices de la saison. Vous grillerez certaines graines, celles du carvi ou du fenouil notamment, pour mieux libérer leur parfum. Vous utiliserez la plupart des autres entières ou concassées. La cardamome, l'anis étoilé, les baies de genièvre et les graines de coriandre, la noix muscade, la cannelle, le cumin et les clous de girofle conviennent particulièrement.

Cardamome

Baies de genièvre

Noix muscade

Safran

Huile à la cannelle **Huile au basilic**

Herbes aromatiques

L'été est la meilleure saison pour aromatiser des huiles car les herbes aromatiques sont alors très abondantes et peu chères. Vous n'aurez que l'embarras du choix : basilic, laurier, feuilles de coriandre, origan, marjolaine, cerfeuil, ciboulette, aneth, menthe, persil, romarin, sauge, estragon ou thym. N'utilisez qu'une espèce à la fois, mais vous pouvez la marier avec de l'ail ou un zeste de citron.

Sauge

Romarin

Basilic

Pour faire frire ou revenir des aliments, l'huile est d'un emploi plus souple que le beurre et offre une plus grande diversité de saveurs. Pour varier vos assaisonnements, vous ajouterez à la longue liste des huiles naturellement parfumées les huiles aromatisées aux herbes et aux épices. Il n'en faut souvent qu'une petite quantité pour parfumer l'huile, excellent support des arômes. Une pincée de curry leur donnera un goût délicieux qui relèvera un plat de pâtes ou de légumes. Un morceau de gingembre leur apportera sa saveur et vous en badigeonnerez une viande marinée dans de la sauce soja avant de la faire griller. Quelques graines d'anis étoilé métamorphoseront celles que vous utiliserez dans une recette de poulet ou de crustacés. Un bon cuisinier aura toujours à portée de main tout un assortiment d'huiles aromatisées.

Si vous utilisez des herbes fraîches, lavez-les et séchez-les soigneusement avant de les écraser légèrement pour libérer leur arôme. Mettez-les avec l'huile dans un bocal ou une bouteille que vous fermerez hermétiquement. Laissez reposer au moins 2 semaines au frais et à l'abri de la lumière. Goûtez pour vous assurer que le parfum est suffisamment prononcé, sinon rajoutez des herbes et laissez macérer 1 semaine de plus. Vous pouvez filtrer l'huile ou la garder telle quelle; dans ce cas, les herbes continueront à lui communiquer leur parfum. En outre, elles permettent d'identifier à coup sûr la bouteille dont vous avez besoin.

Pour aromatiser des huiles avec des épices, choisissez-les entières ou en poudre. Les premières étant toujours plus parfumées, la quantité que vous mettrez dépendra de votre goût. Vous les utiliserez comme des herbes.

LES HUILES AROMATISÉES EN CUISINE

Bien qu'elles apportent un autre goût, les huiles aromatisées remplacent agréablement les huiles ordinaires. Une sauce de salade sera encore meilleure si son huile d'olive est enrichie d'une herbe ou d'une épice. La ciboulette, le persil et le cerfeuil — délicieux tous les trois avec les crudités — parfument séparément ou ensemble une huile d'assaisonnement. Celle-ci sera précieuse pendant la saison où les herbes fraîches sont rares. Celles qui ont un arôme prononcé (laurier, romarin, thym et sauge) donnent des huiles au goût charpenté. Utilisez-les pour les marinades des viandes grillées, des brochettes, ou des petits fromages de chèvre secs. Ceux-ci, coupés en tranches, posés sur du pain, passés au gril et servis sur un lit de salade verte assaisonnée avec l'huile de la marinade constitueront une excellente entrée.

Une huile d'arachide parfumée avec de la cannelle prend toute son originalité. Vous y ferez frire des beignets de fruits ou cuire des crêpes et des gaufres ou vous en badigeonnerez un poulet avant de le faire griller. Vous pouvez aussi l'aromatiser avec des fruits — fraise, citron, poire, pomme, orange, pêche —, seuls ou associés. Vous vous en servirez pour monter d'étonnantes mayonnaises qui accompagneront des légumes crus ou des viandes froides.

LA RECETTE DU CHEF

PENNES AUX LÉGUMES

Pour 2 à 4 personnes

8 cuil. à soupe d'huile d'olive vierge extra
2 cuil. à café de curry en poudre
Sel
6 carottes moyennes coupées en petits dés
500 g de petits pois frais ou surgelés
1 gros oignon coupé en petits dés
2 poivrons jaunes
500 g de pennes

Faites macérer le curry dans l'huile 24 heures à l'avance. Le lendemain, portez à ébullition de l'eau salée. Mettez les carottes dans une passoire en toile métallique et plongez-les 2 minutes dans l'eau. Procédez de la même façon pour les petits pois, pendant 3 minutes. Égouttez. Versez dans une poêle 2 cuil. à soupe d'huile au curry. Faites fondre les dés d'oignon 3 minutes environ. Salez. Ajoutez les poivrons coupés en lanières et laissez revenir 1 ou 2 minutes. Goûtez et rectifiez l'assaisonnement. Faites cuire les pennes à l'eau bouillante en les gardant al dente. Ajoutez-leur les carottes et les petits pois, juste le temps de les réchauffer. Égouttez. Disposez dans un plat creux, nappé des oignons et des poivrons. Arrosez d'huile au curry et remuez.

PRÉPARER UNE HUILE PIMENTÉE

La plupart des huiles s'aromatisent à froid, mais la meilleure huile pimentée se prépare à chaud. Travaillez à feu très doux et surveillez la cuisson; les piments trop chauffés dégagent en effet des vapeurs irritantes. Vous aurez le choix entre plusieurs huiles et toutes sortes de piments doux ou forts. L'huile de sésame pimentée à la mode asiatique conservera sa subtilité si vous ne l'ajoutez qu'au dernier moment. Faites de même avec l'huile d'olive pimentée à la mode méditerranéenne, dont vous arroserez en un mince filet des pâtes, une pizza ou une viande.

1 Dans une poêle, mélangez 1/4 de litre d'huile d'arachide et 6 cuil. à café de piments rouges séchés finement hachés. Faites fondre 10 minutes. Retirez du feu.

2 Quand les piments ont refroidi, versez 2 ou 3 cuil. de piment de Cayenne en poudre et 1 ou 2 cuil. à soupe d'huile de sésame. Laissez reposer 12 heures.

3 Filtrez à travers une mousseline et versez dans une bouteille stérilisée. Ajoutez 2 ou 3 piments pour la décoration. Conservez au frais.

VINAIGRE

Le vinaigre n'est autre que du «vin aigre», mais le mot qualifie d'autres liquides fermentés, préparés à partir d'alcool de cidre, de malt ou de riz par exemple. La fermentation est un phénomène naturel qui se produit quand on laisse sans protection un liquide titrant moins de 18% d'alcool. Les micro-organismes présents dans l'air réagissent avec l'alcool, et une peau épaisse, à l'aspect moisi, se forme à sa surface : la «mère du vinaigre». En termes scientifiques simples, celle-ci est une couche de levures et de bactéries qui transforme l'alcool en acide acétique et donne au vinaigre son acidité caractéristique. Bien que cette réaction soit naturelle, elle ne donne pas nécessairement un bon résultat; pour produire un vinaigre de qualité, il faut contrôler la durée et la température à laquelle la réaction se produit. Dans tous les cas, si vous ne maîtrisez pas la fermentation, le vinaigre sera moins savoureux ou même prendra une odeur amère désagréable due à une action excessive des micro-organismes.

En cuisine, le vinaigre de vin est indispensable pour assaisonner les salades, préparer des marinades ou déglacer un plat (voir p. 249). Le vinaigre de riz entre dans la composition du sushi, et le vinaigre de malt dans celles des conserves de légumes et du célèbre *fish and chips* anglais.

VARIÉTÉS DE VINAIGRE

En général, les vinaigres de vin ont un taux d'acide acétique au moins égal à 6%; pour les autres, il varie de 4 à 6%. Ces légères différences d'acidité sont d'ailleurs à peine perceptibles pour le palais. Mais il faut en tenir compte pour la préparation des conserves au vinaigre.

Si les vinaigres de vin ou de cidre sont assez forts, ils le sont moins toutefois que les vinaigres distillés et les vinaigres d'alcool. La distillation, qui permet de porter au-delà de 6% le taux d'acide acétique, peut s'appliquer à tous, mais elle concerne surtout celui qui se prépare à partir de l'orge germée, le vinaigre de malt.

Le pays d'origine du vinaigre détermine son mode de fabrication. La France, l'Italie et l'Espagne produisent du vinaigre de vin. Dans les régions où poussent beaucoup de pommiers, en Amérique du Nord par exemple, on trouve essentiellement du vinaigre de cidre. Les pays producteurs de bière, comme la Grande-Bretagne, font du vinaigre de malt. En Extrême-Orient, où le vin est à base de riz, le vinaigre le plus répandu est aussi de riz, avec un taux d'acidité de 2 à 4%.

Vinaigre distillé

Vinaigre de malt

Vinaigre de cidre

Vinaigre de riz

Vinaigre de vin Il est fabriqué à partir du vin rouge ou blanc. Sa qualité dépend du produit de départ. Les meilleurs sont obtenus selon la méthode *d'Orléans :* le vin, versé dans des fûts en chêne où se trouve déjà la «souche», vieille de plusieurs années, fermente lentement et naturellement jusqu'à ce que la «mère» se forme en surface. Ce processus est long et donc coûteux; de nombreux fabricants l'accélèrent en augmentant la température : ils obtiennent un vinaigre meilleur marché mais de moins bonne qualité.

Il existe presque autant de catégories de vinaigre de vin que de vins. Les vinaigres de champagne sont pâles et délicatement parfumés, tandis que celui du rioja, un vin espagnol rouge profond, a un goût très prononcé. Le vinaigre de xérès, d'une couleur caramel et au parfum harmonieux et souple, vieillit longuement en fûts de bois identiques à ceux où fermente le vin dont il est issu; il peut être assez cher. La production de vin se développant en Amérique et en Australie, de nouvelles variétés de vinaigre apparaissent, tel celui qui est tiré des raisins zinfandel californiens.

La notoriété du vinaigre balsamique produit à Modène, en Italie du Nord, a gagné les cuisines du monde entier. Son nom, qui vient du mot «baume», fait référence à son caractère moelleux exceptionnel. Il est préparé à partir

Vinaigre de vin rouge **Vinaigre de vin blanc**

Vinaigre balsamique **Vinaigre de champagne**

Vinaigres de vin fin
Le vinaigre de champagne remplace délicieusement le vinaigre de vin blanc dans certaines recettes. L'exceptionnel vinaigre balsamique est parfois très cher, mais il n'en faut que très peu. Mélangé à de l'huile d'olive vierge extra, il donne une superbe vinaigrette pour une tendre salade verte ou une sauce fine pour un bar poché par exemple.

de grappes de raisin non fermenté qui vieillissent dans des fûts en bois. La qualité du produit final dépend essentiellement de la nature du bois et de l'expérience du producteur. Les meilleurs crus ont au moins 10 ans d'âge, et parfois plusieurs décennies. La fabrication demande autant de savoir-faire que celle d'un grand vin. À Modène, les vinaigres balsamiques les plus fins et les plus vieux se servent volontiers en digestif. Leur production selon la méthode traditionnelle demeure très coûteuse, mais l'industrie propose aujourd'hui des substituts qui conviennent tout à fait.

Vinaigre de cidre Il est fabriqué à partir de cidre ou de pulpe de pomme selon une technique identique à celle du vinaigre de vin. Il convient particulièrement à certains plats, mais son goût piquant et fort limite son association à des ingrédients particuliers. Quand il est commercialisé, il a été filtré et a une couleur brun pâle. Si vous le préparez vous-même, ne vous étonnez pas qu'il soit trouble, car il ne perd pas pour autant son goût et sa qualité. Il n'est pas assez doux et délicat pour assaisonner des salades, mais il convient bien pour les conserves de fruits au vinaigre.

Vinaigre de malt À base d'orge germée, il entre très souvent dans la préparation des petits oignons ou des légumes au vinaigre. Trop fort pour les salades, il relève parfaitement le poisson frit et les frites. Incolore, il accompagne bien tous les légumes au vinaigre, mais plus particulièrement le concombre, dont la douceur légèrement amère se marie bien avec sa force. Il entre également dans la préparation de sauces et de condiments, notamment des chutneys. Il est parfois brun; dans ce cas, il a été coloré avec du caramel.

Vinaigre d'alcool Ce vinaigre, le plus fort de tous, s'utilise presque exclusivement pour les conserves au vinaigre; au contraire des autres vinaigres distillés, il renferme une petite quantité d'alcool.

Vinaigre de riz Très courant dans la cuisine asiatique, il provient de vins de riz aigres et fermentés. Au Japon, il est doux et moelleux, tandis qu'en Chine il est plus piquant et parfois légèrement aigre, et rouge ou blanc selon la variété de riz utilisée. Comme en Occident, les vinaigres de riz orientaux sont souvent aromatisés ou épicés. Ils sont additionnés de sauce soja ou de mirin — vin de riz doux japonais —, mais aussi de gingembre, de flocons de bonite séchée, de piment, de graines de sésame, d'oignon, de raifort et de moutarde. Les Chinois produisent aussi un vinaigre noir avec du blé, du sorgho et du millet.

LE VINAIGRE EN CUISINE

Les multiples parfums du vinaigre le rendent indispensable en cuisine. Il sert largement pour la conservation de nombreux ingrédients, notamment les légumes et les fruits, et bien sûr pour l'assaisonnement. S'il est de grande qualité, il est toujours cher et il faut veiller à le conserver dans les meilleures conditions. Gardez-le au frais et à l'abri de la lumière, mais il est inutile de le mettre au réfrigérateur. Vous pouvez alors en faire pendant très longtemps des sauces et des vinaigrettes, qu'il agrémente de son goût aigre-doux. Avec lui, vous découvrirez aussi l'originalité des pickles anglais et des chutneys indiens.

La touche savoureuse que peuvent apporter aux mets délicats les vinaigres est encore méconnue. Il ne faut pourtant pas oublier que les meilleurs proviennent de produits de grande qualité, notamment les vinaigres de vin. Un très bon vinaigre de xérès métamorphosera une salade verte, ce que ne fera jamais un vinaigre ordinaire.

Certains vinaigres permettent de déglacer les sucs de cuisson d'une poêle ou d'une cocotte ou d'apporter du piquant à une sauce, notamment si elle est à base de tomates, à condition de n'en utiliser qu'une petite quantité.

Il se marie merveilleusement avec les fruits doux comme les fraises ou les framboises, dont il met le goût en valeur.

À Modène, les fraises en tranches se servent traditionnellement avec du vinaigre balsamique. Vaporisez-en un peu sur des fraises fraîches et laissez macérer 30 minutes avant de servir. Quelques gouttes de vinaigre balsamique pour déglacer une poêle où ont cuit des tranches de foie ou de filet de canard apporteront une touche originale à ces recettes classiques.

Le goût d'un vinaigre doit s'accorder à la saveur que vous souhaitez donner à un plat. Le vinaigre de malt issu de l'orge germée est fort; relevez-en des mets neutres comme la viande froide, le poisson frit et les frites, ou utilisez-le dans des condiments ou des mayonnaises. Le vinaigre de cidre est idéal pour déglacer les sucs de cuisson de côtelettes de porc servies avec des pommes sautées.

Les vinaigres de vin sont parfaits dans les mayonnaises et tous les assaisonnements de salade. Ils entrent dans la composition de nombreuses sauces montées au beurre comme la béarnaise —souvent préparée avec du vinaigre de vin blanc et servie avec du poisson. Un filet de vinaigre de vin fin rehaussera la saveur d'un ragoût de viande.

VINAIGRES AROMATISÉS

Les vinaigres aromatisés, utilisés depuis très longtemps en cuisine, connaissent aujourd'hui un regain de popularité. Les vinaigres de vin se marient particulièrement bien avec toutes sortes d'herbes, d'épices et d'aromates. Ils remplacent agréablement le vinaigre ordinaire dans la plupart des recettes, à condition que l'association des saveurs soit judicieuse. Le vinaigre de vin blanc parfumé à l'estragon ou à l'échalote rehausse la douceur des salades vertes, notamment les romaines et les frisées. Mélangé à de la crème ou à de l'huile et des aromates, il accompagne une salade au poulet ou aux fruits de mer. Le vinaigre de vin rouge aromatisé donne un relief particulier aux marinades et aux viandes en sauce. Il donne également du corps à la vinaigrette d'une laitue. Parfumé à l'ail, il se sert volontiers avec du chou rouge. Les fleurs lui conviennent bien aussi, que ce soit la rose délicate ou la lavande, la capucine ou la violette, plus parfumées. Le vinaigre de xérès, plus goûteux, constitue un excellent assaisonnement de table pour une viande ou une volaille s'il est relevé avec du raifort, du romarin, de l'ail, des clous de girofle ou des piments.

Des partenaires bien associés
Le goût d'un vinaigre aromatisé doit correspondre à celui des ingrédients qu'il accompagne. Ainsi, une cuillerée de vinaigre à l'estragon apporte en fin de cuisson une saveur agréable à des escalopes de poulet poêlées, et un vinaigre très épicé convient particulièrement pour le gibier.

Vinaigre au romarin

Vinaigre à la noix muscade

VINAIGRE AUX HERBES

Disposez 60 g d'herbes fraîches lavées dans un bocal propre. Portez 1/2 litre de vinaigre à ébullition et versez-le sur les herbes. Fermez hermétiquement et laissez infuser au moins 2 semaines, en agitant de temps en temps. Filtrez et mettez en bouteille. Fermez avec un bouchon (voir page suivante).

LA RECETTE DU CHEF

VINAIGRE ÉPICÉ

Pour 5 litres

5 litres de vinaigre de vin
1 noix muscade
1 petit morceau de gingembre frais épluché
1/2 cuil. à café de clous de girofle entiers
10 g de graines de moutarde
60 g de sel
1 cuil. à café de grains de poivre noir
Le zeste de 1/2 orange
6 échalotes coupées en 4

Mélangez tous les ingrédients dans un récipient en terre ou en verre avec couvercle. Laissez macérer dans un endroit chaud de 3 à 4 semaines. Écrasez toutes les épices pour libérer leur parfum. Filtrez et mettez en bouteille. Fermez hermétiquement. Conservez au frais et à l'abri de la lumière.

PRÉPARER DU VINAIGRE AROMATISÉ

Vous pouvez imaginer toutes sortes de mélanges pour aromatiser le vinaigre. Mais, qu'il soit rouge ou blanc, des fruits mûrs ou des herbes aromatiques fraîches donneront bien sûr des résultats très différents. Pour libérer au mieux les parfums, faites d'abord doucement chauffer le vinaigre. Plongez-y ensuite un seul ingrédient ou un mélange d'aromates. Le citron et le thym, le romarin et le laurier, les clous de girofle et le miel sont souvent associés. Si vous utilisez des fruits, vous pouvez les choisir congelés, mais jamais en conserve au sirop, car la proportion de sucre serait trop importante. Pour que la présentation soit plus agréable, mettez dans la bouteille quelques baies, des brins ou des morceaux de fruits.

VINAIGRE AUX FRUITS

Tous les fruits doux conviendront, notamment les fruits d'été. Utilisez de préférence du vinaigre de vin blanc, qui prendra la couleur du fruit. Du laurier ou de la cannelle apporteront une touche originale.

1 Mettez 400 g de fruits (framboises, abricots ou myrtilles, par exemple) et 1 litre de vinaigre dans un bocal en verre stérilisé. Laissez macérer dans un endroit chaud en agitant de temps en temps.

2 Filtrez le vinaigre au-dessus d'une casserole et écrasez les fruits dans une passoire en toile métallique pour extraire un maximum de pulpe parfumée. Ajoutez 1 cuil. à soupe de sucre en poudre et mélangez. Portez doucement à ébullition et faites frémir 10 minutes. Laissez refroidir et versez dans une bouteille stérilisée. Ajoutez quelques fruits frais pour la décoration.

Vinaigre aux cerises

Vinaigre aux pétales de rose

BOUCHER LES BOUTEILLES

Si vous préparez vous-même votre vinaigre, vous pourrez le conserver dans de vieilles bouteilles, lavées et stérilisées. Les bouchons, en revanche, doivent être neufs, et d'un diamètre qui corresponde exactement à celui du goulot de la bouteille. Faites bouillir les bouchons quelques minutes pour les stériliser, les faire gonfler et les ramollir. Enfoncez-les à l'aide d'un maillet en bois ou en caoutchouc en les laissant dépasser de 5 mm.

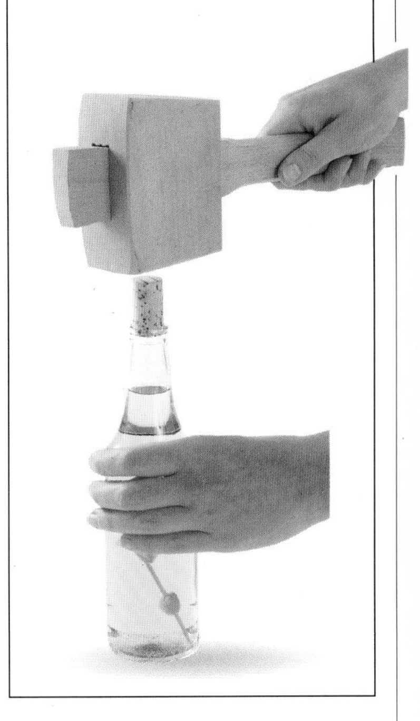

CONSERVER DU VINAIGRE AROMATISÉ

Un buffet sombre dans une pièce fraîche ou un coin de la cave sont les meilleurs endroits pour conserver le vinaigre aromatisé que vous avez préparé. La fraîcheur non seulement préservera son arôme, mais elle lui évitera aussi de fermenter et d'éjecter le bouchon; dans ce cas, en effet, le vinaigre risque de tourner et de devenir inconsommable. Si vous avez le moindre doute ou s'il est trouble, jetez-le pour ne pas risquer de problèmes gastriques.

YAOURTS, CRÈMES ET LAITS FERMENTÉS

Le lait et la crème ont la particularité d'épaissir et de changer de forme sous l'effet de la chaleur et de l'action des micro-organismes. Ainsi traités, ils deviennent du lait fermenté, de la crème aigre, du yaourt. Ces produits laitiers constituent des ingrédients de base dans de très nombreuses recettes : sauces pour hors-d'œuvre et plats cuisinés, pâtes à gâteaux, purées et veloutés. Les crèmes aigres et les laits fermentés font partie intégrante de la gastronomie de l'Europe centrale et de l'Est. En Inde et au Moyen-Orient, les yaourts entrent dans la composition des plats sucrés aussi bien que salés. Et en Amérique du Nord, le babeurre intervient dans des boissons rafraîchissantes.

Les produits laitiers fermentés sont difficiles à cuisiner car ils caillent si la température est trop élevée. Ne les faites jamais bouillir mais ajoutez-les peu à peu en fin de cuisson. Vous pouvez cependant stabiliser ces produits délicats en leur ajoutant une cuillerée de fécule de maïs avant de les faire chauffer.

Yaourt Probablement d'origine turque, le yaourt est connu depuis des siècles dans toute l'Inde, le Moyen-Orient, la Turquie et les Balkans. Il en existe d'ailleurs une très grande variété. Son aspect et son goût dépendent essentiellement du lait avec lequel il a été préparé : lait entier, lait demi-écrémé ou écrémé, lait de vache, de bufflonne, de chamelle, de chèvre ou de brebis. Il s'obtient grâce à l'action combinée sur le lait, souvent pasteurisé et homogénéisé, de deux ferments lactiques — excellents d'ailleurs pour l'organisme car ils reconstituent la flore intestinale. Ceux-ci décomposent les sucres du lait en lactose et produisent l'acide lactique qui donne son acidité caractéristique au yaourt. Celui-ci se déguste seul, ou adoucit une marinade pour attendrir une viande, ou encore épaissit une sauce.

Le *yaourt entier,* le plus courant en France, est fait de lait ensemencé de deux ferments : *Thermobacterium bulgaricum* et *Streptococcus thermophilus.* Préparé dans son pot, il a une texture douce mais ferme. Le yaourt écrémé est obtenu à partir de lait écrémé et contient entre 0,5% et 2% de matières grasses; le 0% n'en renferme aucune. Les yaourts sucrés aux fruits sont généralement fabriqués avec du lait demi-écrémé. Le yaourt entier nature permet de faire soi-même ses yaourts (voir encadré à droite).

Le yaourt brassé ou velouté est produit en cuves et brassé pour acquérir une plus grande onctuosité avant d'être mis en pots. On l'apprécie surtout nature ou sucré, mais il se marie très bien avec des fruits ou du sucre vanillé (voir p. 195), du miel, une compote, une confiture. Pour que le sucre en poudre ne craque pas sous la dent, préférez-lui du sucre glace, qui se dissout très rapidement.

Le *yaourt grec,* au lait de brebis ou de vache, se caractérise par sa texture ferme et crémeuse et son goût prononcé. Le premier est naturellement assez maigre (environ 6% de matières grasses) et épais. Le second, plus riche (10%), est débarrassé de son eau pour avoir la même consistance; son acidité est compensée par sa richesse, ce qui lui donne une saveur particulièrement suave.

Lait fermenté Grâce à ses ferments lactiques, il se conserve beaucoup mieux que le lait cru. Il est fabriqué depuis très longtemps à partir de lait de brebis, de vache, d'ânesse, de chamelle

PRÉPARER DU YAOURT

Portez à ébullition 1/2 litre de lait pasteurisé, puis laissez frémir à feu doux 2 minutes. Versez dans un récipient résistant à la chaleur. Couvrez et attendez que la température descende à 45 °C. Dans une tasse, battez 2 cuil. à soupe de yaourt. Mélangez peu à peu avec le lait. Couvrez et faites fermenter de 8 à 10 heures dans un endroit chaud (de 24 à 29 °C). Vous pouvez aussi placer le mélange sur un radiateur ou à four très doux. En cas de canicule, enveloppez simplement le récipient dans un torchon. Mettez au réfrigérateur et consommez dans les 4 jours.

La crème aigre, *très appréciée en Europe centrale et de l'Est, s'achète dans certaines épiceries fines*

Yaourt battu

Le lait fermenté *se déguste dans les pays nordiques et de l'Est, et en Bretagne sous le nom de lait ribot*

Yaourt à la menthe

Fromage fondu au lait fermenté

Sauce aigrelette au cresson

Sauces au yaourt
La saveur du yaourt permet de préparer des sauces acidulées et onctueuses qui accompagnent agréablement des hors-d'œuvre, des légumes crus ou des biscuits pour l'apéritif.

ou de jument dans tout le bassin méditerranéen et les pays d'Europe de l'Est. Le képhir, par exemple, originaire du Caucase, est plus ou moins acide et mousseux selon son degré de fermentation, qui peut atteindre un seuil qui le transforme en boisson alcoolisée.

Crème fraîche On ne compte pas les recettes qui comportent de la crème fraîche, qui n'est autre que la matière grasse du lait. Elle se forme naturellement à la surface d'un lait cru entier car elle est moins dense que l'eau que contient celui-ci. La crème vendue dans le commerce est obtenue par écrémage en centrifugeuse de lait chauffé à 60 °C. Elle est plus ou moins riche. La crème épaisse au lait cru (jusqu'à 60% de matières grasses) a un parfum très développé, mais elle se conserve très peu de temps. La crème épaisse pasteurisée renferme au moins 30% de matières grasses; sous l'appellation de «légère» ou d'«allégée», elle en contient beaucoup moins. Les crèmes stérilisées se gardent plusieurs semaines, mais elles ont perdu beaucoup de leur arôme.

Crème aigre Malgré son goût, elle n'est pas tournée mais ensemencée avec un ferment particulier. Très appréciée en Europe centrale et de l'Est, elle est indispensable dans de nombreuses recettes traditionnelles russes comme le bœuf Stroganoff, le borchtch... En Grande-Bretagne, mélangée avec de la ciboulette, elle nappe les pommes de terre au four, enrichit les pâtes à gâteaux, épaissit les sauces des ragoûts et agrémente des sauces qui accompagnent salades ou crudités.

LA RECETTE DU CHEF

Crêpes au yaourt et à la cannelle

Pour 4 personnes

4 œufs
6 cuil. à soupe de crème aigre ou fleurette
1 yaourt nature entier
1 cuil. à café de jus de citron
50 g de sucre en poudre
80 g de fécule de maïs
4 cuil. à soupe de lait
100 g de beurre
50 g de sucre en poudre
1 cuil. à café de cannelle en poudre
Beurre ou huile pour faire cuire les crêpes

Dans un grand bol, cassez les œufs. Ajoutez la crème, le yaourt, le jus de citron, le sucre en poudre. Battez jusqu'à ce que la préparation soit onctueuse. Dans une tasse, délayez la fécule et le lait. Versez dans la pâte en remuant. Dans une poêle, chauffez le beurre ou l'huile et versez le contenu d'une petite louche de pâte. Faites cuire cette crêpe très fine puis retournez-la. Procédez de la même façon pour les autres. Réservez au chaud. Au moment de servir, arrosez de beurre aromatisé de sucre et de cannelle.

Crème Chantilly

La crème Chantilly se prépare traditionnellement avec une crème épaisse au lait cru. Mélangez 500 g de crème et 3 ou 4 cuil. à soupe de lait cru dans un grand bol en métal. Mettez le tout dans le haut du réfrigérateur pour bien refroidir le mélange et le récipient. Battez au fouet électrique jusqu'à ce que la crème raffermisse et mousse. Ajoutez 80 g de sucre glace vanillé en continuant à fouetter, pas trop cependant pour ne pas obtenir du beurre. Servez sur une glace, un gâteau, une crème de marrons ou des fruits frais.

Beurre

Le beurre s'obtient en battant de la crème jusqu'à ce qu'elle épaississe, et il est connu depuis des siècles en cuisine. La technique de fabrication a sans doute été découverte par hasard, à l'époque où le lait était transporté à dos de mulet sur de longues distances dans les régions du nord de l'Europe, et où sa crème ainsi secouée se transformait en beurre. Aujourd'hui, dans la plupart des pays, il est fabriqué avec du lait de vache, mais on utilise aussi du lait de chèvre ou de brebis en Grèce, du lait de chamelle en Afrique, du lait de yack au Tibet, et parfois du lait de bufflonne en Italie. La chaleur modifie la saveur et la consistance du beurre. Il se liquéfie à 32 °C. On peut le clarifier (voir p. 237) pour les cuissons à haute température, l'utiliser nature ou parfumé (voir p. 238), cru ou cuit.

Beurre salé

Beurre doux

Production

Bien qu'il existe de nombreuses variétés de beurre, les méthodes de fabrication sont pratiquement les mêmes partout. La crème pasteurisée additionnée de levains qui lui donnent leur goût est vigoureusement barattée dans de grandes cuves. Les particules de matières grasses s'assemblent et se solidifient tandis que la partie liquide, le babeurre, est éliminée. Les petits morceaux de beurre qui se sont agglomérés sont lavés et égouttés. Ils sont ensuite parfois salés et colorés, puis malaxés pour former une masse compacte et onctueuse prête pour l'empaquetage.

La saveur du beurre tient à la qualité du lait de l'animal qui l'a produit et donc à sa nourriture. Le beurre cru de printemps est réputé, car en cette saison les vaches broutent une herbe fraîche. En hiver, où l'alimentation comporte davantage de grains et de fourrages secs, il est moins savoureux et onctueux et souvent plus grumeleux. Quant à sa couleur, elle tient souvent à la forte teneur en colorants caroténoïdes naturels de ces fourrages, mais aussi aux additifs qui entrent dans sa fabrication industrielle.

Variétés de beurre

Le beurre contient au moins 82% de matières grasses, mais aussi de 10 à 16% d'eau et de 0,5 à 2% d'extraits secs non gras du lait. Produit à partir de la crème ou du lait entier qui n'a pas encore été débarrassé de sa crème en centrifugeuse, il peut être doux ou salé; demi-sel, il contient moins de 5% de sel, salé, de 5 à 10%.

Vous trouverez dans le commerce des beurres de plusieurs qualités. Les uns sont fabriqués avec le lait de vaches d'une région déterminée — beurres des Charentes, des Deux-Sèvres, de Normandie... —, les autres à partir de laits de diverses provenances. Les uns, dits «fermiers», sont fabriqués à la ferme, à partir de crème crue, les autres, dits «laitiers», sont préparés en usine ou en coopérative, à partir de lait pasteurisé. Dans cette seconde catégorie, seuls ceux qui portent la mention «pasteurisé» ont une qualité constante et se conservent longtemps.

Gardez-les cependant toujours au réfrigérateur. Il ne faut jamais recongeler un beurre décongelé mais en revanche le consommer rapidement.

Conservation

Le réfrigérateur est l'endroit idéal pour entreposer le beurre; cependant, il absorbe facilement les odeurs, et il doit donc être bien emballé et rester éloigné des ingrédients parfumés, comme le melon ou le chou-fleur. Avant l'invention du froid artificiel, on le conservait souvent dans des beurriers en céramique; placé dans le couvercle, il était protégé dans l'eau salée contenue dans le support. Cette présentation sera originale en été.

De l'eau glacée peut remplacer l'eau salée de jadis

Dans ce beurrier, le beurre reste ferme, même par temps chaud

Le beurre en cuisine

Le beurre donne de la consistance, de l'onctuosité et surtout un parfum inimitable à de nombreuses recettes. Son choix pour la cuisine est généralement question de goût, bien que le doux soit plus utilisé que le salé, car il peut s'employer dans tous les plats, sucrés comme salés, et il supporte mieux la chaleur. Parce qu'il contient toujours un peu d'eau et de résidus lactiques, le beurre brûle en effet à une température plus basse que les autres matières grasses; on lui ajoute d'ailleurs souvent un peu d'huile pour élever le seuil au-delà duquel il commence à fumer et à brûler.

Il suffit de le voir grésiller pour constater que l'eau bout et s'évapore peu à peu; si

CLARIFIER LE BEURRE

Pour clarifier le beurre, il suffit de le faire fondre afin d'en éliminer l'eau et les résidus solides du lait, et de ne lui laisser que la matière grasse pure. Celle-ci supporte alors une température de 180 °C. Vous pouvez le préparer en grande quantité et le conserver plusieurs semaines au réfrigérateur, dans un récipient hermétique.

1 Faites chauffer le beurre à feu doux sans mélanger. Une fois qu'il a fondu, retirez la casserole du feu et écumez à l'aide d'une cuiller la mousse qui s'est formée à la surface.

2 Versez doucement le beurre fondu dans un bol en laissant au fond de la casserole les résidus du lait. Vous pouvez aussi le filtrer à travers une mousseline.

on le chauffe davantage, les résidus lactiques qu'il renferme forment un dépôt blanc; ensuite, ce dépôt brunit et donne au beurre chaud un délicat goût de noisette; enfin, il devient noir et nocif et brûle en prenant un goût amer. Il faut donc surveiller attentivement une cuisson au beurre à feu vif; dans ce cas, il vaut d'ailleurs mieux utiliser du beurre clarifié (voir encadré ci-dessus) bien que, débarrassé de ses résidus lactiques, il ait alors moins de saveur.

Le beurre est indispensable à la réalisation de nombreuses sauces. La plus simple, dite à la meunière, se prépare avec du beurre noisette et du jus de citron. Le roux est un mélange de beurre et de farine qui sert de base à la béchamel mais permet aussi d'épaissir un jus de viande, une soupe ou un ragoût. Les sauces montées au beurre se caractérisent par leur parfum généreux et leur aspect brillant; le beurre blanc (voir ci-contre) en est un exemple classique. Vous pouvez lier de la même façon la plupart des sauces en leur incorporant à chaud de petits morceaux de beurre froid juste avant de servir.

Une noix de beurre suffit à transformer une recette : mélangée à des œufs brouillés, elle en interrompt la cuisson et leur apporte sa saveur; elle fait briller une sauce au chocolat et, posée sur une tourte aux fruits, elle évite à la garniture de déborder.

Les marques en bois sculpté permettent de décorer le beurre de jolis motifs

LA RECETTE DU CHEF

BEURRE BLANC

Pour 250 g environ

1 grosse échalote finement hachée
3 cuil. à soupe de vinaigre de vin blanc
1 cuil. à soupe de crème fraîche épaisse
250 g de beurre doux très froid et coupé en petits morceaux
Sel
Poivre du moulin

Dans une casserole, mettez les échalotes, le vinaigre et le vin, et faites réduire 1 ou 2 minutes à feu vif, jusqu'à ce que presque tout le liquide soit évaporé. Retirez du feu et incorporez les morceaux de beurre en fouettant énergiquement. Remettez régulièrement la casserole sur le feu sans jamais laisser bouillir. Salez et poivrez selon votre goût. En ajoutant 1 cuil. à soupe de crème fraîche épaisse, vous stabiliserez la sauce, qui deviendra un beurre... nantais. Tous deux accompagnent le poisson poché.

LA RECETTE DU CHEF

BEURRE NOIR

Pour 10 cl environ

75 g de beurre doux
1 cuil. à café de vinaigre de vin blanc
2 cuil. à soupe de jus de citron
1 cuil. à soupe de câpres égouttées
Sel
Poivre blanc du moulin
1 cuil. à soupe de persil frais haché

Dans une casserole, faites chauffer le beurre à feu moyen jusqu'à ce qu'il brunisse. Versez-le aussitôt dans un petit bol et laissez-le un peu refroidir. Dans la même casserole, mélangez le vinaigre et le jus de citron, et faites-les réduire de moitié à feu vif. Incorporez les câpres en remuant et assaisonnez. Ajoutez le beurre et le persil.

BEURRES AROMATISÉS

Le beurre a en lui-même une saveur délicieuse; en l'agrémentant d'herbes, d'épices ou d'aromates, on peut de mille façons en modifier le goût et la présentation. Le beurre d'ail est sans doute le plus connu. Mais les anchois, le raifort, l'estragon, la ciboulette, le basilic et les piments permettent aussi, entre autres, de préparer des beurres savoureux pour tartiner des canapés ou garnir des sandwichs, pour parfumer des viandes grillées ou des poissons. Le beurre se marie tout aussi bien avec des ingrédients sucrés : miel, cannelle, fruits frais ou secs, noix, vanille ou chocolat, par exemple. On le fait ramollir, on le malaxe, puis on le met au réfrigérateur pour l'affermir.

DÉCORS AU BEURRE D'HERBES

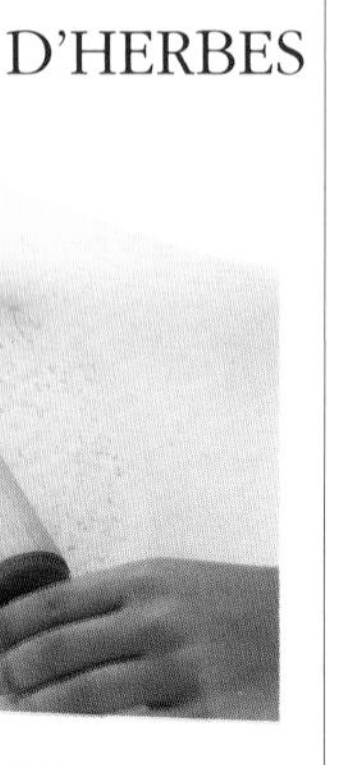

1 À l'aide d'un rouleau à pâtisserie, étalez régulièrement du beurre parfumé aux herbes entre deux feuilles de papier sulfurisé. Mettez-le au réfrigérateur pour qu'il raffermisse.

2 À l'aide d'un emporte-pièce, d'un verre à bord fin ou d'un couteau et une règle, découpez des motifs géométriques. Remettez quelque temps au réfrigérateur.

ROSES DE BEURRE

1 Remplissez une poche équipée d'une douille à ouverture plate et large de beurre parfumé et ramolli, éventuellement teinté. Mettez-le au réfrigérateur pour le raffermir.

2 Fixez un morceau de papier sulfurisé sur un petit pot. Avec la poche à douille, dessinez une spirale serrée en tournant le pot. Quand elle est terminée, faites pivoter la douille vers vous d'un mouvement sec.

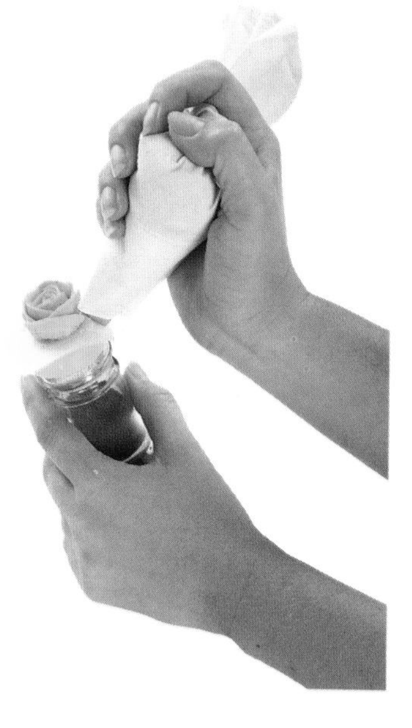

3 Tenez la douille à 45° par rapport au centre de la rose. En partant du point où vous vous êtes arrêté, formez le premier pétale. Terminez en ramenant la douille vers vous et vers le bas. Procédez de la même façon pour les autres pétales, qui doivent se chevaucher légèrement. Faites-les de plus en plus grands, toujours en tournant le pot. Mettez au réfrigérateur avant de servir.

LA RECETTE DU CHEF
BEURRE AUX HERBES

Pour 125 g environ

125 g de beurre doux ramolli
1 cuil. à soupe de ciboulette fraîche hachée
1 cuil. à soupe de persil plat frais haché
1/2 cuil. à soupe d'estragon frais haché
1 cuil. à café de graines de moutarde entières
Sel
Poivre noir du moulin

Mélangez le beurre, la ciboulette, le persil, l'estragon, la moutarde, le sel et le poivre moulu. Couvrez et laissez au frais 1 heure au moins. Mettez au réfrigérateur.

LA RECETTE DU CHEF
BEURRE AUX FRAMBOISES ET AU MIEL

Pour 125 g environ

350 g de framboises
2 cuil. à soupe de miel
1 cuil. à café de citron
125 g de beurre doux ramolli

Dans un robot ménager, réduisez les framboises en purée. Passez-les à travers un chinois pour en éliminer les graines. Dans une casserole, mélangez la pulpe de framboise, le miel et le citron. Portez à ébullition. Couvrez et laissez reposer 1 heure au frais. Mettez au réfrigérateur et servez avec des croissants, des petits pains chauds ou du pain grillé.

BILLES DE BEURRE

Un des décors les plus simples qui se réalise avec du beurre ne demande qu'une cuiller à melon. Vous formerez des billes avec divers beurres parfumés pour les présenter individuellement ou les regrouper en une composition, en forme de grappe de raisins par exemple (à droite). Vous servirez des billes à la ciboulette avec des pommes de terre au four, des billes au miel pour le goûter, ou vous les roulerez dans des herbes ou des épices.

1 Trempez une cuiller à melon dans de l'eau très froide puis prélevez des billes dans une plaquette de beurre frais. Roulez-les ensuite dans des épices ou dans des herbes fraîches finement hachées. Vous pouvez aussi commencer par aromatiser le beurre, puis le faire refroidir et ensuite seulement y prélever des billes.

2 Si vous voulez décorer la surface des billes, roulez-les entre deux planchettes striées. Assemblez-en plusieurs aux goûts différents sur une feuille de vigne fraîche. Cette grappe décorera superbement un buffet.

Des feuilles fraîches constitueront un bel écrin pour présenter des billes de beurre

Le beurre se parfume indifféremment à l'intérieur ou à l'extérieur

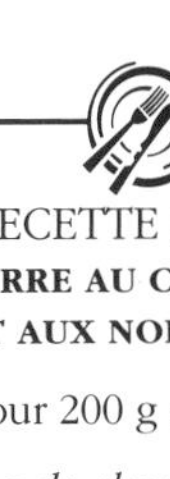

LA RECETTE DU CHEF

BEURRE AU CHOCOLAT ET AUX NOISETTES

Pour 200 g environ

25 g de chocolat noir
1 cuil. à café de sucre en poudre
1 cuil. à soupe de liqueur à la noisette
150 g de beurre doux ramolli
1 cuil. à café d'essence de vanille
30 g de noisettes en poudre

Mettez dans un bol au bain-marie le chocolat, le sucre et la liqueur de noisette. Mélangez. Hors du feu, incorporez le beurre, la vanille et les noisettes. Couvrez et laissez reposer au frais 1 heure au moins pour permettre aux parfums de diffuser. Mettez au réfrigérateur. Servez avec des croissants, des petits pains chauds ou du pain grillé.

LA RECETTE DU CHEF

BEURRE NIÇOIS

Pour 125 g environ

125 g de beurre doux ramolli
2 cuil. à café de câpres concassées
2 ou 3 filets d'anchois hachés
1 gousse d'ail hachée
1 cuil. à café de jus de citron
2 tomates séchées au soleil concassées
Sel
Poivre noir du moulin

Mélangez le beurre, les câpres, les anchois, l'ail, les tomates, le sel et le poivre. Couvrez et laissez au frais 1 heure au moins. Mettez au réfrigérateur pour raffermir le beurre. Servez avec du veau, du poulet ou des fruits de mer.

Beurre au sésame

Beurre au paprika

Beurre à la noix muscade

Beurre à la ciboulette

Beurre au thym

SAUCES, CONDIMENTS
ET CONSERVES DE FRUITS

SAUCE SOJA

Les haricots de soja salés et fermentés comptent parmi les plus anciens condiments chinois. Une préparation liquide, connue sous le nom de *jiangs* il y a 2 000 ans déjà, passe pour être l'ancêtre de la sauce soja chinoise. La recette de celle que nous connaissons actuellement date du VIe siècle. Elle se prépare en laissant fermenter, parfois pendant 2 ans, des haricots de soja et des grains de blé. À l'origine, elle servait à conserver les aliments pendant l'hiver; aujourd'hui, elle parfume et assaisonne les plats tant en Orient qu'en Occident. Elle est claire ou foncée, et a selon sa couleur des usages spécifiques. La cuisine traditionnelle du nord de la Chine ne connaît que la sauce soja foncée tandis que les Japonais, qui ont développé leurs propres variétés, préfèrent la sauce claire.

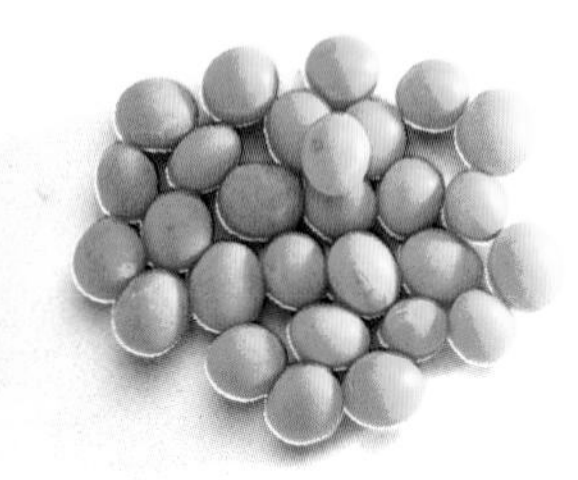

Haricots de soja

Sauce soja claire

Sauce soja foncée

En règle générale, une sauce soja se prépare en mélangeant des graines de soja grillées et une mouture fine de froment avec un agent de fermentation. Plusieurs jours après que les moisissures ont commencé à se développer, on ajoute de la levure et de la saumure ainsi qu'une substance bactérienne comparable aux ferments du yaourt. On laisse ensuite vieillir le mélange, parfois jusqu'à 2 ans. La sauce est ensuite filtrée et mise en bouteille.

Sauce soja chinoise La sauce soja est à la Chine ce que le sel est à l'Occident. Elle assaisonne aussi bien les soupes que les sauces, les sautés que les ragoûts. Elle peut être claire ou foncée. Cette dernière, au parfum plus fort, a vieilli plus longtemps et a été additionnée de mélasse.

Chacune entre dans la composition de recettes particulières. La sauce foncée parfume et colore les préparations les plus consistantes, les volailles laquées comme les plats à base de porc et de bœuf. La sauce claire relève les fruits de mer, les légumes, les potages et les sauces. Une des plus parfumées a macéré un certain temps avec des champignons chinois; c'est une spécialité pékinoise.

Cette sauce a macéré avec des champignons «de paille» chinois; riche et très parfumée, elle remplace agréablement la sauce soja foncée

Sauce soja japonaise

Sauce soja aux champignons

SAUCES DE GRAINES DE SOJA

La sauce soja jaune, très appréciée en Chine du Nord et de l'Ouest, parfume depuis toujours les nouilles de Pékin et le célèbre canard. Dans le Sichuan et le Hunan, elle est en outre relevée de piment rouge. La sauce *boisin,* plus lisse et plus épicée, qui relève les fritures rapides, donne d'excellentes marinades pour les viandes et les volailles. Il ne faut pas la confondre avec la sauce barbecue chinoise (voir p. 244), qui se présente de la même façon mais n'a pas le même goût.

Sauce soja jaune

Sauce hoisin

Sauce soja japonaise Les Chinois ont introduit la sauce soja dans l'archipel nippon, et les Japonais ont peu à peu développé leurs propres variétés en les adaptant à leur cuisine traditionnelle. Les procédés de fermentation et de vieillissement sont les mêmes, mais la sauce japonaise contient moins de blé et ne fermente que 6 mois. Elle est moins salée, légèrement sucrée, et toujours plus claire qu'en Chine, même dans sa variété foncée. Dans le sud du pays, elle est même particulièrement légère, car les traditions gastronomiques veulent que rien ne vienne modifier le goût des produits naturels : c'est le principe même de la cuisine japonaise.

Au Japon, la sauce soja sert à la fois de condiment de table et d'assaisonnement. Comme en Chine, la plus foncée accompagne de préférence les plats de viande et la plus claire les soupes et les plats mijotés.

Autres sauces soja La sauce *tamari* japonaise, particulièrement riche, se prépare sans blé. Elle est généralement servie dans les restaurants à sushis. En Occident, on trouve sous cette appellation générique diverses sauces à la mode japonaise.

En Asie du Sud-Est, les sauces soja, nombreuses, diffèrent aussi d'une région à l'autre. La *ketjap manis,* très épaisse et sucrée, est typiquement indonésienne. La *toyo mansi,* philippine, légère, est parfumée avec un fruit de la région proche du citron.

De jolies saucières *en porcelaine permettent de présenter les sauces soja*

Condiments au soja Ces pâtes riches en éléments nutritifs et très parfumées, à base de haricots de soja fermentés, sont très populaires en Chine et dans toute l'Asie du Sud-Est. Les meilleures sont préparées avec des haricots entiers; les haricots en poudre donnent des sauces légèrement plus salées.

Dans la cuisine du Sichuan, additionnées éventuellement de piments, elles accompagnent la plupart des plats. Ainsi la sauce *hoisin* est-elle relevée de piments séchés et de cinq-épices (voir p. 86). Mélangée avec du sucre et de l'huile de sésame, elle accompagne traditionnellement le canard de Pékin.

LA RECETTE DU CHEF

POULET À LA SAUCE DU MAÎTRE

Pour 4 à 6 personnes

1 poulet fermier d'environ 2 kg
Sel
30 cl de sauce soja
30 cl de xérès sec
150 g de sucre
2 ou 3 cuil. à soupe de miel
1 fleur d'anis étoilé
1 zeste de mandarine

Séchez le poulet avec du papier absorbant. Salez-le légèrement. Dans une grande cocotte, mélangez la sauce soja, le xérès, le sucre, le miel, l'anis étoilé et le zeste de mandarine. Portez à ébullition en remuant jusqu'à ce que le sucre ait fondu. Ajoutez le poulet et réduisez le feu; laissez mijoter 1 h 15 en arrosant souvent et en retournant la volaille à mi-cuisson. Retirez du feu et laissez reposer dans la cocotte 20 minutes en arrosant de temps à autre. Servez tiède ou froid. La sauce, filtrée et refroidie, pourra être réutilisée pour une autre recette : portez-la simplement à ébullition et rectifiez l'assaisonnement. Elle se conserve 10 jours au réfrigérateur.

SAUCE TERIYAKI

Elle ajoute de la saveur aux mets grillés, sautés à la poêle ou cuits au four. Ici, des blancs de poulet sont trempés dans une sauce teriyaki avant d'être grillés. Émincez-les et nappez-les de la même sauce, épaissie.

1 *Dans une casserole, mélangez 30 cl de* mirin *(vin de riz doux), 30 cl de sauce soja et 30 cl de bouillon de volaille. Portez à ébullition. Laissez refroidir et versez dans un plat peu profond. Trempez-y les blancs de poulet.*

2 *Mettez dans une casserole 3 cuil. à soupe de sauce avec 2 1/2 cuil. à café de sucre et faites chauffer. Ajoutez 1 1/2 cuil. à café de fécule de maïs dissoute dans 2 1/2 cuil. à soupe d'eau et le reste de la sauce. Mélangez.*

3 *La sauce teriyaki est idéale pour le poulet grillé, mais vous pouvez également le faire cuire au four ou le poêler. Émincez les blancs dans le sens de la largeur et disposez-les en éventail. Nappez de sauce teriyaki et servez.*

SAUCES DE POISSON

Les sauces de poisson, très courantes dans la cuisine du Sud-Est asiatique, sont des parents éloignés de la sauce salée aux anchois des Romains de l'Antiquité ainsi que des purées d'anchois actuelles. Ces sauces se préparent souvent à partir de poissons salés et fermentés, et se conservent ensuite dans des pots couverts. Le sel fait dégorger un liquide qui est filtré pour devenir de la sauce de poisson; la chair, pilée, sert alors de pâte d'assaisonnement. Les cuisiniers occidentaux relèvent certains plats rissolés avec des sauces de poisson auxquelles ils ajoutent volontiers une pincée de sucre, dont la douceur compense l'âpreté salée du condiment.

Dans les pays asiatiques, la fermentation du poisson est utilisée pour en extraire les sucs, qui rehaussent ensuite le goût des sauces. Cependant, au Viêt-nam et en Thaïlande, le poisson fermenté est broyé pour donner une pâte relevée qui remplace dans certains mets la sauce de poisson. Le mélange d'anchois pilés et de sauce de poisson, le *mam nem xay,* a un goût particulièrement agréable.

Sauce d'huître Cette spécialité cantonaise, composée à l'origine uniquement d'huîtres, de sel et d'eau, est aujourd'hui additionnée de fécule de maïs et de caramel. Elle n'a qu'un très léger arôme et assaisonne les viandes, les poissons, les légumes et les nouilles.

Sauce de poisson Cette sauce à base de poisson — en général des anchois ou des maquereaux fermentés dans du sel — sert aussi bien d'assaisonnement que de condiment de table, au même titre que la sauce soja. Le *nam pla* thai, le *nuoc mam* vietnamien et le *patis* philippin figurent parmi les mieux connues en Occident.

Sauce fine de crevette Appelé *kapee* en Thaïlande, ce mélange de crevettes et de sel est mis à fermenter et à sécher au soleil à l'air libre et non dans des pots. La même technique de préparation s'applique à une sauce de calmar.

Sauce barbecue chinoise Composée de poisson et de crevettes séchés, de piments, d'ail, de cacahuètes et d'épices, elle s'utilise comme une pâte de curry pour relever des sautés et des fritures rapides.

Condiments de table *Certaines sauces de poisson peu épicées, qui entrent dans la composition de sauces, de fritures et d'assaisonnements, s'utilisent en Chine comme la sauce soja, bien qu'elles soient plus corsées.*

Les produits dérivés du poisson *comprennent notamment des sauces au parfum fort et relevé. Celles-ci sont très courantes dans la cuisine chinoise et dans celle du Sud-Est asiatique*

Pâte fine de poisson

Sauce d'huître

Sauce fine de crevette

Nam pla

Sauce de poisson

SAUCES AUX PIMENTS

Bien avant l'arrivée de Christophe Colomb, les Indiens d'Amérique du Sud préparaient déjà des sauces aux piments; ceux-ci sont d'ailleurs toujours des ingrédients essentiels des cuisines mexicaine et antillaise. Il en existe autant de variantes que de cuisiniers, et elles relèvent des plats aussi divers que les omelettes, les grillades, les viandes hachées, les salades, les mets marinés ou les ragoûts. Quand les Européens découvrent les piments, ils les rapportent en Occident; de là, ces épices gagnent l'Extrême-Orient, qui les adopte largement. Les cuisines chinoise, coréenne, vietnamienne et thaïlandaise utilisent aujourd'hui toutes des sauces piquantes.

Sauces piquantes
Aux Antilles, chaque île a développé sa propre sauce aux piments, mais la plupart se préparent par macération dans du vinaigre. Les rouges comportent des tomates, les jaunes du curcuma; mais leur dénominateur commun est leur très forte chaleur. Elles relèvent aussi bien les fritures que les marinades, et se servent aussi comme condiment de table. Le tabasco, typiquement nord-américain, se prépare avec des piments oiseaux très piquants, macérés en fûts de chêne, parfois pendant plusieurs années, dans du vinaigre et du sel. Quelques gouttes suffisent pour enflammer des soupes, des ragoûts et des sauces.

Les sauces piquantes aux piments rouges sont généralement présentées dans de petites bouteilles à long goulot

Ces sauces sont rouges, jaunes ou vertes, et s'enrichissent parfois de poivrons ou d'oignons

Sauces parfumées au piment
Au Mexique, le mot salsa *désigne les sauces en général; ailleurs, il qualifie un condiment composé de tomates crues et relevé d'oignons, de coriandre fraîche et de piments, parfois des jalapeños, très piquants. Certaines* salsas *accompagnent des plats typiquement mexicains, comme les* tacos *ou les* tostados, *et se marient particulièrement bien avec la plupart des plats à base de haricots, de riz, d'œufs ou de viande. Les sauces barbecue de type tex-mex (Texas-Mexique), qui renferment une forte proportion de piment, ont été très influencées par le Mexique; on en enduit légèrement, avant et après la cuisson, les steaks, les côtelettes ou le poulet grillés.*

Plus salées et plus épaisses que leurs cousines des Antilles, ces sauces comportent encore les pépins des piments

Sauces asiatiques
Les Chinois préparent les piments piquants presque comme les haricots de soja (voir p. 242). Ils les salent et les laissent fermenter afin d'obtenir des sauces qui relèveront des ragoûts, des fritures et des soupes. Elles sont d'ailleurs indissociables de la cuisine du Sichuan et du Hunan. Les Coréens les apprécient également beaucoup. Dans d'autres régions du Sud-Est asiatique, on met en bouteille ou en bocal des piments frais, qui conservent donc leur belle couleur rouge. Ils sont servis tels quels ou mélangés à d'autres ingrédients tels que des cacahuètes, du poisson séché et de la sauce soja pour donner le traditionnel sambal *indonésien (voir p. 69) ou la sauce* satay *(voir p. 249).*

SAUCES DE TABLE ET D'ACCOMPAGNEMENT

De nombreuses sauces que les Occidentaux servent à table trouvent leur origine en Orient. Les recettes du ketchup et de la Worcestershire sauce, par exemple, ont été rapportées en Europe par des fonctionnaires coloniaux anglais, et adaptées au goût de leurs compatriotes. Elles ont conquis la Grande-Bretagne avant de gagner l'Amérique du Nord, et enfin l'Europe continentale. En revanche, les sauces d'accompagnement sont généralement nées en France ou en Italie. Les vinaigrettes qui assaisonnent les salades, les légumes et les viandes grillées y sont connues depuis très longtemps. Les sauces émulsionnées comme la mayonnaise sont nettement plus récentes puisqu'elles sont apparues dans les cuisines des rois de France au XVIIe siècle. Aujourd'hui, ces sauces, bien que leur composition demeure traditionnelle, se sont enrichies d'une grande variété de saveurs nouvelles.

DE LA DOUCEUR POUR LE SALÉ
Les viandes rôties sont souvent servies avec plusieurs sauces douces, parmi lesquelles chacun peut choisir celles qu'il préfère. Les plus réussis de ces mariages sont la compote de pommes et le rôti de porc ou de canard, la sauce aux airelles et la dinde ou le gibier à poil, et la gelée de menthe ou une sauce à la menthe et l'agneau.

Compote de pommes

Sauce à la menthe

Sauce aux airelles

Worcestershire sauce
Cette sauce venue des Indes se compose dans sa version occidentale de vinaigre, de mélasse, d'anchois, d'échalotes, de sucre, de tamarin et d'épices. Ces ingrédients, dont le fabricant refuse de révéler la nature et les proportions exactes, donnent un condiment qui relève d'autres sauces et plats salés. Indispensable dans certains cocktails, la Worcestershire sauce apporte aussi son arôme aux jus de viande, aux sauces d'accompagnement et aux soupes.

Ketchup
Il est aujourd'hui généralement préparé à base de tomates ou de champignons, mais les vieilles recettes anglaises font mention de ketchups aux baies de sureau, aux huîtres, aux anchois et aux noix. Son nom vient peut-être du mot malais ketjap, *qui désigne un condiment à base de soja. La plupart du temps, il accompagne les viandes grillées et les frites, mais il entre aussi dans la composition de sauces, de soupes et de ragoûts.*

Sauce HP
Cette sauce brune épicée se compose de vinaigre, de mélasse, de fruits et d'épices. Son goût piquant contraste parfaitement avec le moelleux des viandes rouges. Elle compense agréablement la relative fadeur des viandes hachées. De nombreux plats chauds ou froids comme les soupes, les ragoûts ou d'autres sauces s'accommodent bien de son arôme.

Sauce A.1.
Cette sauce, brune également mais aigre-douce, est parfumée à l'orange, à l'ail, à l'oignon et à diverses autres herbes et épices. Elle accompagne généralement des steaks, des grillades et des viandes hachées. Elle relève aussi agréablement, avant cuison, les pains de viande et les boulettes. Éventuellement, elle permet de faire mariner du poulet et du bœuf.

La vinaigrette *est une sauce universelle qui fait aussi une excellente marinade*

La sauce au bleu *accompagne bien les salades, les pommes de terre au four ou les viandes hachées couronnées de tranches de poitrine fumée*

La sauce américaine *se compose de ketchup, de sauce pimentée, de poivron vert, de piment et de ciboulette*

La mayonnaise *apporte son onctuosité à de nombreux plats chauds et froids*

La sauce tartare *est une mayonnaise enrichie d'oignons nouveaux et de ciboulette hachés, et éventuellement de cornichons, d'échalotes, de câpres et de persil*

Les salades, simples ou très élaborées, peuvent n'être qu'un accompagnement ou constituer un vrai repas mais, dans tous les cas, elles réclament un assaisonnement. La vinaigrette est la plus facile à réaliser; elle a pour base du vinaigre de vin, du sel et de l'huile, bien qu'on y ajoute souvent de la moutarde de Dijon. Les échalotes, l'ail, les herbes fraîches hachées savent aussi la relever. Elle constitue éventuellement une bonne marinade, idéale pour le poulet. La mayonnaise, préparée à partir des mêmes ingrédients, épaissit grâce à l'émulsion de jaunes d'œufs auxquels on incorpore de l'huile en fouettant. L'huile d'olive a un goût caractéristique, mais parfois trop marqué; il faut alors la mélanger à une huile plus neutre, de tournesol par exemple. De délicieuses huiles sont extraites des noix, des noisettes et des graines de sésame, mais elles doivent aussi être coupées d'huiles plus légères. Des vinaigres aromatisés (voir p. 232) apportent des arômes subtils.

Ces sauces avivent et enrichissent de nombreux plats. Servis avec une vinaigrette, les salades de légumes, de viande et de fruits de mer, les plats de crudités, voire le poisson poché se métamorphosent. Un peu de roquefort émietté donne une vinaigrette plus vigoureuse pour des feuilles plus fermes, telles celles de la romaine ou de l'endive. L'aïoli, une mayonnaise à l'ail, donne aux crudités ou à la morue pochée et froide un goût exquis.

DES MAYONNAISES AUX GOÛTS VARIÉS

La mayonnaise possède une agréable texture lisse et un goût moelleux et suffisamment neutre pour supporter de nombreux assaisonnements. Aromatisée, elle vous permettra de réaliser des canapés simples et délicieux. Vous pouvez notamment l'enrichir de pesto, de radis noir, de chutney, de pâte d'anchois, de purée de framboises, de harissa, de pâte de curry, de graines de moutarde, de morceaux de tomates séchées au soleil, de tapenade, d'épices, d'herbes fraîches et de zestes d'agrumes.

Mayonnaise à la tomate

Mayonnaise à l'aneth

Mayonnaise au cresson

Mayonnaise au curry

SAUCES AUX HERBES ET AUX ÉPICES

Les sauces sont, depuis l'époque romaine, les partenaires de très nombreux mets. Leur nom vient du latin *salsus,* salé. En effet, les sauces se caractérisent alors par leur goût salé. Plus tard, le Moyen Âge est marqué par une prédilection pour des préparations très épicées à l'arôme aigre-doux. Leur saveur relevée s'impose alors d'autant plus qu'elle permet de masquer le goût souvent déplaisant d'ingrédients qui manquent de fraîcheur. Au cours des XVIIe et XVIIIe siècles, les sauces connaissent en France leur âge d'or. Certaines, aussi raffinées et parfumées que la béchamel ou la hollandaise, sont alors créées pour la Cour. Mais l'utilisation d'herbes et d'épices pour les aromatiser n'est pas propre à la France. L'Italie possède d'innombrables sauces pour pâtes, l'Inde produit de nombreux condiments relevés d'épices exotiques, la Grande-Bretagne a créé une sauce à la menthe relevée, et l'Amérique toute une gamme de *salsas* piquantes. Les cuisiniers contemporains, ont su enrichir les grandes sauces classiques de parfums du monde entier.

LA RECETTE DU CHEF
SAUCE BÉARNAISE

Pour 30 cl environ

25 cl de vinaigre de vin blanc
4 échalotes finement hachées
2 cuil. à soupe d'estragon frais haché
1 cuil. à soupe de persil plat haché
4 jaunes d'œufs
250 g de beurre doux très froid et coupé en dès

Dans une casserole, faites revenir à feu modéré le vinaigre, les échalotes, l'estragon et le persil, et laissez réduire jusqu'à ce qu'il ne reste plus que 3 cuil. à soupe de liquide. Filtrez-le et remettez-le dans la casserole. Incorporez au fouet les jaunes d'œufs délayés dans un peu d'eau. En remuant avec une cuiller en bois, toujours dans le même sens, ajoutez peu à peu les morceaux de beurre. Lorsque la sauce est bien montée, retirez-la du feu et versez-la dans une saucière. Servez-la avec du bœuf, de l'agneau ou du saumon grillés.

Les feuilles de coriandre *sont idéales dans les sauces*

La sauce béarnaise *accompagne bien toutes les grillades*

La sauce ravigote *est servie traditionnellement avec des viandes froides*

LA RECETTE DU CHEF
SAUCE RAVIGOTE FROIDE

Pour 25 cl environ

4 cuil. à soupe de vinaigre de vin ou de jus de citron
Sel
1 cuil. à soupe de moutarde de Dijon
20 cl d'huile d'olive vierge extra
Poivre noir du moulin
1 cuil. à soupe de câpres hachées
1 petite échalote hachée
3 cuil. à soupe d'herbes hachées : estragon, persil, cerfeuil et ciboulette

Dans un bol, mélangez le vinaigre ou le jus de citron et le sel jusqu'à ce qu'il ait fondu. Ajoutez la moutarde. Versez en un mince filet l'huile tout en fouettant. Poivrez selon votre goût. Incorporez les câpres, l'échalote et les fines herbes en remuant bien. Servez avec des artichauts ou une viande froide.

Le basilic *pilé avec de l'ail, des pignons, du parmesan et de l'huile d'olive donne le pesto italien*

Le choix de la sauce qui accompagnera un plat reste souvent traditionnel : ainsi, les baies de genièvre sont indissociables du gibier, l'estragon de la sauce béarnaise qui nappe des steaks grillés, et le safran des fruits de mer, auxquels il apporte sa couleur et son arôme subtil. Il serait cependant dommage de se limiter à ces mariages séculaires. Une sauce à la crème aromatisée au gingembre, à la cardamome ou à la coriandre est un partenaire idéal pour le poisson blanc poché. De même, la sauce tomate s'enrichit dans les pays méditerranéens de thym, de laurier ou d'origan, sans oublier la saveur du poivre, des clous de girofle, de la cannelle ou d'un soupçon de chocolat, dont les Mexicains agrémentent souvent leurs sauces *moles*. Pour rehausser le parfum et la présentation des sauces, ajoutez en fin de cuisson des herbes fraîchement hachées; dans des plats mijotés, préférez des bouquets garnis (voir p. 55). Les épices, pour leur part, ajoutent une saveur exotique. Dans tous les cas, comme les herbes, elles améliorent une sauce. Un peu de noix muscade fraîchement râpée apporte une touche raffinée à une sauce soubise, tandis que du lait dans lequel ont infusé du persil, du thym et du laurier donne une béchamel subtile. Créez donc vous-même vos sauces en osant des arômes inhabituels.

DÉGLACER

Le mot déglacer signifie «dissoudre dans un liquide». Le déglaçage consiste à décoller les sucs de cuisson qui ont attaché au fond d'un récipient grâce à un liquide — on utilise généralement de l'eau, mais le vin, le bouillon et le vinaigre apportent davantage de saveur. Cette technique est idéale pour préparer la sauce d'une viande poêlée. Dès qu'elle est cuite, sortez-la et gardez-la au chaud. Ajoutez immédiatement le liquide, poussez le feu et grattez tous les sucs à l'aide d'une cuiller en bois. Faites réduire légèrement; la cuisson élimine en outre l'alcool d'un vin ou l'acidité d'un vinaigre. En revanche, si la graisse a un peu brûlé, ne déglacez pas la poêle car la sauce serait amère. Éventuellement, ajoutez des échalotes sautées ou des herbes fraîches juste avant de servir.

LA RECETTE DU CHEF

SAUCE ÉPICÉE AU YAOURT

Pour 15 cl environ

1 cuil. à soupe d'huile d'arachide
1 cuil. à café de cumin moulu
Les graines de 3 gousses de cardamome
1/2 cuil. à café de paprika
1 pincée de curcuma en poudre
15 cl de yaourt
1 cuil. à café de jus de citron
2 cuil. à soupe de coriandre fraîche hachée
1 cuil. à café de gingembre frais râpé
Sel
Poivre blanc du moulin

Dans une poêle à fond épais, mettez l'huile, le cumin, la cardamome, le paprika et le curcuma. Faites-les cuire 1 minute. Hors du feu, incorporez le yaourt, le jus de citron, la coriandre et le gingembre. Salez et poivrez selon votre goût. Cette sauce se sert notamment chaude avec des légumes à la vapeur, ou froide avec des œufs durs.

La cardamome *donne un goût exotique à de nombreuses sauces indiennes et moyen-orientales*

La sauce épicée au yaourt *se déguste chaude ou froide*

La sauce satay *est parfaite pour tremper des légumes crus ou accompagner des grillades*

LA RECETTE DU CHEF

SAUCE SATAY

Pour 50 cl environ

100 g de cacahuètes grillées
2 cuil. à soupe d'huile d'arachide
1 oignon finement haché
1 gousse d'ail hachée menu
1 1/2 cuil. à café de graines de coriandre ou de fenouil moulues
1/3 de cuil. à café de curcuma moulu
1 cuil. à café de cumin en poudre
40 cl de lait de coco
2 cuil. à soupe de sauce pimentée
2 cuil. à café de cassonade
2 cuil. à soupe de jus de citron
Sel

Concassez les cacahuètes. Faites fondre l'oignon dans l'huile de 1 à 2 minutes, ajoutez l'ail et les épices, et laissez cuire jusqu'à ce qu'ils aient libéré leur parfum. Incorporez-y les cacahuètes, le lait de coco, la sauce pimentée et la cassonade. Mélangez et laissez mijoter 2 ou 3 minutes, arrosez du jus de citron et salez. Servez avec du bœuf grillé ou des brochettes de poulet.

SAUCES AUX FRUITS ET AUX LÉGUMES

L'orsqu'on parle de sauces, on pense souvent à celles qui sont à base de bouillon ou de crème. Cependant, vous en préparerez d'autres, délicieuses, avec des fruits ou des légumes. Quelques cuillerées de purée de légumes relèvent la couleur, la texture et le parfum d'une sauce. Les purées de fruits (voir p. 202) ou les jus de fruits jouent le même rôle. Pour les plats salés, il convient de compenser leur douceur par une certaine acidité, généralement celle d'un filet de vinaigre ou de citron. Les purées de légumes allongées de crème, de vin ou de bouillon deviennent des sauces simples au goût frais.

LA RECETTE DU CHEF

COMPOTE DE POMMES SANS SUCRE

Pour 30 cl environ

3 pommes pelées, épépinées et coupées en tranches
2 cuil. à soupe d'amandes pilées
1 oignon haché
Le zeste râpé d'une orange
1 tranche de pain de mie grillée et émiettée
1/2 cuil. à café de quatre-épices moulu (voir p. 75)
3 cuil. à soupe de vin blanc
3 cuil. à soupe de vinaigre de vin blanc

Dans une casserole, mettez les pommes, les amandes, l'oignon, le zeste d'orange et le pain. Ajoutez le quatre-épices et mouillez avec le vin et le vinaigre. Portez à ébullition et laissez cuire 15 minutes. Passez à travers un chinois et servez chaud. Cette compote accompagne bien les galettes de pommes de terre et la volaille.

La compote de pommes *accompagne bien les rôtis de porc ou les galettes de pommes de terre*

La sauce aux prunes *se marie subtilement avec le canard rôti*

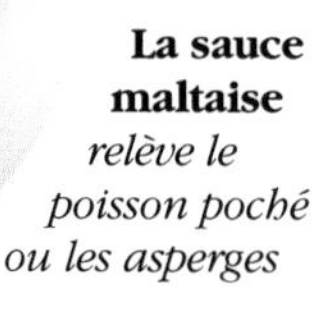

La sauce maltaise *relève le poisson poché ou les asperges*

Les airelles et les oranges *donnent naissance à une délicieuse sauce pour la volaille*

LA RECETTE DU CHEF

SAUCE AUX PRUNES À LA CHINOISE

Pour 50 cl environ

1 grosse pomme à cuire
200 g de prunes rouges coupées en deux
200 g d'abricots
10 cl de vinaigre de vin blanc
125 g de sucre en poudre
1 piment rouge séché haché
1 ou 2 fleurs d'anis étoilé
Sauce soja

Pelez, épépinez et coupez la pomme en tranches. Mettez-la dans une casserole, ajoutez 4 cuil. à soupe d'eau, couvrez et faites cuire. Ajoutez les prunes, les abricots, le vinaigre, le sucre, le piment et l'anis étoilé. Couvrez et laissez mijoter de 45 à 50 minutes. Passez à travers un chinois. Si la sauce est très épaisse, allongez-la avec un peu d'eau; si elle est trop acide, rajoutez du sucre. Ajoutez un peu de sauce soja. Servez chaud ou froid, ou nappez-en un rôti.

Les tomates et les champignons *se prêtent bien aux sauces mijotées*

Quand vous préparez une sauce, imaginez tout autant sa couleur que son goût. Mariez une sauce tomate bien rouge avec des gnocchis aux épinards ou un avocat vert pâle, une sauce à la crème avec du saumon rose. Une purée d'oseille peut teinter joliment une sauce béchamel disposée au fond d'un moule à tarte, napper de vert des tranches de veau, relever une hollandaise ou habiller des œufs pochés.

La saveur aigre-douce des sauces aux fruits en fait d'excellents partenaires du gibier ou des viandes à goût corsé comme le canard, l'oie ou le porc. Des cerises donnent une superbe sauce aux fruits pour divers plats salés; il en va de même avec les abricots, la rhubarbe ou les coings. Mais, de tous les fruits, ce sont les agrumes les plus utiles. Un filet de jus d'orange sanguine transforme une hollandaise en sauce maltaise, ou rehausse une sauce à la tomate fraîche. Les baies sont toujours du plus bel effet. Les airelles accompagnent la dinde dans de nombreuses régions et, en Grande-Bretagne, la sauce aux groseilles se sert souvent avec le maquereau cuit au four.

LA RECETTE DU CHEF
SAUCE AU MAÏS

Pour 50 cl environ

300 g de grains de maïs
25 cl de lait
15 cl de crème fleurette
1 cuil. à café de paprika
Sel
Poivre blanc du moulin

Réduisez et mélangez en purée le maïs, le lait, la crème, le paprika, le sel et le poivre. Mettez dans une casserole et laissez mijoter 5 minutes, en remuant sans arrêt. Assaisonnez selon votre goût. Servez avec une viande rôtie.

LA RECETTE DU CHEF
SAUCE MALTAISE

Pour 50 cl environ

6 jaunes d'œufs
1 cuil. à soupe de jus de citron
Sel
Poivre noir du moulin
500 g de beurre doux très froid et coupé en dès
Le jus tamisé d'une orange sanguine

À l'aide d'un fouet, battez au bain-marie les jaunes d'œufs et le jus de citron assaisonnés d'une pincée de sel et d'une de poivre. Dès que les jaunes forment une pommade, ajoutez peu à peu les morceaux de beurre en fouettant. Quand la sauce est veloutée, ajoutez le jus d'orange.

La sauce au maïs *est un partenaire inhabituel pour les rôtis de viande*

La sauce aux brocolis et aux anchois *se marie bien avec les pâtes*

La sauce aux piments rôtis *relève les crudités*

LA RECETTE DU CHEF
SAUCE AUX BROCOLIS ET AUX ANCHOIS

Pour 30 cl environ

Sel
350 g de brocolis
5 cuil. à soupe d'huile d'olive vierge extra
6 filets d'anchois hachés
1 gousse d'ail finement hachée
1 cuil. à soupe de beurre doux
Poivre noir du moulin

Faites cuire les brocolis à couvert dans 2 litres d'eau salée de 7 à 8 minutes, jusqu'à ce qu'ils soient tendres. Égouttez-les. Faites revenir dans l'huile à feu modéré les anchois et l'ail, en les écrasant et en les émiettant avec le dos d'une spatule en bois. Ajoutez les brocolis, le beurre, et du poivre selon votre goût. Laissez mijoter 5 minutes environ, rectifiez l'assaisonnement et servez aussitôt avec des pâtes chaudes, du parmesan fraîchement râpé et du poivre noir du moulin.

LA RECETTE DU CHEF
SAUCE AUX POIVRONS ROUGES RÔTIS

Pour 15 cl environ

2 poivrons rouges rôtis (voir p. 68)
3 à 4 gousses d'ail épluchées
60 g de pain de mie, sans la croûte
4 à 6 cuil. à soupe d'huile d'olive vierge extra
1 cuil. à soupe de jus de citron
1 cuil. à café de piments pilés (facultatif)
Sel
Poivre noir du moulin

À l'aide d'un robot ménager, réduisez en pâte lisse les poivrons rouges et l'ail. Dans un petit bol, mouillez le pain avec très peu d'eau, pressez-le, puis ajoutez-le à la purée et faites de nouveau tourner l'appareil. Versez dans un grand bol et incorporez l'huile, le jus de citron et éventuellement le piment. Assaisonnez selon votre goût. Servez en accompagnement d'un poisson ou avec des crudités.

Conserves au vinaigre

Le vinaigre et le sel sont des agents de conservation parfaitement naturels. Autrefois, de nombreux ingrédients étaient mis dans du vinaigre pour qu'ils restent longtemps comestibles. Au chapitre des viandes, le bœuf salé est toujours apprécié. Aujourd'hui, ces produits sont toujours consommés pour le plaisir et non plus par nécessité. Ils servent à la fois de condiment, de sauce ou de salade, et on les retrouve dans de nombreux pays. Le piccalilli apparaît en Angleterre en 1664. Les poivrons et les artichauts conservés dans le vinaigre font partie intégrante des assiettes d'*antipasti* italiens; les cornichons vinaigrés accompagnent traditionnellement les pâtés français. En Corée, le chou au vinaigre, le *kimchi*, se sert en amuse-gueule, en hors-d'œuvre et comme condiment de table; au Japon, les repas débutent très souvent avec des salades au vinaigre.

Salage

Certains légumes renferment beaucoup d'eau, qu'il faut éliminer par salage avant de les conserver au vinaigre. Cette technique renforce leur goût et évite la dilution de l'acide, qui diminuerait alors sensiblement les qualités de conservation. Pour les choux ou les oignons, il faut compter 50 g de sel marin pour 50 cl d'eau; pour les concombres et les tomates, 100 g de sel marin pour 750 g de légumes. Dans tous les cas, laissez tremper au moins 24 heures et rincez ensuite abondamment.

LA RECETTE DU CHEF
Oignons blancs au vinaigre

Pour 1 kg

1 kg d'oignons blancs
125 à 175 g de sel marin
1 litre de vinaigre épicé *(voir p. 232)*

Mettez les oignons épluchés dans un bol. Faites fondre le sel dans 1 litre d'eau au moins et versez sur les oignons. Laissez reposer 24 heures puis égouttez et rincez. Séchez les oignons dans du papier absorbant et disposez-les dans des bocaux stérilisés, en les empilant le mieux possible avec le manche d'une cuiller en bois. Couvrez du vinaigre froid et fermez hermétiquement. Gardez de 3 à 4 semaines avant de servir.

Poires épicées au vinaigre

Oignons blancs au vinaigre

Piccalilli

LA RECETTE DU CHEF
Piccalilli

Pour 1,5 kg

1,5 kg de légumes coupés en dés : chou-fleur, petits oignons, carottes, haricots, poivrons rouges et verts, céleri
250 g de sel marin
30 g de moutarde en poudre
15 g de curcuma moulu
15 g de gingembre moulu
1 litre de vinaigre environ
300 g de sucre
30 g de fécule de maïs

Mettez tous les légumes avec le sel dans un grand bol et laissez reposer 24 heures. Égouttez, rincez abondamment sous l'eau froide, égouttez de nouveau. Dans une casserole, mélangez la moutarde, le curcuma et le gingembre avec un peu de vinaigre pour obtenir une pâte. Saupoudrez du sucre et portez à ébullition en tournant pour la dissoudre. Ajoutez les légumes, couvrez et laissez mijoter 15 minutes environ, jusqu'à ce que les légumes soient tendres. À l'aide d'une écumoire, remplissez de légumes des bocaux stérilisés chauds jusqu'à 1,5 cm du bord. Incorporez au fond de cuisson la fécule de maïs dissoute dans un peu de vinaigre. Faites épaissir la préparation à feu modéré en remuant. Versez sur les légumes. Fermez hermétiquement et entreposez au frais 1 mois au moins avant de servir.

Presque tous les fruits et légumes peuvent se conserver selon cette technique, à condition d'être très frais et sans aucune tache ou meurtrissure. N'utilisez jamais des fruits trop mûrs ou des légumes fripés, même si certains fabricants trouvent là une bonne façon de s'en débarrasser.

Les oignons, les betteraves — qui ont cependant l'inconvénient de colorer les autres ingrédients —, le chou rouge, les noix et les concombres ainsi préparés sont les plus appréciés, mais ne négligez pas les carottes, les petits champignons ou les fruits comme les melons, les pêches et les poires.

Le vinaigre de malt est le plus couramment utilisé pour les pickles anglais. Mais les vinaigres de cidre et de vin conviennent mieux pour obtenir des parfums plus délicats, même sans épices. Le vinaigre blanc présente même sur le vinaigre brun de malt l'avantage d'être incolore. Dans tous les cas, choisissez-le avec 5% d'acide acétique, garantie de ses propriétés de conservation. Les vinaigres épicés représentent un atout supplémentaire; vous en trouverez plusieurs dans le commerce, mais vous pouvez facilement les préparer vous-même (voir p. 232). Le court-bouillon vinaigré est encore plus simple à réaliser. Dans une casserole remplie de vinaigre, ajoutez un ou plusieurs de ces ingrédients : gingembre, cannelle, clous de girofle, piment de la Jamaïque, grains de poivre noir, ail, macis et laurier. Portez à ébullition puis, hors du feu, laissez infuser 30 minutes au moins. Utilisez ce liquide chaud ou froid; dans le second cas, il contribue à préserver le croquant des légumes.

Les conserves sucrées au vinaigre se font à partir de sucre épicé et de sirop de vinaigre; mélangez 600 g de sucre et 75 cl de vinaigre, et laissez-y macérer les épices. Vous pouvez remplacer le vinaigre par un alcool, du cognac ou du rhum par exemple.

Pour la plupart des recettes, il vaut mieux choisir du sel marin que du sel de table. Celui-ci, raffiné, contient en effet des additifs qui lui évitent de s'agglomérer, mais qui risquent de diminuer les qualités de conservation du vinaigre.

Avant de remplir les bocaux, commencez par les stériliser. Les couvercles à vis doivent être revêtus d'un matériau qui empêche la corrosion, et par conséquent la contamination par la rouille. Les agrafes métalliques des bocaux à couvercle fixe doivent également être stérilisées. Vérifiez que les couvercles sont bien étanches et que les joints de caoutchouc ne sont pas craquelés pour éviter tout passage de l'air.

Les légumes au vinaigre sont comestibles au bout de 2 à 3 mois; pour les fruits, il faut attendre un peu plus longtemps. Même au bout de 1 an, les légumes crus n'ont pas perdu de leur croquant. Seule exception : le chou rouge, qu'il faut manger dans le mois.

DES LÉGUMES EN COUCHES

Vos bocaux seront très décoratifs si vous y placez des légumes à peine cuits dans un vinaigre clair. Cependant, si vous les laissez, pour le plaisir des yeux, sur des étagères, ils se conserveront moins bien que dans un placard frais et sombre.

1 Préparez un assortiment de légumes de couleurs différentes : chou-fleur, haricots verts, carottes, brocolis, poivrons rouges, petits oignons et champignons. Faites blanchir séparément dans de l'eau salée. Égouttez et coupez en morceaux.

2 Disposez les légumes en couches successives dans des bocaux. Portez à ébullition des quantités égales de vinaigre de vin blanc et d'huile d'olive vierge extra. Laisser refroidir et versez dans les bocaux. Ajoutez une feuille de laurier. Fermez.

FRUITS À L'ALCOOL

L'alcool permet de conserver les fruits frais ou secs tels que les cerises, les pruneaux, les baies ou les prunes. La plupart du temps, vous mélangerez 250 g de sucre et 500 g de fruits. Mettez-les ensuite dans des bocaux propres et couvrez avec de l'alcool : rhum, cognac, kirsch, vodka ou toute liqueur parfumée. Des épices comme la vanille, les clous de girofle, la cannelle, l'anis étoilé ou le gingembre sont toujours les bienvenues. Conservez de 3 à 4 semaines avant de déguster.

LA RECETTE DU CHEF

POIRES ÉPICÉES AU VINAIGRE

Pour 2 kg environ

2 kg de poires fermes
1/2 citron
2 à 3 cm de gingembre frais
3 ou 4 clous de girofle
1 tuyau de canelle
60 cl de vinaigre de vin blanc
600 g de sucre

Épluchez, coupez en deux et épépinez les poires. Remplissez une grande casserole d'eau, ajoutez le jus de citron, porter à ébullition et laissez mijoter les fruits 1 heure environ. Dans une autre casserole, mettez le gingembre, les clous de girofle, la cannelle, le vinaigre et le sucre, et faites cuire doucement en tournant sans arrêt jusqu'à ce que le sucre ait fondu; laissez brunir encore 5 minutes. Ajoutez les poires et poursuivez la cuisson 15 minutes. Disposez les poires dans des bocaux stérilisés. Faites réduire le sirop 5 minutes et versez-le sur les fruits. Fermez hermétiquement. Conservez au moins 1 mois avant de servir.

Condiments

Les chutneys, spécialité britannique bien connue, sont des conserves aigres-douces fortement épicées. Leur consistance de confiture les distinguent des autres condiments. Ils se composent de fruits ou de légumes, parfois des deux, cuits dans du vinaigre, du sucre et des épices. Le long mijotage concentre les parfums, adoucit la texture, et donne une préparation plus foncée et souvent nettement plus aromatique que d'autres, plus croquantes et à goût plus frais. D'origine indienne, les chutneys tirent leur nom de *chatni,* qui signifie épices fortes; ils ont été rapportés en Occident au XIXe siècle par des colons britanniques. Doux et relevés à la fois, ils sont des partenaires parfaits des mets piquants, notamment des currys, mais aussi de plats plus neutres comme les viandes froides. Les cuisiniers modernes ont ravivé l'intérêt pour ces condiments en les intégrant à des recettes originales : canard corsé, poisson délicat, voire beignets de camembert coulant ou de brie.

Les citrons verts, les mangues et les pommes constituent des chutneys classiques, mais les cerises, les groseilles, les airelles, les prunes et tous les agrumes sont également délicieux ainsi préparés.

Les fruits secs et les fruits à coque apportent une touche originale. Les classiques raisins secs et de Smyrne contrastent agréablement par leur couleur avec des fruits comme les pêches ou les oranges. Les figues, les bananes et les cerises sèches sont plus surprenantes. Les dattes adoucissent les fruits acidulés comme les groseilles ou les ananas et les préparations qui associent des ingrédients aussi différents que le potiron et l'oignon. Les abricots secs ont un parfum suffisamment riche pour être traités seuls.

Les légumes croquants sont parfaits pour préparer des condiments. Le maïs convient tout aussi bien grâce à sa texture agréable et à son goût, qui se situe entre le doux et le salé selon le traitement qu'on lui applique.

Les épices chaudes et aromatiques comme la cannelle, le gingembre, la cardamome, les clous de girofle et le piment de la Jamaïque parfument délicieusement les chutneys. Les graines brunes et blanches de moutarde trouvent une place de choix dans les condiments; la moutarde en poudre les remplace avantageusement lorsque l'on souhaite obtenir un produit bien lisse et sans taches. Il existe aussi des mélanges classiques d'épices à marinade (voir p. 75).

Utilisez de préférence des casseroles en acier inoxydable ou en fonte émaillée. Le fer, le laiton et le cuivre réagissent en effet assez mal à l'acidité du vinaigre et risquent de donner de l'amertume aux ingrédients. De même, remuez toujours avec une spatule en bois. Conservez les condiments dans des bocaux stérilisés et choisissez des couvercles à revêtement intérieur anti-rouille.

Préparer du maïs

Si vous percez les grains, le liquide laiteux qu'ils renferment coulera et troublera la préparation. Sortez-les donc délicatement rangée par rangée en glissant la pointe d'un couteau bien aiguisé jusqu'à l'épi.

Sceller des pots à la paraffine

Toutes les conserves que vous préparez vous-même se garderont bien si vous les scellez à la paraffine. Cette méthode empêche en outre les chutneys et les condiments de diminuer de volume au fil du temps.

1 *Achetez un bloc de paraffine, et réduisez-le en petits morceaux. Mettez-les dans une boîte de conserve vide, que vous placerez dans une casserole remplie d'eau bouillante. Réduisez le feu.*

2 *Saisissez la boîte avec un chiffon et versez délicatement la paraffine fondue, dans des pots remplis jusqu'à 5 cm du bord et recouverts d'une feuille de papier sulfurisé.*

3 *Lorsque la paraffine a refroidi, couvrez avec un morceau de film alimentaire ou de tissu pour que la poussière n'y adhère pas. Au moment de l'enlever, glissez dessous la pointe d'un couteau pour desceller le pot.*

LA RECETTE DU CHEF

CONDIMENT AU MAÏS DOUX

Pour 1,5 kg environ

10 épis de maïs
1 poivron vert finement haché
1 poivron rouge finement haché
2 gros oignons émincés
300 g de cassonade
30 g de sel marin
1 1/2 cuil. à soupe de moutarde en poudre
1 litre de vinaigre de cidre

Détachez les grains de maïs (voir p. 254). Dans une casserole en acier inoxydable, mélangez tous les ingrédients et portez à ébullition. Réduisez le feu et laisser mijoter 15 minutes. Versez dans des bocaux stérilisés. Conservez au frais et à l'abri de la lumière.

LA RECETTE DU CHEF

CHUTNEY AUX DATTES ET AUX ORANGES

Pour 2 kg environ

500 g d'oranges non traitées
750 g de sucre
100 g de vergeoise blonde
2 cuil. à soupe de sel marin
1/4 de cuil. à café de piment sec écrasé
1,5 litre de vinaigre de malt
500 g d'oignons hachés
500 g de dattes dénoyautées et hachées
500 g de raisins secs

Râpez le zeste des oranges et réservez-le. Épluchez les oranges à vif (voir p. 175) et épépinez-les. Hachez finement la pulpe. Dans une casserole en acier inoxydable, mélangez le sucre, la mélasse, le sel, les piments et le vinaigre. Portez à ébullition à feu vif et remuez pour dissoudre le sucre. Ajoutez la pulpe d'orange, les oignons, les dattes, les raisins secs et la moitié du zeste râpé. Réduisez le feu et laissez mijoter 1 heure environ jusqu'à ce que le mélange épaississe. Incorporez le reste de zeste. À l'aide d'une cuiller en bois, remplissez des pots stérilisés et chauds. Laissez refroidir et bouchez. Conservez au frais et à l'abri de la lumière.

Condiment au maïs doux

Chutney aux dattes et aux oranges

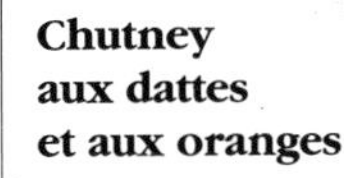

Condiment aux légumes croquants

Chutney aux tomates vertes et aux pommes

LA RECETTE DU CHEF

CONDIMENT AUX LÉGUMES CROQUANTS

Pour 5 kg environ

1 chou blanc taillé en lanières
4 carottes râpées
6 oignons coupés en minces rondelles
1 poivron rouge finement tranché
1 poivron vert finement tranché
15 g de sel marin
1 litre de vinaigre de malt
1 cuil. à soupe de graines de moutarde
750 g de sucre

Mettez le chou, les carottes, les oignons et les poivrons dans une passoire en plastique. Ajoutez le sel et secouez pour bien le répartir. Laissez dégorger toute une nuit. Dans un grand bol, mélangez le vinaigre, les graines de moutarde et le sucre. Mettez les légumes dans des bocaux et recouvrez-les de vinaigre. Laissez macérer 1 semaine. Scellez avec de la paraffine. Ce condiment se conserve de 2 à 3 mois au réfrigérateur.

LA RECETTE DU CHEF

CHUTNEY AUX TOMATES VERTES ET AUX POMMES

Pour 4 kg environ

1 kg de tomates vertes hachées
1 kg de pommes acidulées pelées et hachées
250 g d'oignons hachés
500 g de raisins secs
750 g de cassonade
2 cuil. à café de gingembre moulu
2 cuil. à café de grains de poivre noir concassés
2 cuil. à café de quatre-épices (voir p. 75)
2 cuil. à soupe de sel marin
2 gousses d'ail
1 litre de vinaigre de vin

Dans une casserole en acier inoxydable, mélangez tous les ingrédients. Arrosez-les de 6 cuil. à soupe de vinaigre et portez doucement à ébullition en ajoutant peu à peu le reste du vinaigre. Laissez mijoter 45 minutes, puis remplissez des pots stérilisés.

CONSERVES SUCRÉES

Les conserves sucrées, appréciées depuis très longtemps avec le pain du petit déjeuner, ont peu à peu perdu leur raison d'être originelle. Ce qui fut autrefois une nécessité — emprisonner la saveur des fruits du printemps et de l'été pour en profiter durant le long hiver — est devenu plaisir, et plaisir seulement. Comme autrefois les étagères des placards, les rayons des supermarchés modernes regorgent de confitures et de gelées aux couleurs vives. Ils proposent d'ailleurs souvent des produits de bonne qualité; cependant, rien n'est plus agréable que de les préparer soi-même, et leur goût n'en sera que meilleur. La plupart des fruits se prêtent bien à la conservation. Ils s'utilisent seuls pour des confitures traditionnelles — les fraises ou les abricots par exemple — ou forment des alliances insolites : raisins et poires, rhubarbe et figues, ou pommes, airelles et coings. Des fleurs de sureau apportent un arôme qui rappelle celui du muscat; des noix ou des amandes musclent la texture; quelques gouttes de cognac ou même de liqueur d'orange ajoutent une touche de raffinement. Les herbes et les épices contribuent également à l'originalité; la vanille se marie bien avec les poires, la menthe et la sauge avec les groseilles, le basilic avec les prunes. Ces conserves aromatiques servent parfois de condiments et relèvent agréablement certains plats salés. Bien préparées et mises en bocaux hermétiques, elles se gardent presque toutes 1 an au moins au frais et à l'abri de la lumière; cependant, avec le temps, elles ont tendance à perdre de leur goût.

Confiture de fraises
Cette confiture très populaire accompagne traditionnellement le pain grillé du petit déjeuner ou les petits pains du goûter.

Conserve de fruits tropicaux
Réunissant des ananas et de la noix de coco, ce mélange de goûts tropicaux est délicieux pour un petit déjeuner ou un brunch dominical.

Crème d'orange
Riche en oranges, cette crème épaisse se déguste sur des toasts mais se sert également seule une fois moulée.

Crème de citron
Le parfum acidulé du citron est adouci dans cette préparation qui peut garnir un fond de tarte précuit ou enrichir un gâteau mousseline.

Gelée de menthe
Outre-Manche, elle accompagne traditionnellement l'agneau, mais elle se marie bien aussi avec d'autres viandes ou des brochettes grillées.

Confiture de tomates
La chair et la saveur de la tomate se prêtent bien aux conserves et donnent un condiment inhabituel pour des viandes froides.

FRUITS POUR CONSERVES

Il n'existe aucun fruit qui ne puisse donner une conserve sucrée. Cependant, elle sera plus ou moins réussie selon les quantités de pectine, d'acide et de sucre qu'il renferme. Certains fruits — pommes acidulées, groseilles, cassis, coings, airelles et agrumes — contiennent une forte proportion de pectine et d'acide, et l'adjonction de sucre donne des gelées fermes. Le pourcentage de pectine est à son maximum lorsqu'ils sont à peine mûrs; s'ils sont trop avancés, la préparation sera nettement plus liquide. Certains fruits qui en contiennent moins — abricots, mûres et framboises, par exemple — permettent pourtant de préparer des confitures et des conserves. Ceux qui manquent de cette substance gélifiante — fraises, cerises, pêches, poires, ananas, raisins, figues, rhubarbe et melons — doivent être additionnés de pectine en poudre.

VARIÉTÉS DE CONSERVES

Conserves Ce terme général s'applique à tous les fruits qui sont préparés pour se garder longtemps, mais surtout à ceux qui, comme les fraises ou les pêches, cuisent rapidement entiers, dans un sirop; celui-ci est ensuite réduit pour concentrer son parfum, puis versé à nouveau sur les fruits. Ces préparations vous permettront de napper des desserts ou, si vous y avez ajouté des épices, d'accompagner des viandes rôties ou du gibier.

Confitures Confectionnées à partir de baies entières ou de fruits plus grands coupés en morceaux, les confitures prennent sans durcir et se tartinent donc facilement. Les fruits sont d'abord mis à cuire seuls pour perdre leur eau; puis on leur ajoute du sucre et on laisse bouillonner jusqu'à ce que la préparation soit «à la nappe» : elle doit glisser d'une écumoire en une seule masse et figer. Les baies rouges, les groseilles, les prunes, les figues et la rhubarbe conviennent particulièrement bien.

Fruits au sirop Entiers, en tranches ou en petits morceaux — ils ressemblent alors à une confiture —, ils sont conservés dans du sirop. Dans l'Angleterre victorienne, ils étaient très à la mode et se mangeaient à la cuiller comme dessert. Aujourd'hui, ils sont parfois enrichis de fruits secs, de noix ou de zestes d'agrumes. Ils sont plus doux que les confitures, et nettement plus liquides.

Gelées À base de jus de fruits filtré et parfaitement clair, les gelées présentent la particularité d'être fermes; elles nécessitent davantage de préparation que les autres conserves. Les baies ou les fruits macèrent d'abord dans une mousseline toute une nuit ou cuisent à chaud dans très peu d'eau. Le jus qui s'est écoulé est alors additionné de son poids en sucre et mis à cuire. Les gelées se dégustent avec du pain et glacent les pâtisseries aux fruits. Elles sont parfois parfumées avec des herbes et des épices et deviennent alors d'excellents condiments pour la volaille, le porc ou le gibier rôtis.

Marmelades Leur nom leur vient du *marmelada* portugais, des coings cuits au sucre ou au miel. Ce terme fut adopté en Grande-Bretagne pour désigner une conserve préparée à partir d'oranges amères et très en vogue au XVIIIe siècle. Le mot est resté pour qualifier le mode de préparation. Les agrumes coupés en tranches cuisent à feu vif dans du sirop de sucre où ils ont macéré 24 heures. Des oranges en tranches en boîte peuvent accélérer le processus.

Beurres et fromages de fruits À l'époque victorienne, en Angleterre, ces conserves traditionnelles se servaient avec le thé. Des purées de fruits — un seul ou plusieurs — sont cuites avec du beurre et du sucre, pour donner des pâtes épaisses qui ressemblent à du fromage frais ou à du beurre, d'où leur appellation. Les beurres crémeux de fruits se tartinent tandis que les fromages de fruits, plus fermes, peuvent être moulés puis détaillés en tranches pour accompagner des plats de viande ou de volaille froide.

Crèmes de fruits Ces préparations aux fruits s'enrichissent de beurre et d'œufs. Ceux-ci cependant diminuent le temps de conservation; et ces crèmes ne se gardent que 3 mois au réfrigérateur. Préparées à l'origine uniquement avec des agrumes, elles se réalisent aussi avec des fruits de la passion.

DES HERBES POUR LE GOÛT

Les herbes savent rehausser le goût de nombreuses conserves sucrées. La menthe et la mélisse se marient bien avec les plus douces d'entre elles. Le basilic, la sauge, le thym et le romarin sont un peu plus puissants. Une gelée de pommes, à la texture lisse et au parfum léger, sera transformée par une feuille de laurier ou même quelques feuilles de géranium.

LES CONSERVES SUCRÉES EN CUISINE

La proportion importante de sucre dans les confitures et les gelées permet de les utiliser pour sucrer certains plats. Ainsi, une cuillerée de confiture de framboises ou de groseilles délayée dans le jus d'un rôti de bœuf ou d'agneau lui apporte un parfum subtil. Des gâteaux ronds ou roulés sont souvent fourrés de confiture, à condition qu'elle soit ferme; celle-ci peut même napper un fond de tarte cuit pour accueillir des fruits crus.

Certaines conserves de fruits ou de légumes, malgré leur goût sucré, se marient agréablement avec des préparations salées. Délayées dans de l'huile végétale, des gelées fermes se transforment en simples glaçages dont on enduit des grillades juste avant de servir. Une confiture de tomates ou de carottes devient un condiment insolite lorsqu'elle accompagne une viande farcie rôtie. Un jambon au four arrosé en cours de cuisson avec de la marmelade fondue caramélise et prend une délicieuse saveur aigre-douce.

Vous pouvez aussi parsemer des fonds de tartelettes cuits avec des amandes pilées et les napper de confiture ou de crème de fruits à l'aide d'une poche à douille.

Les conserves sucrées jouent aussi un rôle décoratif. Remplissez une douille en papier (voir p. 185) d'une gelée foncée, de groseilles par exemple, et décorez de lettres, de lignes ou de plumes (voir p. 202) le dessus de petits gâteaux ou de pâtisseries à glaçage clair.

Glaçage des pâtisseries aux fruits
Choisissez des gelées foncées pour glacer des fruits rouges ou pourpres, et des gelées plus transparentes pour glacer des fruits clairs.

GLAÇAGE DES VIANDES
Mélangez une petite quantité de gelée lisse — de groseilles, d'airelles ou de menthe — avec de l'huile végétale. Badigeonnez la viande avec cette préparation 2 minutes avant la fin de la cuisson.

GLAÇAGE DES FLANS ET DES TARTES
Pour donner un glaçage satiné aux pâtisseries aux fruits, enduisez-les de gelée liquide légèrement chauffée. Utilisez aussi le jus filtré d'autres conserves de fruits.

PRÉPARATION DES CONSERVES SUCRÉES

Les fruits, le sucre et la pectine sont les trois ingrédients indispensables à la confection de conserves sucrées. Les fruits apportent la douceur ou l'âpreté, et la couleur. La pectine, qui se trouve dans la peau, les pépins et la pulpe, a un pouvoir gélifiant. Souvent, sa proportion naturelle suffit à faire prendre des confitures. Si vous les souhaitez plus fermes, vous devrez rajouter de la pectine en poudre. Mais celle-ci, pour agir, a besoin d'un acide; la plupart des fruits en contiennent suffisamment mais, dans tous les cas, un jus de citron frais raffermira la préparation.

Le sucre est l'agent édulcorant et conservateur; en grande quantité, il absorbe l'humidité des ingrédients et empêche ainsi la formation de micro-organismes. Il faut en général compter au moins de 375 à 500 g de sucre pour 500 g de fruits, mais vous pouvez augmenter cette quantité à volonté. N'oubliez pas que certains fruits présentent une très forte acidité, qui risque de faire cristalliser le sucre. Éventuellement, remplacez-le par du miel, de la mélasse ou différents sirops. La réussite de ces conserves dépendra du juste équilibre entre l'acide, le sucre et la pectine.

LA RECETTE DU CHEF
MARMELADE D'ORANGES

Pour 3 kg environ

12 petites oranges, de préférence non traitées
2 kg de sucre
Le jus de 1 citron filtré

Mettez les oranges dans une grande casserole à fond épais. Ajoutez 50 cl d'eau froide pour 500 g de fruits. Couvrez et laisser mijoter 1 heure environ, jusqu'à ce que vous puissiez percer facilement les fruits avec une brochette. Goûtez-les et réservez le liquide de cuisson; quand elles ont refroidi, coupez-les en tranches ou hachez leur pulpe et enfermez-les dans une mousseline attachée avec de la ficelle de cuisine. Incorporez doucement le sucre au liquide de cuisson en remuant sans arrêt jusqu'à ce qu'il ait fondu. Augmentez le feu et laissez bouillir 5 minutes. Ajoutez la mousseline renfermant les pépins (riches en pectine), les oranges et le jus de citron, et portez à ébullition. Interrompez la cuisson à 105 °C en vérifiant la température avec un thermomètre à sucre ou à l'aide d'une cuiller en bois (voir à droite). Ôtez le sachet de mousseline et écumez. Quand la marmelade a refroidi, versez-la dans des bocaux stérilisés hermétiques et fermez. Elle se conserve 1 an au frais et à l'abri de la lumière.

PRÉPARER UNE MARMELADE

Le parfum et la qualité des marmelades vous convaincront de les préparer vous-même. Essayez différents mariages d'agrumes, et transformez les saveurs en ajoutant des herbes, des épices, des noix, du miel, des sirops ou des liqueurs.

1 Faites bouillir les fruits dans l'eau 1 heure environ, jusqu'à ce qu'ils soient tendres. Égouttez-les et recueillez le sirop dans un grand bol.

2 Coupez les fruits en tranches ou hachez la chair des fruits. Enlevez les pépins et enfermez-les dans une mousseline.

3 Après 15 minutes de cuisson, vérifiez la température du sirop. Trempez-y une spatule en bois et ressortez-la : des gouttes se forment au bord puis se détachent en nappe.

LA RECETTE DU CHEF
CRÈME DE CITRON

Pour 500 g environ

4 citrons, de préférence non traités
125 g de beurre doux coupé en dés
250 g de sucre en poudre
4 œufs

Râpez le zeste des citrons et pressez le jus dans un bol résistant à la chaleur. Ajoutez le beurre et faites-le fondre au bain-marie. Incorporez peu à peu le sucre en remuant jusqu'à ce qu'il ait fondu. Mettez les œufs dans une grande casserole et fouettez. Passez le sirop directement dans la casserole et faites cuire doucement en tournant sans arrêt : le mélange ne doit pas bouillir. Retirez-le du feu lorsqu'il est suffisamment épais pour napper le dos d'une cuiller en bois. Laissez refroidir, versez dans des pots stérilisés, et fermez-les hermétiquement.

Rondelles de citron

BOISSONS SAVOUREUSES

CAFÉ

Le caféier est originaire des pays qui bordent la mer Rouge, et plus probablement d'Éthiopie. On mentionne pour la première fois au VIe siècle de notre ère sa culture au Yémen. Au XIIIe siècle, dans tout le monde arabe, les grains sont récoltés, torréfiés et broyés pour préparer une infusion forte et parfumée. L'existence de cette boisson est alors connue en Europe grâce aux marchands, mais les chrétiens se méfient de cette «invention du diable». C'est le pape Clément VIII qui, après avoir goûté une tasse du breuvage et l'avoir approuvé, permet à la mode du café de se répandre rapidement. Au XVIIe siècle, l'«arôme nouveau» gagne toute l'Europe. Les premiers cafés ouvrent à Vienne, à Paris et à Londres, et ces établissements deviennent bientôt les lieux de rencontre privilégiés des hommes politiques, des artistes et des intellectuels. Au XVIIIe siècle, les plantations se sont multipliées à Java et dans toutes les Antilles. Le café a séduit les Américains et, depuis le célèbre «Boston Tea Party» de 1773, ils l'ont adopté comme boisson nationale. Aujourd'hui, il est apprécié dans le monde entier.

PRODUCTION

Bien que la culture du caféier soit assez délicate, elle est actuellement bien développée dans cinquante pays. Très sensibles aux gelées, les arbustes ne sont cultivés avec succès que dans les régions situées entre les tropiques du Cancer et du Capricorne. Les plants exigent des soins intensifs d'entretien, d'élagage, de sarclage et de désherbage et, dans la plupart des pays producteurs, la récolte se fait à la main.

Les baies tout juste cueillies sont de petits fruits d'un rouge profond, d'où leur nom de cerises; elles parviennent à maturité entre 6 et 8 mois. À l'intérieur se trouvent 2 grains que l'on sépare de la pulpe et de la peau et que l'on fait sécher. Ce traitement, connu sous le nom de dépulpage, s'effectue selon deux techniques différentes.

La méthode traditionnelle consiste à exposer les grains au soleil jusqu'à ce qu'ils soient parfaitement secs; ils sont ensuite dépulpés à l'aide d'une machine.

La méthode par voie humide, plus récente, est appliquée aux grains de première qualité récoltés à la main. Ils sont mis à tremper, débarrassés de leur couche extérieure, puis lavés et séchés, avant d'être dépulpés mécaniquement.

Les grains verts décortiqués ou «polis» sont ensuite triés, calibrés, mis en sacs puis exportés, car dans la plupart des cas, ils sont torréfiés dans les pays importateurs. C'est d'ailleurs sous cette forme qu'ils sont généralement commercialisés. La torréfaction permet en effet de réduire l'amertume du café et de développer les essences qui lui donnent son goût et sa saveur.

La dernière opération est la mouture. Plus elle est fine, plus les grains libèrent leur arôme au contact de l'eau pour donner une boisson savoureuse.

Grains verts non torréfiés

Grains torréfiés

Grains moulus

VARIÉTÉS DE CAFÉ

L'arôme, le caractère et la qualité d'un café varient considérablement selon les pays, voire les régions, de production. La nature du sol, l'altitude et le climat influent sur la nature des grains et déterminent le goût final. On recense quatre variétés de caféiers, dont deux assurent la presque totalité de la production mondiale.

Le caféier le plus répandu, *Coffea arabica,* est cultivé à haute altitude sur des pentes escarpées. Il donne un café doux, parfumé et savoureux, qui représente 70% de la production mondiale. Les experts s'accordent à lui décerner la palme du goût.

L'autre grande variété, *Coffea robusta,* pousse sur des pentes plus douces, où sa culture pose moins de problèmes. Ses grains ont une plus forte teneur en caféine et un arôme plus amer, presque terreux, moins fin et moins délicat. Environ deux fois moins cher, ce café est vendu, en grains ou soluble, mélangé à d'autres.

Mais, au-delà de ces deux grandes variétés, le café est commercialisé sous différentes appellations.

Santos Le Brésil est le plus important producteur mondial de café. Toutes les variétés de grains y sont cultivées et elles sont pour la plupart destinées à la fabrication de café soluble. Le santos doit son nom à celui de son port d'exportation et passe pour être l'un des meilleurs crus brésiliens. Généralement moyennement torréfié, il a un arôme doux, velouté et cependant légèrement corsé.

Colombie Ce café fin, rond, corsé et un peu amer est moyennement ou pleinement torréfié. Le *medellin excelso,* au léger goût de noisette, est probablement le plus connu des cafés de ce pays. L'arôme du *libana supremo* passe pour être plus fort que celui des autres variétés.

L'extrait de café liquide *permet de parfumer des confiseries, des pâtisseries, des glaces ou des boissons*

Les meilleurs granulés de café solubles *sont préparés à partir de grains d'arabica*

La poudre de café soluble *entre, sans liquide, dans plusieurs préparations*

Costa rica Les connaisseurs l'apprécient pour la richesse et la finesse de son arôme autant que pour sa légère amertume, et ils le dégustent au petit déjeuner. Le *tarrazu* est l'un des meilleurs de la région.
Guatemala Tous les grains de ce pays ont un goût particulier, épicé et légèrement fumé. Moyennement torréfiés, ils libèrent tout leur arôme et une agréable amertume.
Indonésie Les plus connus, le *java* et le *sumatra,* libèrent tous deux un arôme fin et corsé, légèrement amer. Le premier a une saveur un peu fumée, tandis que le second a un goût qui rappelle celui du chocolat.
Blue Mountain de Jamaïque Un peu amer, avec une saveur douce et moelleuse et un goût de noisette caractéristique, ce café est très apprécié, mais sa production limitée le rend cher.
Kona kai Cultivé à Hawaii, ce café rare compte parmi les meilleurs du monde. Terreux et aromatique, avec une légère et agréable amertume, il doit être moyennement torréfié pour dégager toute sa saveur.
Kenya Parfumé, avec un arôme net, marqué et vif, légèrement amer, c'est un grand classique.
Kenya Peaberry Ce café très prisé des connaisseurs est moyennement torréfié et donne une boisson généralement très noire.
Mexican Maragogipe Originaire du Brésil, cette variété cultivée au Mexique donne un café fin. Le *coatapec,* lui aussi de grande qualité, s'exporte essentiellement vers l'Amérique.
Moka Cette appellation regroupe tous les cafés d'Arabie, mais plus spécifiquement celui d'Éthiopie. L'arôme de ce *moka d'Éthiopie* est riche et complexe; excellent et bien équilibré, c'est un café de connaisseurs, le meilleur étant le *harrar longberry.* Il est aussi le composant de base du traditionnel café turc.
Mysore Le plus connu des cafés indiens dégage un arôme délicat et doux et une saveur suave sans amertume. Souvent mélangé au moka, il est commercialisé sous le nom de *mysore sherry.*
Nicaragua Les grains de ce café doux, sans amertume, donnent une boisson qui convient parfaitement pour le petit déjeuner.
Tanzanian Kilimandjaro Plus fort que les cafés d'Amérique centrale mais moins amer que ceux d'Afrique orientale, il libère un arôme particulier, bien équilibré. Il se consomme moyennement ou pleinement torréfié.

LE CAFÉ SOLUBLE

Vous en trouverez trois sortes dans le commerce. Le moins cher se fabrique avec des grains de robusta. Infusé, le liquide est vaporisé sous un jet d'air chaud, qui le déshydrate immédiatement pour donner une fine poudre sèche. Ce procédé de dessiccation par atomisation permet aussi de transformer la poudre en granulés dont les plus savoureux contiennent quelques grains d'arabica. Enfin, les meilleurs cafés solubles sont obtenus par lyophilisation : un concentré d'arabica congelé est chauffé sous vide pour donner de petites particules sèches et croquantes.

LE CAFÉ DÉCAFÉINÉ

La caféine est un alcaloïde présent dans les grains de café, mais aussi dans le thé, le maté et la kola. Elle a des propriétés stimulantes et toniques au niveau du système nerveux central, qu'apprécient les amateurs; certains cependant ne la supportent pas. Le café décaféiné, apparu dans les années 1930, est aujourd'hui conditionné sous toutes les formes usuelles du café, en grains, moulu ou soluble. On le débarrasse en partie de cette caféine en faisant tremper les grains dans l'eau ou en les traitant par un solvant organique qui n'affecte pas leur arôme et ne laisse pas de résidus. Il ne contient plus après traitement que 0,9% de son poids sec en caféine. Une tasse de décaféiné contient environ 3 mg de caféine, contre 115 mg pour un café filtre, 80 mg pour un expresso, et 65 mg pour un café soluble.

Torréfaction et infusion

La réussite d'un bon café dépend de la torréfaction des grains et de leur mouture. La première a une importance capitale. Le traitement par la chaleur donne en effet son arôme au café. La mouture et le mode de préparation influent également sur le goût de la boisson. Ainsi, une poudre extrêmement fine est idéale pour une machine à expresso, mais pas pour un percolateur. Assurez-vous toujours que votre équipement est parfaitement propre et débarrassé de tout résidu de café, et utilisez de l'eau fraîchement tirée et frémissante. Comptez de 1 à 2 cuillerées à café de grains moulus pour 15 cl d'eau. Le temps d'infusion compte beaucoup : s'il est trop court, l'arôme sera faible et acide; s'il est trop long, la boisson sera moins parfumée et deviendra amère. Si vous l'aimez plus corsée, augmentez un peu les doses. Enfin, la fraîcheur est essentielle; achetez le café en grains ou moulu, par petites quantités, et choisissez-le en fonction de la façon dont vous avez l'intention de le préparer.

Torréfaction

La torréfaction détermine la saveur d'un café; la quantité conditionne sa force.

Légèrement torréfié Pour des grains à l'arôme délicat qui souffriraient d'une trop forte chaleur; ils sont alors brun clair et donnent une boisson qui se marie très bien avec le lait.

Moyennement torréfié Malgré un arôme et un goût plus prononcés, ce café s'accorde bien avec le lait du petit déjeuner; il est également délicieux, nature après le déjeuner ou le dîner.

Pleinement torréfié Les grains, sombres et luisants, ont un arôme corsé; ce café se boit noir, après le dîner.

À l'italienne Les grains, nettement plus foncés et plus forts, ont un arôme légèrement fumé, très apprécié par les vrais amateurs.

Moulins à café

Il existe de nombreux moulins à café, des anciens instruments manuels aux modernes appareils électriques. Choisissez celui qui vous donne la mouture la plus régulière et la plus adaptée à votre appareil.

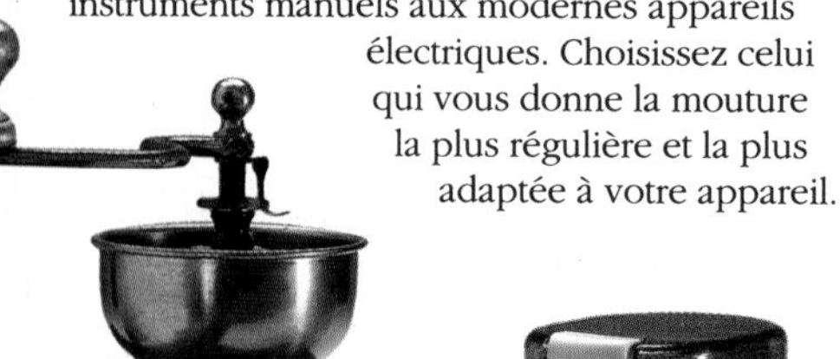

Torréfaction à l'italienne

Pleinement torréfié

Moyennement torréfié

Légèrement torréfié

Mouture

La texture de la mouture est essentielle; plus elle est fine, plus vite le café libère son arôme. Elle conditionne donc la méthode de préparation. Dans les machines à expresso, par exemple, l'eau sous pression passe très vite sur le café : celui-ci doit donc être très finement moulu, sinon la boisson n'aura aucun goût.

Avec un moulin à café, vous pouvez moudre la quantité exacte de grains dont vous avez besoin. Si vous préférez le café moulu, achetez-le en petites quantités et conservez-le au réfrigérateur dans un récipient hermétique. Son essence aromatique est en effet volatile et disparaît rapidement.

Grosse mouture Vous ne l'obtiendrez qu'en broyant vous-même les grains dans un moulin. Elle est bien adaptée aux cafetières à filtre permanent ou aux percolateurs; dans tous les cas, elle vous donnera une boisson peu corsée.

Mouture moyenne C'est la plus courante, car elle convient aussi bien aux cafetières à filtre permanent et aux percolateurs qu'aux cafetières à piston et aux cafetières napolitaines. Si vous vous servez d'un appareil qui est équipé d'un filtre, choisissez-le fin.

Mouture fine Pour le café filtre ou infusé, vous préférerez cette mouture. L'eau retenue par la poudre fine diffuse bien dans le café et se charge de son arôme pour donner une boisson corsée.

Mouture expresso Cette mouture très fine est plus spécialement destinée aux machines à expresso et aux cafetières italiennes.

Farine Parfois désignée sous le nom de poudre de café, cette poudre très fine a été obtenue par torréfaction à très forte chaleur, qui a beaucoup développé son arôme.

Grosse mouture

Percolateur
Quand l'infusion commence, l'eau bouillante passe à travers le café moulu contenu dans une passoire. Un contrôle judicieux de la température permet d'obtenir un bon résultat. Cependant, les connaisseurs ne l'apprécient guère, car dans cette cafetière, disent-ils, le café chauffe trop longtemps, quand il ne bout pas !

Mouture moyenne

Cafetière à piston filtrant
Elle est l'héritière du percolateur traditionnel. Versez l'eau bouillante sur le café, placez le couvercle spécial, et laissez infuser quelques instants. Poussez ensuite doucement le piston pour faire descendre la poudre vers le fond. N'utilisez que des grains grossièrement ou moyennement moulus, sinon ils passeront à travers le filtre, et le café sera trouble.

Mouture moyennement fine

Cafetière napolitaine à retournement
Remplissez d'eau froide la partie inférieure. Placez le filtre au-dessus et remplissez-le de café moulu. Vissez dessus la partie supérieure. Chauffez à feu moyen jusqu'à ce que la vapeur s'échappe, puis retournez toute la cafetière pour permettre à l'eau de redescendre en passant sur le café.

Mouture expresso

Cafetière à expresso
Elle ressemble à la cafetière napolitaine, mais ici la pression pousse l'eau à travers le filtre dans la partie supérieure, et la cafetière n'a pas besoin d'être retournée. Un sifflement indique que le café est prêt; servez-le immédiatement, sinon il risque de brûler. Avec une poudre très fine, vous obtiendrez un café fort à l'italienne.

Mouture fine

Cafetière-filtre
Elle convient pour tous les cafés, quels que soient leur degré de torréfaction et leur mouture. Garnissez le tamis d'un filtre en papier et posez-le au-dessus du bol de la cafetière. Versez l'eau frémissante très lentement pour qu'elle diffuse régulièrement à travers le café. Tenez au chaud à feu doux.

Poudre

Cezve
Le café turc se prépare dans une petite casserole haute et conique à base large (cezve). Comptez par personne 1 cuillerée à café de grains moulus et 1 de sucre en poudre. Portez à ébullition en tournant puis faites chauffer à feu vif. Laissez reposer puis faites chauffer de nouveau. Retirez du feu.

CAFÉS DU MONDE ENTIER

Le café est une boisson universelle, appréciée dans le monde entier par des consommateurs de traditions très différentes. Chaque pays a ainsi sa propre méthode pour le préparer, le servir et le boire. La plupart des Européens commencent leur journée par un bol de café au lait mais préfèrent ensuite, surtout après les repas, déguster du café noir. Les Nord-Américains, eux, boivent du café noir relativement léger toute la journée, aussi bien pendant qu'après les repas. Au Moyen-Orient, on le préfère très fort et on le sert selon un cérémonial très précis.

Le rituel français du café-croissant, que l'on prend dans des «bistrots» plus ou moins élégants, a été copié dans le monde entier. Les grands établissements servent des tasses de «crème», un café blanc et mousseux; on le sert également dans des bols, comme chez soi. En Grande-Bretagne ou en Amérique, le café au lait, connu sous le nom de café *milky,* a un goût sensiblement différent.

Plus tard dans la journée, on commande généralement des tasses plus petites, contenant environ 10 cl de café noir et fort. Le café corsé, pleinement torréfié, qu'il soit filtre ou expresso, a la faveur des Français et des Italiens.

Ceux-ci sont en effet eux aussi de grands amateurs de café, et ils varient les goûts selon l'heure. Ils commencent généralement la journée par un *caffe con latte,* un expresso corsé allongé de trois fois plus de lait chaud. Après le déjeuner et le dîner (et, pour certains, tout au long de la journée), le traditionnel expresso serré trouve une place de choix et constitue une bonne occasion de sortir; il se prépare dans des machines à pression avec un café à mouture très fine, et il est parfois relevé avec un zeste de citron.

Le très populaire *cappucino* se boit généralement entre les repas. On dit souvent qu'il est la version italienne du café au lait français, mais il n'en est absolument rien. Il s'agit en effet d'un expresso additionné de lait passé à la pression, saupoudré de cacao ou de cannelle en poudre et parfois couronné d'une bonne cuillerée de crème; il doit son nom à sa couleur brun pâle, qui évoque celle de la robe des frères capucins.

Le café noir et corsé est aussi apprécié en Espagne et au Portugal sous le nom de *café solo*. En Allemagne, les consommateurs boivent, debout au comptoir, des petites tasses de café noir, fort mais très peu amer.

Dans les célèbres cafés de Vienne, il s'accompagne de riches gâteaux à la crème qui ont conquis toute l'Europe. Les Autrichiens boivent le café pendant la *jause,* l'équivalent du *five o'clock tea* ou *tea-time* anglais, dans un lieu public ou chez eux, en compagnie d'amis. Fort, parfois parfumé avec des figues séchées, il est souvent agrémenté d'une grosse cuillerée de crème fouettée, elle-même saupoudrée de cannelle ou de muscade.

En Grande-Bretagne, le thé demeure par excellence la boisson du petit déjeuner,

CAFÉ-BRÛLOT

Pour préparer cette boisson typique de la Louisiane, versez dans une casserole 1 cuil. à soupe de cassonade, 5 clous de girofle, 1 zeste de citron et 1 autre d'orange, 1/2 tuyau de cannelle, 1/2 gousse de vanille et 15 cl de cognac. Faites chauffer à feu doux jusqu'à ce que le sucre ait fondu. Enflammez avec une allumette et laissez flamber 30 s. Répartissez la préparation dans 4 tasses remplies aux trois quarts de café fort et chaud.

Une boisson internationale
Apprécié le matin, l'après-midi et le soir, le café est une boisson universelle qui se sert selon des rites très différents.

Café au lait

Café viennois

Café turc

Café-filtre

mais le café prend la relève au milieu de la matinée et après les repas. Les Britanniques comme les Américains le préfèrent léger et doux plutôt que tel qu'il est préparé à la mode continentale, mais les seconds apprécient aussi le café noir.

En été, aux terrasses ensoleillées, le café glacé séduit les Européens comme les Américains; fort et sucré, il se sert froid avec de l'eau glacée ou du lait. Le café frappé mousseux, une spécialité française, se déguste après avoir été vigoureusement secoué dans un shaker avec des glaçons.

Le café pourrait être baptisé boisson nationale des Brésiliens. Ils en consomment en moyenne 20 minuscules tasses par jour et par personne. À la différence des Européens, ils le préfèrent plutôt sucré. Celui du matin est même sirupeux, et les tasses de *cafézinho* qu'ils boivent toute la journée semblent remplies de sucre brun.

En Grèce, en Turquie et dans les pays du Moyen-Orient, le moment du café n'est pas seulement une pause agréable : c'est un véritable rituel et une marque d'hospitalité à laquelle personne ne manquerait.

Le service en est souvent très soigné, et les règles de la préséance veulent que les personnes les plus âgées et les plus respectées soient servies les premières. Les tasses ne sont jamais remplies à ras bord, car ce serait une marque d'irrespect pour l'invité. Celui-ci à son tour ne boira pas son café jusqu'à la dernière goutte pour prouver sa bonne éducation mais aussi pour éviter d'avaler le marc épais, dû à sa préparation, qui se dépose au fond.

La boisson est souvent parfumée avec un tuyau de cannelle, une gousse de vanille, du gingembre ou de la cardamome (voir p. 83), et parfois avec un peu d'eau de fleur d'oranger. Les Soudanais y mettent des clous de girofle, et les Marocains, des grains de poivre.

L'irish coffee, *à base de whisky irlandais et de café noir, se sert sous une épaisse couche de crème*

CAFÉS ALCOOLISÉS

Un mélange de café fort, de crème, d'alcool ou de liqueur tient parfois lieu de dessert. Pour les grandes occasions, la boisson se présente dans de grands verres qui laissent voir les couches superposées de crème et de café. Ils doivent bien sûr être résistants à la chaleur et équipés d'une anse. Pour préparer un café alcoolisé, mettez 1 cuil. à café bien pleine de cassonade dans un verre chaud avec 2 cuil. à soupe d'alcool ou de liqueur : cognac, whisky, rhum, vodka, crème de cacao, d'amandes ou de café sont les plus adaptés à ce type de préparation. Ajoutez du café fort moyennement torréfié. Mélangez pour dissoudre le sucre. Posez une cuiller remplie de crème fouettée contre le bord du verre et renversez-le doucement. Si le café est suffisamment sucré, la crème y flottera.

SUBSTITUTS ET CAFÉS AROMATISÉS

La racine de chicorée torréfiée est souvent associée au café dans le nord de la France et en Belgique; en Grande-Bretagne, elle est mélangée à du café soluble peu cher. Elle apporte à la boisson une amertume qui n'est pas toujours appréciée. La racine de pissenlit, qui appartient à la famille de la chicorée, peut être grillée pour donner une boisson qui rappelle vaguement le café; dans les îles Britanniques, les magasins de diététique la vendent sous le nom de *Dandelion coffee*. L'orge torréfiée permet aussi de préparer une infusion. Les Moyen-Orientaux parfument souvent le café avec des épices et de l'eau de fleurs, tandis que les Autrichiens l'épaississent avec de la poudre de figues qui lui donnent un goût doucereux. Certains cafés sont aromatisés avec des liqueurs, de l'amaretto ou de la crème de vanille, par exemple.

PRÉPARER UN GRANITÉ DE CAFÉ

Cette boisson glacée et rafraîchissante est parfois relevée de cognac ou de rhum et couronnée d'une grosse cuillerée de crème fouettée.

1 Faites bouillir 1 minute à feu vif et en remuant 25 cl d'eau et 175 g de sucre en poudre. Ajoutez 25 cl de café et laissez refroidir.

2 Versez dans un plat creux et mettez 1 heure au congélateur. Mélangez et remettez au congélateur. Continuez ainsi pendant 2 heures.

THÉ

Le thé est l'une des plus anciennes boissons du monde. Il a été découvert par les Chinois, ce qui ne fut pas si évident, car ils ont dû sélectionner un grand nombre de plantes sauvages avant d'identifier *Camelia sinensis,* l'arbre à thé. Il leur faudra ensuite plusieurs siècles pour perfectionner la production. D'abord adopté par les Japonais puis par les Européens, qui cherchent alors des cultures à implanter dans leurs colonies, le thé est aujourd'hui cultivé presque partout, en Inde, au Sri Lanka, en Afrique, en Géorgie et au Japon aussi bien qu'en Chine. Introduit en Europe au XVIIe siècle, le thé est à l'époque un produit de luxe. Néanmoins, il se répand rapidement dans de nombreux pays, bien qu'il soit souvent considéré comme la boisson nationale des Britanniques. Le thé indien a aujourd'hui supplanté le thé chinois, et nombreux sont ceux qui le préfèrent.

CULTURE

Le théier est un arbrisseau tropical à feuillage persistant, avec des feuilles rigides, pointues et brillantes. Il prospère sous les climats chauds et humides — au moins 60 cm de précipitations annuelles. Il est cultivé dans de vastes «jardins de thé», situés entre 100 et 2 000 m au-dessus du niveau de la mer. Plus l'altitude et le froid augmentent, plus lentement il pousse, et plus son rendement est faible. Les caractéristiques et les parfums de ces thés d'altitude sont d'ailleurs différents de ceux des théiers à croissance rapide installés plus bas. Sur les hauteurs du nord de l'Inde, par exemple, la cueillette s'effectue une fois par an, mais ailleurs, elle se fait tout au long de l'année.

Les pousses jeunes et tendres produisent le thé le plus fin, et seuls le bourgeon terminal de chaque tige et les deux feuilles suivantes sont prélevés. Ce travail, essentiellement assuré par des femmes, exige une grande dextérité. Une bonne ramasseuse récolte de 30 à 35 kg de feuilles par jour; la quantité de thé produite représente entre un tiers et un quart de ce poids. 9,1 millions de théiers sont nécessaires pour répondre à la demande mondiale.

Selon la légende, le thé aurait été découvert par l'empereur de Chine Shen Nong vers 2 750 avant J.-C. Un jour qu'il faisait bouillir de l'eau, quelques feuilles d'un arbuste seraient tombées dans le récipient. Il trouva l'infusion agréable; elle avait bon goût, et stimulait les sens; elle fut adoptée. Le thé demeura spécifiquement chinois jusque vers l'an 800 de notre ère, époque à laquelle il fut introduit au Japon.

Pendant longtemps, le thé fut considéré comme une boisson revigorante qui soulageait un grand nombre de maladies. Un médecin hollandais préconise à une époque d'en boire au moins 40 tasses par jour... mais il faut dire qu'il travaille pour la Compagnie hollandaise des Indes orientales ! Le thé s'implante, et

Thé vert

Thé noir

Thé oolong

solidement, en Grande-Bretagne quand Catherine de Bragance épouse en 1662 le roi Charles II et apporte notamment en dot un coffre rempli des petites feuilles chinoises. Approuvé par la royauté, le thé reçoit la faveur de l'aristocratie puis celle des populations urbaines. Il se répand bientôt dans tous les milieux, dans la classe ouvrière comme dans la paysannerie. Les gens les moins aisés en achètent de petites quantités et le laissent infuser longuement. Une variété très appréciée à l'époque passe pour pouvoir supporter 3 ou 4 infusions successives.

Le gouvernement comprend bientôt tout l'intérêt qu'il aurait à taxer le nouveau produit. L'impôt est d'abord très faible, mais, quand il atteint 100% du prix, les consommateurs trouvent prudent de garder leurs provisions de thé sous clé dans des boîtes spéciales appelées «caddies». Quand la mesure touche les colonies nord-américaines, des centaines de Bostoniens précipitent dans le port la cargaison du premier bateau de thé taxé (1773). Cet événement historique, connu sous le nom de «Boston Tea Party», est l'un des premiers actes de rébellion contre la domination britannique, 3 ans avant la guerre d'Indépendance.

Pour répondre à la demande, un nouveau voilier est mis en service dans les années 1850 : le clipper. Auparavant, le voyage entre l'Asie et l'Europe pouvait durer 1 an; ce grand trois-mâts, dessiné par les Américains, réduit de moitié la durée du trajet. Les armateurs délivrent des primes aux premiers arrivants, et les capitaines rivalisent pour atteindre leur port d'attache avant les autres.

À la même époque, les beaux jours du monopole de la Compagnie anglaise des Indes orientales sur le commerce avec la Chine sont comptés; les Britanniques cherchent donc d'autres marchés. Il se trouve que l'on vient de découvrir des théiers sauvages dans le nord de l'Inde : les planteurs commencent à cultiver le thé en Assam, à Darjeeling, et plus tard

Les boîtes à thé, *souvent joliment ornées, permettaient d'enfermer le thé à l'époque où les taxes en faisaient une denrée chère*

au Sri Lanka. Les goûts évoluent en fonction de l'offre et, au début du siècle, le thé indien a supplanté le thé de Chine auprès des gros consommateurs anglo-saxons.

PRODUCTION

Les Chinois ont vite compris qu'en cultivant le thé dans des régions différentes, ils obtenaient des parfums très variés. Ils ont su aussi développer et perfectionner de nombreux traitements des feuilles, qui donnent trois grandes qualités de thés.

Thé vert Après la cueillette, on laisse les feuilles entières flétrir jusqu'à ce qu'elles soient parfaitement sèches. Elles sont ensuite brutalement chauffées et roulées en petites boules gris-vert. Elles conservent ainsi les enzymes qui les protègent de l'oxydation et gardent toute leur couleur et tout leur parfum. Ce thé clair, vert-jaune, a un parfum très caractéristique. Les premiers colons britanniques en Chine lui ont donné le nom de *gunpowder* («poudre à canon») parce que ses feuilles roulées ressemblent à de la grenaille de plomb.

Thé oolong Ce thé provient essentiellement des régions côtières de la Chine du Sud et de Taiwan. Après la cueillette, on laisse les feuilles flétrir quelques heures seulement. Elles sont ensuite pressées puis roulées mécaniquement. Elles fermentent enfin quelque temps avant d'être passées au four. À la fin du traitement, elles ont changé de couleur : elles sont cuivrées, et libèrent un parfum de châtaigne, entre celui du thé vert et celui du thé noir.

Thé noir Cultivées en Inde et en Chine, ces feuilles sont flétries et roulées comme celles du oolong. En revanche, la fermentation est beaucoup plus longue; les enzymes sont détruites et une sorte de vernis recouvre les feuilles. Celles-ci sont ensuite desséchées et additionnées de sucre caramélisé, qui leur donne la couleur, l'arôme et le parfum caractéristiques des thés noirs.

GRADES DES THÉS

Les thés sont classés selon la taille et la forme de leurs feuilles. Les deux principales catégories — les feuilles entières et les feuilles brisées — sont utilisées pour le thé noir et se répartissent elles aussi en plusieurs grades.

Les feuilles entières donnent, par ordre décroissant de qualité, le *flowery pekoe*, l'*orange pekoe* et le *pekoe*. Les thés brisés se classent selon les mêmes critères et sont vendus sous les mêmes noms, mais précédés de la mention *broken*. Les *fannings*, les *orange fannings* et les *dusts* sont des fines brisures, généralement conditionnées en sachets.

Tous les thés proposés sur le marché sont jugés par des goûteurs hautement qualifiés. Ils évaluent l'arôme et les saveurs des infusions aussi bien que l'aspect et le parfum des feuilles fraîches et des feuilles séchées.

THÉS FUMÉS

Le fumage auquel est soumis le *lapsang souchong* pendant le séchage lui donne son goût particulier. Selon la légende, ce procédé fut mis au point pour des raisons d'économie. Les producteurs de thé chinois avaient constaté en effet qu'en réduisant le temps de séchage, ils produisaient plus — et s'enrichissaient davantage. À l'époque, les feuilles de thé étaient séchées au soleil; le fumage — que l'on effectuait en brûlant de la corde, aujourd'hui remplacée par des copeaux de bois — accroissait la chaleur et réduisait donc cette phase du traitement. Ce thé, rarement servi en Chine, est essentiellement produit pour l'exportation.

Le thé noir *est classé en fonction de la taille de ses feuilles — des feuilles entières aux petites brisures de moindre qualité destinées aux sachets*

Le thé le plus répandu. Il doit infuser longtemps pour libérer son arôme

Feuilles entières

La meilleure qualité de thé. Plus les feuilles sont petites, plus le temps d'infusion est bref

Feuilles brisées

Le thé le plus finement brisé. Il remplit généralement les sachets

Fannings

VARIÉTÉS DE THÉ

De même que la qualité du vin dépend de la vigne, le goût du thé varie selon l'endroit où il pousse et la façon dont il a été cultivé. L'altitude, la nature du sol et le climat influent sur son parfum. Ainsi, les théiers de haute altitude parviennent à maturité plus lentement et ont un rendement plus faible. La Chine, l'Inde et le Japon sont les principaux pays producteurs, mais d'autres régions méritent d'être mentionnées. Le Kenya produit quelques thés très fins, tous noirs, avec un parfum vif, notamment ceux qui proviennent de l'est de la vallée du Rift où certains «jardins de thé» sont situés à 2 000 m d'altitude. En Russie, les théiers sont cultivés sur les pentes du Caucase; les feuilles fermentées donnent un thé noir dont l'infusion est très douce.

La récolte, le séchage et le traitement des feuilles de thé conditionnent le goût de l'infusion. Les parfums des thés des Indes sont très différents de ceux des thés de Chine et de Ceylan; les thés cultivés dans le nord de l'Inde, en Assam, ne ressemblent pas à ceux qui sont récoltés dans le Sud, dans les monts Nilgiri. Certains thés doivent même être infusés selon une méthode très spécifique.

Thés verts de Chine Servis, notamment, dans les restaurants chinois, ces thés non fermentés, tous doux et agréablement fruités, sont plus répandus. Le *gunpowder* («poudre à canon») est le plus classique : ses feuilles roulées donnent une infusion très claire légèrement parfumée.

Oolongs de Formose En général, ces thés sont plus forts que les thés verts et plus doux que les thés noirs.

Formosa oolong Considéré par certains connaisseurs comme l'un des thés les plus fins, il est naturellement et légèrement fruité.

Formosa oolong peach blossom Malgré son appellation, ce thé ne contient pas de fleurs de pêcher; il doit son nom à son léger goût de pêche, qui n'est d'ailleurs décelable que dans les variétés de première qualité.

Thés noirs de Chine Ces thés sont classés par ordre croissant de force.

Keemun Ce thé délicat et aromatique de la Chine du Nord contient peu de tanin; il a un goût riche et profond.

Lapsang souchong Ce thé à belles feuilles larges est riche et puissant avec un arôme délicat et fumé très particulier.

Yunnan Préparé avec de jeunes pousses, il a une belle couleur dorée et un goût corsé et un peu chocolaté.

Thés des Indes Ici, tous les thés sont noirs.

Assam Ce grand classique, cultivé dans la vallée du Brahmapoutre dans le nord-est de l'Inde, est chaud et corsé. La meilleure qualité est préparée avec les pointes — les bourgeons non fleuris — dorées des petites feuilles.

Darjeeling Autre thé très populaire du nord de l'Inde, il est reconnaissable à son goût fruité de miel. Les feuilles brisées permettent de préparer une infusion claire et dorée à la saveur très fine. Les grandes feuilles des théiers cultivés au pied de l'Himalaya donnent des thés au goût de muscat; le meilleur, le *darjeeling broken orange pekoe,* est parfois baptisé le «champagne des thés».

LES MÉLANGES DE THÉS

La plupart des mélanges de thés disponibles dans le commerce sont préparés avec 15 variétés ou plus de feuilles de différentes provenances. Certains sont devenus de grands classiques.

Breakfast Ce mélange de thés forts des Indes donne une infusion corsée et parfumée.

Earl grey Ce mélange de *keemum* et de *darjeeling* est parfumé à l'extrait de bergamote. Il a été mis au point pour un mandarin chinois par un diplomate britannique, le comte (*earl,* en anglais) Grey, qui introduisit ensuite la recette dans son pays.

Chine caravane Ce mélange de thés fins de Chine doit son nom aux caravanes qui, pendant des siècles, ont acheminé les thés de Chine vers la Russie.

Thés de Ceylan Les thés produits au Sri Lanka sont tous noirs.

Dimbula Cultivé à 2 000 m d'altitude au moins, ce thé fin est, comme presque tous les thés de Ceylan, richement parfumé et coloré. Les meilleurs variétés, le *dimbula orange pekoe* et le *dimbula broken orange pekoe,* donnent une infusion aromatique et délicate, au goût frais.

Kandy Réputé pour sa qualité et sa force, il est particulièrement apprécié des amateurs de thé robuste.

Nuwaraeliya Léger, brillant et parfumé, il s'accompagne parfaitement d'une rondelle de citron.

Uva Ce thé très fin est cultivé sur les pentes orientales des montagnes du centre.

Thés verts du Japon Ils sont très différents des thés verts de Chine, et certains sont fortement corsés.

Shincha L'infusion de ses longues feuilles vertes est légère et colorée, et elle se boit à tout moment de la journée.

Genmaicha Ce mélange de feuilles de thé et de grains de riz ou de maïs grillés a un arôme très spécifique.

THÉS PARFUMÉS

Aux thés naturels, dont les parfums sont déjà très divers, s'ajoute une très grande variété de thés parfumés avec des fleurs, des fruits ou des extraits de chocolat, de menthe ou de cognac, par exemple. Nombre de thés sont aromatisés dès leur traitement avec des fruits séchés, des fleurs ou des épices; d'autres le sont au moment de la préparation de l'infusion. Ainsi, chaque région

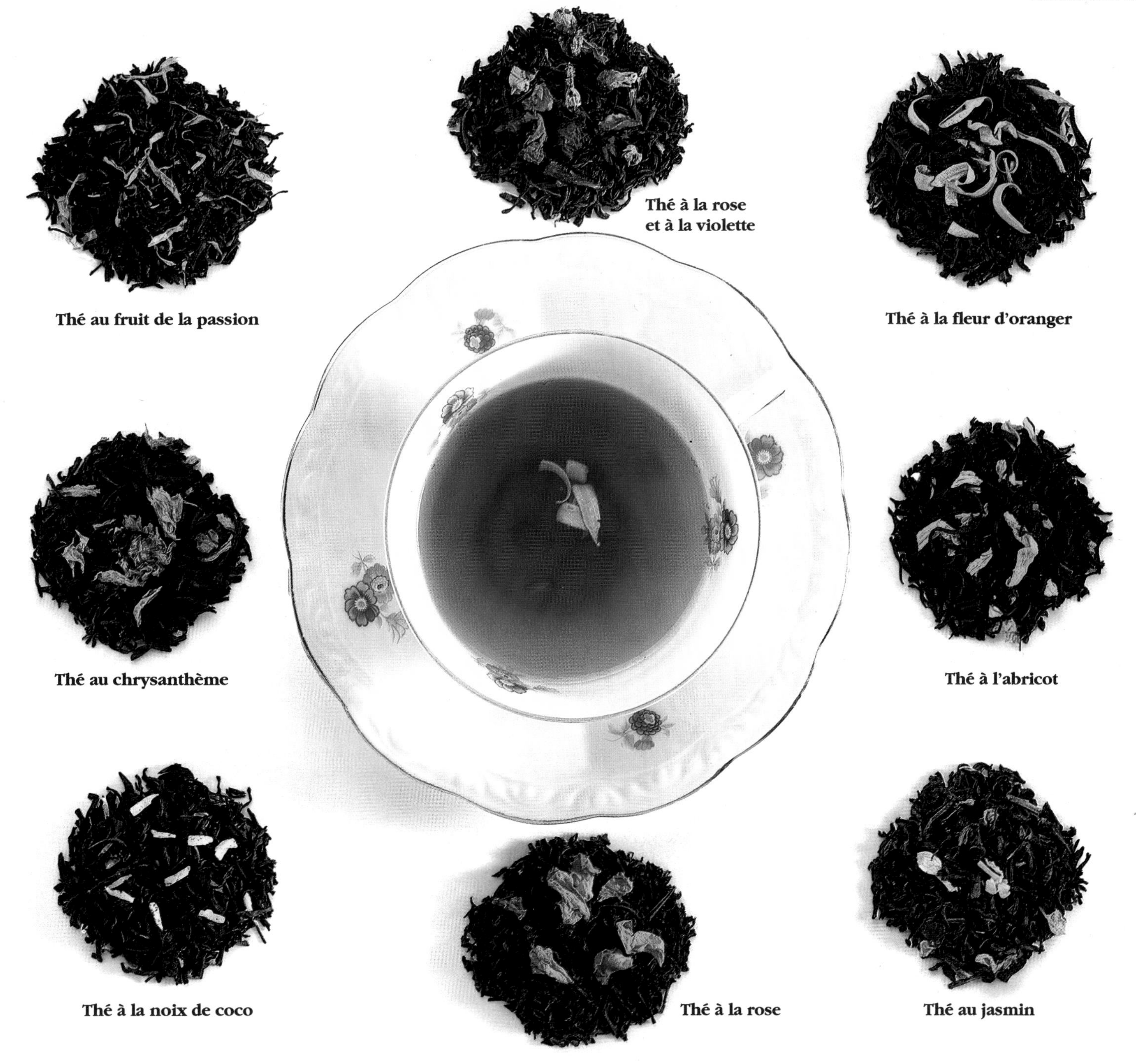

Thé au fruit de la passion

Thé à la rose et à la violette

Thé à la fleur d'oranger

Thé au chrysanthème

Thé à l'abricot

Thé à la noix de coco

Thé à la rose

Thé au jasmin

de Chine a sa recette traditionnelle : les fleurs sont séchées avec le thé afin de bien s'imprégner de leur parfum.

Thé au jasmin Traditionnellement servi pendant les repas, ce thé vert chinois classique est additionné de vraies fleurs de jasmin, qui lui donnent son parfum exotique.

Thé à la rose Dans la province de Guangdong, en Chine, les feuilles de thé sont parsemées de pétales de rose pendant le séchage.

Thé au chrysanthème Ce thé noir de Chine moyennement fort est infusé avec des fleurs de chrysanthème.

Thé à l'orchidée L'infusion claire, délicate et parfumée se prépare avec des feuilles de thé oolong semi-fermentées et des fleurs d'orchidée broyées. La boisson est très appréciée des connaisseurs.

Thé aux litchis Cette infusion traditionnelle chinoise est parfumée avec des écorces de litchis.

Thés aux fruits De très nombreux fruits sont aujourd'hui combinés avec des thés : abricot, cassis, pomme, merise, fruit de la passion, orange, citron, mangue... Les producteurs de thés parfumés dosent soigneusement leurs mélanges de thés de Chine, des Indes et de Ceylan en fonction des fruits qu'ils utilisent.

Les thés parfumés aux fleurs et aux fruits *se consomment de préférence nature, sans lait, sans citron, voire même sans sucre*

THÉS DU MONDE ENTIER

Le thé est une boisson universellement appréciée, et chaque peuple le prépare et le sert à sa manière. Les Chinois le boivent toujours noir, les Tibétains l'additionnent de beurre de yack, et les Marocains le parfument à la menthe ou à la sauge. Les Européens, eux, l'accompagnent de lait et de citron, tandis que les Russes y ajoutent parfois de la confiture. Les récipients dans lesquels il infuse sont tout aussi variés. Il se déguste indifféremment chaud ou froid et il entre parfois dans la composition d'autres boissons comme les punchs et les cocktails de fruits. Il permet même de parfumer et de colorer certains plats. Bien qu'il fasse partie des boissons quotidiennes, il est souvent offert en signe d'hospitalité; le cérémonial du thé, prend parfois une importance capitale.

Les Chinois ont été les premiers à définir un cérémonial du thé. Le troisième volume d'un ouvrage publié en 780 de notre ère par l'écrivain Lu Yu recense les différentes manières de préparer et de servir chaque variété de thé. Il propose également des conseils détaillés sur l'équipement et va jusqu'à indiquer la façon dont il doit être fabriqué.

Les Chinois ont d'ailleurs inventé la théière et la tasse à thé. Celle-ci ne comportait alors pas d'anses et les premières qui apparurent en Europe n'en avaient pas non plus. L'utilité des anses ayant fini par s'imposer, les deux modèles furent fabriqués conjointement pendant quelques années. Les bols sont plus tardifs, et les tasses sans anse ont donné naissance à de petits bols profonds.

Les premières théières européennes sont en céramique ou en fine porcelaine de Chine, avant que l'argent finisse par s'imposer. Au milieu du XIXe siècle, les services à thé en argent ciselé étaient très prisés : grandes fontaines à thé et plateaux, passoires, cuillers, sucriers, pots à lait, vide-tasses, couvre-théières capitonnés en argent ou en velours.

À l'origine, on buvait du thé à toute heure. Puis, en Grande-Bretagne, le septième duc de Bedford institua l'habitude très britannique de le prendre à la mi-journée. La petite histoire veut que son épouse ait eu des fringales vers 17 heures. Un jour, elle fit monter dans sa chambre du thé et une collation. Elle trouva cette expérience si agréable qu'elle invita des amis à partager avec elle ce léger repas. Bientôt, tout Londres buvait du thé et dégustait

PRÉPARATION DU THÉ

La réussite d'un thé dépend de sa préparation. Utilisez de l'eau froide fraîchement tirée et faites-la chauffer jusqu'à frémissement. Ébouillantez la théière, puis videz-la et ajoutez le thé. Versez l'eau, remuez et laissez infuser de 3 à 5 minutes. Mélangez de nouveau avant de servir. Le thé glacé est très populaire en Amérique du Nord et en Europe continentale. Pour le préparer, doublez la quantité de thé, car vous y ajouterez ensuite de la glace qui diluera l'infusion. Vous le servirez dans de grands verres remplis de glace pilée avec une feuille de menthe et une rondelle de citron. Le thé froid permet aussi de préparer des boissons, alcoolisées ou non, notamment des punchs et des cocktails à base de fruits.

Coutumes et rituels
Dans de nombreux pays, le thé n'est pas seulement une boisson. Il est l'occasion de tout un cérémonial qui respecte une longue tradition.

Verre marocain

Tasse japonaise

Tasse chinoise

Tasse européenne

Thé glacé
Le thé doit être très fort pour garder son parfum malgré l'adjonction de glace.

des petits sandwichs au milieu de l'après-midi.

Dans de nombreux pays arabes, le thé est une marque d'hospitalité, et les nouveaux arrivants se voient offrir des tasses bouillantes d'un thé spécialement parfumé accompagné de pâtisseries et d'autres mets délicats.

Au Japon, un rituel très strict régit le service du thé, dont la connaissance ne s'acquiert qu'après de longues années d'expérience. Il se déroule en deux temps, qui portent le nom de la variété du thé servi : le *koicha* est un thé épais et amer, *l'usucha* est un thé plus fin. Le *koicha* se déroule dans une pièce spécialement réservée à cet usage. Les hôtes préparent le thé et le servent; le personnage le plus important de l'assemblée le boit le premier puis passe la tasse aux autres, des règles bien établies régissent les termes de la conversation. L'*usucha* a lieu dans une autre pièce où les invités peuvent discuter dans une atmosphère plus détendue.

PARFUMS

Les Chinois et les Japonais ont toujours estimé que le thé devait libérer tout son arôme et son goût sans aucun artifice. Mais, même dans ces pays, il est souvent diversement parfumé.

En Occident, le thé se sert généralement avec du lait, une habitude introduite par les Britanniques au XVIIIe siècle. À cette époque, on craignait en effet que les tasses délicates n'éclatent sous l'action de l'eau bouillante; on mettait donc d'abord un peu de lait au fond. Les connaisseurs préconisent encore aujourd'hui de verser le lait avant le thé pour éviter qu'il ne flotte à sa surface. Les vrais amateurs s'abstiennent de le sucrer pour ne pas dénaturer son parfum. Les Russes toutefois le font pour le thé au citron; les Anatoliens, eux, placent un morceau de sucre dans leur bouche et boivent leur thé ensuite.

Dans les pays arabes, les herbes comme la menthe, la sauge et le basilic sont très appréciées. Le thé noir se boit fort, souvent additionné d'un tuyau de cannelle, de cardamome ou de graines d'anis et de noisettes pilées. Le thé vert marocain à la menthe est une infusion parfumée de menthe fraîche ou séchée. Il se prépare parfois avec de la verveine odorante ou du géranium.

L'un des thés parfumés les plus exotiques est le *kashmiri,* un mélange de thé vert et de *darjeeling,* aromatisé de cardamome verte hachée, de cannelle, d'amandes pilées et de pignons.

FUMAGE AU THÉ

Dans certaines régions de Chine, le fumage au thé permet de colorer et de parfumer certains mets, comme le canard ou le poulet. Le canard de Pékin était à l'origine fumé avec du bois de camphre, devenu très rare et aujourd'hui remplacé par du thé. À la différence du fumage pratiqué en Occident, ce procédé ne cuit pas les aliments. Mélangez quelques cuillerées à soupe de thé noir avec du sucre en poudre et des herbes ou des épices, des graines d'anis par exemple. Si vous voulez corser le goût, ajoutez du riz ou de la farine. Enveloppez d'aluminium ménager un wok et son couvercle; placez la préparation au fond du récipient et posez dessus une grille ou plusieurs baguettes entrecroisées. Placez-y les aliments que vous souhaitez fumer et couvrez. Chauffez à feu très vif 15 minutes environ, en ouvrant largement la fenêtre car le mélange au thé fume beaucoup. Laissez reposer hors du feu 10 minutes. Faites cuire ensuite le plat normalement.

Le fumage au thé apporte couleur et saveur aux ingrédients, mais ne les cuit pas

LA RECETTE DU CHEF
PUNCH AU THÉ

Pour 10 à 12 personnes

1/2 litre de thé de Ceylan fort fraîchement infusé
10 cl de xérès amontillado
20 cl de rhum
Le jus de 1 citron
2 cuil. à soupe de liqueur de citron vert
Sucre
50 cl de glace pilée (ou davantage de glaçons)
Tranches d'orange et de citron, pour la décoration

Mélangez le thé chaud avec le xérès, le rhum, le jus de citron et la liqueur de citron vert. Ajoutez du sucre selon votre goût et remuez pour le dissoudre. Versez dans un bol à punch. Ajoutez la glace et attendez qu'elle ait à moitié fondu. Mélangez, décorez des tranches d'orange et de citron, et servez.

LA RECETTE DU CHEF
GROG

Pour 4 personnes

30 cl de thé darjeeling fraîchement infusé
5 cl de whisky
5 cl de ginger wine
4 clous de girofle
1 tuyau de cannelle

Dans une casserole, mélangez le thé, le whisky, le ginger wine, les clous de girofle et la cannelle. Chauffez à feu doux sans laisser bouillir. Laissez infuser de 3 à 5 minutes. Versez dans des grandes tasses et servez aussitôt.

TISANES

Les infusions d'herbes sont connues depuis l'Antiquité pour leurs propriétés médicinales. Le mot tisane dérive d'ailleurs du grec *ptisanê,* qui désignait une décoction d'orge mondé. Mais, à la différence des thés et de nombre d'infusions d'herbes rafraîchissantes, les tisanes ne contiennent ni tanin ni caféine. En Europe, elles ont toujours été à la mode et elles connaissent aujourd'hui ailleurs une nouvelle popularité.

Les tisanes sont des infusions de feuilles, de fleurs et de fruits de presque toutes les plantes comestibles. Elles sont stimulantes ou relaxantes, et les partisans de l'homéopathie les recommandent pour certains malaises.

La préparation des tisanes ressemble beaucoup à celle du thé, mais les plantes sont généralement infusées en plus petite quantité : comptez 15 g d'herbes séchées ou 30 g d'herbes fraîches pour 50 cl d'eau chaude. Le jus de citron et le miel aromatisent agréablement de nombreuses tisanes chaudes; un brin d'herbe fraîche les décore souvent quand elles sont servies frappées.

Herbes La plupart des herbes utilisées en cuisine ont également des vertus médicinales. Le romarin donne une infusion très parfumée qui stimule la circulation, apaise le foie et dissipe les migraines. La sauge est bonne pour l'estomac et les infusions de thym, adoucies au miel, calment la toux. La menthe, avec ses 200 variétés, facilite la digestion et se marie bien aux autres herbes; elle est très rafraîchissante avec des fleurs de tilleul. Les infusions glacées de menthe poivrée et de menthe verte sont tonifiantes. Le menthol des premières passe pour calmer les rhumes de cerveau. D'autres herbes moins connues sont délicieuses : bourrache, verveine odorante (recommandée pour le foie et les reins), feuilles de lierre (efficaces contre la toux) ou de framboisier. La mélisse, également connue sous le nom de citronnelle, donne une infusion très parfumée, apaisante et calmante; elle assure aussi une bonne digestion.

Fruits et fleurs Les infusions de fleurs de camomille ont un parfum légèrement âcre; digestives et calmantes, elles favorisent l'endormissement. En Italie, notamment, elles étaient conseillées aux jeunes accouchées pour leurs propriétés antispasmodiques.

L'infusion de lavande est apaisante et relaxante, tandis que les fleurs et les baies de sureau ont longtemps été utilisées en tisane pour pallier les problèmes nerveux, les insomnies et les migraines. Elle reste un bon remède pour adoucir les inflammations de la gorge, les toux et les rhinites. Les pétales de rose et de violette, en infusions additionnées de miel, sont également pectorales.

Riches en vitamine C, les pétales rouges de l'hibiscus donnent un goût acidulé et une couleur cramoisie aux tisanes. Le cynorhodon, fruit de l'églantier, est également riche en vitamines. Il a de réelles vertus stimulantes, et se marie bien avec l'hibiscus.

Cette passoire à mailles très fines permet d'infuser des herbes finement broyées

Les passoires dans lesquelles on place les herbes à infuser sont munies d'un couvercle qui retient la chaleur du liquide

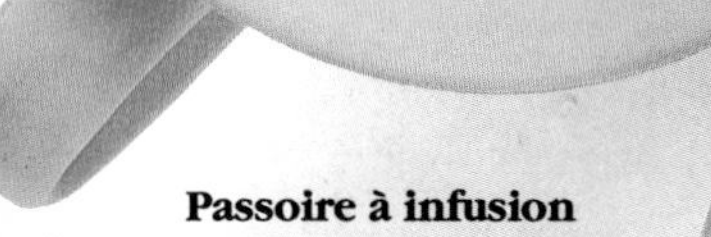

Passoire à infusion

Boules et cuillers à thé
Les cuillers et les boules à thé permettent de préparer des tasses individuelles de tisane ou de thé.

La cuiller à thé contient la quantité exacte d'herbes ou de plantes pour une tasse d'infusion

TISANES DU MATIN

Vous pouvez remplacer le thé ou le café du matin — ou de la journée — par une tisane revigorante à base de plantes soigneusement choisies. Ces herbes tonifiantes regroupent notamment l'ortie fraîche ou séchée, les feuilles de cassis ou de mûrier, la menthe poivrée, le romarin, l'angélique, le cerfeuil musqué, la bourrache, la verveine odorante, les fleurs d'hibiscus, le cynorhodon et la rose.

Mélangez 2 cuil. à café de chacune de ces plantes : verveine odorante, menthe poivrée, pétales de rose séchés, hibiscus, ortie et cynorhodon (pour une tisane plus colorée et plus parfumée, ajoutez un peu plus de ce dernier). Versez de l'eau frémissante dans une théière, remuez pour l'ébouillanter, puis videz-la. Mettez les plantes dans la théière; ajoutez 50 cl d'eau bouillante. Laissez infuser 5 minutes. Filtrez avant de servir et sucrez selon votre goût.

Cynorhodon

Verveine odorante

Pétales de rose séchés

Ortie

Hibiscus

Menthe poivrée

Houblon

Zeste d'orange séchée

Scutellaire

Camomille

Mélisse

Tilleul

TISANES DU SOIR

Le soir, une tisane est toujours agréable après un repas copieux ou une journée fatigante. Le basilic, la bergamote, les feuilles d'anis, la marjolaine, les fleurs et les feuilles de violette, les fleurs de mauve, le fenouil, l'aneth et toutes les plantes citées ci-dessous comptent au nombre des plus apaisantes.

Mélangez 1/2 cuil. à café de chacune de ces plantes : camomille, fleurs de tilleul, mélisse, verveine officinale, scutellaire, houblon et zeste d'orange séché. Ajoutez la moitié d'un bâtonnet de réglisse écrasé. Versez de l'eau frémissante dans une théière, remuez pour l'ébouillanter, puis videz-la. Mettez les plantes dans la théière; ajoutez 50 cl d'eau bouillante. Laissez infuser 5 minutes. Filtrez avant de servir et sucrez avec du miel selon votre goût.

COCKTAILS SANS ALCOOL

Délicieux nature, les jus de fruits et de légumes aromatisés avec des herbes et des épices donnent des boissons rafraîchissantes et originales. Les produits laitiers comme le lait, le yaourt et le lait fermenté entrent également dans la composition de certains cocktails sans alcool. D'autres boissons légères et naturellement pétillantes se préparent avec des infusions d'herbes ou des jus de fruits et de légumes additionnés de levure. La palette des préparations qui remplacent les traditionnels mélanges alcoolisés est vaste. Les possibilités, innombrables, ne sont limitées que par votre goût. Peu à peu, vous vous constituerez un répertoire de recettes très personnelles. Commencez par mélanger deux boissons qui se ressemblent puis essayez des combinaisons plus originales, adoucies avec du sucre ou du miel, et relevées avec un peu d'herbes ou beaucoup d'épices.

HERBES POUR COCKTAILS

Les herbes fraîches permettent aussi bien de parfumer que de décorer les verres des cocktails sans alcool. Les jus de fruits s'accompagnent le plus souvent de menthe, mais ils s'accordent également avec la bourrache, le persil, la mélisse, le thym, le basilic et l'aneth. Les jus de légumes se marient mieux avec des herbes plus aromatiques comme la ciboulette, la coriandre et l'estragon.

Verveine odorante

Menthe citronnée

Pimprenelle

Sauge ananas

Une pause rafraîchissante
Pour parfumer les jus de fruits ou de légumes et les boissons à base de lait, utilisez des herbes fraîches et des épices.

Jus de fruits, jus de légumes et lassi

LA RECETTE DU CHEF
SAINT-CLÉMENT

Pour 4 personnes

125 g de sucre en poudre
Le zeste et le jus de 2 oranges
Eau de Seltz ou gazeuse
Le jus de 1 citron
Mélisse fraîche et tranches de citron, pour décorer les verres

Dans une casserole, faites doucement fondre le sucre en remuant dans 1/2 litre d'eau. Ajoutez le zeste et le jus des oranges, le jus de citron et un brin de mélisse, et laissez refroidir. Versez l'eau de Seltz et mettez au réfrigérateur 3 heures au moins avant de servir. Décorez chaque verre d'un petit brin de mélisse et d'une rondelle de citron.

LA RECETTE DU CHEF
LASSI

Pour 4 personnes

20 cl de yaourt nature
1/2 cuil. à café de sel
1 ou 2 brins de menthe fraîche
1/2 cuil. à café de graines de cumin séchées
Poivre noir du moulin

À l'aide d'un robot ménager, mélangez le yaourt, le sel, les brins de menthe et 1/2 litre d'eau. Mettez 3 heures au moins au réfrigérateur. Versez dans de grands verres, saupoudrez des graines de cumin et poivrez selon votre goût. Décorez de feuilles de menthe.

Les agrumes pressés donnent de très bons jus de fruits, délicieux nature. Les jus d'orange et de pamplemousse sont traditionnellement servis au petit déjeuner. Le jus de citron tout frais simplement allongé d'eau et sucré entre dans cette catégorie : les uns l'appellent citronnade, les autres citron pressé.

L'acidité du citron est agréablement compensée par du jus d'orange et 1 cuillerée de miel. Les jus de pamplemousse et d'orange se marient bien. Ils s'accompagnent parfois d'un brin d'herbe fraîche, qui les parfume et apporte sa couleur : mélisse, cerfeuil musqué et menthe poivrée notamment.

Les herbes à fleurs comme la bourrache ou le thym-citron permettent de décorer joliment les verres de jus de fruits. Pour un jour de fête, enlevez les épines et les feuilles de roses non traitées à longue tige et placez les fleurs dans de grands verres d'un cocktail à base de jus de pamplemousse, de jus d'airelles et d'un peu de jus de citron vert.

Pour réaliser des boissons plus élaborées, vous mélangerez du jus de fruits fraîchement pressés avec du jus en bouteille. Essayez la pomme avec le jus de fraise, la pêche avec le jus de mandarine, ou l'ananas avec le jus de mangue. L'acidité des jus de citron, de citron vert ou de pamplemousse équilibre le caractère sirupeux de certaines boissons. Ajoutez de l'eau gazeuse ou de la bière de gingembre, des glaçons, et décorez avec des tranches de fruits et des herbes fraîches.

Les jus de fruits frais s'accordent également avec les sirops de fruits (voir p. 204). S'ils sont acidulés (citron vert ou pamplemousse, par exemple), ils se marient mieux avec les sirops sucrés. Ceux qui sont à base de fleurs (voir p. 213) parfument très agréablement les jus de fruits délicats comme les fraises.

Presque tous les légumes peuvent se consommer en jus, mais les carottes, les tomates et les concombres sont les plus appropriés. Pour les traiter, utilisez une centrifugeuse. Vous relèverez l'arôme en ajoutant au jus de tomate du basilic, au jus de concombre de la livèche ou du persil, au jus de carotte de l'estragon ou de la menthe.

Le mélange de betterave, de concombre et de pomme donne une boisson fraîche. De même, la carotte et la coriandre, bien associés dans les potages, se mêlent parfaitement au jus d'orange.

Le lait fermenté un peu piquant est idéal dans ces cocktails. Mélangé à l'aide d'un robot ménager avec des fraises, des bananes et du miel, il devient une boisson d'été naturelle, qui s'agrémente de menthe.

Le lait parfumé, généralement avec du cacao en poudre ou du sirop de fruits — sirop de fraise notamment —, est une boisson très populaire. Dans tout l'est de l'Europe, le yaourt est depuis longtemps à la base de boissons désaltérantes et le yaourt à boire est aujourd'hui très apprécié dans de nombreux pays. Le *lassi* indien, à base de yaourt, se boit sucré — parfumé avec de la menthe ou de l'eau de rose — ou salé — relevé de cumin et de cardamome.

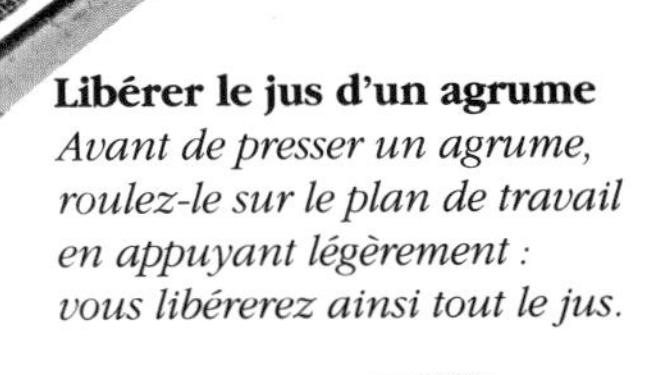

Libérer le jus d'un agrume
Avant de presser un agrume, roulez-le sur le plan de travail en appuyant légèrement : vous libérerez ainsi tout le jus.

LA RECETTE DU CHEF
COCKTAIL GASPACHO-CAROTTE

Pour 4 personnes

50 cl de jus de carotte
50 cl de jus de tomate
7,5 cm de concombre râpé
2 cuil. à soupe d'herbes fraîches hachées : coriandre, basilic ou aneth
Sel
Poivre noir du moulin

Versez les jus de légumes dans un grand pichet et mettez 1 heure au réfrigérateur. Ajoutez les autres ingrédients en remuant. Versez dans des verres et décorez d'herbes.

PRÉPARER DE LA BIÈRE DE GINGEMBRE

La bière de gingembre est une boisson traditionnelle anglaise à base de gingembre, un peu démodée, mais délicieuse et très désaltérante. Servez-la froide dans de grands verres.

1 Écrasez 30 g de racine de gingembre épluché sous le plat de la lame d'un couteau. Mélangez dans un bol avec 500 g de sucre en poudre, 5 litres d'eau bouillante et 2 citrons pressés.

2 Dans un petit bol, versez 1 sachet de levure de bière déshydratée dans de l'eau tiède. Laissez gonfler de 3 à 4 minutes, puis mélangez à l'aide d'une cuiller en bois.

3 Ajoutez la levure, mélangez et laissez reposer 24 heures. Filtrez puis versez dans des bouteilles en laissant un vide de 2,5 cm, et fermez hermétiquement (voir p. 233).

COCKTAILS

Depuis que la distillation existe, les alcools sont des ingrédients de boissons chaudes revigorantes. Ces mélanges épicés sont parfois épaissis avec un jaune d'œuf, parfois adoucis avec du raisin, du miel ou du sucre. On faisait autrefois chauffer les vins et les bières en y plongeant un morceau de fer incandescent; aujourd'hui, des spécialités telles que le *glühwein* ou le punch sont plutôt préparées sur une plaque chauffante. Le punch, originaire d'Inde, doit théoriquement renfermer cinq ingrédients précis (voir p. 279); son nom anglais lui vient d'ailleurs de *panch,* qui signifie «cinq» en hindoustani.

Les vins chauds et les punchs, à base de vin ordinaire ou pétillant, sont très souvent parfumés, et parfois relevés d'alcool fort ou de liqueur, de thé ou de tisane, de sirop de fruits ou de fleurs (voir index). La saveur des agrumes et des épices, comme la cannelle et les clous de girofle, se marie bien avec ces boissons. Les préparations à base de bière sont plus rares; la plus connue, le Black Velvet, associe le champagne et la stout. Les cocktails peuvent en fait s'aromatiser de mutiples façons, du simple mélange de rhum, d'eau chaude, de miel et de citron au punch très élaboré à base de plusieurs alcools, de fruits et d'épices.

LA RECETTE DU CHEF
PUNCH À LA BIÈRE

Pour 6 personnes

50 g de cassonade
1 citron en tranches
1/4 de cuil. à café de clous de girofle moulus
1/4 de cuil. à café de cannelle en poudre
15 cl de cognac
50 cl de bière blonde
1 tranche de pain de mie grillée et émiettée

Dans un grand bol, faites fondre la cassonade dans 30 cl d'eau. Incorporez les tranches de citron, les clous de girofle, la cannelle, le cognac et la bière. Ajoutez les miettes de pain. Saupoudrez de noix muscade et servez.

Cocktails épicés
Les herbes et les épices parfument l'alcool des cocktails chauds ou froids.

Épices pour cocktails

Cocktails épicés et punchs

LA RECETTE DU CHEF
COOLER DE VIN BLANC

Pour 8 à 10 personnes

2 bouteilles de vin blanc sec
1/2 bouteille de xérès sec
Le jus de 2 citrons
2,5 cm de gingembre frais épluché
Eau gazeuse
Sucre

Mélangez le vin, le xérès, le jus de citron et le gingembre et mettez 2 heures au réfrigérateur. Pour servir, enlevez le gingembre, versez la préparation dans des verres, ajoutez de l'eau gazeuse et du sucre. Décorez avec les tranches de concombre.

LA RECETTE DU CHEF
PUNCH CHAUD AU LAIT ET AU MADÈRE

Pour 6 personnes

1 œuf
1,2 litre de lait
125 g de sucre en poudre
30 cl de madère
15 cl de cognac

Mélangez l'œuf avec 15 cl de lait. Dans une casserole, faites fondre à feu vif le sucre dans le reste du lait. Versez un peu de lait chaud sur l'œuf et mettez-le dans la casserole. Ajoutez le madère et le cognac; ne laissez pas bouillir. Versez dans des verres à punch, saupoudrez de noix muscade râpée, et servez brûlant.

PRÉPARATION DU VIN ÉPICÉ

Le vin chaud est une boisson de fête traditionnelle dans de nombreuses régions du monde, mais vous le servirez aussi lors des soirées d'hiver. Vous pouvez remplacer le vin par de la bière, mais n'ajoutez alors ni sucre ni citron.

1 Mélangez 1 citron découpé en tranches, 4 bouteilles de vin rouge, 50 cl d'eau et 20 cl de cognac. Ajoutez 1 tuyau de cannelle, un peu de piment de la Jamaïque et 2 ou 3 clous de girofle. Faites chauffer à feu vif sans laisser bouillir; goûtez.

2 Couvrez et laissez infuser au moins 30 minutes. Juste avant de servir, réchauffez sans laisser bouillir. Filtrez à travers une passoire en toile métallique et servez avec des tranches de citron.

Les grogs et les eggflips — à base d'œufs — sont des boissons chaudes faciles à préparer et idéales pour les soirées d'hiver. Versez une mesure de whisky, de rhum ou de cognac dans un grand verre résistant à la chaleur. Ajoutez 1 cuillerée de sucre, 1 pincée d'épices et remplissez le verre d'eau chaude. Les mariages les plus réussis réunissent cognac et piment de la Jamaïque, ou noix muscade, rhum et clous de girofle ou cannelle. Pour préparer un Tam O'Shanter, mélangez 2 mesures de whisky et 1 mesure de cognac, adoucissez avec de la cassonade et saupoudrez de piment de la Jamaïque. Pour transformer ce grog en eggflip, battez doucement 1 œuf avec de la cassonade, ajoutez un peu de lait bouillant et faites chauffer à feu doux; ne laissez pas bouillir, car l'œuf coagulerait. Versez les mêmes quantités de whisky et de cognac que précédemment dans de grandes tasses et ajoutez le lait chaud.

Le véritable grog se prépare avec du rhum, du jus de citron, de la cassonade, de la cannelle, et éventuellement des raisins secs. La boisson doit son nom à un amiral de la marine britannique, surnommé Old Grog, qui décréta un jour que les marins de son équipage devraient allonger d'eau leur ration de rhum.

À l'origine, les cinq ingrédients de base du punch étaient l'alcool, le thé, le sucre, le jus de fruits et l'eau. Cette préparation est devenue rare et on lui préfère aujourd'hui un mélange de vin rouge, de rhum ou de cognac et de sucre, de citron et d'épices variées.

Les *cups* anglais et les *coolers* sont des boissons plus légères et rafraîchissantes dans lesquelles les alcools forts cèdent la place au vin, au xérès ou au vermouth. Préparés avec des jus de fruits ou des fruits frais, ils sont parfois parfumés avec une feuille de menthe.

La sangria, boisson apéritive d'origine espagnole, est faite de vin rouge, de sucre et de glace, dans lesquels macèrent des tranches d'agrumes et de fruits. Les Espagnols apprécient aussi un mélange de vin rouge, de noix muscade et de citron. Le *glühwein* des Allemands, des Suisses et des Autrichiens s'en approche, mais il est agrémenté d'épices beaucoup plus variées.

Verres givrés
Pour givrer un verre, trempez-en le bord dans du jus de citron, puis dans du sucre en poudre; laissez sécher.

LIQUEUR PARFUMÉE

Vous préparerez facilement des liqueurs parfumées en faisant macérer des fruits frais dans un mélange d'alcool et de sirop de sucre. Choisissez des oranges entières ou des zestes, des poires, des pêches, des prunelles, des prunes ou des mirabelles. Coupez les fruits les plus gros en tranches et piquez les petits pour qu'ils libèrent mieux leur parfum. Placez-les dans un bocal que vous remplirez d'un mélange de 3 mesures d'alcool — gin, rhum, cognac ou vodka — et de 1 mesure de sirop de sucre (voir p. 196). Aromatisez selon votre goût avec des épices, des herbes et des zestes d'agrumes.

1 Pour préparer une liqueur originale à base d'oranges et de grains de café, faites trois entailles dans une orange et glissez-y quelques grains de café.

2 Mettez les oranges dans un bocal avec une poignée de grains de café. Mélangez 1 mesure de sirop de sucre et 2 mesures de tequila, versez sur les fruits et fermez. Laissez macérer 3 mois.

INDEX

A

B

C

D

E

I

J

K

L

M

N

O

P Q

T

V

W

Y

Z